L'IMAGE MÉDIÉVALE

Du même auteur

— *La jeune fille et la mort. Recherches sur les thèmes
   macabres dans l'art germanique de la Renaissance,*
   éditions Droz (Genève), 1979.
— *Luther. Études d'histoire religieuse,* éditions Droz, 1981.

En couverture :
Maître du retable de saint Barthélémy,
Mariage mystique de sainte Agnès, Nuremberg
Germanisches Nationalmuseum.

JEAN WIRTH

L'IMAGE MÉDIÉVALE

Naissance et développements
(VIe-XVe siècle)

Ouvrage publié avec le concours

du Centre national des Lettres

PARIS

MÉRIDIENS KLINCKSIECK

1989

Si vous souhaitez être tenu au courant de la publication de nos ouvrages, il suffit d'en faire la demande aux Éditions Méridiens Klincksieck, 103, bd Saint-Michel, 75005 Paris.

© Librairie des Méridiens Klincksieck et Cie, 1989
ISBN 2-86563-210-5

INTRODUCTION

Le but de ce livre peut se formuler en quelques mots. Il s'agit d'étudier la genèse et les caractères généraux de l'image médiévale, de présenter les grandes lignes de son évolution et de rendre compte de son fonctionnement à l'intérieur de la société. A cet effet, nous ferons appel à une hypothèse de travail qui demande quelques explications : l'image est un phénomène logique et son organisation dépend étroitement du système logique en usage ; il faudra donc situer l'image dans le système logique médiéval, afin de découvrir ses structures et ses fonctions.

L'enquête s'étend sur presque un millénaire et concerne un phénomène qui se transforme parfois jusqu'à devenir méconnaissable. Le décor hiératique et somptueux des églises de Ravenne diffère radicalement des crucifix ensanglantés devant lesquels on tombe en pâmoison à la fin du moyen-âge. Et pourtant, ces oeuvres procèdent d'une même conception anthropomorphe de l'image et de la divinité, d'une même définition de la forme comme une entité spirituelle qui se réalise dans une matière et parvient à y représenter le Verbe. Il existe en fait un cadre logique très ferme qui détermine le système religieux et artistique médiéval dans toute son évolution.

L'accent portera néanmoins sur des instances différentes d'une période à l'autre. Nous serons amenés d'abord à étudier la mise en place du système logique médiéval à travers l'oeuvre de Boèce, afin de camper un univers intellectuel trop souvent ignoré des médiévistes eux-mêmes et à plus forte raison d'un public plus large. Nous verrons ensuite comment les théories de l'image et la production d'images s'intègrent dans cet univers. Généralement considérée comme un usage « populaire » ou « primitif », l'adoration des images apparaîtra au contraire comme une conséquence de présupposés logiques, ce que confirmera l'analyse des polémiques carolingiennes autour de l'image sainte. Et pour comprendre ces polémiques, il faudra étudier la fonction sociale des différentes catégories d'images dans l'empire franc. Au-delà de l'An Mille, nous insisterons davantage sur les innovations artistiques que sur l'ensemble de la production : ces innovations traduisent en effet les bouleversements du système logique et il paraît moins nécessaire, dans un livre qui n'est pas un manuel d'histoire de l'art, de décrire ce qui ne change pas, en étudiant des matériaux qui, abstraction faite de leur intérêt intrinsèque, montreraient seulement que les mêmes causes entraînent toujours les mêmes effets. A titre d'exemples, nous ne traiterons pas de la permanence des livres liturgiques enluminés de tradition carolingienne au XIe-XIIe siècle, mais de l'apparition de vastes programmes sculptés à l'extérieur des églises et nous préférons attirer l'attention sur l'imagerie mystique qui se développe à la fin du moyen-âge, plutôt que sur la continuation de ces programmes sculptés. Ce sont les innovations qu'il importe d'expliquer.

Ce livre ne prétend donc pas au type d'exhaustivité qui en ferait un manuel. En même temps, il fait fi des conventions qui cloisonnent ou émiettent la recherche en sciences humaines et vagabonde d'une discipline à l'autre, au risque de lasser le lecteur par le nombre des détours. Il importe donc d'expliquer les raisons de procéder ainsi, tout en se situant par rapport aux principales disciplines concernées, en particulier l'histoire de l'art et l'histoire de la logique.

1. Art et image

C'est en Allemagne que l'histoire de l'art s'est dégagée des disciplines environnantes dans la deuxième moitié du XIXe siècle pour devenir un enseignement universitaire indépendant [1]. Renonçant au projet grandiose mais flou de la *Kulturgeschichte*, elle se donna comme première tâche de décrire et de cataloguer les oeuvres, de les attribuer à un artiste, à une époque ou à un style. Le développement de la photographie, sa reproduction imprimée et l'invention de la diapositive permirent des progrès rapides et incontestables. A titre d'exemple, Grünewald n'était guère plus qu'un nom au milieu du XIXe siècle et ses oeuvres s'attribuaient aussi bien à Dürer qu'à Baldung Grien. Aujourd'hui, nous ne connaissons toujours pas son véritable patronyme, mais le catalogue de l'oeuvre est établi. On hésite tout au plus sur le caractère autographe de quelques dessins et la discussion se reporte sur la chronologie [2]. L'attribution et le catalogue sont sans doute des pratiques d'un empirisme déconcertant où le flair tient le plus souvent lieu de justification, mais il faut leur concéder une efficacité et une précision suffisantes.

Les liens entre l'attribution des oeuvres et l'histoire des formes artistiques ne sont pas aussi évidents qu'on le croirait spontanément. En fait, les tentatives de périodisation de l'art à l'aide de catégories telles que Renaissance, maniérisme, baroque, etc., sont perpétuellement contestées, sans que cela affecte le travail d'attribution qui semble par conséquent se fonder sur d'autres critères. Par contre, l'histoire des formes dépend entièrement de l'érudition attributionniste qui fixe la chronologie et la géographie des oeuvres. A son tour, l'interprétation sociologique ou anthropologique de l'art repose sur l'histoire des formes.

Le problème de la signification des images et du déchiffrement des symboles qu'elles contiennent relève aujourd'hui de l'iconologie, admise comme une branche de l'histoire de l'art sans que son rapport avec l'histoire des formes soit clarifié. L'iconologie prend naissance au XIXe siècle dans les travaux de liturgistes catholiques comme le P. Cahier, à partir du postulat que l'image doit refléter et reflète le contenu des textes. La prise en charge de l'iconologie par des historiens de l'art attentifs aux formes permet des analyses plus respectueuses de la spécificité des oeuvres [3], mais la tendance reste forte à se spécialiser dans une iconologie restreinte ou dans une histoire des formes sans iconologie.

Il ressort des remarques précédentes que l'histoire de l'art s'est édifiée sur des présupposés empiristes qu'il serait facile de mettre en relation avec les intérêts immédiats des collectionneurs publics et privés, à condition cependant de ne pas négliger les intérêts idéologiques. Car le collectionneur ne se contente pas de faire des placements : il veut aussi donner à voir une conception du passé, organisée par le choix et par la disposition des oeuvres. Cette situation entraîne chez l'historien de l'art deux réactions également pernicieuses. L'une est d'appeler au secours les disciplines qu'il croit mieux fondées et de négliger l'érudition propre à son domaine comme dépourvue de fondements théoriques. L'autre est de répondre aux mises en cause venues de l'extérieur et de l'intérieur de la profession en se faisant une philosophie de son empirisme. Nous ne parlons pas ici des moins scrupuleux, car il reste la solution du bavardage mondain qui a toujours ses adeptes.

A l'absence de fondements théoriques dans une discipline correspond en général l'impossibilité d'en constituer l'objet avec cohérence. L'objet peut être incohérent en soi, comme lorsqu'on cherche à faire l'histoire de croyances ou de mentalités [4], ou bien exister dans sa cohérence et résister à des recherches mal orientées, un peu comme une ville ensevelie qu'on chercherait au mauvais endroit. En parlant d'objets qui existent dans leur cohérence, nous ne commettons pas l'erreur « positiviste » de nier que les objets scientifiques sont construits par l'homme, car nous ne pensons pas à des objets naturels, mais à des produits de l'activité humaine. Or, ceux-ci sont nécessairement organisés par l'homme avant qu'il ne les redécouvre et ne les analyse éventuellement, de sorte que la démarche consiste à rendre compte d'un objet qui avait déjà un sens. C'est l'originalité des sciences humaines qui ne peuvent donc se satisfaire ni d'une épistémologie volontariste selon laquelle l'objet se définit par l'activité du chercheur (Bachelard, Piaget), ni de l'empirisme qui consiste à prendre comme objets les choses telles qu'elles se présentent (Russell).

L'histoire de l'art s'occupe d'un objet qui possède sa propre cohérence lorsque cet objet est l'art au sens propre, c'est-à-dire les collections constituées sous ce nom à une époque récente, comme les salons et les expositions du XIX\ siècle. On peut encore étudier selon des modalités semblables les pinacothèques de l'Antiquité ou les cabinets de curiosités de l'âge baroque. La situation est tout autre face aux icônes byzantines ou aux masques africains qui, à proprement parler, ne sont de l'art que pour nous. Mais dans les deux cas se présente un autre problème épistémologique : l'activité classificatrice de l'histoire de l'art est la base de la définition de l'art. Pour donner un exemple grossier, mais pertinent, l'activité de l'historien agit sur le prix des oeuvres et surtout sur leur achat par le musée qui, en dernier ressort, leur confère le statut d'oeuvres d'art. L'étude apparemment innocente des collections anciennes et des anciennes conceptions de l'art suffit à faire réagir le marché, comme ce fut le cas ces dernières années pour l'art académique du siècle passé [5]. En ce sens, on pourrait dire que l'histoire de l'art n'a aucune difficulté à constituer son objet et qu'elle n'y parvient que trop bien. Elle fonde des pratiques sociales normatives plus insaisissables que l'idéologie : le goût, la distinction [6]. Il importe de s'en rendre compte si l'on veut éviter d'en faire sa raison d'être.

La grande majorité des travaux qui se font sous le nom d'histoire de l'art portent sur des objets qui n'étaient pas primitivement conçus comme de l'art et organisés en conséquence, mais qui le sont aujourd'hui dans les musées. Il y a certes des analogies entre la conception qu'on pouvait avoir de ces objets et celle que nous en avons : beaucoup d'entre eux ont immédiatement été considérés comme précieux, non seulement du fait de leurs matériaux, mais encore du travail et de l'habilité de l'artiste. Cela est vrai des oeuvres médiévales dont il sera question ici. Mais ces oeuvres étaient utilisées de manière radicalement différente : elles s'intégraient dans des pratiques liturgiques ou dévotes et on les désignait selon leur fonction. Il en résulte que la notion d'art n'existait pas au moyen-âge. Ce que nous appelons l'art se rangeait parmi les *artes mecanicae* et il n'y avait pas de mot pour désigner tout à la fois l'architecture, la peinture, la sculpture, le vitrail, l'orfèvrerie et l'enluminure, en les distinguant cependant de la cordonnerie et de la chirurgie. De même, le mot « image » (*imago*) désignait indistinctement des oeuvres que nous préférons qualifier selon le cas de tableaux ou de statues, et bien d'autres choses encore.

On comprendra mieux la difficulté si l'on consulte un livre, d'ailleurs irremplaçable, comme les *Etudes d'esthétique médiévale* d'Edgar de Bruyne [7]. Le mot et le concept d'esthétique ne se sont forgés qu'au XVIIIe siècle en Allemagne. De Bruyne présuppose donc qu'il existait au moyen-âge quelque chose comme une esthétique, c'est-à-dire une science du Beau, et il en cherche les membres épars dans la théologie, la rhétorique et les oeuvres littéraires. Il essaie parfois, mais rarement, de déduire les principes esthétiques des oeuvres visuelles. Son ouvrage rend les plus grands services au lecteur par l'abondance des sources dépouillées et analysées. On y apprend tout ce que Hugues de Saint-Victor, saint Thomas d'Aquin ou saint Bonaventure ont pu écrire sur le Beau et comment cela s'inscrit dans leur métaphysique, mais le résultat n'est pas homogène. Chacun de ces penseurs propose la conception du Beau qui entre le mieux dans le reste de sa doctrine, de sorte qu'aucune tradition de pensée esthétique ne se constitue. Si l'on cherche les conceptions médiévales de l'art, le problème est encore plus délicat, faute d'un concept d'art dont on pourrait suivre l'évolution. La meilleure solution reste encore celle qui fut adoptée par Julius von Schlosser: la publication de sources relatives à l'histoire de l'art [8].

Mais en consultant un tel catalogue de sources dans l'espoir d'y trouver plus que la mention rapide d'oeuvres existantes ou disparues, on s'aperçoit que le moyen-âge ne possède pratiquement pas de discours sur l'art. Certes, il est parfois question de ce que nous appelons les oeuvres d'art et l'historien ne cesse de commenter tel passage de saint Bernard sur les chapiteaux romans ou les textes de Suger sur l'édification de Saint-Denis [9]. Mais les valeurs formelles qui constituent pour nous l'oeuvre d'art sont ignorées de ces auteurs. Personne n'eut l'idée de décrire l'évolution du drapé médiéval, celle des plis peints et sculptés, avant la fin du XIXe siècle. L'historien d'art court donc le risque de reconstituer le discours sur l'art que les hommes du moyen-âge auraient dû tenir, en se servant du peu qu'ils ont écrit sur l'art et de ce qu'ils ont écrit sur les sujets qui les intéressaient vraiment.

Le peintre du XXe siècle est souvent très bavard sur ce qu'il fait. Mais on trouve aujourd'hui des pratiques esthétiques plus silencieuses que la peinture. Pensons aux pratiques du corps, à la démarche ou à la parure, qui font le « style » d'une personne. La littérature consacrée à ces pratiques, du manuel de savoir-vivre au journal de mode, ne les explique pas de manière satisfaisante. Le « style » est généralement vécu comme inné et le mystère qui l'entoure lui donne une bonne part de son efficacité. L'historien futur manquera ce phénomène s'il en vient à supposer un discours esthétique disparu. On tiendra donc compte des silences médiévaux sur l'art.

Sur quelques concepts fondamentaux de l'histoire de l'art, le moyen-âge est intarissable, sur l'image ou sur la forme, par exemple. Mais ce qu'il en dit nous semble de prime abord hors-sujet. Le concept d'image se rencontre le plus souvent dans les discussions sur la Trinité ou sur l'Incarnation et sert à définir la relation du Fils au Père. Le concept de forme reste fondamental jusqu'à Descartes et désigne le composant immuable des substances. Mais il arrive que le théologien médiéval emploie ces termes dans des passages qui font référence à ce que nous appelons l'art. Rosario Assunto a exploité de tels textes dans son ouvrage sur la théorie du Beau au moyen-âge [10]. Il voit bien que le concept médiéval de forme, par exemple, diffère du nôtre et qu'il s'agit d'un donné « objectif », de la partie de l'objet représenté qui passe dans l'oeuvre, en somme de ce que nous appellerions plutôt le contenu. Mais il se contente d'en déduire une théorie esthétique dont l'existence même est contestable. Pourquoi donc n'existe-t-il pas de traités *De pulchro* ou *De venustate* qui nous dispenseraient d'aller chercher cette esthétique, avec De Bruyne ou Assunto, dans les contextes les plus disparates?

On prendra donc le problème autrement. Un mot comme *forma* ou *imago* possède un champ sémantique très vaste et s'applique dans des domaines divers sans qu'il y ait polysémie. Lorsque Robert Grosseteste, cité par Assunto [11], prend l'exemple de l'architecture pour expliquer le rapport entre la conception d'une forme dans l'esprit et sa réalisation dans la matière, il ne parle pas de la forme esthétique au sens moderne du mot, mais utilise un concept dont l'application est plus universelle. Si l'on interroge donc le vocabulaire dans toute son extension, au lieu de chercher ce qu'il signifie lorsqu'il s'applique à l'art en particulier, on trouvera non pas ce que Grosseteste aurait pensé de l'art, mais le mode d'insertion de l'art dans la réalité médiévale. On évitera du même coup le piège dans lequel tombe toute sociologie hâtive qui cherche dans les formes artistiques le reflet d'une idéologie. Ce dernier type d'analyse est parfois pertinent, lorsque l'art ou ce qui en tient lieu n'est réellement que l'application d'une idéologie, lorsque l'artiste se met en tête de représenter, par exemple, la grandeur ou le tragique de la condition humaine, comme cela se fait assez couramment aujourd'hui, à l'Est et à l'Ouest. Mais l'art médiéval, comme un test de Rorschach, ne renvoie que l'image de ses obsessions à qui l'interroge ainsi.

L'historien ne peut donc aborder l'« art » médiéval sans détours ni précautions. Il risque d'isoler comme une entité distincte ce qui, dans une civilisation, n'a jamais constitué un tout organique possédant une cohérence interne. Dans l'ensemble, il serait injuste et faux d'accuser l'histoire de l'art d'agir ainsi. L'étudiant y apprend d'emblée à considérer le tableau accroché dans le musée comme la partie d'un retable détruit et non comme un objet autonome. D'Emile Mâle à Carol Heitz, la fonction liturgique de ces oeuvres fut sans cesse soulignée et servit de base à leur interprétation [12]. Tout récemment, Staale Sinding-Larsen a théorisé une analyse de l'art chrétien entièrement fondée sur l'étude de la fonction liturgique [13]. Personne, du reste, n'accuse leurs recherches de sortir du cadre de l'histoire de l'art. Ce serait aussi insensé que d'accuser les géographes de s'intéresser à l'industrie ou à l'urbanisme, alors que « géographie » veut dire « description de la terre ». L'histoire de l'art se consacre à des objets précieux par le matériau et/ou la rareté et/ou le travail et/ou l'habileté de l'artiste... Ce champ d'activité disparate s'explique sans doute par nos pratiques d'accumulation et n'a pas de justification plus théorique. Mais il est possible de délimiter des sujets d'étude cohérents dans cet étrange domaine, à condition de restituer aux objets les dimensions dont notre conception de l'art les mutile.

Ce n'est donc pas sur l'« art » médiéval que porte la présente recherche, mais sur l'image médiévale. Les deux concepts se recoupent suffisamment pour qu'il s'agisse d'histoire de l'art. En revanche, l'extension du concept d'image au moyen-âge nous amènera à étudier quelques-unes des catégories fondamentales de cette civilisation. En deux mots, le moyen-âge considère l'image comme la réalisation d'une forme dans la matière. Un tableau (*tabula*) est une image, mais le Christ en est une aussi. Chaque fils est l'image de son père et un reflet dans un miroir est encore une image. Il va sans dire que l'image ainsi définie diffère de l'objet de l'iconologie. Dès lors, il s'agit apparemment de changer d'objet ou de changer de méthode. Mais il serait bon de surseoir à ce choix et de regarder d'abord de plus près quelle est la situation de l'iconologie, la branche de l'histoire de l'art qui prend en charge les images, ou du moins certaines de leurs modalités.

2. L'iconologie

Pour l'essentiel, l'iconologie vise à déchiffrer les images que le passé nous a léguées. L'intérêt de ces recherches n'est pas à démontrer, mais si l'on examine leur état actuel, il faut faire deux constatations embarrassantes :

1) A partir du moment où une énigme iconographique attire l'attention, les interprétations se multiplient rapidement sans qu'aucune parvienne à s'imposer. L'oeuvre de Jérôme Bosch qui a suscité tant d'études en fournit un exemple éclairant.

2) Alors qu'aucune interprétation ne s'impose, celles qui mettent en cause les connaissances historiques considérées comme sûres sont rejetées, ainsi l'interprétation de l'oeuvre de Bosch par l'hérésie du Libre-Esprit [14]. Si les iconologues ne peuvent tomber d'accord sur l'interprétation d'une oeuvre, leur démarche apparaît comme moins assurée que celles des historiens travaillant sur d'autres documents et leurs conclusions ne peuvent êtres prises en compte que si elles confirment, ou du moins n'infirment pas, celles des autres historiens. Dans ces conditions, l'iconologie a peu de chances de renouveler la recherche historique.

Les iconologues n'étant ni plus fantaisistes, ni moins érudits que les autres historiens, cette situation conduit à supposer un blocage au niveau théorique. Publiés en 1939, les *Essais d'iconologie* d'Erwin Panofsky commencent par un exposé méthodologique célèbre, souvent glosé et discuté, mais qui reste, à notre connaissance, la principale tentative systématique pour établir les fondements épistémologiques de la discipline [15]. Sans vouloir résumer ce texte court, dense et bien connu, nous aimerions attirer l'attention sur une difficulté qui nous paraît centrale.

On se souvient que Panofsky distingue trois niveaux dans l'interprétation de l'oeuvre d'art :

1) La description pré-iconographique qui rend compte des motifs indépendamment de leur signification, celle que ferait un sauvage ignorant nos gestes de salutation, en parlant d'un homme qui enlève son chapeau lorsqu'il croise certaines personnes.

2) L'analyse iconographique qui déchiffre justement de tels gestes et, plus généralement, rend compte des significations conventionnelles

dans un contexte donné. Dans l'art médiéval, par exemple, un personnage masculin auréolé et muni d'un couteau sera interprété comme saint Barthélémy.

3) L'interprétation iconologique qui dépasse l'identification des thèmes et interroge l'oeuvre comme symptôme, comme témoin des valeurs symboliques d'une civilisation.

A chacun de ces niveaux, l'interprète doit disposer d'un outillage intellectuel adéquat. Le premier relève de l'expérience pratique, le second de connaissances livresques et de la familiarité avec les thèmes, le troisième d'une « intuition synthétique », d'une « familiarité avec les tendances essentielles de l'esprit humain », conditionnée inévitablement par notre propre conception du monde. Mais à chacun de ces niveaux peuvent s'introduire des erreurs d'appréciation ; il faut donc des « correctifs », des principes qui guident la vérification de l'hypothèse. L'histoire du style joue ce rôle pour l'interprétation pré-iconographique des motifs : elle nous assure de la manière dont tel objet était représenté à telle époque. L'histoire des types iconographiques vérifie qu'on représentait bien tel thème à l'aide de tel objet à cette époque. Enfin l'histoire des « symptômes culturels » permet de vérifier quelles tendances de l'esprit humain s'expriment dans des thèmes spécifiques.

En 1963, Robert Klein a mis en doute la distinction entre l'« outillage intellectuel » du chercheur et les « correctifs » dont il dispose, dans une discussion pénétrante de la méthode panofskienne [16]. L'histoire du style, des thèmes et des « symptômes culturels » ne sert pas vraiment de correctif selon lui, car elle est mobilisée d'emblée comme outillage de l'interprétation. Le chercheur ne divise pas ses connaissances en deux lots, dont l'un servirait à formuler l'hypothèse, l'autre restant en réserve pour la vérifier. Qu'il construise l'hypothèse ou qu'il la vérifie, il mobilise la totalité de son savoir. On en vient donc à se demander si la méthode de Panofsky n'est pas totalement circulaire, les connaissances qui sont à l'origine de l'hypothèse servant ensuite à la vérifier.

L'objection de Klein est assez sèchement réfutée par Bernard Tesseydre dans les notes de sa traduction française des *Essais d'iconologie*, parue en 1967 [17]. Selon lui, le contrôle de l'interprétation constitue bien un cercle, le cercle de la méthode qui n'a rien de vicieux. « Que nous ayons affaire à des phénomènes historiques ou naturels, dit-il, l'observation du singulier ne prend le caractère d'un " fait " que lorsqu'elle peut être rattachée à d'autres observations analogues, de telle sorte que la série en son ensemble " prenne sens ". Ce " sens " peut par conséquent fort bien servir à contrôler l'interprétation d'une nouvelle observation singulière à l'intérieur de la même classe de phénomènes. Si toutefois cette nouvelle observation singulière s'avère incapable d'être interprétée en accord avec le " sens " de la série, et s'il est démontré qu'une erreur est exclue, il faudra donner au " sens " de la série une formulation nouvelle, susceptible d'inclure la nouvelle interprétation singulière » [18]. Tesseydre propose donc une sorte de mûrissement de l'hypothèse au contact d'observations bien faites : l'acte de l'interprétation corrige l'hypothèse en repoussant les limites du savoir historique. Son raisonnement rend bien compte de la manière dont l'iconologue ressent intuitivement sa démarche et convainc d'autant mieux. Il nous semble néanmoins servir de justification à l'empirisme et au laxisme qui bloquent la recherche.

Prenons comme exemple concret celui que propose Panofsky dans son texte, l'analyse d'un tableau de Francesco Maffei (v. 1600-1660), représentant une femme qui tient une épée d'une main et de l'autre la tête d'un décapité sur un plateau. L'épée suggère qu'il s'agit de Judith, la tête sur le plateau qu'il s'agit de Salomé. Panofsky se demande si l'on trouve des représentations incontestables de Judith où figure le plateau et des représentations incontestables de Salomé avec l'épée. En fait, on ne connaît aucune Salomé avec l'épée, mais il y a des Judith avec le plateau. « Il existait donc un **type** de " Judith avec le plateau " mais non un **type** de " Salomé avec l'épée ". De là nous pouvons en toute certitude conclure que le tableau représente Judith, et non, comme on l'a prétendu, Salomé » [19].

Panofsky raisonne ici à partir d'observations empiriques telles que chaque découverte d'une Judith avec le plateau tendrait à confirmer la théorie et que celle d'une Salomé avec l'épée obligerait à la reformuler : il faudrait pour le moins faire état d'une exception. Mais, puisqu'il croit pouvoir conclure en « toute certitude » qu'il s'agit d'une Judith, il donne à cette théorie le statut d'une loi du type : il est impossible qu'une Salomé avec l'épée ait existé. Cette loi ne peut se déduire du fait qu'on n'en a pas encore trouvées, car un tableau de ce genre gît peut-être au fond d'un grenier. Conscient de la difficulté, Panofsky explique pourquoi cela lui paraît impossible. L'épée est un attribut honorifique de Judith, de nombreux martyrs et de certaines vertus : « il n'eût pas été convenable de la transférer à une jeune femme lascive ». En revanche, la tête de saint Jean sur le plateau était un motif familier qui entraîna une association fixe entre l'idée d'une tête coupée et celle d'un plateau, de sorte qu'on substitua le plateau au sac dans des représentations de Judith.

Cette explication est à son tour discutable. Le plateau fonctionne comme une sorte d'auréole dans les *Johannisschüssel*, un type iconographique que Panofsky utilise comme exemple. Ne s'agit-il pas d'un attribut honorifique de saint Jean qu'il serait inconvenant de transférer à un tyran comme Holopherne ? Mais il y a beaucoup plus grave :

1) L'objection présentée contre l'identification de la jeune femme à Salomé est celle de la convenance. La convenance n'est pas une loi scientifique, ni même une régularité statistique, mais une règle de conduite qui n'a de sens que si elle peut être transgressée. En l'occurrence, on comprendrait mal l'insistance des théories artistique de la période baroque sur la *convenientia*, si son respect allait de soi. La convenance présuppose la possibilité de l'inconvenance. A supposer

a) que Maffei soit un peintre convenable,

b) que le transfert de l'épée soit vraiment plus inconvenant que celui du plateau,

on pourrait tout au plus concéder à l'interprétation de Panofsky une forte probabilité. Mais il aurait d'abord fallu établir a) et b).

2) Panofsky fait implicitement l'hypothèse que le tableau représente soit Judith, soit Salomé, mais en aucun cas une Judith/Salomé. Cela suppose une nouvelle règle de convenance qui interdit l'hybridation des types iconographiques, en particulier lorsqu'il s'agit d'une héroïne et d'une fille légère. Si l'on examine le tableau objectivement, sans souci des convenances, il apparaît bel et bien comme une Judith/ Salomé et il y a lieu d'expliquer l'hybridation. Passées dans le contexte profane auquel appartient très certainement le tableau de Maffei, Judith et Salomé ne sont peut-être plus que des métaphores interchangeables d'une femme belle et cruelle ; dès lors leur synthèse formerait une sorte de superlatif de la métaphore. Quoi qu'il en soit, on fait violence à l'oeuvre en voulant la ranger à tout prix dans un type Judith ou dans un type Salomé.

3) Dans la *Chronique de Schedel* publiée en 1493 à Nuremberg, une illustration présente, non pas exactement Salomé, mais Hérodiade avec l'épée [20] (ill. 1) . D'une part, Hérodiade n'était pas plus respectable que sa fille ; elle vivait dans l'inceste et avait suggéré à Salomé de demander à Hérode la tête de saint Jean parce qu'il le lui reprochait. D'autre part, le moyen-âge confondait facilement les deux femmes et la *Chronique de Schedel* ne nomme pas Salomé dans le passage relatif à l'exécution du saint, mais la désigne comme la fille d'Hérodiade, agissant à l'instigation de cette dernière [21]. La théorie de Panofsky présente donc des difficultés, même face aux faits qu'il avait choisis pour l'illustrer.

Pour nous faire mieux comprendre, disons que la confusion de Panofsky et de Tesseydre est analogue à celle qu'on pourrait faire entre linguistique et grammaire, étant entendu que la comparaison s'arrête là et ne présuppose pas l'existence d'un langage iconographique fonctionnant comme le langage naturel. La linguistique étudie les lois qui régissent le langage tel qu'il est pratiqué, tandis que la grammaire, au sens ordinaire du mot, nous apprend à nous exprimer convenablement. Nous ne pouvons pas pécher contre la linguistique, mais nous pouvons faire des fautes de grammaire. Il est tout à fait légitime d'étudier la « grammaire » iconographique du XVIIe siècle, mais cela ne recoupe que partiellement l'étude des oeuvres réellement produites.

De plus, vu ses visées normatives et non scientifiques, la grammaire procède à une analyse du langage que la linguistique rejette comme inadéquate. Son découpage des unités syntaxiques est contradictoires et les exceptions à ses règles montrent leur caractère discutable. L'analyse panofskienne utilise de la même façon un découpage empirique et arbitraire de l'iconographie. On constate avec intérêt que la réflexion critique de Klein commence justement par la mise en cause de ces découpages implicites qu'on présuppose chaque fois qu'on désigne le sujet d'une oeuvre [22].

Concluons sur la méthode de Panofsky : elle confond la loi et la règle, la réalité et la norme. Cela ne l'infirme pas entièrement car, pour autant que l'historien étudie des peintres bien élevés et pour autant qu'il connaît les règles en usage à l'époque considérée, il arrive à entrevoir ce que l'artiste a voulu représenter. Il faut cependant noter que :

1) Cette méthode n'est efficace qu'au premier stade de la recherche iconographique. Elle a permis à Panofsky de brosser à grands traits les caractères de l'iconographie néo-platonicienne à la Renaissance, jusqu'alors à peu près ignorés. Mais les choses se gâtent face aux cas difficiles. Que faire du peintre « mal élevé » qui multiplie les innovations plus ou moins convenables ? On tombe ici sur un beau casse-tête logique car, du moyen-âge à l'époque classique, il existe une règle plus ou moins respectée qui énonce la liberté du peintre face aux règles. C'est le *Dictum Horatii* dont André Chastel a montré le rôle fondamental et retracé l'histoire [23] :

Pictoribus atque poetis
Quidlibet audendi semper fuit aequa potestas.
(Aux poètes et aux peintres a toujours appartenu un égal pouvoir de tout oser)

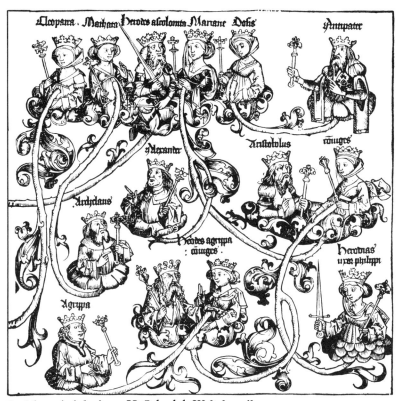

1. *Arbre généalogique*, H. Schedel, *Weltchronik*,
Nuremberg, A. Koberger, 1493, fol. 90r.

2. *Judas*, [Jacques de Voragine],
Leben der Heiligen, Winterteil,
Augsbourg, G. Zainer, 1471,
fol. 218v.

L'artiste mal élevé n'est donc pas une hypothèse d'école, mais la condition socialement reconnue de l'évolution iconographique. L'autorité d'Horace cautionne la prodigieuse inventivité de l'art religieux médiéval, malgré ce que l'inventivité a de scabreux dans le domaine religieux. Nous ne recherchons pas le paradoxe : il faut faire état d'une règle paradoxale qui oblige à enfreindre les règles.

2) La méthode de Panofsky présente un danger auquel nous sommes très sensibles. L'appel fait aux règles de convenance pour déterminer ce qui existe et ce qui n'existe pas mène tout naturellement à s'appuyer sur l'historien, lequel n'a que trop tendance aujourd'hui à utiliser la même méthode inductive et empirique. L'histoire des symptômes culturels — on dirait aujourd'hui l'histoire des mentalités — repose également sur une accumulation d'observations empiriques qui tiennent lieu de preuve et sur la confusion des règles et des lois. Lucien Febvre en a donné l'exemple le plus célèbre en induisant d'une longue série d'observations que l'athéisme était impossible au XVIe siècle, alors que ces observations laissent plutôt supposer qu'il était dangereux de se dire incroyant [24]. Mais cela, nous le savions déjà. L'iconologie et l'histoire des mentalités ont donc les meilleures chances de s'entendre pour nous donner une histoire conformiste du « conformisme ». En effet, aucun mot ne désigne mieux que conformisme la confusion de la loi et de la règle, du possible et du probable.

Pourtant, l'« iconologie » n'a pas toujours été conformiste et Panofsky non plus. On sait qu'il fut le disciple d'Aby Warburg, lequel, en 1912, avait baptisé iconologie la nouvelle discipline, dans son discours de Rome consacré à l'interprétation des fresques du palais Schifanoia [25]. Mais il ne se contenta pas d'exposer sa découverte ; il explicita sa démarche. Deux points attirent ici notre attention : le caractère **inconvenant** de cette démarche et le caractère **improbable** de la découverte.

1) Dès l'introduction, Warburg reconnaît l'inconvenance de sa démarche. Il s'excuse de parler d'astrologie « ici, à Rome, à cette place et devant ce public savant en matière d'art ». Il répugne à pénétrer « dans les régions plus ou moins obscures de la superstition » et avoue qu'il était initialement porté « vers de plus belles choses ». Les travaux de Warburg et ceux qu'ils a suscités nous ont amenés à trouver banal qu'un iconologue s'occupe des conceptions astrologiques du passé, mais, au moment où il annonçait aux Romains sa découverte, il pouvait donner l'impression de fouiller dans les poubelles de l'histoire.

2) Warburg est également conscient du caractère improbable de sa découverte : « Il y a quatre ans, dit-il, je lisais le texte arabe d'Abû Ma'shar dans la traduction allemande que Dyroff a ajoutée au livre de Boll — ce dont on ne peut lui être trop reconnaissant — lorsque, soudain, me sont venues à l'esprit les énigmatiques figures de Ferrare, si souvent interrogées en vain depuis de nombreuses années ; et voilà que l'une après l'autre, elles se révélaient être les *décans indiens* d'Abû Ma'shar ». La découverte est donc due à la publication fortuite d'un texte exotique et à la curiosité tout à fait excentrique d'un spécialiste de la Renaissance qui osa faire un rapprochement apparemment saugrenu entre les fresques du palais Schifanoia et les décans indiens.

En fait, ce rapprochement fut rendu possible par une hypothèse hasardeuse qui trahit la familiarité avec l'oeuvre de Nietzsche, tout comme une allusion aux « bons Européens » qui orne la conclusion du texte. Warburg voit la Renaissance comme un retour au paganisme antique et se donne pour tâche d'examiner les étapes du processus qui permit de « dépouiller l'humanité grecque de l'écorce que constituait la " pratique " médiévale et latine d'inspiration orientale ». On comprend aisément que cette écorce n'est pas faite uniquement d'astrologie orientale, mais aussi du judaïsme que Warburg avait abandonné et, bien sûr, de la religion du Christ. En « bon Européen », Warburg ne fut pas trop étonné de rencontrer l'astrologie indienne parmi ces superstitions ennemies de la beauté dont la Renaissance se dégageait lentement comme un papillon d'une chrysalide.

Les « bons Européens » en question ne sont pas les « Indo-Européens », et pour cause ! On comprend néanmoins que certaines théories de Warburg aient été enterrées par ses disciples dans les décennies suivantes. En exil aux Etats-Unis, Panofsky lima les griffes de l'iconologie et fit de l'histoire de l'art une « discipline humaniste » qui réconcilie le paganisme, le christianisme et l'astrologie en leur conférant une égale dignité.

La distinction entre la forme et le contenu, à laquelle Warburg et le jeune Panofsky étaient indifférents, devient progressivement la frontière entre l'étude des systèmes artistiques et l'analyse iconographique. Aucune des objections que nous avons formulées ne peut s'appliquer à un livre comme *Architecture gothique et pensée scolastique* (1951) qui traite de problèmes formels [26]. Dans ce chef-d'oeuvre, Panofsky démontre que la structure des cathédrales gothiques et la manière dont chacune d'elle se situe par rapport aux précédentes, sont homologues à la structures des textes scolastiques et à leur rapport entre eux. Face à une histoire de l'art qui tendait et qui tend toujours à imaginer l'artiste médiéval comme un travailleur manuel humble et soumis, sachant à la rigueur lire et écrire, la théorie de Panofsky était aventureuse et improbable. En revanche, comme elle ne concernait pas les problèmes de contenu, elle n'avait aucune chance d'être inconvenante. Dans cette oeuvre qui n'a rien à voir avec l'iconologie, Panofsky parvient à analyser la cohérence interne d'un système artistique et à montrer quels principes fondamentaux sous-tendent à la fois ce système et l'organisation de la pensée à l'intérieur d'une même civilisation. De ce point de vue, il inaugure en histoire de l'art une visée théorique qu'on chercherait en vain chez Warburg, car le fondateur de l'iconologie était trop préoccupé par la généalogie des valeurs, au sens nietzschéen, pour prendre en compte les dimensions synchroniques d'un système et pour en renouveler la sociologie.

Que donnerait une telle démarche, appliquée à l'art religieux médiéval dans son intégrité, à la fois forme et contenu? Elle amènerait à considérer les articulations entre les formes, les thèmes et les pratiques sociales d'un même ensemble culturel, au lieu de reconduire chaque élément particulier à une origine dont il tirerait son sens. De ce point de vue, la manière de peindre la vie du Christ au XIVe siècle n'aurait pas de rapports essentiels avec les événements réels et fictifs du Ier siècle. Notre démarche s'opposerait à celle de Warburg et de Nietzsche en refusant au christianisme la continuité dont ils ont l'amabilité de le créditer, mais elle procèderait sans doute d'un rationalisme semblable.

Il resterait encore une difficulté. Comme Panofsky a su montrer une homologie formelle entre l'architecture gothique et la pensée scolastique, faut-il supposer une situation comparable entre les contenus iconographiques et théologiques? Cette hypothèse paraît d'autant plus probable qu'Emile Mâle avait réussi, en 1898, à déchiffrer d'une manière quasi-définitive le plus gros du programme iconographique des cathédrales, en utilisant tout simplement les oeuvres d'Honorius Augustodunensis et de Vincent de Beauvais [27]. A l'homologie formelle correspondrait donc l'identité des contenus. Des artistes bien élevés auraient raconté en images les vérités du dogme sous la dictée paternelle du théologien. A en croire Emile Mâle, il y aurait tout au plus un infléchissement du récit dans le sens d'une foi populaire, naïve et touchante.

Malheureusement, la méthode d'Emile Mâle est ainsi faite qu'elle rejette comme problème formel ou comme fantaisie de l'artiste tout élément spécifique du système iconographique qu'elle parvient à déceler. La spécificité iconographique passe à l'extérieur du système, lequel trouve sa formulation canonique dans les grandes encyclopédies du moyen-âge. Mâle découpe la thématique des monuments selon la quadripartition du *Speculum* de Vincent de Beauvais : miroir de la nature, miroir de la science, miroir moral et miroir historique. D'une part, il considère comme purement décoratif tout ce qui n'entre pas dans ce cadre ; d'autre part, il s'interdit de réfléchir sur l'organisation et le choix des thèmes dans l'art. Il tire de la cathédrale les éléments nécessaires pour illustrer l'encyclopédie et les distribue dans les pages de son livre conformément à ce projet. On ne s'étonne donc pas des métaphores constantes qui font de la cathédrale un livre et qui la divisent en chapitres. Ce n'est pas à une homologie entre l'art et la scolastique que pense Mâle : il réduit l'art à la répétition de dogmes déjà constitués. Les artistes médiévaux, dit-il, étaient « simples, modestes, sincères. Ils nous plaisent mieux ainsi. Ils furent les interprètes dociles d'une grande pensée, qu'ils mirent tout leur génie à bien comprendre » [28].

Aucune présentation raisonnée n'est parvenu à remplacer le livre d'Emile Mâle dont la méthode était sans doute la meilleure possible, tant qu'il s'agissait de défricher la jungle de l'iconographie médiévale. On dispose certes d'instruments de travail plus précis, comme les dictionnaires de Réau et de Kirschbaum [29]. Beaucoup de savants partagent le sentiment que sa méthode est dépassée. Mais, pour la critiquer fondamentalement et repartir sur d'autres bases, il faudrait précisément triompher des deux faiblesses de l'iconographie panofskienne, c'est-à-dire :

1) de sa prédilection pour les interprétations empiriques et tâtonnantes qui opèrent la réduction de l'oeuvre à ce qu'on croit savoir du contexte ;

2) de son découpage empirique et arbitraire de la thématique qui neutralise d'emblée l'inconvenante originalité de l'iconographie.

3. Image et logique

Une iconologie qui ne réduirait pas l'image au texte lui supposerait une valeur logique propre, le mot « logique » étant pris ici dans son sens le plus fort. Un exemple permettra de montrer que cette supposition, loin d'être absurde, obéit à une nécessité incontournable, du moins face aux aspects les plus formalisés de l'iconographie médiévale.

Soit les trois éléments iconographiques suivants, dont nous donnons le dessin approximatif :

nimbe cruciforme   ⊕
auréole (nimbe circulaire)   ○
nimbe carrée   ☐

On constate aisément :

1) qu'ils sont exclusifs l'un de l'autre ;

2) que l'absence de nimbe est un quatrième élément significatif, exclusif des précédents ;

3) que chaque personnage est caractérisé par l'un de ces quatre éléments jusqu'au XIIᵉ siècle. Le système peut s'appauvrir, par exemple lorsque le nimbe carré tombe en désuétude, ou s'enrichir de nouveaux signes, comme l'auréole noire qui caractérise parfois Judas à la fin du moyen-âge [30] (ill. 2). Mais il n'en devient pas moins rigoureux.

On pourrait imaginer qu'un petit système aussi formalisé se prête à une interprétation facile en langage naturel. Le nimbe cruciforme désigne le Christ ou, par extension, les autres personnes de la Trinité, car le Christ peut valoir comme image du Père ou de la Trinité entière. On considère habituellement que l'auréole désigne un saint, que le nimbe carré désigne un saint personnage vivant et que l'absence de nimbe désigne une personne qui n'entre dans aucune de ces catégories. Mais, dans *The King's two Bodies*, un grand livre dont nous reparlerons, Ernst Kantorowicz émet l'hypothèse très vraisemblable que le nimbe carré était donné *ex officio* aux dignitaires ecclésiastiques du haut moyen-âge [31]. Il faudrait donc les considérer comme béatifiés d'office, ce qui obligerait d'une part à redéfinir la béatification, d'autre part à tenir compte d'une évolution historique de cette institution. De plus, dans un grand nombre d'oeuvres de la fin du moyen-âge, saint Joseph apparaît sans auréole, tandis que les autres membres de la Sainte Famille en possèdent. Ou bien saint Joseph n'est pas un saint, ou bien l'absence d'auréole est compatible avec la sainteté. Dans les représentations de la Parenté du Christ, saint Joachim se trouve souvent dans la même situation que Joseph, tandis que Marie Cléophas et Marie Salomé peuvent porter l'auréole, bien qu'elles ne soient généralement pas considérées comme des saintes [32].

L'iconographie peut donc classifier les personnages d'une manière rigoureuse à l'aide de quatre symboles, tandis que l'interprétation de ces symboles nous mène dans le dédale des problèmes historiques. De même, le signe d'implication « ⊃ » est parfaitement univoque dans la logique des propositions (notation Peano-Russell), alors que son interprétation dans le langage naturel mène à des expressions comme « Si...alors » qu'il faut longuement gloser dans les manuels pour débutants, afin de leur conférer un statut univoque. Nous ne savons pas très bien qui, de saint Joseph et de Marie Cléophas, possède la sainteté, mais nous pouvons dire avec certitude que, dans telle Sainte Parenté, saint Joseph n'est pas « O », tandis que les soeurs de la Vierge le sont.

Au moins par certains de ses éléments, l'iconographie médiévale possède une nature logique qui la rend irréductible à la théologie et peut l'amener à la contredire. Il y a bien sûr des intermédiaires entre l'image et la théologie, comme la liturgie et le théâtre, où telle particularité iconographique peut trouver des équivalents. Il est important de constater que le théâtre religieux tend à faire de saint Joseph un clown et que la liturgie ne le célèbre guère avant la Contre-Réforme [33], mais ces constatations, loin d'expliquer l'iconographie, demandent à leur tour des explications.

Ce qu'on cherche alors à expliquer dépasse de loin l'image, telle que la conçoit implicitement la théorie panofskienne. On serait plus près de l'emploi courant du mot « image » dans des expressions telles que : le moyen-âge se faisait une certaine image de saint Joseph. Il ne s'agit pas spécialement d'une représentation visuelle constituée de lignes et de taches sur un support. Autant dire que le moyen-âge n'est pas seul à avoir une conception large et abstraite de l'image, que la même idée affleure dans notre mode d'expression. Si l'on suit cette piste, l'alternative posée plus haut entre l'investigation de la conception médiévale de l'image et l'utilisation de la méthode iconologique apparaît comme artificielle, car une iconologie mieux théorisée pourrait s'appliquer à l'image telle que l'entendait le moyen-âge, tout en rendant compte avec plus d'exactitude des codes utilisés dans l'image visuelle.

C'est la lecture de Charles S. Peirce et de Ludwig Wittgenstein qui nous a inspiré la conception de l'image proposée ici et qui nous a permis de la retrouver dans la pensée médiévale. Peirce aimait d'ailleurs s'avouer tributaire de la pensée médiévale, en particulier de Duns Scot [34]. Le traitement de l'image par les deux logiciens modernes présente une parenté, mais il ne saurait être question d'influence. Lorsque Wittgenstein élabore sa théorie de l'image, en 1914-1916, l'essentiel des travaux de Peirce est inédit et l'on ne sait à peu près rien de ce savant excentrique, isolé dans son propre pays. Mais il est clair que tous les deux édifient leur théorie du signe sur la même base : il s'agit de rendre compte des propriétés de l'algèbre logique qui s'est rapidement développée à partir des travaux de Boole (1815-1864). Leur réflexion sur le signe en général (mais aussi sur la langue naturelle) diffère donc nettement de celle de Ferdinand de Saussure dont le point de départ fut la linguistique.

La sémiologie de Peirce est inachevée, comme le reste de son oeuvre, et il n'en a jamais fixé définitivement la terminologie. On s'en tiendra à quelques remarques sur l'essai le plus exhaustif, « Logic as Semiotic : the Theory of Signs » [35].

Pour des raisons qui, si elles ne tiennent pas à une fantaisie de l'auteur, mériteraient d'être élucidées, son système est complètement bâti sur des tripartitions. Un signe qu'il appelle le *representamen* déclenche chez le récepteur un second signe équivalent du premier ou plus développé, *l'interpretant* du premier signe. Le *representamen* tient lieu d'un objet, mais pas sous tous ses aspects : il en transcrit le *ground* qui est une sorte d'idée, au sens platonicien du mot. Les trois moments du signe déterminent la division de la sémiologie en trois branches : la grammaire spéculative (terme emprunté à Duns Scot), la logique proprement dite et la pure rhétorique. Le signe relève encore de trois tripartitions. Pris en lui-même, dans son existence propre, il peut consister en une qualité, une chose ou une loi et sera respectivement désigné comme *qualisign, sinsign* ou *legisign*. Dans sa relation à l'objet, il peut être une icône lorsqu'il dénote l'objet en vertu de ses caractères propres, c'est-à-dire par analogie ; un indice lorsqu'il « se réfère à l'objet qu'il dénote par la vertu d'être réellement affecté par cet objet » ; un symbole lorsqu'il « se réfère à l'objet qu'il dénote par la vertu d'une loi ». Enfin, selon que *l'interpretant* le représente comme signe de possibilité, de fait ou de raison, il s'agit d'un *rheme*, d'un *dicent sign* ou d'un *argument*. A partir de cette triple tripartition, Peirce envisage dix classes de signes de plus en plus complexes, au sens où les éléments constitutifs des tripartitions se superposent dans un même signe. Le signe le plus simple est le *qualisign*, c'est-à-dire une qualité signifiante, comme la couleur rouge par exemple, qui constitue nécessairement une icône et qui renvoie pour l'interprète à une essence, à une pure possibilité logique, non pas à un objet déterminé ou à une loi. Le fonctionnement du *dicent sinsign*, qui constitue la quatrième classe est déjà beaucoup plus complexe. L'auteur donne l'exemple de la girouette. Il s'agit d'un objet d'expérience directe (non pas une qualité ou une loi) qui sert de signe et donne une information sur un objet. C'est d'abord un indice, car il est affecté par l'objet (en l'occurrence la direction du vent) pour signifier. Il comprend un *iconic sinsign*, car ses qualités propres lui permettent de figurer des possibilités qualitatives : vent du nord, vent du sud, etc. Il comprend encore un *rhematic indexical sinsign*, c'est-à-dire un objet d'expérience directe qui attire l'attention sur l'objet qui cause sa présence, cette fois non pas l'essence du vent, mais ce vent déterminé qui souffle en ce moment et détermine la position de la girouette. La dixième classe de signes, l'*argument*, s'interprète comme un signe de signes, contenant virtuellement toute les combinaisons de signes possibles.

Ce résumé permet à peine d'entrevoir l'intérêt du système de Peirce : il est à la fois trop obscur et trop simplificateur. On peut cependant en tirer deux suggestions stimulantes pour l'histoire de l'art.

1) La notion d'icône, chez Peirce, ne correspond pas à celle de signe visuel au sens où l'on parle d'arts visuels. L'iconicité est indépendante du médium qui la transmet, parce qu'elle entre dans une stratification de relations pour constituer les signes complexes. On peut ainsi écarter la notion très discutable de « codes visuels » qu'utilise par exemple Umberto Eco, en rejetant les suggestions de Peirce [36]. Si l'on considère les numéros à deux chiffres des chambres d'hôtels (où les dizaines signifient les étages et les unités les chambres du même palier) comme un code visuel, il faudra admettre que, lorsque le concierge assigne à un voyageur la chambre 26 et que le voyageur comprend qu'il s'agit de la sixième chambre du deuxième étage, le code interprété par le voyageur diffère substantiellement de celui qu'il met en oeuvre en lisant les numéros sur les portes pour retrouver sa chambre. Le système proposé par Peirce permet au contraire d'analyser le code comme partiellement mimétique et partiellement conventionnel, de distinguer les opérations qui se superposent dans la discussion avec le concierge ou dans la recherche de la chambre.

2) L'icône telle que la définit Peirce n'entretient pas une relation conventionnelle avec l'objet. Tout comme l'indice, l'icône est un signe non arbitraire. Et c'est sans doute pour cela que cette sémiologie est rejetée avec dédain par les sémiologues à tendance littéraire qui veulent réduire la sémiologie à la linguistique [37]. On accuse donc Peirce de faire une théorie naïve de la représentation, selon laquelle peindre un tableau consisterait à emprunter à un objet ses qualités pour les mettre sur la toile. Puis on prend le parti de considérer l'image comme un signe arbitraire avec ce résultat que la tentative de réduction s'arrête au bout de quelques pages, consacrées pour l'essentiel à des déclarations d'intention. En fait, les tableaux conservés dans les musées ne sont pas désignés par Peirce comme des icônes, mais comme des *hypoicons*. Il s'agit d'objets-signes qui possèdent des qualités mimétiques, mais Peirce ajoute aussitôt que toute image matérielle, une peinture par exemple, est largement conventionnelle dans son rôle de représentation. Au lieu de nier le caractère conventionnel de l'image, il le distingue donc de la qualité mimétique.

Il est dommage que Peirce ne s'étende pas davantage sur la peinture, mais ce qu'il dit de l'équation algébrique s'y applique parfaitement. Dans les formules :

$$a_1x + b_1 = n_1$$
$$a_2x + b_2 = n_2$$

l'équation elle-même est une icône, tandis que les lettres sont des symboles et les numéros des indices. On pourrait croire à première vue que l'équation est, comme les lettres, un signe conventionnel. Mais c'est faux, car la propriété de l'icône est qu'on peut, en l'observant directement, découvrir d'autres vérités concernant son objet que celles qui suffisent à déterminer sa construction. « Toute équation est une icône, pour autant qu'elle *montre* au moyen de signes algébriques (qui ne sont pas eux-mêmes des icônes) la relation des parties concernées » *Mutatis mutandis*, on reconnaît assez facilement dans la peinture les éléments de signification qui font office d'icône, d'indice et de symbole. Une relation telle que « Pierre est plus grand que Paul » relève de l'iconicité ; les *tituli* indiquant les noms « Pierre et Paul » font office d'indices et d'éventuelles auréoles seraient les symboles de leur sainteté, dans le cas de saint Pierre et de saint Paul. L'analyse de Peirce permet encore d'aller plus loin, en considérant par exemple les *tituli* (ou des attributs tels que les clés de saint Pierre ou l'épée de saint Paul) en tant que symboles arbitraires d'un indice. Mais l'essentiel reste qu'il nous fournit un concept de l'image défini par ses propriétés logiques et non par sa transmission, en quelque sorte accidentelle, à l'aide de la vue plutôt que de l'ouïe ou du toucher.

Le *Tractatus logico-philosophicus* de Wittgenstein, publié en 1921, est une oeuvre difficile et critiquable qu'on juge volontiers dépassée [38]. Personne n'en a mieux vu les limites que son auteur, car il consacre en grande partie la suite de ses travaux à la solution des problèmes suscités par le *Tractatus*. Il faut au moins distinguer trois difficultés dans ce texte, qui ne sont pas du même type :

1) Wittgenstein écrit dans un allemand d'une simplicité lapidaire et insolente. Loin de réduire les ambiguïtés de son discours par de longues explications, il semble prendre un certain plaisir à multiplier les attrape-nigauds dont le plus drôle est sans doute la manière dont le texte réagit à une lecture moraliste. Il suffit pour s'en convaincre de survoler l'abondante littérature, anglo-saxonne surtout, qui tente de l'exploiter soit comme une condamnation, soit comme une justification, de la métaphysique et de la religion. Si on lit ce qui est dit dans le *Tractatus* de l'impossibilité du métalangage comme une condamnation

de celui-ci, alors l'ouvrage se condamne lui-même, car il est tout entier un discours sur ce qui ne peut être dit.

2) Le *Tractatus* est écrit autant que possible en langage naturel. Il utilise au maximum les possibilités de l'allemand, au point que le français traduit par « représenter » et l'anglais (sous la plume de Wittgenstein) par *to represent*, les expressions *vorstellen, darstellen, vertreten* et *abbilden* qui impliquent souvent plus que des nuances différentes. De surcroît, l'allemand de Wittgenstein possède un caractère semi-formalisé (comme le latin des scolastiques) qui conduit les mots assez loin de leur acception commune. L'utilisation des mots *Gegenstand* (objet), *Tatsache* (fait), *Bild* (image), etc. leur donne souvent un sens inhabituel. Il est alors facile d'extraire des propositions du contexte et de les présenter comme ridicules [39].

3) La difficulté proprement philosophique du *Tractatus* est sa théorie de la représentation. On peut la négliger, en partant d'une épistémologie volontariste pour affirmer que Wittgenstein s'est trompé en croyant que la connaissance était une représentation du monde et non pas une action sur le monde. Il est en effet indéniable qu'il aborde le problème de la connaissance en termes de représentation et que cela entraîne des paradoxes. Mais à supposer que la théorie de la représentation n'ait rien à faire avec la théorie de la connaissance, ce ne serait pas une raison suffisante pour s'en désintéresser.

Après avoir introduit assez rapidement « le monde », les « faits », les « choses », les « objets » et les « états de choses », Wittgenstein passe abruptement, au paragraphe 2.1, à leur représentation :

« 2.1 Nous nous faisons des images des faits ».

L'image est elle-même un fait (2.141), mais d'un genre particulier, puisqu'elle représente d'autres faits (2.11). Il ne s'agit pas d'une réalité psychologique, d'une image mentale qui serait plus ou moins objective ou subjective, mais plutôt d'un instrument fabriqué par l'homme de ses propres mains et dépourvu de tout caractère transcendantal. L'expression « se faire des images » évoque le second commandement biblique d'une manière sans doute intentionnelle. Les exemples concrets donnés plus loin par Wittgenstein, le disque (4.014) et l'écriture (4.016), montrent qu'il s'agit de moyens techniques de reproduction. Pas plus que chez Peirce, l'image ne se confond avec le signe visuel. Son caractère mimétique n'apparaît pas toujours à première vue, ainsi dans le cas de la notation musicale ou, à plus forte raison, de la proposition (4.011). Mais il existe dans chacun de ces cas une similitude entre l'image et les faits représentés qui n'est autre que la possibilité de reconstituer ces faits à partir de l'image, selon une règle que Wittgenstein appelle métaphoriquement la projection. C'est ainsi que le musicien déchiffre la symphonie dans la partition, qu'on pourrait reconstituer la symphonie à partir du sillon du disque, puis la partition à partir de là (4.0141). Il ne faut pas en déduire que l'image représente nécessairement un état de choses existant (2.11). La réalité (*Wirklichkeit*) contient pour Wittgenstein les états de choses existants et non existants (2.06), de sorte que l'imaginaire en fait partie.

Par contre, l'image ne peut représenter que ce qui est logiquement possible :

« 2.201 L'image représente (*bildet...ab*) la réalité, parce qu'elle représente (*darstellt*) une possibilité de l'existence et de la non-existence des états de choses.

2.202 L'image représente (*stellt...dar*) un possible état de choses dans l'espace logique.

2.203 L'image contient la possibilité de l'état de choses qu'elle représente (*darstellt*). »

Concrètement il est impossible de représenter un cercle carré, ce qui revient à dire que le cercle carré est logiquement impossible. L'image est donc un assemblage d'éléments qui correspondent à des objets de la réalité (2.13) et les remplacent (*vertreten*) dans l'image (2.131). Il se trouve que ces éléments entretiennent entre eux des rapports, de la même manière que les choses (ce qui n'est pas étonnant, puisque l'image est elle-même un fait). Les images ont donc ceci en commun avec la réalité d'avoir une structure (2.15). Il est ainsi possible qu'une image et une réalité aient la même structure. Cette possibilité est appelée par Wittgenstein la forme de la représentation (*Form der Abbildung*) :

« 2.151 La forme de la représentation est la possibilité que les choses se comportent les unes par rapport aux autres comme les éléments de l'image. »

Il est entendu que toutes les images n'ont pas avec toutes les réalités une forme commune de représentation. N'importe qu'elle image ne peut représenter n'importe qu'elle réalité, mais :

« 2.171 L'image peut représenter (*abbilden*) toute réalité dont elle a la forme. L'image spatiale tout ce qui est espace, l'image colorée tout ce qui est coloré, etc. »

Ce serait une grave erreur de comprendre ce passage comme l'affirmation d'un rapport direct entre les signes et la réalité, du genre : à réalité visuelle, image visuelle. Wittgenstein ne dit pas qu'on ne peut représenter l'espace avec des propositions ou sur une surface plane. Bien au contraire, l'image est la projection d'une réalité dans un langage qui en diffère. Pour prendre un exemple concret, le langage ordinaire est apte à représenter les réalités spatiales car, à un niveau qui n'est pas syntaxique, mais sémantique, il peut rendre compte de la spatialité.

On a dit que les éléments de l'image représentaient (*vertreten*) des objets. L'image représente donc la structure de ces objets, mais ce n'est pas cette structure qui est commune à l'image (prise matériellement) et à la réalité représentée, sans quoi la peinture seule rendrait compte des couleurs et le mot « rouge » ne signifierait rien. Ce qui leur est commun est la forme de la représentation définie plus haut.

Si toutes les images ne sont pas de forme colorée, par contre toutes possèdent une forme logique (2.182). Or la forme, par le fait qu'elle est commune à la réalité et à la représentation, ne peut être représentée :

« 2.172 L'image ne peut représenter sa forme de la représentation (*seine Form der Abbildung...abbilden*) ; elle la montre. »

En tant qu'elles intéressent la logique, les images sont des propositions, mais il ne faut pas entendre ce mot au sens des grammairiens, car la proposition du logicien n'est pas nécessairement un énoncé du langage naturel. Une écriture symbolique permet de rendre compte des propositions sans passer par le langage naturel, mais aussi des propositions qu'il serait difficile de formuler dans le langage naturel. *A priori* toute image, y compris l'image visuelle, a une forme propositionnelle exprimable en symbolisme logique. Il n'y aurait pas plus d'inconvénients à noter « *fx* » la représentation peinte d'un homme que la représentation attachée au mot « homme ». Une peinture peut être interprétée en symbolisme logique au même titre qu'un énoncé du langage naturel comme une série de propositions. On peut noter « *p.q* » aussi bien la phrase « Pierre est grand et Paul est petit » que l'image correspondante. Mais il y a quelque chose que la proposition ainsi comprise ne peut pas représenter, c'est sa forme logique, ce par quoi elle adhère à la réalité. On ne peut exprimer dans le langage logique ce qui fait qu'il représente et il ne dit pas s'il adhère ou non à une réalité existante (2.224). Pour représenter la forme logique, il faudrait en somme se situer en dehors de la représentation, ou même en dehors de la logique et du monde (2.12).

Nous possédons cependant une notion de la forme logique, du fait que nous la pratiquons et que les opérations logiques révèlent alors leur forme d'une certaine manière. En ce sens, la forme logique se « reflète » dans la proposition et c'est pourquoi le langage ne peut la représenter (4.121), aucun langage car elle est commune à tous les langages. La proposition « *fx* »montre bien qu'elle fait intervenir l'objet « *x* » et les propositions « *fx* » et « *gx* » qu'elles concernent le même objet, mais elles ne peuvent dire cela :

« 4.1212 Ce qui **peut** être montré ne **peut** pas être dit. »

La forme de la représentation qui rend le métalangage impossible, est commune au langage et à la réalité. Cette thèse conduit Wittgenstein à une contradiction bien explicitée par G. G. Granger [40]. D'une part, il affirme l'indépendance des états de choses, aux dépens du rapport de cause à effet auquel il prétend superstitieux de croire (5.1361) :

« 2.063 On ne peut conclure de l'existence ou de la non-existence d'un état de choses à l'existence ou à la non-existence d'un autre état de choses. »

D'autre part, il résulte selon lui de la forme logique de la réalité que certains états de choses sont exclus *a priori*. En voici un exemple relevé par Granger :

« 6.3751 La présence simultanée de deux couleurs en un même endroit du champ visuel est impossible, et même logiquement impossible. Car cela est exclu par la forme logique de la couleur. »

Les oeuvres postérieures de Wittgenstein sont largement consacrées à l'élucidation de ce problème, mais chaque tentative l'éloigne un peu plus des propositions du *Tractatus*. La thèse de l'impossibilité du métalangage entraîne donc de nombreuses difficultés qui ne sont pas de notre ressort, en particulier dans la conception des mathématiques. Même si le *Tractatus* prétend à une validité universelle, il ne saurait s'agir ici de nous prononcer pour ou contre, mais de voir s'il fournit des modèles applicables dans la recherche qui nous occupe.

4. Sciences humaines et représentation

Le paradoxe du *Tractatus* pourrait se formuler de la manière suivante : la réalité est logiquement structurée et tout se passe donc comme si elle constituait un langage. Tout langage ayant la même forme logique, aucun ne peut décrire la réalité, faute de pouvoir décrire sa propre forme. Enfin, la structuration de la réalité sous la forme d'un langage est un état de choses présupposé, ce qui entraîne à son tour d'autres présupposés sur la possibilité et l'impossibilité des états de choses.

Si l'on applique ce paradoxe à la physique, on pourra, de manière commode et peut-être hâtive, dire qu'il provient d'une illusion sur les objets. Pour qu'ils soient structurés comme un langage, il faudrait quelque grand horloger, quelque architecte de l'univers responsable de ce fait. A moins, bien sûr, que le physicien ne travaille sur des objets déjà structurés par l'homme, mais il faudrait alors expliquer pourquoi la physique a prise sur le monde. Le paradoxe prend un sens différent si on l'applique aux sciences humaines, car les réalités qu'elles étudient sont *a priori* structurées par l'homme de manière significative, qu'il s'agisse de textes, d'images, du plan d'une ville ou de la production agricole. Le point de vue de Wittgenstein est si bien celui des sciences humaines que ses recherches postérieures au *Tractatus* l'amèneront toujours plus à chercher la clé du problème épistémologique dans l'analyse du langage naturel. Du coup, sa contradiction désigne une difficulté fondamentale des sciences humaines et semble les invalider *a priori*, en les réduisant à des tentatives vaines pour formuler le langage dans le langage et pour présupposer des états de choses, à partir d'une superstition de la causalité.

En fait, l'existence de la causalité, du moins la possibilité de présupposer certains états de choses, se trouve gagée dans les sciences humaines sur une structuration *a priori* des objets qui ne requiert pas de grand horloger. Le moyen-âge interprétait le monde comme un livre, comme un système symbolique, ce qui peut nous paraître illégitime. En revanche, l'univers humain est ainsi structuré et point n'est besoin de résoudre les problèmes que pose le déterminisme en physique pour le considérer comme déterminé. Si le moyen-âge savait faire la différence entre l'indétermination du monde dans l'absolu et sa détermination de fait, en parlant successivement *de potentia Dei absoluta* et *de potentia Dei ordinata*, on peut considérer de la même manière l'univers humain comme le produit d'une *potentia ordinata*, celle des hommes.

Pour ce qui est du langage dans le langage, la thèse qui fait difficulté est celle de l'unicité de la logique. Si, par exemple, le langage pictural reposait sur une logique différente de celle de l'historien, il serait possible de « dire » la forme de la représentation picturale. Mieux encore, si les hommes d'une autre civilisation possédaient une logique différente, nous pourrions décrire cette logique. L'anthropologue et l'historien seraient alors des sujets auxquels les Africains et les hommes du moyen-âge fourniraient les objets du discours objectif et objectivant.

Une telle démarche existe bien. On en a plus d'une fois dénoncé l'absurdité, mais elle renaît de ses cendres à la manière du phénix. L'exemple paradigmatique en est fourni par l'oeuvre de Lévy-Bruhl qui crut pouvoir rendre compte de mentalités « pré-logiques » à partir d'une conception de la logique bien différente — il est vrai — de celle des logiciens. Pendant que Lévy-Bruhl renonçait lentement à ses propres présupposés dont il avait vu lui-même l'incohérence, ceux-ci se vulgarisaient auprès du grand public et des historiens, pour servir de fondement tacite à une histoire des mentalités, plus florissante aujourd'hui que jamais [41].

Rien ne montre mieux la désinvolture de ceux qui parlent de logiques différentes et de mentalités que l'absence totale, dans leur production, de la moindre réflexion soutenue sur l'histoire de la logique. Pour Lévy-Bruhl, il existait de manière évidente une logique aristotélicienne, fondée sur le principe de non-contradiction, qui dominait la psychologie de l'homme occidental civilisé depuis les Grecs, tandis que les « primitifs » n'avaient aucune notion de ce principe. Inutile de dire à quel point cette doctrine pouvait légitimer le colonialisme. Il faudrait plutôt se demander si la résistance de ce complexe d'idées qui inclut la diversité des logiques et l'existence de mentalités, n'a pas partie liée avec le néo-colonialisme et plus généralement avec les structures de domination du monde contemporain.

Qu'une même logique soit à l'oeuvre dans différents systèmes de représentation nous paraît une conclusion inévitable, du fait même que la formalisation d'un problème consiste à le transposer dans un autre système de représentation. Dès que nous utilisons, par exemple, une notation mathématique pour résoudre un problème exposé en langage naturel, nous supposons une logique identique dans deux systèmes. Nous supposons la même chose chaque fois que nous nous servons d'une image ou d'un diagramme.

Qu'une même logique soit à l'oeuvre dans les systèmes de représentation de différentes civilisations, la démonstration nous semble en avoir été faite par l'oeuvre de Claude Lévi-Strauss. Ce qu'il en dit n'est peut-être pas le plus important et il y aurait des réserves à faire sur la « logique du concret » qu'il croit déceler dans la « pensée sauvage ». Ce qu'il en fait importe davantage. L'analyse des systèmes de parenté puis celle des mythes montrent que la logique est à l'oeuvre là où on s'y attendait le moins [42]. La philosophie idéaliste dont se sert parfois Lévi-Strauss pour enlever aux Indiens la responsabilités de leurs constructions logiques, en supposant que les mythes pensent à leur place, montre simplement qu'on n'accepte pas toujours toutes les implications de ses propres découvertes.

En admettant qu'une logique identique soit à l'oeuvre dans des systèmes de représentation qui diffèrent techniquement et historiquement, on ne présuppose rien de plus que la rationalité du phénomène humain ou, ce qui revient au même, son intelligibilité. On ne prétend pas que le même **système** logique est à l'oeuvre, ce qui serait absurde. Pour prendre un exemple dont il sera question plus loin, la logique aristotélicienne utilise la copule « est » à la fois pour introduire le prédicat et pour affirmer l'existence du sujet. Une proposition telle que « le dragon est un serpent qui crache des flammes » (l'exemple est de Stuart Mill) décrit le dragon tout en affirmant qu'il existe des dragons. Elle est par conséquent fausse. Au contraire, la logique contemporaine dissocie la prédication du jugement d'existence et permet de présenter cette proposition comme vraie. Il ne s'agit pas pour autant d'une « logique différente », mais d'un système logique différent. Il suffit d'introduire les symboles appropriés, comme le fait D. P. Henry à la suite de Lesniewski, pour formaliser l'utilisation de la copule aristotélicienne et vérifier les propositions construites à l'aide de cette copule [43]. Il n'y a aucune raison de penser qu'Aristote aurait été plus incapable de séparer la prédication de l'assertion d'existence s'il avait eu à le faire, que nous le sommes de les réunir lorsque la recherche historique nous y conduit.

Un système logique et un système de représentation sont des réalités très proches qu'il faut cependant distinguer. L'un et l'autre sont susceptibles de transposition ou de traduction, mais un système logique est plus qu'un système de représentation. Il est bien vrai que la logique médiévale se caractérise par sa notation dans un latin « semi-formalisé » selon l'expression de D. P. Henry, tandis que la logique contemporaine utilise des notations algébriques. Mais la forme de la notation est plus une conséquence qu'une cause du système logique. On choisit en effet un symbolisme en fonction des problèmes qu'on se pose, même si ce choix peut ensuite empêcher de se poser certains problèmes. De plus, la différence entre deux systèmes logiques peut être exposée en langage naturel et, même si la logique ne recourait qu'au langage naturel, il y aurait des différences de système logique.

On peut donc considérer l'histoire de la logique comme une succession de systèmes logiques, lesquels règnent sur différents systèmes de représentation. Mais l'histoire de la logique, des systèmes logiques et des systèmes de représentation, peut-elle se « dire » ? Si l'on en croit Wittgenstein, la logique possède une forme de la représentation qui ne peut être dite, encore qu'elle puisse être montrée. Encore une fois, nous nous abstenons de prendre position sur cette affirmation au niveau de généralité où elle se place. Mais, transposée dans le domaine des sciences humaines elle nous paraît acceptable. Elle signifie alors une sorte de complicité fondamentale entre les hommes de civilisations différentes qui permet aussi bien à l'anthropologue de s'installer dans une population « sauvage », d'en apprendre la langue et d'y vivre, qu'à l'historien de se familiariser avec le passé et d'en partager la rationalité. Cette complicité est seulement possible, car son contraire, l'impossibilité de communiquer avec quelqu'un à la première sensation d'altérité, la gamme de comportements qui englobent la schizophrénie, le racisme et le mépris du passé, appartient tout autant à la race humaine. L'affirmation de cette complicité ou de son contraire n'est pas justifiable du vrai ou du faux : il s'agit plutôt d'un comportement et cela relève de ce que Wittgenstein appelle à juste titre l'éthique. Aussi considérons-nous ses implications politiques (rapports avec le colonialisme et le néo-colonialisme) pour discréditer la notion de mentalités. On ne prouvera jamais l'existence ou l'inexistence des mentalités. Mais on peut prouver que l'usage de cette notion entre en contradiction avec certains présupposés éthiques ou politiques et place parfois l'historien en porte-à-faux. Il y a ainsi, dans les sciences humaines, une possibilité de compréhension qui se « montre » au lieu de se « dire » et qui correspond à ce que Wittgenstein appelle la forme de la représentation.

A ce point du raisonnement, la contradiction entre l'indépendance des états de choses et leur structuration *a priori* ne nous inquiète plus beaucoup. En soi, les états de choses sont indépendants et rien n'indique qu'ils relèvent des sciences humaines. Mais ils en relèvent chaque fois qu'ils sont constitués en langages et que les sciences humaines peuvent faire une image de ces langages en se situant dans une forme commune de représentation.

On présuppose donc une forme logique de la représentation, commune à l'espèce humaine, que nous pouvons « montrer » mais que nous ne pouvons pas « dire ». Mais, dans le fonctionnement implicite ou explicite de la logique, on remarque aisément la mise en application de systèmes logiques différents, tels que l'un traite « le dragon est un serpent qui crache des flammes » comme une proposition vraie, l'autre comme une proposition fausse. Cette divergence ne porte pas sur la forme de la représentation, car nous pouvons modifier notre système logique de telle manière que la proposition devienne vraie ou fausse, ou nous servir alternativement de deux systèmes différents. Il est extrêmement intéressant de traduire un système logique dans un autre, parce que cela dit quelque chose sur ce système, ou plus exactement sur ce par quoi il diffère du système dans lequel on le traduit, même imparfaitement. Bien des propriétés de la logique d'Aristote n'apparaissent qu'à la traduction dans un système différent : il faut posséder un système qui sépare la prédication de l'assertion d'existence pour s'apercevoir qu'Aristote les lie. Dans cet exemple et dans d'autres, on remarque des *a priori* que le logicien ne mettait pas en cause, mais dont on peut se passer, parce qu'ils ne constituent pas la forme générale de la représentation, mais une forme particulière, un simple présupposé sur les états de choses qu'il est possible de dire à partir d'un système logique différent. Nous verrons que le lien aristotélicien entre la prédication et l'existence n'a sans doute pas été mis en cause par les logiciens médiévaux avant Abélard et que beaucoup de penseurs l'acceptèrent implicitement jusqu'à Kant. Ceux qui l'acceptaient (ou qui l'acceptent encore) comme une règle de la pensée avaient un *a priori* commun sur le monde quelle que soit l'idéologie qu'ils professaient. Cet *a priori* est beaucoup plus qu'une idéologie, car il donne une forme commune à des idéologies différentes, voire incompatibles. Mais, contrairement aux mentalités, il s'agit d'un fait précisément observable. Nous nous abstenons de prétendre qu'une émotion, la peur par exemple, régnait davantage sur l'Occident au XIVe siècle qu'au XXe, parce que nous ne comprenons pas bien ce que cela veut dire, mais nous ne craindrons pas d'affirmer qu'Aristote, Boèce, saint Bernard ou Descartes lient la prédication à l'existence et que cela entraîne des conséquences sur leur philosophie.

Comme on l'a vu, l'adoption d'un système logique détermine les systèmes de représentation, à commencer par la notation des propositions. L'adhésion soit à un système logique, soit à un système de représentation ne peut pas se dire à l'intérieur du système. Cela vaut aussi bien pour les sciences que pour les pratiques sociales les plus variées. Dans ses *Leçons et conversations*, Wittgenstein en donne un exemple inattendu, mais intéressant pour nous, car il s'agit de l'esthétique [44]. Pour réfuter Kant qui considère l'esthétique comme une affaire de jugement, il fait la remarque banale que, si l'on trouve un complet beau, on ne dit pas qu'il est beau, mais on le porte. Il ne s'agit donc pas d'un jugement. Le « plaisir » esthétique est disqualifié par une remarque semblable : on porte les revers plus larges cette année, mais cela ne signifie pas qu'on éprouve un plaisir à porter les revers plus larges.

Ces remarques empiriques se prêtent aux objections : il est sans doute concevable de considérer un complet comme beau, de ne pas le porter et de dire qu'il est beau. Mais il ne s'agit plus alors de la même conception du Beau. Pour Wittgenstein, le fait que quelqu'un considère quelque chose comme beau se déduit de son comportement. En ce sens, nous pourrions dire que les hommes du moyen-âge considéraient comme belle la lumière des vitraux, même si aucun texte ne venait nous le confirmer. En revanche, les jugements qui se greffent sur les attitudes, celui d'un homme qui considère son complet comme beau ou celui des penseurs médiévaux qui développent une « esthétique » de la lumière, pourraient être en contradiction avec ces attitudes. Il est tout à fait pensable que l'homme au complet veuille dissimuler la gêne que lui procure un tissu râpé, ou que saint Bernard veuille dissimuler le plaisir intense qu'il éprouve devant les chapiteaux romans, lorsqu'il les condamne comme ridicules [45]. Dans le cas de la lumière, il est très probable que le jugement des penseurs médiévaux soit conforme à leur sentiment intime, mais il aurait pu en être autrement. En disant que quelqu'un (soi-même éventuellement) considère quelque chose comme beau, on se place en dehors d'un système, celui du comportement esthétique de la personne, pour parler de ce comportement, lequel « parle » d'ailleurs par lui-même. Au niveau des pratiques sociales, il est plus efficace d'être habillé avec goût que de commenter son habillement, d'autant plus que le goût cesserait d'avoir une efficacité sociale et donc d'exister, s'il était communiqué aux autres par ceux qui le possèdent.

Il ressort de ces réflexions un peu particulières, puisqu'il s'agit de mode et d'esthétique, mais généralisables, que la traduction d'un système de représentation dans un autre est possible, mais ni nécessaire, ni nécessairement juste. Il s'agit toujours du redoublement un peu louche d'une première affirmation qui allait de soi et devait être suffisamment intelligible toute seule. Le moyen-âge ne nous a rien dit sur ses *a priori* logiques, ni sur les caractères à nos yeux les plus frappants de l'art médiéval, comme l'existence de systèmes de drapé très codifiés. A partir du moment où il n'y avait là rien à prouver, rien à justifier, on n'en discutait sans doute pas plus qu'une personne qui sait s'habiller ne s'interroge sur l'élégance. Il arrive parfois qu'un *a priori* pose problème. C'est ainsi que l' « esthétique » de la lumière demanda des justifications ; nous en verrons les raisons.

L'histoire de l'art a tendance à traiter comme formels les éléments de l'oeuvre qui ne semblent pas avoir de contre-partie dans d'autres systèmes de représentation (par exemple les plis du drapé) et comme iconographiques ceux qui sont redoublés par un autre système (par exemple les textes sacrés ou la théologie pour la vie du Christ). Un symbolisme comme celui de la lumière sera traité à peu près comme un problème iconographique, même si l'on ne parle pas d'iconographie à ce propos. La dichotomie de la forme et de l'iconographie n'est donc pas arbitraire ; elle repose en gros sur l'opposition entre ce que les hommes de la période ne formulent pas et ce qu'ils formulent à l'aide d'un second système. Elle est en fait pernicieuse lorsque l'historien la fait sienne, car elle reproduit le clivage au lieu d'en rendre compte. On présume alors à tort que les formes n'ont pas de signification et que les éléments reconnus comme iconographiques n'ont pas de structure formelle. A partir du moment où nous nous exprimons à l'extérieur du système logique médiéval et du système de représentation propre à l'image, nous devons au contraire en profiter pour saisir la signification des formes et la forme des significations.

5. La logique dans l'histoire

Qu'il existe des rapports étroits entre les systèmes construits par les logiciens médiévaux et l'évolution artistique semble sans doute encore au lecteur une proposition paradoxale : il n'est probable ni que les logiciens se soient amusés à codifier le drapé, ni que les artistes se soient inspirés d'eux pour traiter de telles choses. Quelques réflexions sur l'histoire de la logique permettront de nous faire mieux comprendre.

Tout d'abord, ce serait un anachronisme grossier d'imaginer le rapport entre les logiciens et le reste de la population médiévale sur le modèle du XXe siècle. Il n'est d'ailleurs pas sûr que nous percevions correctement ce rapport dans notre propre siècle. La mathématisation de la logique qui est devenue, vers 1900, une discipline très spécialisée, entraîna un divorce avec le reste des connaissances. Surtout, la logique cessa de fournir à l'homme éduqué les normes du discours vrai. On continua jusqu'à la dernière guerre à enseigner dans les écoles une logique applicable au langage naturel, mais périmée et ignorante des acquis scientifiques. Les travaux des logiciens ne touchent guère le public cultivé, si ce n'est à travers l'exploitation idéologique d'une oeuvre comme celle de Wittgenstein qui ne s'y prête que trop bien, ou à travers les croisades de la philosophie analytique contre la métaphysique et le communisme. Ces retombées concernent surtout le monde anglo-saxon. En France, elles n'ont provoqué pour l'instant que le mépris de la philosophie universitaire, un mépris qui s'étend parfois à la logique formelle. En revanche, le développement de la logique a sans doute de grosses incidences sur la société, ne serait-ce que par le diffusion de l'informatique.

Quelles que soient ces incidences, la situation n'est pas comparable à celle du moyen-âge où la logique fondait tout le savoir, à partir du XIIe siècle en tout cas. Jusqu'à cette date, elle subissait la concurrence de la grammaire et de la rhétorique qui contribuaient tout autant à assurer la validité du discours. Mais l'engouement qu'elle suscita dès la fin du XIIᵉ siècle l'amena à ôter tout prestige à ses rivales et à légiférer presque seule. Le latin semi-formalisé qui la caractérisait pénétra complètement le discours scientifique. Comme elle s'enseignait à la faculté des arts et qu'il n'y avait pas de barrière nette entre ce que nous appellerions l'enseignement secondaire et supérieur, elle déterminait sans aucun doute la manière de penser de toute personne cultivée et certainement celle des maîtres-d'oeuvre qui concevaient les cathédrales.

Dans *Architecture gothique et pensée scolastique*, Panofsky a dégagé ce qu'il appelle, selon la terminologie scolastique, un *habitus* commun aux théologiens et aux architectes [46]. Sa démonstration nous convainc, mais elle s'en tient, comme on l'a dit plus haut, à l'examen des formes, au sens que l'histoire de l'art donne à ce mot. Le rôle de la logique médiévale nous semble s'étendre au-delà et déterminer l'iconographie au sens le plus large.

La logique médiévale est normative : c'est un ensemble de règles, alors que la logique d'aujourd'hui se présente plutôt comme un ensemble de lois. Plus exactement, le moyen-âge ne fait pas la distinction entre règle et loi, car il ne considère pas les règles logiques comme arbitraires. Nous pouvons envisager, face à un problème concret, de raisonner dans le système de Russell ou dans celui de Lesniewski, alors que, dans la perspective médiévale, l'un des deux au moins serait erroné. L'une des différences essentielles entre les deux systèmes est que celui de Russell envisage les classes comme des collections d'objets qui ne sont pas elles-mêmes des objets, tandis que Lesniewski défend une conception « méréologique » qui en fait des objets. Chacune des théories entraîne des paradoxes face au sens commun et le choix de l'une ou de l'autre est un choix pratique. On accepte assez généralement la théorie des types de Russell, ce qui ne veut pas dire qu'on la considère comme un reflet fidèle de l'univers, qu'il y aurait des types dans la nature, plutôt que des classes. Mais un logicien médiéval placé devant ce problème le formulerait sans doute en termes réalistes [47] : y a-t-il des classes dans le monde extérieur, hors de l'esprit humain ? Cela poserait d'emblée un problème théologique implicite : Dieu, a-t-il créé de telles entités ? La différence d'attitude entre le logicien médiéval et le logicien contemporain est cependant plus faible qu'il n'y paraît. D'une part, le logicien médiéval possède des alibis, comme le fait de commenter Aristote, pour développer des systèmes hétérodoxes, ce qui revient à les présenter comme hypothétiques [48] ; d'autre part, en interprétant la théorie des types de Russell d'une manière réaliste, on ne changerait rien aux calculs qu'elle autorise. Dans *Signification et vérité*, Russell présente d'ailleurs lui-même une théorie réaliste des classes [49].

En revanche, cette différence d'attitude a des implications considérables hors de la logique. Une remarque (involontairement ?) cocasse du logicien polonais T. Kotarbinsky montre ce que pourrait donner aujourd'hui une conception réaliste de la logique [50]. Il considère en effet la théorie méréologique des classes comme celle qui convient aux sciences sociales, car les classes sociales sont des objets et non des propriétés. La théorie des types aboutirait à nier l'existence du prolétariat. Si l'on ajoute que l'iconographie officielle des pays socialistes représente volontiers le prolétariat, tandis que la publicité des pays capitalistes s'y refuse, la conception réaliste entraînerait un rapport direct entre l'art et la logique.

Or c'est bien ce qui se produit au moyen-âge. Si l'on considère une théorie des types comme une « théorie qui classifie les entités en fonction de ce qui peut en être dit significativement », les *Catégories* d'Aristote sont la première tentative de construire une telle théorie [51]. La distinction des catégories fait que la substance est au moyen-âge le seul « type » dont on puisse prédiquer la substance, qu'on ne prédique pas la substance d'une qualité ou d'un accident. Cela permet de savoir dans quelles conditions une entité peut constituer le **sujet** d'une proposition et se voir conférer l'existence. Il en va de même pour le **sujet** d'une peinture. Un sujet accidentel, tel que « Vieillard lisant à la chandelle » n'aurait sans doute pas été impensable au moyen-âge, mais il aurait été considéré comme l'oeuvre d'un ignorant. On devine, à partir d'un tel exemple, combien l'histoire de la logique peut apporter à l'étude de l'iconographie médiévale et peut aider à résoudre le problème bien posé par Klein de la détermination du sujet de l'oeuvre.

L'histoire de la logique formera donc le cadre de notre étude sur l'image médiévale. Cela demande quelques explications car, dans la mesure où la logique est universelle, elle n'a pas d'histoire. En revanche, nous avons cru bon de distinguer des systèmes logiques et des systèmes de représentation dont l'usage a des limites chronologiques. Il reste à savoir si ces systèmes sont des faits historiques comme les autres. Quels rapports entretiennent-ils avec les autres faits historiques ? Comment se détermine leur évolution ? Et d'abord, est-ce que les historiens de la logique peuvent nous être de quelque secours face à ces problèmes ?

L'*Histoire de la logique en Occident* que K. Prantl écrivit de 1855 à 1870, n'a aucun intérêt en dehors de son érudition [52]. L'auteur ignore la renaissance de la logique formelle qui se produit au même moment et juge les logiques antérieures à l'aune de connaissance nettement moins développées que celles des penseurs antiques et médiévaux. Cette situation n'entraîne aucune modestie de sa part, mais la certitude que tout ce qui s'élève au-dessus des connaissances moyennes du XIXe siècle en logique est un bavardage insensé et pervers, motivé par le besoin de couper les cheveux en quatre.

Peirce n'a pas laissé d'histoire de la logique, mais de nombreuses remarques sur le sujet qui modifient entièrement la perspective [53]. Etant lui-même l'un des principaux auteurs du retour à la logique formelle, il faisait l'invraisemblable découverte que cette renaissance rendait les logiciens médiévaux non seulement compréhensibles, mais encore stimulants. Dès lors, l'histoire de la logique ressemble un peu à la mauvaise littérature sur le secret des pyramides ou des cathédrales, à ceci près qu'elle parle avec raison d'un savoir oublié. Le niveau atteint par les logiciens dans une société donnée est relativement indépendant du développement technologique, presque autant que la qualité des artistes et des écrivains. L'historien de la logique a donc intérêt à se méfier de l'idée de progrès, comme l'historien de l'art qui se garde bien de considérer les Van Eyck comme des précurseurs maladroits de l'hyperréalisme.

Le caractère nécessairement technique de l'histoire de la logique la réservait pratiquement aux logiciens. En fait, les historiens (au sens que l'Université donne à ce mot) évitent le domaine, peut-être même sans s'en rendre compte. On chercherait en vain un ouvrage général sur le moyen-âge qui exposât, fût-ce sommairement, l'activité des logiciens. En dehors du petit livre de Scholz (1931), ce sont Bochenski (1956) et les Kneale (1962) qui fournissent les cadres d'une histoire de la logique digne de ce nom [54]. La principale limite de leurs synthèses tient au petit nombre des textes édités ou bien étudiés, mais on enregistre un progrès : à William de Shyreswood, édité jadis par Mgr Grabmann s'ajoutent entre autres Guillaume d'Ockam par P. Boehner, Pierre d'Espagne par Bochenski, Garland et Abélard par M. de Rijk, tandis que d'excellentes monographies traduisent dans le langage de la logique contemporaine les préoccupations des auteurs médiévaux, comme celles de Moody et de Henry [55].

Dans l'ensemble, ces recherches sont d'une grande qualité et fournissent un matériau sûr à l'historien qui se donne la peine de les lire. Il faut aussi être conscient de ce qu'elles n'apportent pas. Semblable au connaisseur d'art préoccupé par la reconnaissance des styles, l'historien de la logique ne pense pas à rendre compte des déterminations historiques externes qui auraient pu en infléchir le développement. Il traite la logique comme un domaine autonome où n'intervient que la pure recherche de la vérité. Ce point de vue est en partie légitime : quelles que soient les déterminations extérieures qui s'imposent à un logicien, on jugera d'abord de la cohérence interne de son système. De ce point de vue, l'ouvrage de D. P. Henry sur saint Anselme est un chef-d'oeuvre qui réhabilite un grand logicien, oblige à reconsidérer ce qu'on croyait savoir de sa métaphysique et même à lui reconnaître de l'humour. Le travail d'analyse interne nous semble préalable à toute interprétation historique plus large, mais on ne saurait s'en contenter. C'est ici que les choses se gâtent et nous allons en donner un exemple particulièrement révélateur.

On a déjà dit que la copule a une double fonction dans la logique aristotélicienne : elle introduit le prédicat tout en affirmant l'existence du sujet, de telle sorte qu'un énoncé du type « le dragon est un serpent qui crache des flammes » est considéré comme faux. Pourquoi avoir maintenu pendant tant de siècles cette règle qui entravait le développement de la logique ? Elle n'allait pas de soi pour tout le monde et Abélard voulut la rejeter [56]. Lorsque Descartes présenta au public une nouvelle variante de l'argument de saint Anselme, Gassendi lui objecta que l'existence, celle de Dieu ou de quelque autre sujet que ce soit, « n'est point une perfection, mais seulement une forme ou un acte sans lequel il n'y en peut avoir » [57]. Une perfection est un prédicat et l'objection de Gassendi montre qu'il ne confond pas l'assertion d'existence et la prédication. Locke et Kant ont la même attitude, contrairement à la *Logique de Port-Royal* et à Leibniz qui continuent à lier les deux. Selon la *Logique de Port-Royal* : « Je suis veut dire *je suis un être, je suis une chose* ». Selon Leibniz : « Lorsqu'on dit qu'une chose existe, ou qu'elle a l'existence réelle, cette existence même est le prédicat »[58]. Comment expliquer que la seconde de ces opinions ait prévalu en logique jusqu'au XIXe siècle, que ni Locke, ni Kant n'aient tiré les conséquences de leurs observations justes ?

La réponse des historiens de la logique est unanime et d'une naïveté qu'on a peine à croire possible dans leurs belles recherches : la chose va de soi, elle correspond à l'usage ordinaire du langage. Blanché donne un exemple de cet usage ordinaire du langage : si je dis que tous mes enfants sont musiciens, on suppose d'ordinaire que j'ai des enfants et que je mens si je n'en ai pas [59]. Kneale ne dit pas autre chose à propos de l'assertion d'existence dans la syllogistique d'Aristote : comme cette syllogistique a été acceptée sans objections par des milliers de savants pendant des siècles, « il est donc très vraisemblable que son oeuvre soit un reflet fidèle de l'usage normal des énoncés construits avec des mots tels que " tout " et " chaque " » [60]. A. Menne cite Scholz : « Ceci correspond à l'usage linguistique naturel...» [61]. Certes, ces dernières remarques concernent le cas spécifiques des propositions introduites par un quantificateur universel, mais cela ne change pas grand-chose, car l'énoncé « tous les dragons sont des serpents qui crachent des flammes » n'est pas plus extraordinaire que « le dragon est un serpent qui crache des flammes » et s'en déduit si le dragon désigne une espèce.

Surtout, si l'interprétation existentielle de la copule correspondait au langage naturel, seul un mauvais jeu de mot pourrait faire croire à une explication. On parle en effet de langage naturel en logique, comme d'objet naturel à propos de l'art, par opposition au langage formalisé dans un cas, à l'objet d'art dans l'autre. Il faudrait donc rendre compte de cette étrange propriété du langage dit naturel et il resterait encore à expliquer pourquoi les logiciens se seraient comportés si servilement envers le modèle fourni par le langage en question dans ce cas particulier. En fait, l'interprétation existentielle de la copule est un excellent exemple des rapports que la logique entretient avec l'idéologie. Comme nous l'avons montré dans une autre étude, elle est constitutive du système religieux féodal [62] : considérer qu'un énoncé portant sur des objets inexistants est logiquement faux, c'est disqualifier par avance tout discours critique sur les mythes religieux.

La logique n'est donc pas un art innocent dont la seule fonction sociale serait la quête de la vérité. Elle n'est pas une idéologie, mais elle sert, entre autres choses, à valider des comportements idéologiques. On verra que le christianisme, en devenant l'idéologie du féodalisme, a adapté la logique aristotélicienne pour la rendre absolument conforme à ses desseins. On abandonnera donc le point de vue candide des historiens de la logique, tout en restant à leur école et en les suivant docilement lorsqu'il s'agit de comprendre la cohérence interne des systèmes étudiés.

Il y a lieu de distinguer les problèmes logiques des problèmes métalogiques, même si la frontière n'est pas toujours évidente. La méthode utilisée par les historiens de la logique permet d'étudier les réalisations des logiciens du passé, à l'intérieur du système d'axiomes et de règles qu'ils se sont donnés. De fait, nous ne sommes pas compétent pour faire à leur place ce genre de recherches qui ne concernent pas directement notre sujet. Par contre, le choix par un logicien d'axiomes et de règles est d'ordre métalogique. Des raisons strictement logiques peuvent présider à ce choix, lorsque le logicien s'aperçoit par exemple qu'un axiome permettrait de beaux développements. Mais pour autant qu'un axiome se donne comme évident et qu'il s'agit de fixer les règles du discours vrai, le choix d'une axiomatique doit être étudié par l'historien comme un fait social relevant de déterminations extra-logiques. Face à ce problème, on a remarqué combien le logicien cessait d'être historien. C'est là qu'il faut le relayer. Lorsque les logiciens médiévaux admettent *a priori* des catégories telles que l'homme soit une subdivision de l'être animé et l'être animé une subdivision de la substance, ils articulent la logique sur des représentations qui ne sont pas spécifiquement logiques. L'étude de ces représentations concerne l'histoire des idées et l'histoire de l'art au même titre que l'histoire de la logique. Et cette étude est le fondement de notre recherche.

PREMIÈRE PARTIE

L'INVENTION DES FORMES

Le chef ostrogoth Théodoric avait quitté la cour de Byzance en 488 pour envahir l'Italie. Il était sans doute illettré, mais régna en ami des arts, restaura les monuments et en construisit, tout en s'entourant d'intellectuels et d'aristocrates romains, comme Cassiodore, Symmaque et Boèce. Sa politique de conciliation et de grandeur trébucha sur le problème religieux qu'il avait essayé de ne pas envenimer. Les Ostrogoths étaient ariens et s'opposaient par là aussi bien aux Romains qu'aux Byzantins et aux Francs, récemment convertis. En 523, lorsque la politique impériale de Byzance se durcit face aux hérésies, Théodoric se trouva confronté à un nationalisme romain étroitement lié à la lutte contre l'arianisme. Boèce écrivit un *De Trinitate* très ferme sur l'orthodoxie et prit, avec son beau-père Symmaque, la tête d'un mouvement aristocratique romain qui s'appuyait sur le Sénat. En 524, Symmaque est exécuté, ainsi que Boèce qui venait d'écrire en prison *La consolation de la philosophie*. En 526, le pape Jean Ier meurt en prison et Théodoric disparaît à son tour. La succession échut à sa fille Amalasonthe et le royaume s'effondra, envahi en 535 par l'empereur Justinien.

Boèce était un laïc, et c'est sans doute ce qui l'empêcha de devenir un grand saint. Il fit l'objet d'un culte à Pavie, lieu de sa mort et de sa sépulture, mais ce culte resta local. Saint Séverin Boèce fut reconnu par la Congrégation des rites le 15 décembre 1883, mais il s'agit d'un amalgame entre Boèce et l'évêque de Cologne Séverin, auquel il emprunte sa fête au calendrier, le 23 octobre [1]. Par contre, sa fortune comme penseur le place juste après Platon et Aristote et lui vaut d'entrer dans l'iconographie [2]. La fortune de Théodoric n'est pas moindre, mais bien différente. C'est un tyran, fils du diable, qui disparaît comme il est venu, englouti par un volcan ou par un lac, un mal-mort qui chasse les animaux ou les femmes dans les forêts [3]. Si l'église présente son existence posthume comme un affreux châtiment, les paysans et les nobles en font un héros de légendes, Dietrich von Bern, et parfois un souverain eschatologique.

L'oeuvre artistique de Théodoric le place à la fin d'une époque ; il veut prolonger la splendeur de l'empire romain. A Ravenne s'élève toujours son mausolée. Les décors de son palais disparu et ceux, partiellement conservés, de San Apollinare Nuovo, prolongent le style théodosien sans en atteindre la qualité. Mais son urbanisme fut l'éclat du règne.

L'arianisme n'était pas exactement iconoclaste. Il aurait fallu pour cela que le culte chrétien des images se fût mis en place, ce qui se produisit après la mort de Théodoric. En revanche, il décourageait toute évolution vers ce culte, car il conférait au Père et au Fils deux natures distinctes. Dès lors, le Fils incarné ne pouvait valoir comme image de son Père divin et il n'y avait pas lieu de proposer l'image de son corps à l'adoration. A plus forte raison, la Vierge qui n'enfanta que la nature humaine du Christ ne pouvait être représentée et adorée comme Mère de Dieu. L'arianisme était en fait une attitude religieuse conservatrice, tandis que les opposants catholiques défendaient une doctrine de la Trinité qui permit l'innovation décisive : l'adoration des images religieuses. Le paradoxe n'est qu'apparent, car ce sont souvent des courants novateurs qui se présentent comme traditionalistes et dénoncent comme hérétiques les attitudes traditionnelles.

A Rome comme à Byzance, la défaite de l'arianisme conduit au développement de l'icône. On confectionne des images de la divinité et des saints qui regardent le chrétien en face, de leurs yeux hypertrophiés, et lui réclament des cierges, de l'encens, des soins corporels, le baiser, la prosternation, des chars pour se déplacer. Elles usurpent tous les droits de l'image impériale et, en plus, commencent à faire des miracles. Il en résulte aux siècles suivants un long conflit entre le pouvoir profane et l'Eglise autour de l'image religieuse : la querelle de l'iconoclasme.

Le mot « adoration des images » prête à confusion, car il évoque pour nous un rite religieux encore observable dans certaines églises catholiques, tandis que nous dissocions ce rite de manifestations du même ordre que nous ne ressentons pas comme religieuses : se recueillir devant la photographie d'un parent disparu, acclamer le portrait d'un dirigeant politique, ou fleurir un monument aux morts. *Imagines adorare* signifie incontestablement tout cela dans le haut moyen-âge [4]. Sous une forme ou sous une autre, l'adoration des images était fortement implantée dans le monde gréco-romain de l'Antiquité et reste jusqu'à l'heure actuelle une constante anthropologique des civilisations qui lui ont succédé et s'en réclament. En ce sens, l'invention des icônes reposait sur une tradition. Le christianisme s'était d'abord déclaré hostile envers ces pratiques. Parvenu au pouvoir, il avait fini par accepter le culte de l'image impériale, puis l'exhibition dans les églises de l'image de l'évêque en exercice, tout en se dotant d'une iconographie symbolique et narrative. Mais il ne pratiquait pas encore l'adoration de la divinité et des saints sous la forme d'images, ce qui aurait trop rappelé le paganisme et l'idolâtrie.

La naissance de l'image d'adoration chrétienne sous la forme de l'icône doit donc être comprise dans le cadre des attitudes face à la culture antique. Elle supposait la répudiation d'un passé récent constitué par des formes de christianisme désormais réputées hérétiques et la divinisation de la figure humaine selon des modalités nouvelles. Parmi les hommes qui suscitèrent ce changement, il faut accorder une place de choix à Boèce, même s'il n'a jamais abordé directement le problème des images. Il pratiqua la philosophie, la théologie, la musique et presque toutes les disciplines, mais d'abord la logique. Malgré sa mort prématurée vers quarante cinq ans, il parvint à faire la synthèse des connaissances logiques et devint ainsi la norme de la pensée médiévale en Occident. Et c'est précisément à partir de la logique de Boèce que nous pourrons comprendre le statut de l'image médiévale. Un détour assez austère est donc nécessaire pour exposer les évidences sur le langage et le monde qui encadrent le raisonnement pendant un millénaire environ et qui informent aussi bien le discours des apologistes de l'image que celui de ses détracteurs. Sans ce détour, il ne serait même pas possible de dire ce que le moyen-âge entend par « image ».

CHAPITRE I

LES FONDEMENTS DE L'UNIVERS LOGIQUE MÉDIÉVAL

A travers les histoires de la philosophie s'est répandue une vision simpliste de l'histoire de la logique. L'enseignement d'Aristote qui nous est conservé dans son *Organon* aurait cessé progressivement d'être compris dans la basse Antiquité. Des manuels de plus en plus sommaires se seraient succédés et, finalement, Boèce aurait fait la compilation plus ou moins judicieuse dont le moyen-âge a hérité. La présentation de Boèce par E. Bréhier peut servir d'exemple : « Boèce montre peu d'originalité dans ses commentaires ; il se sert beaucoup de Marius Victorinus et de Porphyre, à qui son premier commentaire des *Catégories* est presque tout emprunté ; il se soucie fort peu d'arriver à une interprétation cohérente de l'oeuvre, et il veut surtout faire connaître les opinions diverses » [5]. Même dans l'excellente histoire de la logique de Kneale, Boèce est traité de haut : « La plupart du temps, il se contente de compiler du matériau provenant de manuels et de commentaires grecs, mais il était du moins un érudit patient et son oeuvre en devint un précieux stock de connaissances pour les hommes qui cherchèrent à rebâtir la civilisation en Occident après la barbarie » [6]. Kneale lui consacre tout de même une dizaine de pages et est assez attentif aux développements nouveaux par rapport à Aristote et aux stoïciens.

On oublie en général de remarquer que l'oeuvre logique de Boèce est exceptionnelle par sa longueur et son exhaustivité. Elle occupe l'essentiel du tome 64 de la *Patrologie latine*, c'est-à-dire 1207 colonnes, et dépasse sensiblement l'étendue de l'*Organon* ou de l'oeuvre logique d'Abélard par exemple. Cette longueur n'est que partiellement due au dédoublement des commentaires de Porphyre et du

De interpretatione d'Aristote, pour répondre par des ouvrages distincts aux besoins des débutants et des étudiants avancés. Elle tient surtout à l'exploration minutieuse des difficultés de la pensée aristotélicienne, à sa confrontation avec d'autres doctrines et à la présence de développements nouveaux, en particulier dans la syllogistique. L'impression d'incohérence dont Bréhier fait état est due à la diversité des opinions qui s'affrontent dans l'oeuvre de Boèce, ce qu'il attribue à une attitude peu critique de compilateur. Mais c'est un contresens face au respect de Boèce pour les textes qu'il commente, à son souci de maintenir à la doctrine d'Aristote son caractère propre même lorsqu'il voit les choses autrement, face aussi à la rédaction de traités s'adressant à des étudiants de niveau différent.

La sous-estimation de l'oeuvre de Boèce est sans doute corrélative à la surévaluation de celle d'Aristote. Comme l'a bien montré Kneale, celle-ci présente de grosses difficultés que les stoïciens avaient relevées à l'envi et sur lesquelles s'exerce l'ingéniosité des commentateurs. Il est clair que Boèce, comme déjà Porphyre au IIIe siècle, tient pour Aristote contre les stoïciens, mais cela les oblige à innover pour systématiser la pensée du Philosophe. Un bref exposé de ces difficultés permettra de faire comprendre ensuite sur quoi porte l'effort de Boèce [7].

1. Trois difficultés de la logique aristotélicienne

Les rapports entre la pensée d'Aristote et le platonisme sont complexes et ont évolué. Il y a sans doute des concessions envers le platonisme dans la *Métaphysique* (dont on ne reprit connaissance qu'au XIIIe siècle), mais l'*Organon* est une machine de guerre contre Platon et fut compris comme tel par le moyen-âge. Les remarques qui suivent ne sont pas une exégèse d'Aristote, mais portent sur l'*Organon*, tel qu'il fut reçu et compris par Porphyre, Boèce et les penseurs médiévaux. Elles entrent souvent en conflit avec l'image d'Aristote que donne la *Métaphysique*.

1. La substance et les catégories

On se souvient que la dialectique de Platon traitait de la même manière les objets les plus concrets et les plus abstraits, leur donnant le même mode d'existence. Socrate, le lit, le Bon et l'Etre sont questionnés de la même manière sur leur nature et leur existence : qu'est-ce que Socrate ? qu'est-ce que le Bon ? est-ce que le Non-Etre n'est pas ? etc. Ce n'est évidemment pas dans leur existence matérielle et concrète que ces objets sont équivalents : on peut toucher un lit, mais pas le Bon ou l'Etre. Platon parle d'un monde des idées ou des formes, distinct du monde matériel et périssable, où se trouvent en quelque sorte les contre-parties du discours vrai. Car il y a aussi un discours trompeur, celui du sophiste qui évoque les apparences. A tort ou à raison, on a pu reprocher à Platon de remplacer l'univers physique par un univers idéal. De plus, sa doctrine présente des contradictions, car, face au discours faux du sophiste dont il faut bien reconnaître l'existence, elle est contrainte d'admettre l'existence du non-existant, l'Etre du Non-Etre [8].

L'*Organon* d'Aristote s'oppose au platonisme pour permettre un discours nouveau sur le monde physique. Pour l'essentiel, cette tâche est déjà réalisée dans les *Catégories*, à partir d'une distinction fondamentale entre la substance (*ousia*) et l'essence (*ti esti*). Lorsqu'on prédique un terme de lui-même, ou lorsqu'on donne son genre, on donne toujours son essence, mais pas nécessairement sa substance. Soit les propositions : 1. ceci est un homme ; 2. ceci est une couleur ; 3. l'homme est un être animé ; 4. le vert est une couleur. Elles indiquent chacune l'essence du sujet. Mais cela ne signifie pas que la couleur ou le vert aient une existence en soi dans le monde des idées. Ces essences n'existent pour Aristote que comme qualités d'un sujet. Par contre, les propositions 1. et 3. concernent des substances, car l'homme existe comme sujet indépendant.

Plus précisément, les choses qui tombent sous le sens ont une existence en soi : cet homme que je vois, cette pierre que je touche. On considère ces êtres individuels comme des substances premières. Le reste peut soit se dire d'une substance première, soit appartenir à une substance première, exister en elle. Dans le premier cas, on parlera d'une substance seconde ; dans le second cas, il s'agit de catégories différentes de la substance. Si l'on supprimait les substances premières qui servent de support à tout le reste, ni les substances secondes, ni les catégories autres que la substance n'auraient d'existence : « Faute donc par ces substances premières d'exister, aucune autre chose ne pourrait exister » [9].

Cette théorie détruit le monde des idées platoniciennes. Le Beau et le Bon perdent toute existence propre et il n'en reste que les qualités « beau » et « bon » qui peuvent adhérer à une substance. Quant aux archétypes tels que l'homme ou le lit idéels, ils cessent d'être les réalités dont les hommes et les lits concrets seraient les copies plus ou moins réussies : il n'en reste qu'une abstraction dérivée de l'existence d'objets sensibles.

Le platonisme est ainsi liquidé, mais au prix de deux choix lourds de conséquences. Le premier est d'avoir imposé à la logique la vaste théorie métalogique des catégories qui ne disparaîtra qu'au XIXe siècle. La substance est la première des catégories, celle des objets qui possèdent une existence indépendante, les substances premières, et celle des substances secondes, gagées sur l'existence des premières comme des billets de banque sur le stock métallique. Les choses qui n'existent que dans les substances forment neuf autres catégories : la quantité, la qualité, la relation, le lieu, le temps, la position, la possession, l'action et la passion. Il s'agit en somme des prédicats d'un sujet qui n'en révèlent pas la substance et, par conséquent, n'entrent pas dans sa définition. Une proposition qui donne le lieu, par exemple, comme « l'homme est dans la rue », ne contribue aucunement à la définition du sujet « homme » et ne dit rien sur sa substance ; elle le caractérise de manière complètement accidentelle. Du reste, les prédicats accidentels peuvent à leur tour devenir les sujets de propositions ; on peut leur attribuer un prédicat de la même catégorie, comme dans la proposition « le rouge est une couleur », ou un prédicat qui leur est accidentel, comme dans la proposition « cette longueur est suffisante ». Il s'agit là de complications du système logique que nous jugeons aujourd'hui inutiles et qui, de surcroît, constituent des présupposés gênants sur les états de choses. A titre d'exemple, il ne serait pas facile de déterminer avec exactitude si le travail est une action ou une passion. Pour Aristote, il s'agit sans doute d'une passion, de quelque chose qu'on subit, alors que nos contemporains prétendent plutôt y voir l'acte de transformer le monde.

La seconde conséquence du système des catégories est « l'insistance sur la substance première comme ultime sujet de la prédication » qui « mène à privilégier la forme sujet/prédicat de la proposition, laquelle restreignait encore le développement de la logique au temps de Leibniz. Si la substance première est l'ultime sujet de la prédication, toutes les vérités de base sont de la forme " Ceci (substance première) est (ou n'est pas) ceci ou cela ", et les autres vérités dérivent de celles-là ou en dépendent » [10]. Comme le montre Kneale, ce choix limite le spectre des opérations logiques jugées correctes, mais il faut ajouter qu'il s'agit aussi d'un choix philosophique très limitatif. Aristote évite de traiter comme des substances les entités hétéroclites qui constituaient le monde des idées platoniciennes, mais il enlève du même coup l'existence à des entités qui ne le méritaient peut-être pas. En dehors des corps qui tombent sous le sens, il y a des choses auxquelles il est difficile de refuser une existence propre ; on pense entre autres aux phénomènes institutionnels ou religieux. Prenons l'exemple de la Cité. Faut-il la considérer comme un agrégat d'individus réunis accidentellement en un lieu, alors qu'elle survit manifestement aux individus qui la composent ? La théorie d'Aristote convient parfaitement pour classer des espèces naturelles, pour placer l'homme et l'âne dans les êtres animés, pour placer au contraire la pierre dans les êtres inanimés. Mais, s'il faut rendre compte de choses plus abstraites qu'on ne peut toucher du doigt, elle risque de les insérer dans un devenir capricieux, à l'intersection de séries causales hétérogènes. On réagira dès la basse Antiquité à cette première difficulté en essayant d'introduire un peu de platonisme dans cette doctrine trop contraignante.

2. *Les mots et les choses*

On a vu que les substances secondes tiraient leur existence de celle des substances premières. A l'évidence, les substances premières sont pour Aristote des objets du monde extérieur, des choses et non pas des mots. Mais il est beaucoup plus difficile de dire ce que sont les substances secondes. Certaines expressions suggèrent que ce sont des termes du langage (*legomena*) qui se disent de quelque chose (*kata tinos legesthai*). D'autres au contraire en font les choses (*ta onta*) qui se prédiquent ou se disent d'un sujet. La distinction entre substances secondes et accidents se traduit par l'opposition entre *kata tinos legesthai* (se dire de quelque chose) et *en tini einai* (être dans quelque chose), comme si les premières étaient des mots et les seconds des choses. En outre, Aristote emploie le même mot *ousia* pour désigner les substances premières et secondes. Il semble donc considérer que les choses se comportent entre elles comme les mots entre eux et qu'elles sont liées par les mêmes règles, de sorte que des distinctions rigoureuses entre les deux niveaux ne s'imposent pas.

De plus, le langage qu'il utilise ne permet pas de distinguer les substances premières des substances secondes. L'expression « l'homme est un être animé » peut aussi bien signifier « cet homme que voici est un être animé » ou « l'homme en général est un être animé ». A voir les réactions méprisantes des aristotéliciens envers le formalisme des stoïciens, beaucoup plus sensibles qu'eux à ces

problèmes, on peut supposer que la distinction entre les mots et les
choses leur semblait suffisamment assurée pour qu'il n'y ait pas lieu de
s'inquiéter. L'ambiguïté de la proposition peut leur avoir semblé
inoffensive.

En fait, si l'on regarde les exemples dont se sert Aristote, on
remarque qu'il prend quelques précautions. Une règle tacite règne sur
les exemples de sa syllogistique : le sujet des propositions n'est jamais
un nom propre ou un pronom. Plus généralement, à une seule exception
près, les propositions singulières ne sont pas admises dans les
syllogismes [11]. Face à un sujet individuel, le logiciens semble procéder
en deux phases. La première serait le passage du particulier au général :
l'existence des substances premières permet de poser celle de la
substance seconde, aussi bien dans l'univers des choses que dans
l'univers des mots qui lui est conforme. La seconde serait la confection
de propositions dont le sujet et le prédicat sont tous deux des substances
secondes, dans l'univers des mots comme dans celui des choses. S'il en
est ainsi, il faut considérer qu'il existe des substances secondes dans
l'univers des choses et ces substances ressemblent comme des soeurs
aux idées platoniciennes. Pire encore, tandis que Platon enfermait les
idées dans un univers distinct, les substances secondes hanteraient le
même univers que les individus. Voilà la seconde difficulté qu'Aristote
léguait au moyen-âge.

3. Les prédicables

La distinction des dix catégories et celle des substances premières
et secondes ne suffit ni à garantir la correction de la prédication, ni à
comprendre ce qu'elle exprime. Il faut encore envisager deux
questions : 1. la proposition est-elle convertible ? 2. Le prédicat est-il
nécessaire ?

En effet, dans la proposition « l'homme est assis », le prédicat n'est
pas nécessaire, car l'homme pourrait être debout, tandis qu'il l'est dans
la proposition « l'homme est un bipède ». De plus, la proposition
« l'homme est un être animé » n'est pas convertible, car l'être animé ne
se dit pas que de l'homme, tandis que « l'homme est un être animé
rationnel et mortel » est convertible, car il n'y a pas d'autres êtres
animés rationnels et mortels que l'homme. On peut ainsi distinguer
quatre prédicables, c'est-à-dire quatre types de prédicats : ceux qui sont
convertibles et nécessaires, convertibles et non nécessaires, non
convertibles et nécessaires, ni convertibles ni nécessaires. Ce sont

respectivement la définition, le propre, le genre et l'accident. On obtient ainsi le tableau suivant :

prédicables :	convertibles/nécessaires	
définition	+	+
propre	+	-
genre	-	+
accident	-	-

Il reste à savoir sur quoi repose la convertibilité et la nécessité d'un prédicat. S'agit-il de décisions arbitraires ou cela correspond-il à la structure des états de choses ? Pour Aristote, la seconde réponse est sans doute la bonne. Si « l'homme est un être animé » n'est pas une proposition convertible, c'est parce que, dans une réalité qui ne dépend pas du langage, l'espèce « homme » est englobée dans le genre « être animé ». Pareillement, s'il est nécessaire que l'homme soit un être animé et s'il est contingent qu'il soit capable de rire, contrairement au cheval qui hennit, c'est la nature qui l'a voulu ainsi.

Il y a donc des états de choses parfaitement évidents, à partir desquels il est facile de reconnaître qu'un prédicat donne la définition, le propre, le genre ou l'accident. Les prédicables sont introduits dans les *Topiques* sans être définis, ce qui fait supposer à Kneale qu'ils étaient définis préalablement dans l'enseignement d'Aristote [12]. D'ailleurs, les noms donnés aux prédicables ne sont pas de son invention, mais existaient déjà dans la langue philosophique. Ils ont une particularité très intéressante : c'est leur caractère métaphorique qu'ils ont gardé en latin et parfois même en français.

La définition (*horos, definitio*) est la borne, ce qui délimite un domaine. Le propre (*idion, proprium*) est ce qui n'appartient qu'à un seul être. Cela correspond assez bien au mot français « propriété », mais aussi à « privé ». Le genre (*genos, genus*) est à la fois l'origine, la race, la famille. En latin, le mot garde tous ces sens, malgré l'existence du doublet *gens*, inusité en logique. L'accident (*sumbebêkos, accidens*) signifie une rencontre, heureuse ou malheureuse, une alliance aussi bien qu'une lutte, mais aussi un événement fortuit. C'est ce dernier sens que traduit le latin et qui passe en français.

Le caractère métaphorique de nos classifications n'a pas échappé à Marcel Mauss qui y fait allusion dès 1903 dans un article sur le prétendu totémisme [13]. Ces classifications nous semblent innées et naturelles, mais elles ont une histoire. « On ne saurait, en effet, exagérer l'état d'indistinction d'où l'esprit humain est parti ». Il reviendrait à Aristote d'avoir clairement distingué les catégories qui sont confondues chez Platon. Mais d'autres civilisations raisonneraient autrement. C'est ainsi que les Bororos se prendraient pour des Araras. Nos classifications seraient d'origine extra-logique et Mauss prend l'exemple de *genos*, en remarquant le rapport hiérarchique qui existe entre genre et espèce. Il cite alors des exemples australiens comparables où le clan, par exemple, est une tête de classification, mais il nie que les classifications aient un but pratique ; ce sont des outils de la connaissance. Frazer se trompe donc en croyant que les clans on été modelés sur les classifications des choses (totémisme). Ce serait plutôt le contraire [14].

Mauss essaie visiblement de dégager une continuité entre la pensée « pré-logique » que croit découvrir au même moment Lévy-Bruhl, et la pensée logique, ce qui permettrait de réduire l'écart entre le « primitif » et l'homme «civilisé», à la manière dont le darwinisme réduit l'écart entre le singe et l'homme. Les primitifs ont donc déjà des buts théoriques dans leurs classifications et peuvent se flatter de compter Platon parmi eux. En revanche, Aristote aurait fait sortir les classifications de l'indistinction et leur aurait donné un caractère logique. Tout comme Lévy-Bruhl dont il se distanciera plus nettement ensuite, Mauss part en 1903 d'une notion périmée de la logique. Car, en faisant passer dans les classifications la frontière entre la logique et l'illogique, il confond problèmes logiques et métalogiques. En fait, la distinction des prédicables par Aristote ne fonde pas la logique une fois pour toute, mais reste jusqu'à une époque récente une limite que s'impose la logique et le principal obstacle à une théorie des relations.

Les prédicables aristotéliciens sont des métaphores qui insinuent une image du monde. Ils représentent une nature des choses qui serait hiérarchisée, comme les institutions sociales. Pour ne prendre que cet exemple, l'individu est pris dans une parenté, le *genos*, non seulement chez les hommes, mais encore dans l'ordre des choses, ce qui donne aux institutions le statut de lois naturelles fondées sur la nécessité. On tomberait dans une erreur symétrique de celle de Mauss en concluant qu'Aristote est « animiste » et qu'il croit les pierres organisées sur le modèle familial, car il n'exploite pas les métaphores pour accentuer l'aspect anthropomorphe des prédicables. Il se contente de léguer à la postérité le présupposé que le monde est ordonné hiérarchiquement par la nécessité et que la connaissance de cette hiérarchie est fondamentale pour la logique.

Résumons-nous. Pour la conscience naïve d'aujourd'hui (dont les historiens ont beaucoup de mal à s'affranchir), Aristote aurait proclamé le principe de non-contradiction sur lequel reposerait la pensée occidentale (en tout cas celle des « élites » occidentales). La fonction de ce mythe est d'asseoir les prétentions desdites « élites » au monopole de la raison, ce qui explique leur acharnement à monnayer en mentalités les comportements différents du leur dans l'histoire et la société. En fait, la logique aristotélicienne s'est mise en place avec des présupposés métalogiques encombrants (les catégories et les prédicables) et sans parvenir à une distinction consistante entre les mots et les choses. Pour comprendre exactement le sens de ces limitations, il faudrait analyser le rôle de la logique au temps d'Aristote, ce qui n'est pas de notre ressort. On s'est contenté de présenter les puzzles qui s'offraient aux logiciens de la basse Antiquité et auxquels ils donnèrent des solutions conformes à leur propre situation historique.

2. L'*Isagoge* de Porphyre

L'oeuvre logique de Boèce commence par deux commentaires d'un petit traité de Porphyre, philosophe païen de la fin du IIIe siècle, l'*Isagoge* [15]. Il le commenta d'abord d'après la traduction latine de Marius Victorinus, qui fut le maître de saint Jérôme. Puis il décida de remplacer ce manuel fautif en entreprenant une traduction correcte, sur laquelle il édifia un second commentaire.

L'*Isagoge* est une introduction aux prédicables, destinée aux débutants, et les commentaires qu'en a faits Boèce jouent le même rôle dans son oeuvre logique à lui. Mais ces introductions sont tout sauf un résumé d'Aristote ; elles forment au contraire une adjonction originale à l'*Organon* : l'analyse systématique des prédicables. Elle visent donc à combler le silence et à éliminer l'imprécision d'Aristote à ce sujet. Dans la mesure où le problème des prédicables est largement métalogique, il s'agit d'une révision en profondeur de la représentation du monde.

Porphyre présente les prédicables sous cinq rubriques : le genre, l'espèce, la différence, le propre et l'accident, alors qu'Aristote en connaissait quatre : la définition, le propre, le genre et l'accident. En effet, si l'on veut définir l'être animé, par exemple, il ne suffit pas de donner son genre, à savoir la substance corporelle, car il existe des substances corporelles non animées, les pierres par exemple. Il faut donc faire état d'une différence spécifique, en l'occurrence le caractère animé, pour obtenir un prédicat convertible qui donne la définition. Porphyre ajoute ensuite l'espèce aux prédicables, ce qui ne contredit pas formellement Aristote, mais transforme en règle explicite une difficulté implicite du système. On a vu plus haut qu'Aristote évitait l'utilisation du sujet individuel dans le syllogisme, ce qui réduisait le danger qu'on prenne pour des propositions du même type :

1. l'homme que voici est un être animé ;
2. l'homme en général est un être animé.

En revanche, les deux propositions sont notées de manière identique et leur différence de signification n'est pas analysée. En ajoutant l'espèce aux prédicables, Porphyre rend la confusion officielle et admet de fait que le rapport entre l'individu et l'espèce est de même nature que le rapport entre l'espèce et le genre. La chose paraît si scandaleuse à Kneale qu'il hésite à l'affirmer : « Si cette innovation est supposée impliquer que la distinction des prédicables peut être utilisée en connexion avec un sujet individuel, c'est déplorable, car rien n'est essentiel ou accidentel à un individu en tant que tel » [16]. Mais c'est pourtant bien ce que fait Porphyre : « L'homme, puisqu'il est l'espèce, se prédique de Socrate et de Platon qui ne diffèrent pas entre eux par l'espèce, mais par le nombre. L'être animé, puisqu'il est le genre, se prédique de l'homme, du cheval et du boeuf qui diffèrent entre eux par l'espèce et non seulement par le nombre » [17].

Porphyre examine chacun des cinq prédicables, ce qu'ils ont en commun et leurs différences, en les confrontant deux à deux. Face au genre et à l'espèce, il découvre trois problèmes intéressants :

1) Comme s'en aperçoit Boèce dans son second commentaire, après avoir refait lui-même la traduction de l'*Isagoge*, il ne donne pas la définition, mais la description du genre [18]. Victorinus n'avait pas été sensible à la nuance. Si la définition du genre était possible, elle en donnerait le genre et la différence, ce qui obligerait à remonter au genre du genre et ouvrirait sur une régression à l'infini. Il y a donc lieu de décrire le genre en énumérant ses différences avec les autres prédicables, jusqu'au moment où cette description cesse d'être trop large ou trop étroite. Comme les catégories, les prédicables constituent en effet des types et le problème devant lequel se trouvait Porphyre ressemble un peu au paradoxe de Russell : le genre du genre s'apparente à la classe des classes.

2) Du même coup, il devient très difficile de nommer collectivement les prédicables. C'est nous qui utilisons ce mot pour désigner le genre, l'espèce, la différence, le propre et l'accident, à la suite des logiciens médiévaux. Porphyre évite autant que possible de donner un nom à ces cinq choses (*pragmata*) et se contente en général de les énumérer chaque fois qu'il doit les désigner collectivement. Il n'y a pas de difficulté pour la différence, le propre et l'accident qui ne sont jamais des noms pour une substance. Mais « genre » et « espèce »

peuvent désigner des substances, comme dans l'expression « l'homme est une espèce », ce qui laisse supposer que les genres et les espèces existent dans le même univers que les individus qu'ils englobent. On retrouve l'ambiguïté d'Aristote, devenue encore plus gênante. Porphyre voit le problème, mais se dérobe, en prétextant du caractère élémentaire de son traité : « Quant à dire si les genres et les espèces possèdent une substance, ou se trouvent simplement dans les seuls intellects, s'ils sont des substances corporelles ou incorporelles, s'ils se trouvent séparés des sensibles ou placés dans les sensibles et existant de leur fait, je me refuse à le faire. Il s'agit en effet d'une affaire très ardue et qui demanderait plus de recherches » [19]. Aucun problème logique n'agitera davantage le moyen-âge que cette « affaire très ardue » qui est le point de départ de la querelle des universaux.

3) Le genre et l'espèce sont des notions relatives ; le genre se dit par rapport à l'espèce et inversement. De la sorte, un prédicable peut être le genre d'une espèce tout en étant l'espèce d'un autre genre. Par exemple, l'être animé est un genre dans lequel se range l'espèce « homme » et une espèce du genre « substance corporelle ». Mais il y a une limite supérieure du genre et une limite inférieure de l'espèce. Les genres maximaux sont constitués par les dix catégories. En effet, s'il y avait un genre commun à la substance, à la quantité, à la relation, etc., ce serait l'Etre de Platon que les *Catégories* d'Aristote visaient justement à éliminer. Quant aux espèces, elles doivent rester en nombre fini et se distinguer par des différences essentielles, sans quoi la science ne serait plus possible. Si les accidents permettaient de distinguer les espèces, elles n'auraient aucune stabilité et seraient de l'ordre du devenir, non plus de l'essence. Il y a donc des espèces spécialissimes, sous lesquelles ne se rangent plus que des individus, ainsi l'espèce « homme ». Mais on devine ce que peut avoir d'arbitraire la décision de limiter les espèces, de trancher entre l'essentiel et l'accidentel. C'est devant un choix métaphysique que se trouve placé Porphyre.

La difficulté concerne la substance, car les espèces des autres catégories ne règnent pas sur des individus doués d'une existence indépendante. Porphyre ne nous donne pas l'énumération ou la classification des espèces, laissant sans doute ce travail aux sciences naturelles. Mais il en classifie quelques-unes, celles-là mêmes qui, depuis Aristote, ont acquis le statut d'exemples de logique. Voici son texte :

« Entre le genre le plus général et l'espèce la plus spéciale, on en trouve d'autres qui sont à la fois genre et espèce, selon le point du vue d'où on les considère. C'est manifeste dans la catégorie appelée substance : elle est en effet le genre et le corps se trouve sous elle. Sous le corps se trouve le corps animé, sous lequel se trouve l'être animé ; sous l'être animé se trouve l'être animé rationnel, sous lequel se trouve l'homme. Sous l'homme se trouvent Socrate et Platon et les hommes particuliers. Mais leur substance est leur genre le plus général, lequel est seulement genre, tandis que l'homme est l'espèce la plus spéciale, laquelle est seulement espèce. Le corps est une espèce de la substance et le genre du corps animé, tandis que le corps animé est une espèce du corps et le genre de l'être animé. En revanche, l'être animé est une espèce du corps animé, le genre de l'être animé rationnel ; l'être animé rationnel est une espèce de l'être animé et le genre de l'homme. L'homme enfin est l'espèce de l'être animé rationnel et non le genre des hommes particuliers, mais seulement espèce. Tout ce qui procède des individus et en constitue le prédicat le plus proche est seulement espèce et non genre » [20].

Par la suite, cette échelle qui mène de la substance à l'homme fut désignée comme l'« arbre de Porphyre » et on en donna des représentations graphiques (ill. 3), non sans quelques modifications importante dont nous parlerons un peu plus loin. Le schéma proposé par Porphyre est en fait le suivant :

substance	genre le plus général
corps	genre et espèce
corps animé	"
être animé	"
être animé rationnel	"
homme	espèce la plus spéciale
Socrate, Platon, etc.	

L'arbre de Porphyre fut ainsi désigné parce qu'il prit le caractère d'un schéma comparable à nos modernes arbres de Noël, ou à un arbre généalogique [21]. Il est important de constater que ce schéma métalogique est un diagramme et relève de l'iconicité, au sens que Peirce donne à ce mot. Le texte même de Porphyre a donc retenu le caractère métaphorique des prédicables aristotéliciens, non sans avoir précisé quelques limites de la métaphore, sans doute pour éviter des contresens ridicules. Il constate en effet que les mots « genre » et « espèce » sont équivoques. Le mot « genre » a trois sens :
- un groupe réuni par le nom d'un seul, comme les Romains qui tiennent leur nom de Romulus ;

3. *La Dialectique avec l'arbre de Porphyre*, Darmstadt,
Hessische Landesbibliothek, ms. 2282, fol. 1v.

– l'origine généalogique de chacun, c'est à dire l'ancêtre ou le lieu d'où il vient, aussi bien dans l'exemple déjà utilisé Romulus pour les Romains, que Tantale pour Oreste ou la ville de Thèbes pour Pindare ;

– ce sous quoi est posée l'espèce ; c'est en ce sens qu'on utilise le mot en logique.

Grâce à ces précisions, l'arbre de Porphyre se réduit, sous sa forme originale, à une série d'inclusions apparemment évidentes. Mais, à y regarder de plus près, il introduit dans la logique d'Aristote un choix métaphysique lourd de conséquences. En faisant du corps une espèce de la substance, Porphyre sous-entend que toutes les substances ne sont pas corporelles et n'appartiennent pas à l'univers sensible. C'est bien ce que comprendra Boèce en subdivisant la substance en corporelle et incorporelle dans ses commentaires. Dès lors, le silence d'Aristote dans ses oeuvres logiques sur l'éventuelle existence de choses incorporelles est comblé. On passe d'un univers où la substance s'oppose aux entités dénuées d'existence indépendante à un univers comprenant trois sortes d'entités : les substances corporelles, les substances incorporelles et les entités sans existence propre.

3. Boèce face à l'*Isagoge*

Les deux commentaires de l'*Isagoge* constituent l'enseignement logique le plus élémentaire de Boèce et c'est ici qu'on perçoit le mieux les présupposés métalogiques qu'il reprend, modifie et impose. Trois points retiendront notre attention : l'élaboration fortement métaphorique des prédicables, la nouvelle présentation de l'arbre de Porphyre et la mystique spiritualiste qui vient cautionner le système.

1. Les métaphores de la parenté

Face au caractère métaphorique des prédicables, l'attitude de Boèce est assez étrange, car il poursuit l'effort de Porphyre pour analyser les équivoques déjà signalées entre le vocabulaire logique et celui des institutions, tout en se servant d'un langage encore plus métaphorique que celui de son prédécesseur et en multipliant ainsi les équivoques. A notre connaissance, cet aspect de sa démarche n'a jamais été signalé.

Dans le premier commentaire, Boèce développe la distinction des sens du mot « genre » en suivant fidèlement Porphyre, puis glisse de la distinction à la comparaison : « Le genre est le principe des espèces, tout comme Romulus de ceux qui sont apparentés et reliés à partir de lui comme Romains. De la même manière, le nom de Romulus contient tous les Romains, comme les espèces sont contenues dans le nom du genre » [22]. De la comparaison, Boèce revient aux distinctions. D'une part, les espèce sont égales dans le temps, alors que les fils d'un même père se divisent en aînés et en cadets ; d'autre part, le genre contient nécessairement plusieurs espèces, alors qu'un fils peut être unique.

La première de ces distinctions devient inutile dans le second commentaire, où Boèce remarque que le lieu et le temps sont des causes accidentelles de la naissance [23]. Porphyre place le père et la patrie au même niveau de causalité par rapport à la naissance, alors que le père est cause efficiente et la patrie cause accidentelle. Le lieu et le temps de la naissance sont ainsi des accidents qui ne gênent pas la comparaison entre la parenté et les prédicables.

La seconde distinction est maintenue en ce sens que le genre domine nécessairement plusieurs espèces, mais Boèce s'aperçoit qu'il peut exister des espèces ne contenant qu'un seul individu [24]. Il cite le cas mythologique du phénix, puis celui du soleil qui lui paraît plus sérieux. Pour confirmer l'identité de dénomination entre l'espèce et l'individu dans de tels cas, il utilise la comparaison d'une barre d'airain qu'on divise et dont les parties se nomment également de l'airain.

Toujours dans le second commentaire, Boèce explique de manière convainquante la similitude des sens du mot « genre » par l'étymologie. Le sens premier de *genus* est relatif à la procréation ; le sens institutionnel est second et le sens logique est apparu en dernier [25]. En logique, le genre est le nom d'une collection, comme lorsqu'on parle d'un groupe social, et le principe de ce groupe, tout comme l'ancêtre de la famille. Après avoir utilisé le mot *parentela* dans le premier commentaire, Boèce se décide finalement pour *familia*.

Le premier commentaire introduisait encore un principe (emprunté probablement à Aristote, *Topiques*, IV, 1) pour définir la relation entre le genre et l'espèce : la participation [26]. En effet, le genre et l'espèce sont des notions relatives et se définissent par leur relation réciproque, à savoir l'inclusion de l'espèce dans le genre dont elle participe. L'espèce n'est pas à soi-même sa propre espèce, ni le genre son propre genre : ils sont l'espèce d'un genre et le genre d'une espèce. Sur toute l'échelle des genres et des espèces, cette relation de participation est identique à elle-même. Il n'y a donc pas de genre de la participation.

Fabius, le disciple dans ce commentaire en forme de dialogue, félicite son maître de cette découverte, avec raison, car Boèce peut ainsi définir le genre par la participation, sans recourir au genre du genre. Mais la définition du genre est abandonnée dans le second commentaire. En refaisant la traduction, Boèce s'est aperçu que Porphyre ne cherchait pas à définir le genre, mais le décrivait [27]. Il choisit donc d'exprimer le rapport de participation par une comparaison. Le genre se conduit par rapport à l'espèce comme le père par rapport au fils.

Désigné ou non comme participation, le rapport conceptualisé par Boèce nous semble d'un grand intérêt. Il ne s'agit pas de la « participation » que Lévy-Bruhl attribue aux « primitifs » et qui permettrait à un Bororo de se prendre pour un Arara, car il n'y a pas de *participatio* entre espèces ou entre individus d'espèces différentes. La participation est plutôt le rapport d'inclusion, à ceci près qu'il s'énonce avec la copule « est », comme le rapport d'identité. Il est évident que « l'homme est un homme » forme une pure tautologie et ne nous apprend rien, tandis que « l'homme est un être animé » n'est pas tautologique et possède une fécondité. Combiné avec d'autres énoncés du même type, celui-ci permet de placer l'homme dans l'échelle des êtres et de formuler ses relations avec les autres êtres animés. La même copule « est » s'utilise pourtant aussi bien pour formuler la définition (« l'homme est un être animé rationnel et mortel ») ou le propre (« l'homme est capable de rire »). Elle est donc polysémique et il y a une équivoque constante entre identité et inclusion. Chaque terme peut être la partie ou le tout, à deux exceptions près : le genre qui est un tout et n'est jamais la partie de quelque chose, l'individu qui est une partie de l'espèce et n'est le tout de rien. L'individu ne peut donc être défini que comme *pars pro toto* : « L'individu est toujours une partie, il n'est jamais un tout »[28].

Les métaphores de la parenté s'adaptent bien à la description de ces rapports. On en trouve de trois ordres :

1) Les métaphores physiologiques, comme *conjungi* et *copulari*, utilisées dans le second commentaire [29]. Pour former l'espèce, le genre s'unit maritalement à la différence et lui est « supérieur », comme l'homme est supérieur à la femme. C'est ainsi que la substance s'unit (*conjungitur*) au corporel qui lui est inférieur, pour former la substance corporelle, c'est-à-dire le corps. Pour former un être animé, la substance corporelle s'unit (*copulatur*) à l'animé, et ainsi de suite.

2) Les métaphores de la parenté comme rapport social. La parenté est aussi la transmission du nom. Dans le premier commentaire, le genre

est dit *progenitivum* des espèces, en tant qu'il leur donne le nom : « Le genre est un et engendre plusieurs espèces. En effet, sous un seul genre se trouvent plusieurs espèces [...] De même, le nom "être animé" contient en lui toutes ses espèces » [30]. A la transmission du nom est lié un autre rapport social, la contrainte : « il est clair à la fois que le genre est genre de plusieurs espèces et que l'espèce enferme (*coercere*) sous elle plusieurs individus ». Le rapport qui consiste à contenir, enfermer et réunir correspond au nom et au pouvoir, plus encore qu'à la procréation, d'autant mieux que son corollaire est la division des choses supérieures par les inférieures. L'individu divise l'espèce qui divise le genre. « Tout ce qui est singulier ou individuel divise ce dont il naît ». Cela ne doit pas s'entendre de la parenté au sens physiologique, car l'engendrement se ferait alors par une sorte de scissiparité. En revanche, la métaphore vaut pour la transmission du nom qui réunit des individus parce qu'il est partagé entre eux.

3) La métaphore de l'arbre qui vient de Porphyre, est commune aux prédicables et à la parenté. Boèce l'enrichit en décrivant les espèces comme des ramifications du genre : « Toute l'unité des genres supérieurs se désagrège en espèces ramifiées (*multifidas ramosasque*) ». Il s'ensuit que les choses inférieures sont en plus grand nombre que les choses supérieures, lesquelles sont par conséquent plus rares.

Le lecteur s'étonne peut-être que nous nous attardions sur ces métaphores extrêmement banales. Elles expriment pourtant le cadre du raisonnement logique tel que le concevait Boèce et tel qu'il subsiste encore aujourd'hui dans des raisonnements moins formalisés. Il s'agit d'un ensemble de présupposés triviaux, mais hautement significatifs et contraignants. L'essentiel consiste en une série d'équivalences entre l'engendrement, l'âge, l'antériorité, le nom, le petit nombre, la totalité, le rassemblement et le pouvoir. Tout cela constitue la fécondité à laquelle s'oppose l'aliénation de l'individu qui est absolument inférieur puisqu'il ne domine rien. Il est le sujet par excellence, au sens logique, mais aussi au sens social, car il est littéralement « assujetti ». Tout comme l'astrologie qui était une science au moyen-âge, ce système logique existe encore aujourd'hui sous une forme dégénérée, pour exprimer des attitudes éthiques fondées sur la soumission. On pense à une apologétique qui déduit de l'existence de l'homme qu'il doit y avoir quelque chose de plus grand et qui existait avant lui, que le monde doit avoir une cause, etc. Il s'agit nécessairement de faire de l'aliénation le principe de l'univers, afin de transformer en rapports naturels les rapports sociaux. Lorsque l'univers est appréhendé dans ce système logique totalement anthropomorphe, l'ordre social apparaît comme le reflet de l'ordre naturel.

On peut objecter que Boèce concevait ces métaphores comme des métaphores, qu'il n'a jamais imaginé que les corbeaux, les merles et les perroquets formaient la famille des oiseaux, tirant leur nom d'un oiseau géniteur et préexistant qui les aurait conçus en épousant la différence ! De même, l'électricien parle de fiches mâles et femelles sans assimiler les fiches à des êtres animés dont le coït engendrerait la lumière de la lampe. Mais il faut faire ici deux distinctions importantes. D'une part, l'électricien n'utilise pas la métaphore comme un présupposé logique. L'existence de fiches mâles et femelles n'entraîne pas que l'univers se diviserait tout entier en couples d'opposition analogues, du genre *yin* et *yang*, tandis que le logicien fait de la participation la nature des choses. D'autre part, la fécondité logique, telle que la conçoit Boèce, est un rapport abstrait, tout comme la dichotomie des fiches chez l'électricien. La parenté est un cas et une illustration du rapport plus général qui unit les individus aux espèces et les espèces au genre. Elle ne l'est que par certaines de ses propriétés, comme la transmission du nom. Il est donc évident que Boèce ne considère pas le genre « oiseau » comme le père de l'espèce « corbeau », mais imagine un rapport entre ce genre et cette espèce qui existerait aussi entre les ancêtres et les descendants. Que ce présupposé soit totalement arbitraire ne saute pas aux yeux, mais cela suffit pourtant à limiter singulièrement la portée du raisonnement logique et, ce qui revient au même, à l'incorporer dans une métaphysique exubérante.

2. L'arbre de Porphyre retouché

En commentant l'arbre de Porphyre, Boèce y introduit sans prévenir deux modifications apparemment insignifiantes [31]. La première consiste à placer sous chaque genre les deux différences qui se copulent à lui, tout en n'indiquant qu'une seule espèce, celle qui est issue de la première différence. On obtient donc un nouveau schéma :

Porphyre	Boèce	
substance	substance	
corporelle	corporelle	incorporelle
corps	corps	
animé	animé	inanimé
etc.	etc.	

Cette première modification ne fait que clarifier une division binaire qui était implicite chez Porphyre. La seconde modification consiste à ajouter deux divisions supplémentaires à l'arbre, entre l'être animé sensible et insensible, entre l'être animé rationnel mortel et immortel. On obtient ainsi un schéma plus compliqué que celui de Porphyre :

```
                    substance
      corporelle                    incorporelle
                     corps
      animé                         inanimé
                   être  vivant
      sensible                      insensible
                   être  sensible
      rationnel                     irrationnel
                   être  rationnel
      mortel                        immortel
              _____homme_____
               Socrate, Platon, etc.
```

Il est probable que la seconde modification soit une conséquence de la première. En formulant clairement les dichotomies et en plaçant des exemples, Boèce met l'homme sous la rubrique « être animé rationnel mortel » et ouvre une autre rubrique, « être animé rationnel immortel », pour y placer le dieu. Il ne s'agit pas vraiment du Dieu chrétien qui n'est un être corporel que dans son incarnation et qui est mortel en tant qu'il est incarné. Le second commentaire indique qu'il s'agit en fait des astres, déifiés par la tradition platonicienne : « Je considère en effet le dieu comme corporel. Les Anciens appelaient dieu ce monde et lui ont conféré le nom de Jupiter. Mais Platon, puis la plupart des doctes en chœur, ont jugé que le soleil et les autres corps célestes qui sont animés étaient les dieux » [32]. Il est très difficile de deviner la position de Boèce. S'il était chrétien, comme on le suppose, il ne pouvait exprimer ses idées sur Dieu dans un commentaire des Anciens et préféra se servir de l'opinion de Platon comme d'un moindre mal. C'est dans le *De Trinitate* que nous trouverons une position claire qui donne toute sa cohérence au système logique.

L'arbre de Porphyre retouché n'en reste pas moins un cadre assez arbitraire pour classifier les substances. Il implique une zoologie telle que l'âne, le dieu ou l'homme soient des espèces spécialissimes, alors que l'oiseau est un genre sous lequel se trouvent plusieurs espèces. La différence entre un Ethiopien et un Blanc est accidentelle, ce qui montre au moins que le système n'est pas raciste. Sont également accidentelles

les différences nationales entre les hommes. Bien qu'il ne soit pas question de lui, l'esclave est vraisemblablement considéré comme un homme. Il faut en conclure que la société et les divisions nationales sont des accidents qui adviennent à l'espèce humaine, tout comme la couleur de la peau. D'un point de vue strictement logique, ces choix ne sont pas plus fondés que celui qui priverait de l'« être animé sensible et rationnel » les esclaves, les Noirs ou les étrangers. Mais il faut prendre acte de leur universalisme qui allait de soi pour Boèce et à sa suite pour le moyen-âge.

On remarque encore quelques difficultés dans cette classification. La place du Dieu chrétien n'est pas évidente et nous y reviendrons. Celle du mulet devient un étrange problème [33]. En effet, cet animal n'est pas la conjonction de l'espèce « cheval » et de l'espèce « âne », car on ne peut unir une espèce à une autre pour en faire naître une troisième. On n'obtient un mulet qu'en accouplant un cheval individuel et un âne individuel. Mais Boèce ne nous dit pas si l'on obtient, par cette manipulation génétique, une espèce « mulet », si les mulets n'appartiennent à aucune espèce ou s'ils appartiennent à deux espèces différentes. Il existe un problème du même ordre que ne soulève pas Boèce, mais que mentionne au milieu du XIe siècle Garland le Computiste, comme une source de sophismes [34] : est-ce que la maison est un être animé ou inanimé ? La maison se compose de pierre et de bois, ce qui l'amenerait donc à se situer dans deux espèces différentes. Garland résout la difficulté en montrant que le bois dont se compose la maison n'est plus animé, puisqu'il a été coupé. La maison n'a donc pas d'âme végétative et se range sous une seule espèce.

Au fil des exemples, il apparaît que l'arbre de Porphyre isole comme espèces de la substance des phénomènes naturels et refuse d'accueillir les produits de l'activité humaine. Ni les hybridations animales, ni les institutions, ni les objets fabriqués ne figurent comme exemples d'espèces. Lorsque Boèce, à la suite de Porphyre, prend un exemple dans l'activité humaine, celui de la sculpture, c'est pour donner un pendant dans le monde matériel de ce qui se produit dans l'univers logique [35]. Le rapport entre le genre, la différence et l'espèce équivaut au rapport entre l'airain, la forme qui lui est donnée et la statue. Mais Boèce ne dit pas que l'airain est le genre, la forme la différence et la statue l'espèce. En donnant forme à l'airain, l'homme ne crée donc pas une espèce. La raison en est simple. Pour que la science puisse exister, il faut que les espèces soient en nombre fini. Si l'homme créait des espèces, il en adviendrait toujours des nouvelles, tout comme il naît chaque jour des individus. Il n'y aurait donc pas plus de science des espèces qu'il n'y a de science des individus.

Telle que la comprend Boèce — et sur ce plan il est bien probable qu'il ne trahit pas Aristote — la science s'occupe d'entités perpétuelles en nombre fini. Ces entités ne sont pas soumises aux caprices du monde sublunaire et de la Fortune. Mais, tandis qu'Aristote les reliait avec fermeté au monde visible, Boèce s'intéresse à leur caractère immatériel et à leur divine pérennité, développant ainsi le platonisme latent dans l'oeuvre du Philosophe.

3. Les entités spirituelles

Comme on l'a vu, Porphyre introduisit implicitement la substance incorporelle dans la classification des êtres et Boèce le fit explicitement. On aimerait savoir précisément ce qu'ils entendaient par là, mais ni l'arbre de Porphyre, ni les exemples utilisés par les deux logiciens n'apportent de secours. L'arbre, qui regroupe les exemples de logique les plus fréquents depuis Aristote, se ramifie de la substance aux individus : Socrate, Platon, etc., mais reste stérile du côté des différences privatives : incorporel, inanimé, insensible, etc. Il se réduit en quelque sorte à la « généalogie » de l'homme, flanqué de deux espèces irrationnelles, le boeuf et l'âne. L'introduction du dieu platonicien reste occasionnelle [36]. Pourtant, Boèce s'écarte deux fois de ce parcours étroit, pour regarder de l'autre côté de l'arbre.

En discutant les différences constitutives de l'espèce, il fait une remarque très intéressante [37].« Mortel » et « rationnel » constituent l'homme, « immortel » et « rationnel » le dieu, « mortel » et « irrationnel » la bête, mais qu'en est-il d'« immortel » et « irrationnel » ? Si l'on en croit Aristote, les corps célestes sont inanimés et à plus forte raison irrationnels, mais ils possèdent un mouvement perpétuel. Il y aurait donc des êtres irrationnels immortels. Pour Platon, les corps célestes sont animés et rien de ce qui est irrationnel ne saurait être immortel, car l'irrationnel est soumis à la génération et à la corruption. Dans ce cas, les différences « irrationnel » et « immortel », bien que constitutives des espèces, n'en constituent aucune lorsqu'on les met ensemble. Boèce accepte cette possibilité, considérant que les deux différences appartiennent à des genres différents. Mais il a fait implicitement usage d'une table de vérité pour établir la totalité des possibilités logiques :

	mortel	irrationnel
homme	+	+
bête	+	-
dieu	-	+
astre ?	-	-

Cela aurait pu lui permettre de reconnaître l'indépendance de la logique par rapport aux états de faits et, par conséquent, le caractère extra-logique de l'arbre de Porphyre. L'avortement de cette tentative semble prouver qu'il ne tenait pas à pousser le formalisme jusque-là, qu'il préférait rester dans un système anthropomorphe.

Dans un second passage capital auquel nous avons déjà fait allusion, Boèce commente la comparaison de Porphyre entre la constitution d'un corps, une statue par exemple, à partir de matière et de forme, et la constitution de l'espèce à partir du genre et de la différence [38]. Il tire de cette comparaison une doctrine originale, en déformant ainsi le propos de Porphyre :

« Toutes choses, dit [Porphyre], ou bien consistent en matière et forme, ou bien possèdent une substance à la similitude de la matière et de la forme [...] Il est évident que les choses qui sont corporelles tiennent leur subsistance de la matière et de la forme ; mais celles qui sont incorporelles possèdent, à la similitude de la matière et de la forme, des natures premières et antérieures superposées, sur lesquelles surviennent les différences pour former quelque chose. De même qu'on voit le corps consister en matière et figure, de même, pour le genre et l'espèce, l'espèce s'obtient par addition des différences au genre. De même que dans la statue d'Achille, l'airain est la matière et la forme une qualité d'Achille et une certaine figure dont on forme la statue d'Achille qui est assujettie à la perception des sens, de même dans l'espèce qui est l'homme, la matière correspond au genre qui est l'être animé, auquel survient la qualité de rationalité pour faire l'être animé rationnel qui est l'espèce ».

Aussi bizarre que cela paraisse, Boèce considère que les substances incorporelles sont les substances prédicables, ou du moins que les prédicables sont des substances incorporelles. Comme les prédicables sont les noms des prédicats, cela équivaut à considérer les noms comme des substances incorporelles, possédant une existence au même titre que les choses.

On ne peut conclure à une incohérence ou à un malentendu, car cela fait système avec la métaphysique que Boèce développe dans le premier commentaire. Le second commentaire est plus discret, comme si l'auteur regrettait d'avoir introduit de telles divagations dans la logique d'Aristote [39]. Il se contente d'y affirmer les trois fonctions de l'âme, végétative, sensitive et rationnelle, d'affirmer la nature divine de l'âme rationnelle. Elle conçoit ce qui dépasse les sens et peut le communiquer par le langage. Boèce se sert ensuite de la théorie aristotélicienne de l'abstraction, pour présenter un ordre rationnel qu'atteint le raisonnement et qui n'est pas celui du monde sensible. La raison distingue ce que la nature réunit, comme la ligne ou le corps, et réunit ce que la nature distingue, comme des êtres d'apparence diverse. De même, les genres et les espèces existent selon un certain mode et sont pensés selon un mode différent. Ils sont incorporels, existent liés aux corps, mais sont pensés indépendamment des corps. Platon leur donne une existence indépendante, Aristote les fait subsister dans les choses sensibles. Boèce n'approuve pas vraiment Aristote, mais propose de le suivre, car c'est à le commenter qu'il se consacre.

Le premier commentaire est plus audacieux, car Boèce essaie de résoudre le problème de l'existence et de la nature des prédicables, principalement du genre et de l'espèce [40]. L'âme comprend par les sens les choses soumises aux sens. A partir de là, elle parvient à l'intelligence des choses incorporelles par une sorte de spéculation, par un jeu de miroirs. En voyant des hommes singuliers, je sais qu'ils me voient aussi et je comprend que ce sont aussi des hommes. Puis, déjà confortée par l'intellection du sensible, l'âme entrevoit l'espèce de l'homme qui contient ces hommes singuliers et qui est incorporelle. L'espèce « homme » qui nous contient (coercet) à l'intérieur de son nom n'est pas corporelle, car nous ne la concevons que par l'intelligence. Les sens ne suffiraient pas, selon Boèce, à nous apprendre qu'il existe des hommes, c'est-à-dire des êtres qui nous regardent et nous comprennent à leur tour. L'expérience fondamentale est ici celle de l'intersubjectivité, par laquelle l'intelligence perçoit l'intelligence. C'est ainsi qu'elle se découvre comme incorporelle en découvrant l'espèce incorporelle qui fait l'unité des hommes.

En fait, l'intelligence peut aussi concevoir des choses inexistantes comme les centaures, de sorte que le problème de l'existence des prédicats n'est pas réglé. Boèce est ici obligé de faire une pétition de principe : s'ils n'existent pas, on ne voit pas pourquoi Aristote en parle et pourquoi Porphyre admet implicitement leur existence.

La discussion se poursuit sur la nature corporelle ou incorporelle des prédicables dans une certaine confusion, car Boèce hésite à distinguer clairement entre le prédicable en tant que prédicable et la chose dont il est le nom. Il y en a, dit-il, qui veulent considérer le genre en tant que genre. De ce point de vue, pas de problèmes : les prédicables sont incorporels. Il n'y a pas de problèmes non plus pour les prédicables qui désignent des choses incorporelles. Mais pour ceux qui désignent des substances corporelles, ils sont corporels sous ce rapport. Avoir les cheveux crépus est un accident corporel. C'est ainsi que l'incorporel verse dans le corporel par le jeu des divisions. Dans l'ensemble, les prédicables se conduisent comme des âmes incorporelles qui tendent à s'attacher aux corps, au détriment de leur nature spirituelle, même si Boèce hésite à le dire aussi crûment dans une oeuvre consacrée à Aristote.

Ce mouvement des prédicables vers le bas a une contrepartie : l'ascension de l'âme vers le spirituel [41]. La philosophie est l'amour de la sagesse et se distingue des connaissances appliquées, car il ne s'agit pas de la sagesse utile aux arts et métiers, mais de celle qui ne manque de rien, du pur principe. L'amour de la sagesse est l'illumination de l'intelligence dans son retour sur soi-même et l'intelligence retrouve ainsi la pureté de sa nature divine. La philosophie se divise en théorique et pratique. Si la philosophie pratique s'occupe essentiellement de politique, de morale et d'économie, la théorique étudie les intellectibles, les intelligibles et les choses naturelles. L'intellectible consiste éternellement dans son unité, son identité et sa divinité. L'intelligible comprend les causes des oeuvres de la divinité dans le monde céleste, mais aussi dans le monde sublunaire, lorsqu'il s'agit des substances supérieures. Les âmes humaines sont des intelligibles, en l'occurrence des intellectibles dégénérés au contact du corps. Mais elles peuvent retrouver la béatitude en s'appliquant à l'étude des intellectibles. Les choses naturelles font l'objet de la physiologie. Enfin, la logique s'applique à toutes les branches de la philosophie.

On remarque d'abord que la philosophie s'insère dans l'*otium*, dans l'inactivité qui caractérise le citoyen antique. Elle mène par degrés hiérarchiques des préoccupations pratiques aux préoccupations théoriques, puis de l'étude du sensible à celle du divin. Cela s'explique par la nature de l'âme (ou de l'intelligence) qui aspire à retrouver sa propre béatitude en passant du sensible à l'intelligible et de l'intelligible à l'intellectible. Au début du second dialogue [42], cette béatitude est identifiée à la gloire auprès de la postérité, à la pérennité. Elle s'oppose à la dégradation de l'esprit qui s'adonne aux plaisirs corporels et qui suit alors le destin du corps.

La métaphysique qui sous-tend le système logique de Boèce apparaît maintenant clairement. Elle doit beaucoup à la *Métaphysique* d'Aristote, en particulier au livre Γ dont elle fait passer certaines idées dans la logique, non sans les expliciter et les développer. Les connaissances que la logique doit garantir sont avant tout d'ordre spirituel : elles portent sur des entités spirituelles parce que l'intelligence est la partie spirituelle de l'âme humaine et qu'elle ne peut se retrouver elle-même que dans le spirituel. Il ne s'agit pas d'un caprice de Boèce, mais d'un point de vue qui reste fondamental pendant le moyen-âge et qui entraîne deux conséquences importantes pour la pensée médiévale.

Premièrement, le moyen-âge ignore le couple d'opposition sujet/objet. Toute connaissance est de la forme sujet/prédicat. Dans la hiérarchie qui mène des individus sensibles aux genres premiers, le prédicat est de nature plus spirituelle que le sujet qui en participe. C'est par sa participation au spirituel que le sujet peut être connu, qu'il est intelligible. Cette participation lui permet en même temps de connaître, dès lors qu'il possède une âme intelligente autant qu'intelligible. On comprend mieux ainsi que les exemples de la logique de Boèce et ceux de la logique médiévale tout entière, se recrutent dans un stock restreint où l'homme est le sujet par excellence, aux deux sens que le mot « sujet » a pour nous. Non seulement ce système logique est anthropomorphe, mais il rend la science anthropomorphe. Il n'y a pas au moyen-âge de sciences « naturelles », au sens moderne du mot, qui objectiveraient les plantes, les animaux ou l'anatomie. A titre d'exemple, le bestiaire est une fable qui parle métaphoriquement de l'homme et ne communique pas beaucoup de renseignements utiles sur les animaux eux-mêmes. Nous ne voulons pas dire que le moyen-âge ignorait les savoirs techniques qui donnent prise sur le monde, mais qu'il n'entendait pas cela par science.

Deuxièmement, le spirituel s'oppose au travail, car la philosophie commence là où le travail cesse. Le sénateur romain a transmis aux clercs médiévaux un système de pensée fondé sur l'*otium*, sur le refus aristocratique du travail, et c'est pour cela que le rapport sujet/objet, qui sous-entend un rapport actif envers le monde, n'a pas de statut. L'univers du Verbe s'oppose au travail ; les entités spirituelles sont accessibles par le discours et uniquement par le discours. Ce sont des mots et en même temps plus que des mots, puisqu'elles prétendent constituer une réalité supérieure. On serait tenté de dire que les mots ont une âme divine. Réciproquement, l'âme se divinise ou retrouve sa divinité en devenant un « nom », grâce à la gloire et à la béatitude que lui vaut la fréquentation des choses spirituelles. Jusqu'à la crise des universaux en tout cas, le spirituel médiéval est bien cela, mais il n'est peut-être pas que cela. Car le moyen-âge n'adore pas seulement le Verbe incarné, mais encore l'image de Dieu.

CHAPITRE II

LA NATURE DE L'IMAGE MÉDIÉVALE

A partir du moment où Boèce avoue ne pas aller jusqu'au bout de sa pensée dans ses oeuvres logiques et se fait plus aristotélicien qu'il ne l'est, il n'y a aucune raison de mettre en doute son adhésion au christianisme. C'est en quelque sorte une *persona* différente qui s'exprime dans *La consolation de la philosophie* et dans le *De Trinitate* [43]. Pas plus que l'Antiquité romaine, le moyen-âge ne cultive le mythe de l'« authenticité » ou de l'« engagement ». Il trouve tout naturel de chausser le cothurne quand il y a lieu, de caresser la muse légère ou d'embrasser la croix selon les contextes. Loin d'être considérée comme une rechute dans le paganisme, *La consolation de la philosophie* apparut comme un modèle littéraire et comme la source de belles images, ainsi celle de la roue de fortune ou celle de l'allaitement du philosophe par sa nourrice céleste. On y trouvait surtout une idée noble entre toutes : le mépris du monde. Quant au *De Trinitate*, il établissait l'orthodoxie héroïque du philosophe qui le fit condamner à mort par l'arien Théodoric. Ces deux oeuvres nous intéressent ici parce qu'elles dévoilent une conception de l'image à laquelle le moyen-âge doit beaucoup, même s'il s'en écarte sur un point fondamental.

1. L'image chez Boèce

Nous avons déjà rencontré une image dans les commentaires de l'*Isagoge* à savoir la statue d'Achille. Elle servait de comparaison dans le domaine sensible à la relation du genre et de l'espèce, qui appartient au domaine de l'incorporel. La matière, la forme et la statue entretiennent les même rapports entre eux que le genre, la différence et l'espèce. L'image en question n'est donc que l'équivalent sensible d'une réalité incorporelle. Le second chapitre du *De Trinitate* traite de la substance divine [44]. La substance des corps consiste en matière, mouvement et forme, mais celle de Dieu n'a ni matière, ni mouvement, de sorte qu'elle est forme pure. Il s'ensuit qu'on ne peut penser la divinité à l'aide de l'imagination : elle est une vraie forme et non pas une image. Tout être possède une forme et se nomme selon cette forme, non pas selon sa matière : on ne désigne pas comme « airain » la statue d'un être animé. Etant forme sans matière, la substance divine est une et elle est ce qu'elle est, alors que les autres choses ne sont pas ce qu'elles sont : chacune tient son être des choses qui la composent, c'est-à-dire de ses parties. L'homme, par exemple, se compose d'un corps et d'une âme. Seul ce qui ne consiste pas en ceci et cela, mais est ceci uniquement, est vraiment ce qu'il est ; une pure forme qui ne peut être sujette.

Cela ne veut pas dire que les autres formes soient sujettes aux accidents : l'humanité, par exemple, n'est pas sujette aux accidents en tant que forme, mais en tant que matière. « La forme qui est sans matière ne peut être un sujet, ni être incluse dans la matière (*inesse materiae*) ; ce ne serait plus une forme, mais une image. De ces formes qui sont hors de la matière viennent celles qui sont dans la matière et constituent les corps, car ce sont des images » [45].

On reconnaît d'abord dans ce texte complexe et dense la conception de l'existence comme participation : les choses ne sont pas ce qu'elles sont. D'une part, elles sont composées de matière et de forme ; d'autre part, elles tirent leur nom de cette forme qui ne leur appartient pas. Par contre, une forme sans matière ni mouvement est nécessairement une et identique à elle-même, par l'absence de participation. C'est alors seulement que joue le principe d'identité. On a reconnu à cette description la substance divine et peut-être un rappel de l'expression biblique : « je suis celui qui suis ». Comme l'explique le chapitre IV, Dieu est à lui-même ses propres prédicats. L'homme qui est juste participe du prédicat « juste », car il y a d'autres hommes justes. La relation est d'inclusion et non d'identité. Mais si l'on dit : « Dieu est juste », cela signifie qu'il est ce qui est juste. En tant que forme pure, la substance divine ne peut être le sujet d'un prédicat qui l'inclurait.

Si l'on a compris ce qu'est une forme pure, on peut comprendre ce qu'est une image, à savoir une forme corporelle, comprenant de la matière, assujettie aux accidents, participant des prédicats, accessible aux sens, corruptible et subordonnée. Nous avons ici la meilleur définition possible de l'image médiévale : une forme transposée dans la matière. Par sa forme l'image participe au spirituel, sans être elle-même de nature spirituelle, de sorte qu'on n'adore pas l'image, mais le spirituel dont elle traduit la forme. Nous pourrions dire que Boèce a défini l'image médiévale, si son texte répondait positivement à la question : peut-on faire une image de Dieu ? En fait, il n'y répond pas.

Le *De Trinitate* affirme que les choses divines ne peuvent être perçues par l'imagination, car ce sont de pures formes. Mais cela ne suffit pas à condamner les images saintes. Il est entendu que la forme, substance de Dieu, ne se figure pas. Mais Dieu s'est incarné et Boèce développe ailleurs dans son *Livre des deux natures et de l'unique personne du Christ*, une théorie parfaitement orthodoxe de l'Incarnation [46]. Il s'ensuit que la nature humaine du Christ se prêterait à la représentation et que cette représentation serait effectivement une représentation de Dieu. Mais jamais Boèce ne le dit expressément. Surtout, il manque à sa christologie un maillon essentiel : à aucun moment, il ne définit le Christ comme image de Dieu. Il ne semble pas concevoir que la nature humaine du Christ puisse refléter de quelque manière que ce soit la forme divine. On ne peut parler d'hérésie et le moyen-âge ne l'a pas fait. Son commentateur du XIIe siècle, Gilbert de Poitiers, dut rétracter certaines propositions, mais ces propositions ne sont pas dans Boèce [47]. En particulier, il croit pouvoir distinguer de Dieu la forme divine qu'il appelle *deitas*, alors que Boèce considère visiblement Dieu lui-même comme forme. Il ne manque donc qu'une notion, celle d'image de Dieu, pour que la théorie médiévale de l'image soit complète.

La consolation de la philosophie donne des éléments pour préciser la position de Boèce sur l'image. Dans le second livre, la philosophie explique à Boèce que les biens distribués par la fortune n'appartiennent pas à l'homme et que la fortune n'a aucune prise sur les biens qui appartiennent à l'homme. Le propre des biens sublunaires est de passer des uns aux autres. C'est ainsi que l'argent thésaurisé par l'avare ne vaut que de la haine, tandis que la générosité donne la gloire. « Et puisqu'on ne peut conserver ce qui passe à autrui, l'argent a de la valeur au moment où, la générosité le faisant passer en d'autres mains, il cesse d'être votre propriété. D'un autre côté, si l'on accumulait chez un seul tout l'argent qui est dans le monde, il manquerait au reste des hommes et si la voix reste entière en emplissant également l'ouïe de nombreuses personnes, ces richesses, elles, ne peuvent passer chez plusieurs qu'à condition d'être divisées ; à ce moment-là, elles appauvrissent nécessairement ceux qu'elles abandonnent » [48].

Le texte repose sur l'opposition entre les choses matérielles qui ne se partagent que par la division, qui ne se donnent qu'en se perdant, et les choses spirituelles qui se partagent sans division ni déperdition. La traduction du mot *vox* par « voix » est insuffisante, car *vox* signifie aussi « mot », ce qui montre une fois de plus que le spirituel, chez Boèce, est le domaine du Verbe. Cela ne coûte rien de payer les gens de mots, mais, tandis que, depuis la Renaissance au moins, nous utilisons cette expression pour déprécier le discours, Boèce considère comme divine cette propriété des mots.

Plus on s'écarte du spirituel en direction de la matière, moins les choses ont de valeur ; elles ont aussi moins de beauté. On admire à tort les pierres précieuses. « Car, sans mouvement vivant, sans corps organisé, quel est l'objet qui peut légitimement paraître beau à un être doué de vie et de raison ? Les pierres peuvent tirer du travail de l'artisan et de leur originalité propre quelque beauté négligeable ; elles ont pourtant un rang inférieur à votre éminente dignité et ne sauraient mériter votre admiration » [49]. On voit ici fonctionner l'arbre de Porphyre. La ségrégation de l'animé et de l'inanimé, du rationnel et de l'irrationnel, permet de distinguer les espèces (*species*) et de hiérarchiser le Beau (*pulchrum*), d'autant mieux que *species* est un synonyme de *pulchrum*. Il n'est pas ici question d'images, mais on peut déduire de ce raisonnement que l'oeuvre d'art est nécessairement d'une beauté négligeable, par rapport à un être vivant. « L'ordre des choses est-il à ce point bouleversé qu'un être divin par sa raison s'imagine n'avoir d'éclat que par la possession d'objets inanimés ? Et à la vérité les autres êtres sont satisfaits de leurs propres biens, mais vous que votre intelligence rend semblables à Dieu, vous essayez d'embellir votre nature éminente avec les choses les plus viles, et vous ne comprenez pas l'injure que vous faites à votre créateur » [50].

Ce texte nous mène tout près de la notion d'image de Dieu. Les hommes sont *deo mente consimiles* ; ils sont en somme à l'image de Dieu par leur esprit. On serait tenté de dire que la forme commune à Dieu et à l'homme est l'esprit, qu'elle ne peut être figurée et que la beauté se trouve hors des images matérielles. Boèce serait donc du côté des iconoclastes. Mais ce serait trahir sa pensée car, comme on vient de le voir, le corps humain et son organisation possèdent selon lui la beauté. Même les pierres précieuses, par leur luminosité, possèdent une beauté, certes négligeable. Les choses matérielles ne sont pas laides, mais moins belles que les spirituelles. Les corps rayonnent même d'une beauté que leur transmet l'esprit. Il manque toujours un élément pour faire la théorie de l'image médiévale : il faudrait admettre que l'or et les pierreries, par leur luminosité, reflètent le divin.

Une comparaison assez grossière fera mieux saisir la position du philosophe. Il fait penser à un faux-monnayeur, mais un faux-monnayeur assez honnête ou assez fou pour ne pas acheter de vraies richesses avec sa fausse monnaie. Il la préférerait à l'or et aux pierreries au lieu de la dire équivalente. En d'autres termes, la sagesse est si précieuse que le philosophe refuse des biens en échange ; il est en train de mourir pour elle au moment ou la philosophie vient le consoler en prison. Boèce a donc inventé l'image médiévale, mais il n'a pas vu l'intérêt de la gager sur l'or et de la mettre en circulation. Un aristocrate n'a pas à gagner sa vie.

On peut encore prendre le problème autrement. Pour Boèce, la substance peut être corporelle ou incorporelle. Tantôt elle est gagée sur l'expérience des sens, tantôt elle ne l'est pas. Il n'y a rien de visible qui garantisse l'existence de l'âme, l'existence du genre en tant que genre ou l'existence de Dieu. Mais cela ne gêne pas Boèce. Dans son univers, le langage, l'intelligence, la raison et la sagesse vont de soi, car elles constituent la distinction entre le philosophe et les individus soumis aux appétits charnels qui ne cherchent qu'à amasser du gain. Mais Boèce n'est ni un prêtre, ni un saint ; il abandonne ces âmes à leur destin : « Mais si l'esprit se mêle à la nature du corps, soumise aux plaisirs dépravés, destinée à la perte et à la corruption, il la suit. En effet, pour celui dont tout le labeur et l'étude concernent le corps et y sont engagés, rien ne survit du corps et de sa vivacité » [51]. L'image permettrait une médiation entre le monde de l'esprit et celui du corps, car elle est composée de matière et de forme, mais rien ne pousse Boèce à s'en servir pour secourir les hommes charnels. Heureusement pour eux, d'autres y songent.

2. Denys l'Aréopagite

C'est en 532 qu'on voit apparaître pour la première fois un corpus d'écrits grecs attribués à Denys, disciple de saint Paul, dont il est question dans les Actes des apôtres [52]. Il n'y est pas question des images, au sens artistique du mot, et pourtant, il s'agit de leur justification la plus prestigieuse aux yeux du moyen-âge. Le *Traité des noms divins* et la *Hiérarchie céleste* ont été lus ainsi, car le succès de Denys est solidaire de la propagande en faveur des images. Un premier exemple en est fourni par la réponse du pape Adrien aux *Libri carolini*, dans lesquels Charlemagne mettait en cause le culte des images. Adrien utilise Denys pour justifier ce culte [53]. L'empereur byzantin Michel le Bègue, iconophile modéré cherchant la conciliation avec Louis le Pieux, lui envoie les oeuvres de Denys en 827. Enfin, c'est sur l'oeuvre de Denys que l'abbé Suger bâtit la justification d'une esthétique somptuaire au milieu du XIIᵉ siècle.

Du moins sous la forme que nous lui connaissons, l'oeuvre de Denys date des environs de 500 : elle est contemporaine de celle de Boèce ou à peine antérieure et on peut dire que les deux auteurs s'accordent sur l'essentiel. Ils ont en commun l'appartenance à la tradition néoplatonicienne et les présupposés logiques de Denys s'apparentent à ceux de Boèce, à travers l'influence de Porphyre ou celle d'autres logiciens. A titre d'exemple, Denys raisonne sur une hiérarchie des êtres proche de l'arbre de Porphyre, mais avec des nuances différentes, puisqu'il distingue entre intelligents, raisonnables, sensibles, vivants et étants [54]. Dieu précède toutes choses et tout participe de lui. Tandis que Boèce utilise une notion spéciale de l'identité pour définir positivement le rapport entre Dieu et ses prédicats, Denys préfère les ressources de la théologie négative : il considère que ces prédicats nomment Dieu imparfaitement et que leur négation est entièrement correcte. De fait, l'affirmation et la négation ne sont pas contradictoires à propos de la divinité [55]. Surtout, dès le début des *Noms divins*, il est clairement affirmé que la divinité est au-delà de toute image et de toute appréhension sensible.

La principale différence entre Denys et Boèce est dans l'attitude : Denys pense en prêtre. Il existe pour lui deux hiérarchies, la hiérarchie céleste et la hiérarchie terrestre (c'est-à-dire le clergé) qui font chacune l'objet d'un traité.

La hiérarchie ecclésiastique est à l'image de la hiérarchie céleste qu'elle représente sous forme corporelle [56]. Surtout, elle sert de médiation entre le ciel et nous : « Après cette hiérarchie céleste et qui n'est pas de ce monde, la bienfaisante Théarchie étendant ses dons très saints jusqu'à notre portée et nous traitant, selon le mot de l'Ecriture, comme des enfants, nous gratifia de la hiérarchie légale, couvrant la vérité sous des images obscures, usant de copies fort éloignées des originaux, d'énigmes difficiles à voir et de figures dont on ne discerne le sens qu'avec peine ; ne répandant, pour ne point les blesser, qu'une lumière proportionnée aux faibles yeux qui la contemplaient » [57]. Le mécanisme qui fait communiquer l'homme charnel et la divinité est donc initiatique : le clergé filtre la vérité et ne laisse passer que ce qui convient, par images et par énigmes. Le traité sur la *Hiérarchie ecclésiastique* règle avec soin l'approche des mystères. Dans la *Théologie mystique*, Denys exhorte Timothée à les taire aux hommes charnels [58]. Néanmoins, la notion de hiérarchie suppose la participation de tous à la religion, chacun selon son rang et à sa place, contrairement à la philosophie sans prosélytisme de Boèce. Les hiérarchies remplacent la dichotomie entre les hommes charnels et spirituels, pour le salut de tous.

Denys est donc le contraire d'un manichéen. Le mal n'a pas pour lui d'existence absolue, ni de substance. Il ne réside pas dans la nature, ni dans les corps, ni même dans la matière [59]. Il s'ensuit que la nature, les corps et la matière procèdent du divin et qu'on peut s'élever spirituellement aux choses supérieures par la contemplation des choses inférieures, de la variété des figures et des formes matérielles [60]. Nous voici donc loin de l'incompréhension manifestée par Boèce face à l'admiration des biens de ce monde. La chose est encore plus claire dans le commentaire que fait Jean Scot Erigène, au IXe siècle, du début de la *Hiérarchie céleste* :

« La Bonté Suprême qui est Dieu fit toutes les choses qu'elle voulut de telle sorte que, bien qu'elle soit elle-même une lumière invisible et inaccessible dépassant complètement le sens et l'intellect, elle puisse descendre jusqu'à la connaissance de la créature intellectuelle et rationnelle par les choses qu'elle a faites, comme par quelques lueurs nocturnes. C'est ce qu'enseigne l'Apôtre lorsqu'il dit : " Les choses invisibles depuis la création du monde seront contemplées et comprises à travers celles qui ont été faites " [*Romains*, 1, 20]. Comme tout ce qui, ayant d'une certaine manière un éclat inaccessible, est introduit par elle dans les purs intellects pour que cet éclat devienne accessible, quoi d'étonnant si la lumière illuminant les âmes et les ramenant à la connaissance de leur Créateur, soit comprise sans qu'aucune raison s'y oppose ? Prenons pour la commodité un exemple au coeur des ordres de la nature. Cette pierre ou ce morceau de bois est pour moi lumière. Si tu demandes comment, la raison me commande de te répondre que, lorsque je considère cette pierre ou cette autre, bien des choses m'atteignent qui illuminent mon âme. Je la vois subsister bonne et belle, avoir sa propre fonction analogique, se distinguer selon le genre et l'espèce par la différence avec les genres et espèces d'autres choses, être contenue en son nombre qui fait d'elle une unité, ne pas transgresser son ordre, obtenir son lieu selon la qualité de son poids. Ces choses et d'autres semblables que je vois dans cette pierre, deviennent pour moi des lumières. Elles m'illuminent. Je commence à penser d'où lui viennent ces caractères et je comprends qu'ils ne lui viennent pas de manière naturelle, par la participation d'une créature visible ou invisible. Bientôt, dirigé par la raison, je suis introduit au-delà de toutes choses dans la cause de tout, qui distribue à toutes choses le lieu et l'ordre, le nombre, l'espèce et le genre, la bonté, la beauté et l'essence, et tous les autres dons et bienfaits » [61].

Ce texte est l'un des meilleurs exposés de l'analogie dionysienne [62]. La chose la plus matérielle participe de l'intelligible, à travers le nombre et la hiérarchie des substances, au point que sa contemplation guide l'esprit vers le spirituel. La métaphore de la lumière, rare chez Boèce, désigne la participation de la matière au spirituel, mais aussi la relation spéculaire entre les sujets, leur identification qui n'a rien d'un rapport sujet/objet. La lumière possède chez Denys les propriétés que Boèce attribue au mot (*vox*) : elle se diffuse sans rien perdre de sa substance, parce qu'elle est incorporelle. Il s'ensuit que le visible tend à remplacer le langage comme voie d'accès au spirituel, ou du moins à se placer sur le même plan. Contrairement à Boèce, Denys insiste parfois sur la nature matérielle du langage, composé de lettres et de syllabes, et lui reconnaît des imperfections [63]. Le langage, comme le visible, mène du sensible à l'intelligible ; le mot n'est pas privilégié de ce point de vue par rapport au morceau de bois.

On comprend combien cette alternative dionysienne à la mystique du langage justifie les arts visuels. Le spirituel se déplace dans trois directions :
– vers les hommes charnels qui sont invités à y participer ;
– vers les biens matériels auxquels le sage n'est plus indifférent ;
– vers l'image dont la nature matérielle est une médiation entre les hommes charnels et le spirituel.

Même si Denys ne fait pas la théorie de l'image artistique, il envisage un moment le risque de contresens que les images pourraient faire naître sur le monde des essences. Il vise très probablement les images artistiques, car il craint que l'on n'imagine les essences « comme des figures d'or ou comme des êtres lumineux lançant des rayons, de belle stature, revêtus de somptueux vêtements » [64]. L'art des mosaïstes vient immédiatement à l'esprit face à cette description.

Le risque évoqué amène Denys à promouvoir les images dissemblables, les symboles sans ressemblance qui évitent la confusion. L'écriture montre la voie en faisant des allégories à partir des choses les plus viles. Il cite l'exemple de la vision d'Ezéchiel où il est question de roues enflammées et des quatre animaux qui symbolisent les évangiles selon les commentateurs [65]. Comme chez Boèce, les réalités spirituelles n'ont pas de formes, car ce sont des formes (si elles en avaient, il y aurait une forme de la forme et donc régression à l'infini). C'est donc avec des symboles dissemblables qu'il est possible de les appréhender ; la représentation du divin par des roues et des animaux rend toute confusion impossible. On ne peut s'empêcher de faire le parallèle avec le décor des absides. C'est peut-être dès le Vᵉ siècle, sinon au siècle suivant, qu'y apparaît le Christ Pantocrator flanqué du Tétramorphe, autrement dit des quatre animaux [66].

Les images dissemblables s'imposent dans le langage, qui est d'essence matérielle, comme dans la peinture. Pour désigner les sentiments de l'homme envers Dieu, Denys préfère les métaphores de l'amour érotique à celles de l'affection chaste, de l'*agapê* [67]. Il s'appuie sur l'exemple du *Cantique des cantiques*, mais cite aussi *Proverbes*, IV, 6-9 à propos de la Sagesse : « Sois amoureux d'elle et elle te gardera ; enveloppe-la et elle t'exaltera ; honore-la pour qu'elle t'embrasse ». Dieu lui-même se livre sous un aspect anthropomorphe et dissemblable : « Aussi bien, lorsqu'il se manifeste saintement par des visions mystiques, Dieu prend à la fois la figure d'un vieillard et celle d'un adolescent » [68]. On reconnaît ici le *topos* du vieillard-adolescent, du *puer-senex* dont E. R. Curtius a noté la récurrence à travers les siècles [69]. Il est intéressant de constater que la *Consolation de la philosophie* contient une allégorie semblable : la philosophie apparaît à Boèce emprisonné comme une femme très âgée, tantôt de taille humaine, tantôt la tête frappant le ciel, mais d'une beauté radieuse ; elle a nourri Boèce de son lait et vient sécher ses yeux baignés de larmes du pli de son vêtement.

Les images du type *puer-senex* auront une telle importance au moyen-âge (à commencer par celle de l'enfant-Dieu) qu'il vaut la peine de s'y attarder un peu. Boèce et Denys imaginent tous deux une divinité qui est à la fois humaine et au-delà de l'humain, qu'on peut atteindre et qui se dérobe, qui est antérieure et principielle, mais semblable à nous. Cette image est bien plus ancienne que le néoplatonisme et ne dépend pas d'une interprétation de l'oeuvre logique d'Aristote, puisqu'elle apparaît déjà dans la Bible. Mais les présupposés logiques de l'Antiquité tardive lui donnent un nouvel intérêt, tout comme le dogme de l'Incarnation qui se met alors en place. Voyons de plus près ce que signifie cette image contradictoire.

La logique de Boèce repose sur l'idée de participation et refuse à l'individu une véritable identité : il n'est pas ce qu'il est, mais il existe pour autant qu'il appartient à ses prédicats et, finalement, à des entités spirituelles. Seul Dieu est un et identique à lui-même. Le point de vue de Denys semble de prime abord très différent, car selon lui, Dieu fait subsister les êtres dans leur identité et leur unité [70], tandis qu'en lui, l'affirmation et la négation cessent d'être contradictoires. Si, pour Boèce, l'expression « Dieu est juste » ne signifie l'identité du sujet et du prédicat que parce qu'il s'agit de Dieu, pour Denys, les expressions « Dieu est juste » et « Dieu n'est pas juste » ne se contredisent pas. En fait, les formulations divergentes de Boèce et de Denys reposent sur un présupposé commun : l'identité des êtres est incompatible avec l'identité de Dieu. Si je considère les êtres comme identiques à eux-mêmes, Dieu cesse d'être identique à lui-même, et inversement. Les deux conceptions sont interchangeables et Boèce en donne la preuve lorsqu'il présente la philosophie comme un être d'apparence contradictoire. Le spirituel apparaît comme contradictoire lorsqu'il est appréhendé par les sens, tandis que l'esprit appréhende comme contradictoire l'univers sensible.

C'est donc le langage des sens, le langage esthétique, qui fait apparaître comme contradictoire la divinité. Denys accepte ce langage et légitime donc le recours à l'image, tandis que Boèce, dont la conception de l'image est identique, veut parler le langage de la raison. De ce point de vue, la *Consolation de la philosophie* est très habilement construite. La philosophie n'apparaît comme contradictoire qu'au début de l'ouvrage ; il n'est plus question ensuite de son apparence paradoxale et de ses changements de taille. Mais, pendant que Boèce la décrivait ainsi, elle avait aperçu à son chevet les muses qui lui dictaient ses paroles. Elle se fâcha contre ces « petites courtisanes de théâtre » et les expulsa. Dès lors, les choses commencèrent à aller mieux : Boèce reprit ses esprits et au début de la prose 3, reconnut enfin sa nourrice. Il s'affranchit ainsi de ces mêmes images dissemblables que recommandait Denys. On voit donc qu'il ne se place pas dans un système différent de celui de Denys, mais qu'il prend un point de vue différent, celui du philosophe, à l'intérieur du même système.

On peut ainsi comprendre pourquoi nous avons choisi Boèce, plutôt que Plotin ou que Denys, par exemple, pour décrire le système dans lequel prend place l'image médiévale [71]. A la limite, une analyse plus exhaustive de l'oeuvre de Denys aurait fait apparaître à peu près toutes les structures logiques que nous avons étudiées chez Boèce. Mais c'est chez Boèce que ces structures sont explicitées et il fallait passer par lui pour les trouver ensuite chez Denys. De plus, il ne s'agissait pas de décrire une idéologie favorable aux images, mais les structures qui conditionnent son existence et la manière dont elle est conçue, par ses apologistes comme par ses détracteurs. Ce qui manque à Boèce pour être le théoricien de l'image médiévale n'est pas d'ordre logique, nous l'avons maintenant suffisamment montré.

3. La Bible des illettrés

Les historiens qui ont étudié la naissance de l'image médiévale se sont tournés presque exclusivement vers l'attitude pratique et idéologique des premiers chrétiens envers les images, ce qui entraîna des explications trop partielles. Au risque de verser dans le schématisme, rappelons brièvement quelles furent ces attitudes [72].

1. Les chrétiens face aux images

Vivant dans un univers rempli d'images, les chrétiens du IIIe siècle n'ont pas d'objections de principe contre le décor figuratif et n'en disent rien d'original. Le problème fut cependant soulevé deux fois, mais à propos de cas limites. Clément d'Alexandrie justifie l'utilisation des sceaux par les chrétiens [73]. Cela pouvait poser problème, car le sceau est une image qui possède une autorité ; il s'apparente ainsi à l'idole qui joue aussi un rôle juridique, dans les serments par exemple. Tertullien s'indigne de décors profanes sur les calices et mentionne l'existence d'un sujet chrétien, le Bon Pasteur [74]. Le décor des catacombes et, plus timidement, celui des sarcophages, semblent inspirés par la même préoccupation de convenance des motifs [75]. Les chrétiens n'en veulent donc qu'à l'idole.

Arrivé au pouvoir en 313, le christianisme modifie considérablement son système cultuel. Il adopte sans hésitation l'adoration de l'image impériale, mais le culte de Dieu et celui des martyrs se développent sans l'aide d'images et en opposition consciente à l'idolâtrie de ceux qu'on désigne avec mépris comme païens, c'est-à-dire comme rustres. Les pratiques cultuelles essentielles sont alors centrées sur le repas eucharistique et sur la vénération des reliques. Le christianisme étant devenu religion officielle, le décor figuratif évolue vers l'iconographie dogmatique. Dès la fin du IVe siècle, il est justifié par les Pères cappadociens et par Paulin de Nole, comme un moyen d'édifier religieusement le peuple illettré. Cette évolution s'accompagne d'une ritualisation du culte. Les comportements processionnels et les gestes conventionnels de révérence se développent. Le mouvement semble partir des moeurs militaires : la croix du Christ, devenue étendard impérial, reçoit les hommages traditionnellement conférés aux insignes. Puis ce rituel initialement confiné dans la garde du palais gagne les églises.

Alors commence le lent processus qui fera progressivement cesser la dissociation entre les images religieuses et les rites d'adoration. On observe d'abord une imitation des pratiques administratives par le clergé : les portraits des évêques sont placés dans les églises, comme celui des fonctionnaires dans les bureaux. En cas de déposition de l'évêque, il y a *damnatio memoriae* : on détruit, on enlève ou on place tête-bêche son portrait [76]. Les stylites, dont les pratiques ascétiques sont un substitut du martyre, sont le but de pèlerinages ; on diffuse leur image à partir de Siméon le Stylite (+465) [77].

Ces dernières images ne reçoivent elles-mêmes un culte qu'au VIe siècle, en devenant à leur tour l'objet de pèlerinages, car c'est à partir de Justinien que les pratiques d'adoration se généralisent brusquement. Les mêmes hommages sont alors rendus à l'empereur, aux dignitaires ecclésiastiques, à Dieu et à ses saints. Dans chacun de ces cas, l'image peut se substituer à la personne absente. Dans le cas le plus discutable, celui de Dieu, apparaît le mythe des images achiropoïètes, c'est-à-dire des images qui ne furent pas faites de mains d'homme. La dernière étape du processus se produisit à partir de la fin du VIe siècle, dans une grave période de crise économique et politique. Tibère II (578-582) fit peindre le Christ trônant dans le *Chrysotriklinos* du palais, au-dessus de son propre trône. Sous Justinien II (685-711), l'image impériale est subordonnée à celle du Christ sur les monnaies. L'image de l'empereur recule donc devant l'image religieuse et il est raisonnable de considérer, avec E. Kitzinger, que l'adoration de l'image impériale recule également devant celle de l'image religieuse [78].

Comment expliquer cette évolution ? Parmi les tentatives qui ont été faites, nous retiendrons celle de E. Kitzinger et celle de H. Bredekamp. Les limites qu'elles présentent se retrouvent dans toutes celles que nous connaissons.

Kitzinger reprend à A. Grabar [79] la thèse que l'image s'est progressivement substituée à la relique. Le nouvel objet se présentait de manière plus satisfaisante pour la perception physique, en même temps que le culte des saints s'appropriait un rituel d'adoration jadis réservé à l'image impériale. Le changement n'a pu se faire qu'avec l'approbation et l'encouragement des empereurs. Ils y ont consenti parce que les troubles politiques compromettaient l'universalité de l'empire et que cette universalité pouvait se retrouver à un niveau idéal dans la religion. De leur côté, les théologiens acceptèrent cette évolution dans la mesure où l'adoration des images sanctionnait le dogme de l'Incarnation. Mais l'attitude de l'empereur et des théologiens ne serait pas la cause du culte des images : ils auraient encouragé *a posteriori* un mouvement plus profond, venu d'en bas. Le phénomène s'enracinerait en effet dans les « tendances animistes » du peuple. Kitzinger utilise les textes hagiographiques pour montrer « dans quelle proportion et avec quelle force élémentaire les croyances et les pratiques magiques ont pris le devant de la scène pendant cette période. Pour l'homme du commun en tout cas, le Christ et les saints agissaient à travers leurs images » [80].

Les motivations que Kitzinger attribue aux empereurs et aux théologiens sont vraisemblables et on lui accordera que le mouvement aboutissant au culte des images religieuses ne s'explique pas uniquement par ces motivations. Il faut cependant faire trois objections graves à sa thèse. D'abord, il est inquiétant que les pratiques « magiques » qui attesteraient une conception « animiste » de l'image n'apparaissent clairement que dans les textes hagiographiques. Kitzinger se justifie d'y recourir en supposant que ces textes, pour être efficaces, devaient refléter les pratiques existantes. S'il fallait suivre ce raisonnement, les miracles dont ces récits sont truffés reflèteraient aussi des pratiques existantes. Il nous paraît plus judicieux de considérer comme significatif que ce soit précisément dans ce genre de récits qu'apparaissent les pratiques en question. Ensuite, à supposer que des « tendances animistes » se soient développées à ce moment-là, il faudrait encore expliquer pourquoi. Enfin, on ne voit pas non plus pourquoi l'« homme du commun » ou le « peuple » serait à l'origine de ces pratiques. On reconnaît ici l'un des présupposés les plus invétérés de la recherche historique qui évoque systématiquement des croyances et des pratiques populaires lorsqu'il faut expliquer des usages considérés comme discutables. L'Eglise et les autorités finiraient toujours par entériner ces usages sous la pression du peuple, sans en avoir la responsabilité, mais en bénéficiant de la popularité acquise ainsi [81].

Le beau travail de H. Bredekamp, *Kunst als Medium sozialer Konflikte*, dénonce vigoureusement cette illusion en faisant remarquer que la résistance au culte des images est particulièrement bien représentée dans les révoltes populaires [82]. Il ne tombe pas dans l'erreur opposée qui serait d'imaginer, face à un culte des images promu par les possédants, un iconoclasme produit par la conscience de classe des exploités [83]. L'image envahit tous les domaines de l'activité sociale, de la monnaie à l'enseignement doctrinal. A la variété des fonctions de l'image répond celle des iconoclasmes. Pour ce qui est de l'image religieuse, elle a complètement changé de fonctions sous Justinien. Un dialogue s'introduit entre elle et le spectateur. Vivifiée par l'adoration, elle devient un sujet agissant. On la manipule dans les pèlerinages, ou sur les murailles pour faire face à un siège [84].

Bredekamp décrit les mêmes pratiques « magiques » que Kitzinger sans discuter davantage l'utilisation des sources, mais il cherche une explication plus sérieuse. Selon lui, Justinien essaya de remédier aux désastres qui accompagnaient la « féodalisation » de l'économie par la solution non appropriée du recours au fisc, ce qui précipita le mouvement [85]. La régression des échanges et la provincialisation de la conception du monde permirent la mystification des images. Le christianisme sans images du IVe siècle correspondait à une circulation des biens relativement rationnelle, bien que peu transparente, ce qui valorisait les formes les plus immatérielles de l'échange religieux. Au VIe siècle par contre, la féodalisation entraîna une économie naturelle et donc une religion naturelle. La nature était vécue comme agissante, signifiante et miraculeuse. C'est la cause nécessaire d'une fétichisation de l'image, mais ce n'en est pas la cause suffisante, car les iconoclastes ont des charismes alternatifs. En fait, l'image est mystifiée comme mise en forme de la richesse qui ne circule pas. Elle sacralise la richesse, d'où la théorie anagogique qui fait accéder de sa lumière matérielle à la lumière spirituelle. L'élaboration artistique de la richesse est ainsi légitimée.

L'explication est brillante et en grande partie satisfaisante, car elle met l'accent sur une modification essentielle de l'image à l'orée du moyen-âge : elle devient la mise en forme d'une richesse qui ne circule pas. Il existe certes des images précieuses avant et après le moyen-âge, mais la richesse du matériau, l'utilisation généreuse de l'or et des pierreries, font presque partie de la définition de l'image médiévale, car elles en assurent la fonction analogique. La richesse s'associe ainsi à la forme divine, tandis que l'aliénation, le vol ou la destruction de cette richesse se double d'un sacrilège.

Il nous semble cependant impossible de suivre Bredekamp sur deux points.

D'une part, tel Descartes expliquant les apparitions de météores, il aurait dû commencer par s'assurer de l'existence du phénomène avant d'en rechercher les causes. Rien n'autorise à considérer comme des faits réels les manipulations excentriques de l'image dont parle l'hagiographie et, pour ce qui est des pratiques d'adoration attestées, à les expliquer par la conviction que l'image possèderait une vertu propre, une sorte d'âme frazérienne ou de *mana* durkheimien. Selon les théologiens iconodules, le culte des images n'est pas idolâtre, car on n'adore pas l'image à proprement parler, mais l'archétype divin qu'elle représente. S'agit-il d'un pieux mensonge ? Rien n'autorise à le soutenir *a priori* et à expliquer ce que les gens sont supposés croire plutôt que ce qu'ils font de manière évidente.

D'autre part, Bredekamp explique trop peu de choses, parce qu'il n'étudie presque pas l'aspect formel des images en question et ne le prend donc pas en compte. Le cas de Kitzinger est encore plus paradoxal, car il interprète la diffusion et l'adoration des images religieuses, en annonçant à la fin de son essai une autre étude destinée à montrer leur impact sur la forme artistique [86]. Il possède donc tous les éléments pour définir l'objet d'adoration, mais n'imagine pas que la forme de cet objet puisse déterminer à son tour les usages qu'on en fait. Nous ne prétendons pas qu'il faille postuler une parfaite coïncidence entre la forme et la fonction. Dans le cas de l'image de dévotion au XIIIᵉ siècle en Occident, H. Belting a montré au contraire que l'ajustement des formes ne se fait que progressivement [87]. Encore fallait-il s'intéresser aux formes pour s'en apercevoir.

2. L'évolution des formes artistiques

En confrontant la chronologie des oeuvres connues et celle des pratiques attestées, on découvre avec surprise que l'évolution formelle menant vers l'icône destinée à l'adoration, précède cette utilisation de l'image, que la forme devance ici la fonction. La peinture religieuse acquiert les caractères essentiels de l'image d'adoration avant d'être adorée. Quant à la sculpture, elle les possède fortement au IVᵉ-Vᵉ siècle, mais dans l'image impériale. On pense au *Colosse de Barletta*, grande statue de bronze au regard fixe et menaçant. Mais il est peu probable que l'adoration des saints sous forme de statues ait été très répandue, car cela se saurait [88].

L'évolution vers l'image d'adoration se fait dans la peinture et accessoirement dans le relief. On observe d'abord l'envahissement des oeuvres par la figure humaine, aux dépens de tous les autres éléments de représentation et surtout du paysage. Les figures en pied et en buste sont isolées par un cadre, dans la fresque comme sur les sarcophages depuis le IVᵉ siècle, et elles occupent au maximum l'espace qui leur est ainsi réservé, au lieu de se disperser dans un espace plus aéré. Cette évolution concerne aussi les scènes narratives, comme celles qui ornent la basilique de Santa Maria Maggiore à Rome (ill. 4 ; après 431). Mais

4. *Scènes de l'histoire de Moïse*, Rome, Santa
Maria Maggiore, mosaïques de la nef.

5. *Le paiement de Judas*, Ravenne, San Apollinare Nuovo,
registre supérieur de la nef.

6. *Procession de vierges saintes*, Ravenne, San Apollinare Nuovo,
registre inférieur de la nef

dès la seconde moitié du siècle, on observe une nette régression des
scènes narratives qui se raréfient, ou perdent le mouvement, l'espace,
l'interaction des acteurs qui devraient les caractériser. Les scènes tirées
de l'Evangile dans la nef de San Apollinare Nuovo à Ravenne en sont
un exemple caractéristique (ill. 5). Les personnages se meuvent aussi
peu que possible et s'adressent au spectateur plutôt que de réagir les uns
aux autres.

Le paysage et le décor architectural cessent de localiser les
personnages dans l'espace et se transforment en décors plans : bandes
de couleur superposées, indication de zones aux formes indécises à la
place du sol, encadrements géométriques à la place de l'architecture. On
observe des formes de perspective inversée, où l'objet devient plus petit
en se rapprochant du spectateur [89]. Comme le procédé n'est jamais
systématique, il ne crée pas un espace cohérent dans son
anti-illusionnisme et sert plutôt à écarter toute suggestion d'espace. Ce
qui n'est pas la figure humaine verse progressivement dans l'ornement
et la met en valeur. F. Gerke a observé l'importance prise par le rideau,
l'un des rares objets qui restent bien identifiables [90] ; c'est un fond sur
lequel se détachent les figures, en particulier dans l'art de Ravenne, mais
d'abord un élément des cérémonies impériales, où il joue le même rôle
de mise en valeur des dignitaires. Les motifs floraux ou animaliers se
géométrisent, se transforment en zones ornementales pour encadrer les
personnages et neutraliser les surfaces qui les séparent, comme au
mausolée de Galla Placidia, toujours à Ravenne (milieu VIᵉ siècle).
Grecques, rinceaux et guirlandes envahissent aussi la sculpture
décorative, sur les chapiteaux, les linteaux et les chancels à l'époque de
Justinien.

La figure humaine évolue par étapes vers la pure frontalité, surtout
lorsqu'elle est isolée. Dans l'art hellénistique, la frontalité n'est pas
normale. Un personnage peut se tenir face au spectateur, diriger la tête
de son côté et le regarder, mais il ne fait pas les trois choses à la fois,
de sorte qu'il se présente toujours plus ou moins obliquement. Il se
conduit donc un peu comme au théâtre, incomplètement livré au
spectateur, se partageant entre ses partenaires et lui. L'art chrétien du
IVᵉ siècle et du début du siècle suivant reste hellénistique de ce point de
vue, mais le trois-quarts évolue parfois vers une quasi-frontalité du
visage, déjà dans les peintures murales des catacombes [91]. Le procédé
se systématise dans les mosaïques ravennates du Vᵉ siècle ; les saints
personnages se déplacent latéralement, formant une procession, mais se
tournent vers le spectateur pour le regarder fixement, ainsi les apôtres

sur la coupole du Baptistère des Orthodoxes et, plus tard, les martyrs et les vierges dans la nef de San Apollinare Nuovo [92] (ill. 6).

La frontalité totale caractérise de plus en plus les portraits impériaux dès le IVe siècle, par exemple le *missorium* de Théodose Ier, conservé à l'Académie royale de Madrid. L'empereur trône en majesté face au spectateur dans une composition symétrique. Ce type passe sans doute dès le Ve siècle dans l'art religieux, ainsi que le personnage absolument frontal en buste ou en pied. La chapelle San Vittore al Cielo d'Oro, à Milan, fait partie des témoins relativement bien datés. Le buste de saint Victor s'y détache sur fond d'or, dans une couronne de fleurs au centre de la coupole (vers 470). A Ravenne, on perçoit une hésitation face à ces procédés jusqu'au VIe siècle où ils triomphent à San Vitale et à San Apollinare in Classe.

Au VIe siècle en effet, l'évolution est achevée. La rigidité est devenue une norme, bien dégagée par Verzone qui remarque la correspondance avec un pathos de l'impassibilité, valorisé par les textes de la basse Antiquité. Il cite Ammien Marcellin, sur l'entrée à Rome de Constance II (337-361) qui, parmi les ovations de la foule, « resta aussi immobile qu'il se montrait dans ses provinces, prouvant ainsi qu'il était en quelque sorte un simulacre d'être humain » [93], et Grégoire de Naziance parlant de saint Basile en termes analogues. Le personnage se réduit donc à un visage aux yeux dilatés et à un vêtement somptueux. Ce qu'il peut y avoir d'accidentel dans l'expression du visage disparaît. La peinture fait disparaître aussi l'individualité des traits et, de plus en plus, les caractères distinctifs de l'âge et du sexe, à l'exception de la barbe qu'il faut comprendre comme un symbole d'autorité. La reconnaissance des personnages passe donc par leurs attributs, ceux qu'ils portent dans l'existence réelle (couronne, manteau...) et ceux qui les identifient dans l'iconographie, comme les instruments du martyre.

Les attributs s'ajoutent à la disposition des personnages pour figurer des relations hiérarchiques. Le rideau, l'auréole et le nimbe carré, tout comme leur situation dans l'image et la situation de l'image dans l'édifice, indiquent leur dignité. Au Ve siècle, les images occupent les parties hautes, coupoles, murs gouttereaux des basiliques au-dessus des colonnades, formant en quelque sorte une hiérarchie céleste superposée à celle des hommes qui célèbrent le culte dans un ordre analogue. Cette distance matérielle et symbolique est peut-être le seul caractère formel des images qui décourage encore leur adoration et qui, du même coup, nous laisse supposer qu'elles n'étaient pas encore adorées. C'est au VIe siècle que la hiérarchie céleste entre en contact direct avec les hommes. Les images se rapprochent du croyant en

7. Fresque-icône de Turtura dans la catacombe de Como-dilla (528), Rome.

8. *Saint Démétrius entouré du préfet Léonce et de l'évêque Jean,* Salonique, Saint-Démétrius.

prenant la forme du tableau. Il s'agit soit de peintures murales placées à la hauteur du regard, soit des icônes portatives qu'on voit se répandre. En même temps, le saint auréolé entre en contact, à l'intérieur de l'image, avec le dignitaire au nimbe carré, et même avec le donateur profane, qui passe ainsi de l'autre côté de l'image. Le ciel et la terre communiquent alors dans une hiérarchie ponctuée par les marques de vénération.

La *fresque-icône* exécutée pour la donatrice Turtura dans la catacombe de Comodilla en 528, quatre ans après la mort de Boèce, deux ans après celle de Théodoric, nous montre le système bien en place (ill. 7). La Vierge à l'Enfant trône en majesté, entourée par les saints Félix et Adaucte qu'on vénérait dans cette catacombe. La seule indication spatiale est fournie par l'escabeau en perspective inversée, qui abolit plutôt l'espace et la distance. L'un des saints pose la main sur l'épaule de Turtura qui offre un présent à la Vierge et à l'Enfant, vraisemblablement deux cierges. Elle est plus petite que les deux saints, auréolés comme la Vierge et l'Enfant. La Vierge les domine à son tour par la taille. Il est troublant que la donatrice se tourne comme les autres personnages vers le spectateur et qu'elle semble exiger aussi le respect sacré.

Des icônes murales semblables se sont superposées à Santa Maria Antiqua où elles forment une paroi palimpseste, mise à jour en 1900. A Saint-Démétrius de Salonique, on utilisa la mosaïque pour composer de telles images. Le saint est représenté entouré de personnages vivants. On trouve des scènes d'offrandes dans les mosaïques les plus anciennes, sans doute contemporaines de la *fresque-icône* de Turtura. L'une des mosaïques plus récentes (v. 630), montre Démétrius tenant par l'épaule un évêque et un préfet aux nimbes carrés, pour les présenter de leur vivant à la vénération (ill. 8). Le répertoire et le style des icônes portatives sont assez semblables, mais on n'y voit en général ni dignitaires, ni donateurs. On pense en particulier aux icônes de la période pré-iconoclaste conservées à Sainte-Catherine du Sinaï[94].

L'évolution stylistique est assez difficile à décrire, parce que l'attachement aux traditions hellénistiques coexiste avec l'évolution vers un art graphique d'une part, avec le relâchement et la médiocrité d'autre part. Le raidissement du graphisme qu'on observe depuis le Ve siècle n'est pas général, mais constitue plutôt l'un des deux pôles de l'univers stylistique médiéval, l'autre étant un ressourcement périodique dans les traditions antérieures[95]. Le tracé s'affirme et délimite des tons locaux toujours plus étendus, aux dépens du clair-obscur et du modelé que l'art hellénistique obtenait par une touche animée. La mosaïque, encore à Santa Maria Maggiore, traduisait cette touche vivante par le contraste audacieux des tessères. Mais le contraste s'amenuise dans l'exécution plus lisse des mosaïques ravennates, de telle sorte que l'effet lumineux repose toujours plus sur la seule richesse du matériau.

L'avantage de cette évolution est dans la clarification du graphisme qui s'adapte à la mise en valeur de symboles conventionnels, comme les nimbes et autres attributs. L'objet tend vers l'hiéroglyphe, la peinture revient à son sens étymologique d'écriture (*graphè*). Lorsqu'on lit les expressions courantes depuis le IVe siècle qui font de la peinture la Bible des illettrés, il faut se souvenir que le même mot désigne en grec la peinture et l'écriture, excluant la sculpture de son champ sémantique. Une fois abandonnés les procédés de perspective, de modelé et de clair-obscur qui permettaient à la peinture de figurer l'espace et les corps, elle vient se ranger du côté de la graphie et donc du langage. Un fossé la sépare alors de la statuaire et de l'*eidôlon,* de l'idole qui produit l'illusion des sens.

Ces transformations stylistiques ont sans doute engendré un type d'images religieuses dont l'adoration pouvait se justifier de la part de chrétiens qui, de toutes manières, adoraient déjà le pouvoir impérial depuis Constantin, dans la personne et l'image de l'empereur. Ce sont justement les images d'adoration qui tournent le plus souvent au graphisme alors que l'illustration des manuscrits, par exemple, cultive ce qui reste de l'illusionnisme antique avec des oeuvres comme les *Evangiles* de Rossano ou la *Genèse* de Vienne [96]. La distinction n'est pas absolue, car il y a des icônes relativement illusionnistes dans la collection du Sinaï, tandis que d'autres manuscrits présentent un style plus graphique, quoique surtout relâché, le *Pentateuque* d'Ashburnham, par exemple [97]. La fixité est caractéristique de l'icône, le mouvement caractéristique de l'illustration, mais la fixité n'est pas *a priori* moins illusionniste que le mouvement. En revanche, elle vaut comme symbole ou même comme trait caractéristique du spirituel et, par là, se prête à l'adoration. Il s'est donc bien constitué un type d'images qui, au terme de deux siècles d'évolution, appelait l'adoration à cause de sa parenté avec le spirituel, c'est-à-dire avec le Verbe.

3. La logique de l'image

L'adoration des images constitue ainsi le terme d'un processus d'évolution formelle de l'image et ne peut être considérée comme la cause de cette évolution. Il est significatif que les mosaïques exécutées à l'instigation de l'arien Théodoric soient des étapes de cette évolution, alors que l'arianisme aurait dû la freiner, si elle avait déjà impliqué l'adoration des images. De fait, l'adoration a été rendue possible par l'assimilation croissante de l'image à un langage, alors que la religion cléricalisée se présentait toujours plus comme adoration du Verbe. Nous pouvons maintenant décrire l'assimilation avec précision, en montrant que les présupposés logiques qui règlent l'utilisation du langage et fondent son lien à la vérité se retrouvent avec les mêmes fonctions dans l'image.

En étudiant l'arbre de Porphyre, nous avons montré combien la logique est devenue anthropomorphe, en ce sens qu'elle n'est plus guère adaptée qu'à un discours sur l'homme. On a vu également que les métaphores de la parenté construisent un univers anthropomorphe solidement hiérarchisé, à partir des notions d'ancienneté, de filiation et de contrainte. Cela entraîne des difficultés dès que le raisonnement s'écarte des exemples rituels du type « l'homme est un être animé », ainsi lorsqu'on s'interroge sur l'espèce à laquelle appartient le mulet. Le même anthropomorphisme règne désormais sur la peinture dont le sujet unique est la figure humaine et dont la forme est essentiellement constituée par les relations hiérarchiques qui donnent sens aux figures. Le peintre sort de la représentation dès qu'il s'écarte de la figure humaine ; les architectures et les paysages ne forment plus qu'un système décoratif qui encadre et fait ressortir les personnages.

Rien, en dehors du système logique qui s'est mis en place ne laissait prévoir cette évolution. On peut, bien sûr, en chercher l'origine dans la théologie de l'Incarnation : G. Ladner a magistralement montré que le culte des images se fondait sur la mise en place de ce dogme, dans la mesure où il faisait du Christ l'image représentable de Dieu [98]. Mais on a vu plus haut, à propos de Boèce et de Denys, comment l'Incarnation articulait les formes incorporelles et les corps et s'intégrait ainsi dans le système logique. Il y a aussi l'héritage hellénistique d'un art anthropomorphe. On pourrait faire état de la faveur constante dont jouit la figure humaine sur une bonne partie du bassin méditerranéen. Mais, d'une part, la période se caractérise par l'intrusion de peuples voisins, superficiellement contaminés par la figuration hellénistique, sans traditions figuratives ou même hostiles aux images. D'autre part, l'art hellénistique insistait moins sur la figure humaine que celui qui le remplace. Il l'intégrait dans le paysage ou dans l'architecture, elle circulait dans un espace aéré, sans solliciter le spectateur par une immédiateté impérieuse. A partir de là, d'autres possibilités se présentaient, comme celle d'un art centré sur le paysage et l'architecture où la personne humaine s'effacerait. Les mosaïques de pavement du grand palais de Constantinople témoignent d'une orientation en ce sens, qui se radicalise ensuite dans les palais arabes et ceux des empereurs iconoclastes. Mais cette direction ne s'est pas imposée et apparaît comme secondaire par rapport à la naissance de l'art médiéval. Elle se développe à l'écart de l'univers clérical dans lequel il se constitue.

Un rapport d'intersubjectivité s'établit entre la figure peinte et le spectateur, ou plutôt un simulacre d'intersubjectivité. Cela se manifeste par l'importance donnée au regard et à la frontalité. L'idole frontale existait dans le bassin méditerranéen, mais l'art hellénistique la refusait. Même les statues d'empereurs, insérées dans des rituels, l'évitaient avant le IVe siècle. Si les sujets de l'empire connaissaient l'idole frontale, c'était éventuellement par l'intermédiaire des cultes à mystères d'origine orientale. Cependant, les vestiges que nous en possédons, comme les reliefs de Mithra, obéissent aux normes hellénistique. Ici encore, le système logique traduit les présupposés de l'évolution artistique, centré comme il l'est sur la notion de sujet. On se souvient que, pour Boèce, la découverte du regard d'autrui donne accès à l'intelligible, à l'intuition de l'espèce humaine à laquelle j'appartiens du fait même que j'en connais l'existence. Il n'y a pas d'« objet » de la connaissance et aucun mot ne saurait désigner un tel objet, mais un sujet qui connaît d'autres sujets, qui les situe et se situe dans la hiérarchie des êtres où le plus connu est précisément celui qui connaît. La pensée est essentiellement un jeu de regards.

Le sujet de la connaissance n'est pas l'homme charnel, prisonnier de ses particularités accidentelles, attiré vers les biens terrestres qu'il ne possède qu'accidentellement, mais l'homme qui s'identifie à l'universalité de l'espèce et se sait de nature conceptuelle. Le peintre élimine donc autant que possible l'accidentel des figures ; il leur donne la ressemblance et l'unité de l'espèce. On parle souvent d'art conceptuel lorsque le goût du particulier et de l'illusion s'efface. Il ne s'agit en fait que d'une tendance, car un tel art serait une contradiction dans les termes. Une peinture figurative ne peut saisir que du visible et du particulier. Lorsqu'elle veut donner l'universalité au visage humain, elle ne fait que répéter un type particulier et ne produit jamais que des files de personnages identiques. Il lui faut donc utiliser jusqu'à un certain point les beautés et les particularités du monde visible pour symboliser le monde spirituel et les gradations hiérarchiques qui le constituent. Il se fait ainsi un tri dans le visible et l'accidentel. Les traits caractéristiques des individus disparaissent tout comme ceux des races, alors que l'art antique se forgeait volontiers de tels stéréotypes : on pense par exemple aux pygmées qui luttent contre les grues dans la peinture pompéienne. Le pittoresque d'un paysage, d'une atmosphère et d'une luminosité particulière disparaissent, comme les mouvements du corps et les émotions qu'ils traduisent. Des activités humaines, il ne reste plus guère que la conversation muette. Mais on ne peut aller au-delà.

Tout ce qui reste d'accidentel devient alors symbole des choses spirituelles qui ne peuvent être représentées directement, ainsi la barbe, la coiffure et le vêtement, qui expriment la position hiérarchique. Lorsque cela ne suffit pas, on ajoute des motifs abstraits qui complètent le réseau de signes, comme les nimbes et les auréoles. Le visible, mimétique ou non, est donc récupéré pour figurer l'intelligible. Lorsqu'il est mimétique, il joue le rôle des métaphores, qu'on rencontre si souvent chez Boèce. Lorsqu'il ne l'est pas, il représente des opérations logiques à la manière d'une équation. La relation entre le nimbe cruciforme, l'auréole et le nimbe carré peut s'exprimer ainsi :

Les dimensions arbitraires conférées aux personnages jouent exactement le même rôle. Dans tous les cas, on peut parler de symboles dissemblables. Le Tétramorphe et les roues de feu d'Ezéchiel, par exemple, s'introduisent effectivement dans l'art.

Les changements stylistiques ont largement contribué à transformer l'image en idéogramme, à lui faire épouser sa nouvelle fonction. Le remplacement du clair-obscur par un tracé net la rend aussi distincte qu'une idée cartésienne. Chaque élément significatif s'isole des autres grâce au tracé et est perceptible séparément. L'image possède aussi la « clarté », non seulement par l'absence de jeux d'ombres, mais aussi par l'absence de perspective atmosphérique. La disparition de la perspective spatiale, tout comme les tentatives de perspective inversée telles qu'elles se présentent concrètement, empêchent qu'il existe de petites figures schématiques dans les lointains. Il n'y a pas de figuration des distances, de la profondeur, de l'espace et finalement de la quantité, qui n'est qu'un accident. Les quantités telles que la taille des personnages ne sont que les symboles de leur importance spirituelle.

Un autre procédé assure à l'image son statut logique, la codification universelle des symboles et leur univocité. Jusqu'au IVe siècle compris, l'art paléo-chrétien est riche en énigmes iconographiques, en images polysémiques. Le Christ se déguise en Orphée, en Bon Pasteur, en philosophe cynique. Les chercheurs se disputent inlassablement sur le contenu des oeuvres et même sur leur caractère plus ou moins chrétien. Lorsqu'on aborde le Vᵉ et le VIᵉ siècles, les problèmes de ce type disparaissent. L'art chrétien est toujours aussi codé, sans doute encore plus malgré l'arrêt des persécutions, mais il l'est de manière univoque.

La véritable limite de la formalisation n'est pas l'utilisation d'accidents pour symboliser le spirituel, mais la représentation de la figure humaine, dans laquelle les vestiges de l'illusionnisme subsistent le mieux pendant tout le moyen-âge, avec des injections périodiques de modèles antiques, directement imités à Byzance, et le plus souvent médiatisés par Byzance, jusqu'au XIIᵉ siècle en Occident. Nous avons vu que l'anthropomorphisme est également la limite de la formalisation dans la logique de Boèce. Mais un problème nouveau apparaît ici. Boèce reconnaît tout autant que les artistes la beauté et la dignité de la figure humaine qui est à la limite de l'immatériel par son animation supérieure. Or ce n'est pas à la figure humaine que nous avons affaire, mais à sa reproduction dans un matériau inerte. Un premier pas important a été franchi par Denys vers la justification de telles reproductions, en insistant sur la matérialité du langage, qui produit par conséquent des images dissemblables. Dès lors, on voit mal en quoi la peinture lui serait inférieure pour communiquer les contenus de la pensée. Le second pas important est la valorisation spirituelle d'un phénomène essentiel du monde visible, qui joue chez lui le même rôle de dissémination sans dispersion que le langage chez Boèce : la lumière. L'évolution de la peinture vers les couleurs lumineuses, l'or surtout, la dématérialisa suffisamment pour en faire un bon compromis entre la matière et l'esprit, qui durera jusqu'au XVᵉ siècle. En dehors de ses couleurs lumineuses, la peinture n'est plus guère qu'une série de contours, de formes empruntées à des archétypes spirituels, incarnés dans la figure humaine.

La matérialité de l'oeuvre s'efface à un niveau plus fondamental encore : le travail humain qui la constitue matériellement fait l'objet d'une farouche dénégation. L'artiste n'est pas entré dans l'anonymat, parce qu'il y était déjà et se contentait depuis longtemps de recopier des originaux attribués à Zeuxis ou à Phidias. Du moins cesse-t-il de recopier des formes créées par les hommes. La désignation des images les plus archétypiques comme achiropoïètes supprime la considération du travail artistique. L'image tombe pour ainsi dire du ciel. La disparition progressive de la touche, du mouvement caractéristique de la personnalité de l'artiste, va dans le même sens et enlève à la reproduction du modèle ce qu'elle pourrait encore avoir comme originalité. L'artiste acquiert donc un statut étrange. Il s'efface, cache son jeu, à la manière d'un prêtre qui attribue à la divinité ses propres productions idéologiques, qui prétend reproduire fidèlement la vérité déposée dans l'Ecriture lorsqu'il invente une théologie à coups de gloses. Mais l'anonymat et le refoulement de l'artiste sont bien plus grands, car il n'existe pas comme dignitaire ou comme personne publique. Sa tâche est à ce point importante dans le système religieux qu'il disparaît au profit de l'image d'adoration : il fabrique un dispositif qui place l'homme face au spirituel et à rien d'autre.

La logique de Boèce traitait les groupes humains et les institutions comme des accidents dont il ne pouvait être question d'attendre du secours. Seul le spirituel est stable. Le culte impérial associait l'image au secours qu'on peut attendre des institutions. Un homme poursuivi pouvait *ad statuas confugere*, se réfugier auprès des statues impériales, pour demander justice [99]. Au moyen-âge, on se réfugie à l'église, près des saintes images, pour obtenir une protection qui n'est pas de nature juridique. La décadence du culte des images impériales au VIᵉ siècle affecte l'existence du symbolisme des institutions, et finalement les institutions elles-mêmes, car on voit mal ce que serait l'Etat, par exemple, privé du symbolisme dans lequel il se manifeste. Le croyant offre donc sa dévotion à des entités spirituelles qui survivent au naufrage des institutions et que l'artiste fait apparaître en se dissimulant.

L'apparition d'une entité spirituelle correspond à la disparition dans l'art d'une contrepartie sublunaire. Le décor architectural figure la Jérusalem céleste, parce qu'il ne représente plus Rome ou Constantinople. On voit disparaître la parenté des relations humaines : l'enfant s'efface comme le vieillard, de même que les caractères sexuels externes des personnages. Le couple disparaît également de l'art. S'il faut représenter un homme et sa femme, on les séparera nettement au lieu de les placer côte à côte. En revanche, une représentation de la parenté se développe, et une seule jusqu'au XIIᵉ siècle : c'est la Vierge à l'Enfant, c'est-à-dire la génération du Verbe. La métaphore de la parenté qu'utilisait Boèce en la détournant de sa signification humaine pour figurer l'engendrement des espèces par la copulation du genre et de la différence, sert désormais à représenter l'incarnation du Verbe dans les bras de sa mère l'Eglise.

Il était plus difficile de substituer la hiérarchie céleste à la hiérarchie humaine. Le remplacement de la majesté impériale par celle du « Seigneur » ne s'est pas faite systématiquement. De même, les dignitaires du ciel n'ont pas évincé de l'image ceux de la terre. La hiérarchie englobe les uns et les autres et subordonne la terre au ciel. Plutôt que d'arracher leurs attributs aux puissants de ce monde, on donna des auréoles aux entités spirituelles, à la divinité et aux morts-vivants que sont les saints, et des nimbes carrés aux dignitaires religieux. La barbe semble préciser les positions hiérarchiques à l'intérieur de celles-ci et traduit la différence de pouvoir entre *seniores* et *juniores* de même catégorie.

Voilà donc, dans ses grandes lignes, le système iconographique qui fut mis en place, puis proposé à l'adoration des fidèles. Il reste à conclure sur l'adoration elle-même. Les lettrés, ceux qui lisent l'Ecriture, auraient pu se passer d'adorer les images et l'affirment volontiers [100]. Mais comment les illettrés auraient-ils pu participer à cette religion du Verbe, sans la médiation de l'image et sans le comportement rituel devant l'image qui se substitue à la lecture ? Il aurait alors fallu développer les formes orales du comportement religieux, de manière à leur donner la parole. Bien au contraire, la langue sacrée de l'Occident ne constituait en se modelant sur les textes anciens et dans le refus de la langue vulgaire. On voit mal comment le Verbe aurait acquis la sacralité en s'identifiant au discours de la rue. L'image, elle, plaçait le fidèle illettré en position d'adoration par rapport au Verbe qui lui était présenté sous une forme muette, limitant la réciprocité de l'échange autant que le latin des clercs. L'adoration des images, l'entretien du clergé et l'obéissance envers lui n'étaient pas trop pour obtenir la grâce des entités spirituelles.

Il n'est cependant pas nécessaire d'imaginer un peuple crédule pour comprendre le système. Le naufrage des institutions est un fait irréversible en cette fin de l'Antiquité. Seule l'Eglise possède alors la possibilité d'organiser le corps social et il serait paradoxal qu'elle ne le fît point à son profit. Elle sait, entre beaucoup d'autres choses, organiser une économie qui ne repose pas sur le pillage. Ce n'est donc pas devant une chimère, mais devant un pouvoir réel que les hommes se prosternent. Et, s'ils le font par le truchement d'entités spirituelles, cela signifie seulement qu'un pouvoir n'est pas moins abstrait que réel et qu'il ne se désigne que par des images et des mots, que ce soit le patron d'un ordre religieux ou la Marianne. Face à ces entités, les dignitaires aussi se prosternent, afin d'affirmer leur propre soumission envers le pouvoir qu'ils représentent.

Il est pourtant difficile de parler d'idolâtrie et de retour au paganisme. L'image qui est adorée possède une forme graphique qui l'apparente à l'écriture et fait d'elle le signe d'une réalité spirituelle, vers laquelle transite l'adoration. Elle a acquis la fonction que tous les théologiens médiévaux lui accordent : elle est devenue la Bible des illettrés. L'expression est absolument judicieuse, si l'on n'en déduit pas que les images servaient d'enseignement religieux et se limitaient à cela : il s'agirait plutôt de dressage que d'enseignement, comme en fait foi la primauté de l'image d'adoration sur l'image narrative ou descriptive, qui contient un message plus circonstancié et plus instructif. L'image ne transmet ni une théologie, ni même les mythes qu'elle peut tout au plus aider à mémoriser, mais des présupposés logiques qui encadrent le raisonnement et le conduisent dans le droit chemin. Deux de ces présupposés nous semblent essentiels :

– L'opposition entre l'univers visible et l'univers spirituel qui le régit. Les lettrés, c'est-à-dire les clercs, sont les hommes les plus proches du spirituel, déjà de leur vivant, ce qui leur donne la préséance sur les autres. Par la médiation de l'image et des rites, ils leur permettent de participer au spirituel en position subordonnée.

– Le caractère intersubjectif de tout rapport substantiel, qui est donc un rapport d'homme à homme ou d'homme à Dieu.

Ces deux présupposés sont les deux caractères fondamentaux du système féodal, un système de liens d'homme à homme présidé par une Eglise militante subordonnée à une Eglise glorieuse, qui est le domicile des entités symboliques garantissant les liens d'homme à homme.

DEUXIÈME PARTIE

LES CAROLINGIENS ET L'IMAGE RELIGIEUSE

De retour de Rome où il venait d'être couronné empereur par le pape, Charlemagne passa en mai 801 à Ravenne et y vit la statue équestre, réelle ou supposée, de Théodoric. Loin de s'indigner devant ce symbole d'un pouvoir profane et hérétique, il la fit enlever et placer à l'entrée de son propre palais, de son « Latran » d'Aix-la-Chapelle [1]. Cela ne dut pas plaire à tout le monde. En 829, un lettré de la cour, Walafrid Strabon, composa un curieux poème *De imagine Tetrici*, franchement hostile à la statue [2]. Selon toutes probabilités, les artistes carolingiens n'auraient pas été capables d'élever un simulacre aussi impressionnant, mais l'émotion ressentie face à l'illusion du mouvement et de la vie se traduit par des sentiments négatifs. Théodoric paraît vouloir s'envoler dans les airs et disparaître à nouveau, sur son cheval qui lève déjà le pied avant. On reconnaît le motif antique du cavalier qui s'avance, comme dans la statue de Marc-Aurèle qui se trouvait alors devant le palais du Latran à Rome. Le motif est en effet passé chez les Carolingiens, comme l'atteste un petit bronze, représentant Charlemagne (ou l'un de ses successeurs) à cheval, conservé au musée du Louvre et dont on ne connaît pas exactement la date [3]. Loin d'aimer la suggestion de mouvement, Walafrid Strabon l'interprète dans le sens de l'instabilité, propre à un souverain avare et tyrannique. On devine qu'il appréciait davantage l'immobilité rigide des saints, signe de stabilité.

Entre le transport de la statue et la rédaction du poème, l'empereur byzantin Michel Ier (811-813) avait suscité une émeute à Constantinople, en faisant mutiler la statue de la Fortune (*tukè*) qui symbolisait le pouvoir populaire [4]. Il s'agit encore du thème de l'instabilité des choses humaines, à laquelle Boèce opposait un monde spirituel immuable. Or Michel Ier favorisait l'adoration des images et la théocratie.

La position de Charlemagne était différente. On croit comprendre que, lors du couronnement, le pape Léon III lui imposa, en partie par la ruse, un cérémonial qui tout à la fois valorisait le pouvoir impérial comme d'essence divine et le subordonnait à saint Pierre [5]. Charlemagne se veut d'abord roi des Francs, investi par son peuple. Il protège l'Eglise, doit parfois se substituer au pape défaillant comme représentant de Dieu, mais le christianisme n'est pas l'essence de son pouvoir. En s'appropriant la statue de Théodoric, il tenait probablement à rendre la chose explicite. Cette oeuvre venait s'ajouter à d'autres iconographies résolument profanes. Le « Latran » d'Aix-la-Chapelle était décoré de scènes de la guerre d'Espagne et d'allégories des arts libéraux. Le palais d'Ingelheim contenait les portraits de Charlemagne et de ses prédécesseurs chrétiens, mais aussi païens [6]. L'empereur se fit enterrer dans un sarcophage antique racontant l'histoire de Proserpine [7].

Bien entendu, le symbolisme impérial utilise aussi la Bible, mais alors, Charlemagne s'identifie à David ou à Salomon. Il ne se considère pas comme imitation du Christ, mais comme un souverain biblique qui préfigure la seconde venue du Christ à la fin des temps. Les iconographies qui modèlent l'empereur sur le Christ n'apparaissent pas avant Louis le Pieux et se développent davantage dans l'art ottonien. Autre élément de protocole, la vie privée de Charlemagne s'apparente à celle de David ou de Salomon et ne prétend pas à la sainteté. Fascinés par la composante théocratique du pouvoir carolingien, les chercheurs ont souvent sous-estimé la composante profane et le refus du modèle byzantin [8].

CHAPITRE I

LE PROBLÈME DES IMAGES EN OCCIDENT

La confrontation avec le modèle théocratique byzantin se fit en 794, au concile réuni par Charlemagne à Francfort. Les discussions aboutirent à la rédaction d'un texte célèbre, le *Capitulare de imaginibus*, autrement dit les Libri carolini [9]. Les rapports conflictuels entre l'Eglise et l'Etat s'étaient traduits à Byzance par la querelle des images. Le second concile de Nicée, en 787, vit la victoire momentanée des adorateurs d'images et ses conclusions, parvenues à la cour de Charlemagne, provoquèrent un débat. Le pape tenant sans nuances pour les Byzantins, Charlemagne dut réunir lui-même un concile, au terme duquel on renvoya dos à dos l'adoration des images et l'iconoclasme. Cette position fut maintenue pour l'essentiel par les successeurs de Charlemagne. Le synode de Paris, réuni en 824 par Louis le Pieux, la confirma après de nouvelles recherche dans les textes patristiques [10]. Il répondait à un appel à la conciliation, lancé par l'empereur byzantin Michel II le Bègue (820-829), rallié lui-même à une attitude modérée. L'évêque de Lyon Agobard (779-841) écrit à une date incertaine un *Liber de imaginibus* qui radicalise la position carolingienne sans toutefois la dénaturer [11]. Enfin Jonas, successeur de Théodulphe sur le siège épiscopal d'Orléans, écrit en 840 un *De cultu imaginum*, à la suite d'actes iconoclastes perpétrés par un autre prélat lié à la cour, Claude de Turin [12].

1. Le problème historiographique

Ces textes, les *Libri carolini* en particulier, sont des sources d'une extrême richesse sur l'image carolingienne et byzantine, ne serait-ce que par les renseignements documentaires qu'ils offrent. Mais les savants qui s'en sont occupés ont davantage cherché à les ensevelir sous les faux problèmes et à les déprécier par des présentations tendancieuses qu'à en faire leur profit. Un bref aperçu du problème historiographique est donc nécessaire pour justifier notre propre attitude face à ces textes.

Les variations doctrinales de l'Eglise face aux images durant le moyen-âge entraînèrent la mise à l'écart de documents dont l'autorité était devenue gênante. Les *Libri carolini* avaient comme auteur Charlemagne, canonisé en 1165 à la demande de Frédéric Barberousse, et Agobard était également un saint. Leur redécouverte fut l'oeuvre des érudits réformés du XVIe siècle, en particulier de Flacius Illyricus, chef de file de l'historiographie luthérienne, pour les *Libri carolini*. Découvert plus tard, le synode de Paris fut édité en 1596 à Francfort, toujours par les luthériens. On ne pouvait trouver d'autorités plus accablantes contre l'Eglise, au moment où le concile de Trente réaffirmait vigoureusement le devoir d'adorer les images ou, si l'on tient au *distinguo*, de les vénérer. De surcroît, les papes ne font pas brillante figure dans l'affaire et leurs variations laissent sceptique sur l'infaillibilité de l'Eglise. Nous verrons qu'Adrien Ier n'a pas le beau rôle face à Charlemagne. Quant à Eugène II, il est complètement ridiculisé par le synode de Paris. Louis le Pieux lui fait en effet parvenir les conclusions du synode, très sévères sur son prédécesseur Adrien, afin qu'il les couvre de son autorité. Les évêques Jérémie de Sens et Jonas d'Orléans sont chargés de cette délicate mission et munis de savoureuses recommandations : ils doivent éviter de brusquer et d'irriter le Saint Père, afin de le conduire petit à petit, en le flattant, vers la vraie doctrine [13]. La lettre de couverture « sous le nom du pape » semble montrer qu'ils y sont parvenus [14]. Enfin, les positions théologiques de la cour carolingienne ne pouvaient que ravir les protestants. Il est assez paradoxal de voir saint Agobard interdire le culte des saints et reconnaître le Christ comme seul médiateur [15], tandis que Charlemagne oppose aux oeuvres la justification par la foi [16].

La réaction catholique ne se fit pas attendre [17]. Le cardinal Bellarmin (1542-1621) essaya de déconsidérer les *Libri carolini* puis les décisions du « pseudo-synode » de Paris comme des faux, tout en préparant une position de repli : les prélats de Francfort ont pu condamner le concile de Nicée II en ne sachant pas que le pape l'approuvait. Mais le « pseudo-synode » est entièrement coupable, si le texte est authentique. La lettre du pape qui l'accompagne ne peut être de lui, car elle contredit les positions de l'Eglise ! On trouve chez Baronius (1538-1607) une analyse plus subtile. Il nie tout d'abord que le concile de Francfort ait condamné Nicée II ; le document qu'on possède et qui condamne bien Nicée II ne correspondrait pas aux décisions finales et ne serait pas l'oeuvre de Charlemagne. Seul le dernier paragraphe reflèterait l'opinion impériale. Il s'agit en fait d'un paragraphe très court et conciliant qui contredit le reste du texte et que la critique moderne considère comme apocryphe [18]. La dernière phrase du paragraphe affirme tout de même qu'il est licite de ne pas adorer les images. Baronius nous rassure donc que, si le pape n'a pas réagi, c'était pour ne pas rejeter dans le schisme des interlocuteurs « frustes ». Cette manière de déconsidérer les Carolingiens fera son chemin, ainsi que deux autres arguments de Baronius :

— d'une part, le ton du « libelle » s'expliquerait par la mauvaise humeur de Charlemagne après l'échec d'un projet matrimonial avec Byzance ;

— d'autre part, comme le prétendait déjà au IXe siècle Anastase le Bibliothécaire, le texte de Nicée II serait parvenu à Francfort dans une traduction latine très fautive qui aurait entraîné de graves malentendus. Les érudits du XVIIIe siècle ajoutent encore deux tours d'apologétique à ceux-ci. Fabricius (1668-1736) attribue les *Libri Carolini* à Alcuin, ce qui permet d'y voir l'expression d'un tempérament individuel plutôt que la position officielle du royaume franc. Mansi (1692-1769) s'emploie à gommer les divergences entre Francfort et Nicée II, considérant qu'elles ont été exagérées par Baronius.

Ces opinions n'auraient qu'un intérêt rétrospectif, sans leur persistance dans l'historiographie contemporaine. La contribution de l'historien catholique E. Amann dans l'*Histoire de l'Eglise* de Fliche et Martin peut nous servir d'exemple [19]. Selon lui, la traduction des actes de Nicée II dont on s'est servi à Francfort était « plus que médiocre ». Comme « cette traduction ancienne ne s'est pas conservée », son jugement repose sur celui d'Anastase le Bibliothécaire, lequel cherchait précisément à faire accepter les thèses de Nicée II aux Occidentaux, grâce à sa nouvelle traduction. Amann voit dans les *Libri carolini* « une critique incisive où l'ironie le dispute à l'esprit de contention » et reprend la thèse de l'hostilité momentanée envers les Grecs. Bien sûr, il attribue le texte à Alcuin. Enfin, il gomme les divergences à la manière de Mansi et reproche leurs émois aux théologiens de la Contre-Réforme : « alarmes un peu vaines néanmoins, car l'inspiration des Livres carolins est incontestablement catholique ». Dont acte !

Il est plus étonnant de lire des choses semblables chez des historiens qui ne sollicitent pas l'*imprimatur*. Dans un ouvrage récent, A. Grabar parle d'« une violente polémique contre les Grecs », mue par

« une volonté plus politique que théologique » [20], tandis qu'Otto Demus reprend l'argument du mariage manqué, tout en faisant des *Libri carolini* « le document le plus fascinant de l'éternel malentendu qui prévaut entre l'Occident et l'Orient » [21]. Cette fois, il n'est plus question d'Alcuin, mais de Théodulphe d'Orléans, auquel on attribue désormais la rédaction des *Libri* [22]. Cependant, l'historien de l'art tendrait plutôt à souligner le contraste entre les iconographies byzantine et carolingienne, en parlant de « tendances iconoclastes » à propos de la seconde, ce qui est excessif.

Dans les lignes qui vont suivre, nous espérons montrer que les *Libri carolini*, pas plus que les autres textes carolingiens sur les images, ne sont le résultat d'un malentendu. L'attitude qu'ils prescrivent face aux images fut généralement respectée jusqu'au XIᵉ siècle, où l'on verra les tendances favorables à l'adoration finir par l'emporter. Un phénomène de cette ampleur ne peut s'expliquer par un mariage raté et par une hostilité momentanée envers Byzance : il s'agit en fait d'un caractère général et fondamental du système religieux occidental pendant le haut moyen-âge. Nous laisserons aux théologiens de tous bords le soin de décréter que ce système est catholique ou hérétique. De plus, il est parfaitement faux de parler d'« esprit de contention » ou de « polémique violente » à propos de ces textes. Comparée à l'attitude des Byzantins et du pape, celle des Carolingiens frappe par sa modération. Ils répondent à des anathèmes, à des accusations d'incrédulité et d'hérésie, ce qui est très grave. On veut les forcer non seulement à accepter l'adoration des images, mais encore à la rendre obligatoire chez eux. Or ils prennent soin de répondre à ces attaques en baissant le ton et en dédramatisant, accusant les Grecs non pas d'hérésie ou d'erreur doctrinale consciente, mais de sottise et d'orgueil, c'est-à-dire de péchés qui ne mettent pas en question l'authenticité de leur foi. Face au pape, ils feignent la soumission. Enfin la mise en cause de leur niveau intellectuel est inacceptable. Leurs connaissances philologiques sont très supérieures à celles de leurs adversaires. Comme l'a montré Haendler, ils ne font pas de contresens sur le vocabulaire de l'adoration [23]. Bien mieux, ils développent une théorie parfaitement correcte de la traduction. Ils savent critiquer l'authenticité des textes qu'on leur soumet et déjouent le détournement de textes patristiques sans rapports avec le problème des images. Leur dextérité dialectique rend furieux le pape qui, face à une analyse sémiologique de l'image inspirée de saint Augustin, les accuse de dépraver les fidèles à l'aide de la philosophie, de détruire la foi avec le « poison de la dialectique » et leur oppose les vertus rédemptrices de la « simplicité » [24].

La réhabilitation des écrits carolingiens sur l'image est nécessaire, non pas pour cautionner telle ou telle théologie et pour prendre part aux polémiques que le concile de Vatican II a rallumées, mais pour justifier l'utilisation que nous en proposons. Car nous n'y voyons pas des témoignages sur les états d'âmes ou sur les mentalités des Carolingiens, mais l'analyse rigoureuse du problème des images par des spécialistes compétents. Avant de présenter cette analyse, il nous faut essayer de décrire la situation religieuse qui la rendit nécessaire.

2. Note sur la situation religieuse de l'Occident latin

Les pénitentiels, la législation des conciles et quelques sermons sont nos principales sources sur la situation religieuse lors de l'arrivée au pouvoir des Carolingiens [25]. Il ressort de ces textes que le paganisme ne forme plus une institution capable de s'opposer au christianisme. La destruction des idoles a été réalisée pour l'essentiel à l'époque de saint Martin et, pendant l'époque mérovingienne, le pouvoir religieux appartient essentiellement au réseau des monastères colombaniens, puis bénédictins. Les moines sont à même d'imposer des pénitences aux laïcs dont le comportement religieux et moral est incompatible avec le nom de chrétien, sous la forme de jeûnes, d'abstinence sexuelle, ou de compensations matérielles.

La lecture des pénitentiels nous apprend où sont les principaux problèmes. Il y en a beaucoup au niveau de la parenté et de la sexualité, domaines où les moines cherchent à imposer un modèle nouveau et désorganisent peut-être en partie les comportements existants. Il y en a d'aussi importants, mais moins souvent relevés, dans le domaine des prescriptions alimentaires. D'une part, l'Eglise lutte contre l'indifférence aux tabous alimentaires, la consommation d'animaux crevés ou de boissons souillées par les insectes ; d'autre part, et bien plus énergiquement, elle désacralise l'alimentation en interdisant les pratiques sacrificielles par lesquelles les hommes se distinguent des animaux. Avec les rites mortuaires, ces pratiques sacrificielles semblent être les plus importants « vestiges » du paganisme auxquels l'Eglise ait affaire. Les autres sont surtout les fêtes périodiques, comme les déguisements, les voeux et les offrandes de la nouvelle année, ou les feux et les danses du solstice d'été. La consultation de devins et les conjurations ne sont pas spécifiquement des pratiques païennes, même si l'Eglise les prétend telles.

A partir de ces sources, il nous semble possible de caractériser le « paganisme » du haut moyen-âge comme une religion pauvre et vaincue. Les récalcitrants se contentent de prendre quelques précautions rituelles avant de manger une viande, de chanter aux funérailles, de maintenir, autour d'arbres, de rochers et de sources, quelques déplacements individuels ou collectifs et quelques offrandes qui permettent l'appropriation symbolique d'un territoire. Les noms des dieux antiques subsistent, ne serait-ce que dans les noms des jours de la semaine, mais ils ne sont plus utilisés que dans des rituels minimaux et discrets. On pense au culte de Diane, devenu à l'époque carolingienne une chevauchée nocturne que les vieilles femmes font en rêve, sans sortir corporellement de leur sommeil et de leur lit.

Il n'existe donc plus d'idoles païennes sur lesquelles pourrait se greffer un culte chrétien des images. Lorsqu'on parle d'« idoles », c'est au sens où tout péché contre l'adoration de Dieu seul est de l'idolâtrie. Il est encore question de faire « des repas et des libations près des lieux sacrés païens » pour « honorer les idoles », dans le pénitentiel du VIᵉ siècle attribué à saint Colomban [26]. Mais « honorer les idoles » s'accompagne dans ce texte de « rendre un culte aux démons » et le coupable est supposé manger à la table de ceux-ci. Il y a donc de fortes chances que le mot « idoles » soit aussi métaphorique que la table des démons. De même, dans le pénitentiel de Burchard de Worms, au XIᵉ siècle, il est question de « retourner vers de vaines idoles » à propos des rites de Nouvel An qui sont décrits par le menu et ne font évidemment pas appel aux images [27]. On peut toujours supposer que des statues païennes étaient cachées et occasionnellement utilisées par des récalcitrants, mais il faudrait alors expliquer pourquoi les autorités religieuses n'en soufflent mot.

L'évolution religieuse de la période semble surtout marquée par l'intégration dans le système chrétien des rites dont on ne peut venir à bout. Le culte des saints s'installe, comme on l'a dit souvent, sur des cultes antérieurs [28]. Le synode d'Auxerre dut interdire, à la fin du VIᵉ siècle, de célébrer dans l'entourage privé les vigiles des saints, en particulier celle de la Saint-Martin [29]. Dans un intéressant sermon attribué à saint Eloi, la fête du solstice d'été est déjà désignée comme la Saint-Jean [30]. On interdit les vœux et les offrandes déposées sur un arbre ou dans une source, mais le synode d'Auxerre précise qu'ils doivent se faire à l'église, laquelle prend ainsi la relève. Le sermon de saint Eloi interdit les amulettes, même si elles viennent d'un prêtre et si elles sont supposées contenir des passages de l'Ecriture. Il est de plus en plus question de superstitions utilisant les livres saints, les cloches

et le saint chrême [31]. Cela signifie que les fidèles adoptent les objets
cultuels proposés par l'Eglise, même s'ils s'en servent à leur manière
ou à des fins qui ne sont pas celles du clergé. Mais ici encore, il ne s'agit
pas d'images et nous pouvons considérer que ni les pratiques païennes,
ni les pratiques chrétiennes concurrentes, ne reposent essentiellement
sur cette catégorie d'objets, ce dont l'appauvrissement des traditions
figuratives fait foi. Le problème que se pose Charlemagne n'est donc
pas de prendre parti pour ou contre un culte des images implanté chez
les Francs, mais de savoir s'il y a lieu d'introduire un tel culte, à
l'imitation des Byzantins.

La diversité religieuse de l'empire naissant complique en fait le
problème. Si le paganisme ne s'est vraiment manifesté que dans la
résistance saxonne, le culte chrétien n'a pas partout le même aspect. En
particulier, l'Espagne et l'Italie forment des antipodes. Avec son histoire
tourmentée et son instabilité politique chronique, l'Espagne du haut
moyen-âge fut un foyer de controverses théologiques. Le passage des
Vandales, l'installation des Wisigoths ariens, puis le succès de l'Islam
créèrent un terrain favorable, d'une part à l'insistance sur la nature
humaine du Christ, d'autre part au refus des images. Le concile de
Francfort eut à délibérer sur les erreurs d'Elipandus, archevêque de
Tolède, qui suivait les traces de l'hérésiarque Félix. Son adoptianisme
oppose au Christ, engendré par le Père dès l'origine, coéternel et
consubstantiel au Père, la nature humaine du Christ né d'une femme
sous la Loi et adopté par Dieu. Le Christ éternel est identique au Père
par le genre, mais pas le Christ incarné. C'est dire que la forme logique
ne se manifeste pas dans la matière, ce qui ruine la possibilité de l'image
religieuse. Cette hostilité aux images se retrouve ensuite à la cour de
Louis le Pieux, chez Claude qui, devenu évêque de Turin, entre en
conflit avec ses ouailles. Mais il ne confesse pas l'adoptianisme, car
Jonas d'Orléans, tout en assimilant sa position à cette hérésie, confesse
qu'il ne s'attaque pas à la foi, mais seulement aux traditions de
l'Eglise [32]. Même lorsqu'ils se rapprochent le plus de l'orthodoxie, les
espagnols ont des traditions propres. A partir du concile de Tolède (589),
ils confessent que le Saint-Esprit procède du Père et du Fils (*ex Patre
Filioque procedit*), tandis que Rome et les Grecs confessent la
procession du Père et par le Fils (*ex Patre per Filium*). Les Carolingiens
suivirent les Espagnols sur ce point, ce qui entraîna la célèbre querelle
du *Filioque* qu'on présente souvent comme une question de mots. En
fait, comme le remarque Gilson, le *Filioque* traduit une conception
augustinienne de la Trinité, considérée comme préalable aux personnes
divines, tandis que les Grecs réservent le nom de Dieu au Père [33]. Ces

derniers tendent ainsi à hiérarchiser la Trinité, pour compliquer les médiations entre l'homme et Dieu. Au contraire, la position augustinienne rend la Trinité plus compacte et peut engendrer alors des déviations telles que l'adoptianisme, pour rendre compte de l'Incarnation. Il n'est pas indifférent de rappeler l'entière hostilité de saint Augustin envers les images, cohérente avec ce choix théologique.

Rome constitue le pôle théologique opposé à l'Espagne, avec une tradition favorable aux images depuis le début du VIe siècle. Lorsque, vers 600, l'évêque Serenus combattit le culte des images à Marseille où il s'était introduit, saint Grégoire le rappela à l'ordre dans une lettre célèbre [34]. Les images sont la Bible des illettrés et doivent être maintenues, mais il ne faut pas les adorer. A vrai dire, on voit mal comment faire cesser l'adoration des images, en laissant là celles qui y servent. L'attitude du pape est ambiguë et, comme le remarque Bredekamp, la lettre dut son succès à son ambiguïté même [35]. En 692, un concile tenu à Constantinople décida l'abandon des représentations symboliques de la divinité, telles que l'Agneau de Dieu, au profit de la représentation directe du Christ souffrant, sans toutefois prendre parti sur l'adoration. Le pape Serge Ier dont le concile n'avait pas reconnu la suprématie, réagit en faveur des images symboliques et introduisit l'*Agnus Dei* dans la messe. Mais cet attachement aux images symboliques ne signifie absolument pas un refus d'adorer l'image. En tout cas, dès que les tendances iconoclastes se manifestent chez les Grecs, le pape devient le premier avocat des images et de leur adoration. Les moines exilés par les empereurs iconoclastes se réfugièrent à Rome, accompagnés par les peintres impénitents [36]. L'hostilité envers l'iconoclasme, entretenue par les réfugiés, contribua sans doute à exacerber les pratiques d'adoration qui se diffusèrent d'autant mieux à travers l'Italie que les pèlerins affluaient à Rome. Les réactions de Claude de Turin montrent combien cette situation pouvait irriter un prélat carolingien. Hincmar de Reims va jusqu'à écrire qu'« Adrien et les autres pontifes ont persévéré dans leur opinion et qu'à la mort de Charlemagne, ils ont promu encore plus fortement le culte de leurs poupées » [37]. De plus, comme les papes avaient été presque toujours Grecs ou syriens au VIIe et au VIIIe siècle et qu'ils s'étaient entourés de réfugiés, la théologie romaine était complètement byzantinisante et s'opposait à l'augustinisme carolingien.

Charlemagne et ses successeurs étaient donc devant un problème très délicat, face à l'autorité de Rome, à sa situation franchement périphérique dans le monde latin et aux volte-face successives des Grecs sur la question des images. Pour qu'on puisse assurer l'entente de toute la chrétienté, il faudrait d'abord que les Grecs cessent de passer continuellement de l'iconodulie à l'iconoclasme, en anathématisant tour à tour les uns et les autres. Pour assurer au moins la cohésion du monde latin, il faudrait faire accepter un compromis à la fois au pape et aux prélats espagnols, qui jouent un rôle important à la cour. Le second concile de Nicée, fort de l'alliance momentanée entre le pape et les Grecs en pleine phase iconodule, avait prescrit en 787 l'adoration des images et prétendait se faire respecter des Francs. Quant aux Espagnols, condamnés par le pape Adrien en la personne de Félix, ils sollicitaient de Charlemagne un concile qui contredirait les décisions romaines. Le roi ne voulut pas se substituer au pape : il lui soumit les décisions de Francfort, espérant avec raison qu'il reculerait devant les risques de schisme, dès lors que la condamnation de l'adoptianisme était réitérée. Comme on pouvait le prévoir, la lune de miel entre le pape et les Grecs ne dura pas, ceux-ci retournant rapidement à l'iconoclasme. Le pape se faisait absorber, lentement mais sûrement, par la chrétienté latine.

Ce qui a été dit de la situation religieuse permet de comprendre que, même si elle avait été possible sans schisme, l'adoption du modèle iconodule aurait été techniquement difficile. Il aurait fallu développer une intense production d'images figuratives coûteuses et veiller à leur bonne utilisation de la Saxe à l'Espagne, dans des populations qui ne savaient sans doute pas faire une proskynèse et ne connaissaient pas davantage les codes complexes qui régissent une iconographie, importée de surcroît. Compte-tenu des conditions administratives du royaume franc, la chose était impensable.

L'absence de culture iconographique de la plus grande partie de la population pourrait expliquer une particularité importante des traités carolingiens : l'absence à peu près totale de discussions sur le choix des thèmes. A aucun moment, par exemple, on ne trouve une prise de position pour ou contre les représentations symboliques de la divinité. Malgré ce qu'on en a dit, l'art carolingien accueille sans résistance les thèmes qui furent forgés à Rome ou à Constantinople par des iconodules, avec ce qu'ils comportent de présupposés doctrinaux et surtout d'*a priori* logiques. On se contente de ne pas en faire des oeuvres propres à l'adoration. Les formes que nous avons étudiées dans la première partie connaissent une diffusion, certes limitée, mais à coup sûr plus forte que dans la période de marasme artistique qui précédait l'effort carolingien. Entre temps se sont produits des développements iconographiques dont il faut tenir compte.

3. L'évolution iconographique

L'iconographie du VIᵉ siècle manifestait d'abord l'existence d'entités spirituelles de nature logique, opposées à l'instabilité des choses humaines. Elle ignorait donc autant que possible la représentation du temps et de l'espace qui sont les catégories accidentelles, mal dominées par la logique, dans lesquelles se meut le monde sublunaire. La mise en relation du monde céleste et du monde sublunaire s'exprimait par la génération du Verbe et se représentait par la Vierge à l'Enfant.

Les absides de Saint-Apollon à Baouît mettent en scène l'Incarnation de manière exemplaire. Dans la chapelle VI, le registre inférieur est consacré à la Vierge à l'Enfant qui trône entourée des douze apôtres (ill. 9). Elle figure ainsi l'Eglise, au sein de laquelle est engendré le Verbe. En s'incarnant, celui-ci perd une partie de sa puissance spirituelle : on l'indique en lui donnant la taille d'un enfant et en l'incluant dans la silhouette de sa mère, ce qui donne la relation :

Eglise > Christ

Le registre supérieur présente le Christ triomphant dans sa mandorle, entouré du Tétramorphe et des roues de la vision d'Ezéchiel, ce qui souligne sa nature de Verbe. Deux anges le flanquent et lui servent de gardes, tout en allumant le feu du firmament. Enfin, on a disposé de part et d'autre du Christ le soleil et la lune, ce qui l'assimile au Dieu Annus et le fait régner sur le calendrier. Le Verbe est ainsi disposé dans un ciel immuable au-dessus de son Eglise et domine le temps dans lequel il s'est momentanément inséré par l'Incarnation. On peut donc compléter ainsi la relation :

Christ triomphant > Eglise > Christ incarné

La disposition sur deux registres est promise à un grand avenir, car elle détermine la structure des thèmes médiévaux de l'ascension et de la Pentecôte. A son ascension, le Christ quitte la terre pour rentrer dans sa gloire, sous les yeux de la Vierge et des apôtres qui occupent le registre inférieur. A la Pentecôte, ceux-ci sont toujours là, dans la même disposition, pour recevoir l'Esprit Saint en échange.

L'évolution qui commence ici est une main mise de la religion chrétienne sur le temps sublunaire qui succède à l'indifférence. Du VIᵉ au VIIIᵉ siècle, l'Incarnation devient l'étalon qui mesure la durée de

9. Abside VI du monastère Saint-Apollon à Baouît, peintures murales du cul-de-four, Le Caire, Musée Copte.

10. Couvercle en bois peint d'un reliquaire du VIe siècle, Rome, Museo Apostolico Vaticano.

l'histoire humaine et remplace les règnes pour dater les actes. En même temps, la célébration de la Nativité à date fixe, au début des festivités qui marquaient le changement d'année, et les efforts des computistes pour déterminer avec exactitude la date de Pâques, fête mobile, manifestent l'appropriation du calendrier. L'Eglise a cessé depuis longtemps de nier le temps humain en annonçant sa fin prochaine ; elle le subordonne désormais à l'intemporalité du Verbe. Parallèlement, les pèlerinages et la liturgie occupent et qualifient de plus en plus l'espace, chargeant les points cardinaux de significations mystiques, particulièrement l'axe Est/Ouest qui structure l'architecture des églises.

Cette évolution entraîne le retour à un art plus narratif que celui du début du VIᵉ siècle, où régnaient surtout les figures immobiles et frontales du spirituel. L'accent mis sur l'Incarnation favorise le développement de thèmes qui, comme la nativité ou l'ascension, racontent partiellement une histoire, tout en conférant à l'événement une immobilité propre à susciter l'adoration. Les ampoules de Terre Sainte conservées à Monza et à Bobbio sont d'excellents exemples de cette interpénétration du narratif et de l'intemporel. L'une des ampoules de Monza [38] représente l'ascension dans une composition en deux registres qui rappelle l'abside de Baouît. Le Christ, les anges qui le portent, la Vierge et les apôtres font face au spectateur. Seule la connaissance du récit évangélique nous fait deviner le mouvement qui mène le Christ de la terre au ciel.

Le compromis entre frontalité et narration s'articule aussi sur la justification des images comme Bible des illettrés, car il transcende l'opposition entre une image d'adoration sans vertus pédagogiques et une image narrative sans grand intérêt pour le rituel d'adoration. Le thème qui semble le plus avoir profité de cette évolution et qui l'illustre mieux que nul autre est la crucifixion. Dès le Vᵉ siècle, les portes de Sainte-Sabine, à Rome, montrent le Christ entouré des larrons, les bras étendus, mais sans la croix. Nous savons par Grégoire de Tours que l'introduction d'une image de la crucifixion à Narbonne au VIᵉ siècle provoqua un scandale [39]. Le concile tenu à Constantinople en 692, que nous avons déjà évoqué, recommande cependant l'insistance sur la forme humaine du Christ, « pour que nous puissions contempler toute la sublimité du Verbe à travers son humilité. Il faut que le peintre nous mène, comme par la main, au souvenir de Jésus vivant en chair, souffrant, mourant pour notre salut et acquérant ainsi la rédemption du monde » [40].

L'image de la crucifixion s'était en effet développée entre temps, à la jonction du récit et de l'adoration, de l'événement et de

11. *Crucifixion*, plaque de reliure en ivoire, Narbonne, Trésor de la cathédrale.

l'intemporel. Parmi les primitifs de cette évolution, on peut citer le couvercle de reliquaire en bois peint qui est conservé au musée du Vatican [41] (ill. 10). La crucifixion est disposée en largeur au centre du couvercle, entourée de quatre grands moments de l'histoire du Christ : la nativité et le baptême occupent le bas de l'image, tandis que la visite des saintes femmes au tombeau vide et l'ascension occupent le haut. Dans la scène centrale, le Christ, vêtu de la tunique, est entouré des deux larrons, de la Vierge et de saint Jean, de Longin et de Stephaton. Il s'agit en même temps d'une scène narrative et d'une présentation symétrique des personnages, dominée par le Christ qui fixe le spectateur.

L'accumulation de symbolisme ne cesse plus autour de la crucifixion. On parvient à des dispositions complexes et riches de sens, dont un plat de reliure carolingien en ivoire, conservé à la cathédrale de Narbonne, peut servir d'exemple [42] (ill. 11). On y retrouve le Crucifié au centre, vêtu cette fois du périzonium, toujours entouré de Longin et de Stephaton, de la Vierge et de saint Jean. Une inscription justifie la présence de ce second couple de personnages, en paraphrasant les paroles par lesquelles le Christ fait du disciple bien-aimé son frère par adoption (*Jean*, 19, 27) : « Femme, voici ton fils ; apôtre, voici ta mère ». En d'autres termes, la filiation selon la chair s'efface devant la filiation spirituelle, par la mort du Christ. Saint Jean, le disciple, devient le fils de la Vierge, c'est-à-dire de l'Eglise. Au pied de la croix, les soldats se disputent la tunique dont le Christ est dévêtu et qui représente la robe sans couture de l'Eglise. Mais la croix est en quelque sorte construite sur la machine de loterie qui permettra le tirage au sort de la tunique : l'Eglise domine ainsi le hasard par le signe de la croix. A la droite du Christ se situent les événements antérieurs à la crucifixion, la Cène et le baiser de Judas, à sa gauche les événements postérieurs, l'apparition à saint Thomas et les saintes femmes au tombeau. La droite et la gauche signifient donc l'avant et l'après, tout comme la Mère se tient à droite et le fils adoptif à gauche. Au-dessus du bras de la croix se trouvent le soleil et la lune qui assimilent le Crucifié au dieu de l'année, ainsi que l'ascension à sa droite et la Pentecôte à sa gauche. Le Verbe incarné remonte au ciel et cesse d'être soumis à la génération par la chair, tandis que l'Esprit descend sur les apôtres, instaurant la génération par le Verbe, la filiation spirituelle dont jouit déjà le disciple bien-aimé.

Une telle iconographie est absolument cléricale. Comme dans les actes carolingiens, l'Incarnation du Christ règne sur la chronologie et le calendrier. De plus, sa Passion institue la génération spirituelle, celle des clercs qui se reproduisent par adoption, car ils sont fils de l'Eglise selon l'Esprit, tandis que les laïcs leur sont subordonnés comme leurs propres fils spirituels. Les Carolingiens acceptent ainsi les thèmes iconographiques existants et leurs implications, mais ils agissent à un autre niveau, celui du comportement envers ces images, en empêchant qu'on les propose à l'adoration des fidèles. Cette crucifixion symbolique n'est pas une icône, mais un plat de reliure que seul le prêtre sera amené à baiser. Les prérogatives de l'Eglise sont respectées, mais le pouvoir carolingien refuse qu'elle en fasse adorer la représentation par les fidèles. Nous allons maintenant étudier de plus près les modalités de ce refus.

CHAPITRE II

L'ANALYSE DES THÈSES ICONODULES

Les *Libri carolini* (794) et le synode de Paris (824) contiennent la réfutation rapide des thèses iconoclastes et celle, beaucoup plus développée, de l'iconodulie byzantine. On feint d'ignorer que le pape défend les mêmes positions que les Byzantins. Le traité d'Agobard de Lyon, *Contre la superstition de ceux qui croient qu'on doit un culte d'adoration aux peintures et aux images des saints*, est plus mystérieux. Non seulement nous en ignorons la date, mais il ne dit pas quels sont les gens superstitieux qu'il attaque. Ce silence suggère que le traité s'en prend aux cultes pratiqués à Rome et dans le reste de l'Italie. L'argumentation d'Agobard est parfois très proche de celle de Claude de Turin, réfuté par Jonas d'Orléans à la fin du règne de Louis le Pieux, alors que l'évêque de Lyon venait de mourir. Il n'est plus guère question du problème byzantin, ce qui contribue à suggérer une date tardive pour le traité d'Agobard.

La préface de Charlemagne aux *Libri carolini* résume avec clarté les données du débat [43]. Le concile tenu en 754 en Bithinie par les iconoclastes confondait le genre « image » avec l'espèce « idole » et interdisait donc de faire des images. En revanche, le concile de Nicée II déduisait du droit de posséder des images celui de les adorer et de chaque texte mentionnant favorablement l'existence d'images religieuses une incitation à les adorer. Les deux conciles confondent donc également la possession d'images et leur adoration. Les uns veulent enlever les ornements de l'Epouse, les autres veulent les adorer. Les deux attitudes sont également ineptes aux yeux de Charlemagne, mais il voit la racine du mal dans l'adoration des images qui provoque la réaction excessive de l'iconoclasme.

Plusieurs passages des *Libri* rappellent l'histoire du problème. Tout d'abord, les païens eux-mêmes n'ont pas inventé les images pour les adorer, mais pour remédier à la douleur causée par la mort des grands hommes. Par la suite, les démons leur suggérèrent de les adorer comme des dieux. On reconnaît ici la thèse évhémériste de la production des dieux par les hommes et le concile de Paris en cite les sources : Epicure, Démocrite et Hermès Trismégiste [44]. Il ne s'agit pas d'un phénomène universel, car ces pratiques sont essentiellement dues aux Babyloniens et aux Romains qui les ont répandues dans les peuples qu'ils avaient soumis [45]. Les images n'existaient pas avant le déluge et, encore aujourd'hui, dans plusieurs parties du monde, les gens ignorent la peinture et adorent Dieu cependant [46].

La première mention du culte des images chrétiennes dans la patristique est due à saint Augustin et concerne des hérétiques : les disciples de Simon et les carpocratiens [47]. Le culte chrétien des images dérive du culte impérial, ce dont les iconodules ne se cachent pas [48]. Mais on ne peut fonder une chose illicite sur une autre. Pourquoi n'introduisent-il pas dans leurs églises les mimes théâtraux et les jeux de gladiateurs [49] ? De plus, l'image de l'empereur sert à pallier son absence dans des lieux publics. La comparaison suppose donc l'absence de Dieu et nie son ubiquité [50].

Le ton se durcit chez Agobard qui défend la thèse que popularisera Saintyves au début du XXᵉ siècle : les saints sont les successeurs des dieux. Après avoir loué les chrétiens d'Alexandrie d'avoir adopté le signe aniconique de la croix au lendemain de leur conversion, il fait la remarque suivante : « Si l'on avait ordonné de vénérer les images des saints à ces hommes qui avaient abandonné le culte des démons, je crois qu'il leur aurait semblé non pas tant avoir abandonné les idoles que renouvelé les simulacres » [51]. Claude de Turin considère également qu'en peignant sur les murs Pierre et Paul, Jupiter, Saturne ou Mercure, et en les adorant, on fait la même chose quels que soient les noms apposés [52]. Les *Libri carolini* suggéraient déjà que les mêmes schèmes se cachent sous des noms différents. Ils imaginent l'expérience suivante : qu'on propose à un iconodule deux images identiques d'une belle fille, sans y mettre de noms. Qu'on inscrive ensuite « Marie » sur l'une et « Vénus » sur l'autre. Devra-t-il adorer l'une et maudire l'autre, après avoir d'abord rejeté les deux [53] ?

L'adoration des images est donc un héritage du paganisme selon les Carolingiens. Leur analyse diffère de la nôtre en cela qu'ils n'observent pas les changements formels survenus dans l'image et qui aboutirent à son adoration par les chrétiens, comme le montre la comparaison des deux belles filles. Nous verrons plus loin le sens de cet oubli. Il reste à savoir si les Byzantins « adorent » les images et ce qu'il faut entendre par « adorer ». Le point est capital, car on a accusé les Carolingiens de ne pas avoir compris les distinctions subtiles entre les cultes de dulie et de latrie, du fait d'une mauvaise traduction.

Une théorie de la traduction est exposée dans les *Libri carolini*, à propos de la confusion entre « adorer » et « embrasser » que les Grecs justifiaient en faisant état d'un mot qui signifie les deux à la fois [54]. Pourtant on adore Dieu sans l'embrasser et on embrasse sa famille sans l'adorer. Les choses n'ont pas été faites pour s'adapter aux noms, mais les noms pour s'adapter aux choses. Platon considère les noms comme des instruments naturels pour désigner les choses, mais Aristote montre que le langage est arbitraire (*secundum placitum*) et non naturel, dans son *De interpretatione* [55]. La chose et le concept sont des réalités naturelles, car ils ne changent pas d'une nation à l'autre. Par contre, les sons articulés (*voces*) et l'écriture sont arbitraires et changent selon les langues. Le synode de Paris reprend un argument de saint Augustin qui repose sur les mêmes distinctions [56]. Le terme de « latrie » signifie « servitude » et correspond au seul rapport à Dieu. Il est difficile à rendre en latin, car *colere* ne contient pas cette nuance et s'applique dans des champs sémantiques différents, comme par exemple celui de l'agriculture.

Cette théorie permet d'analyser la polysémie du vocabulaire et interdit les contresens dus à la transposition mécanique des noms d'une langue à l'autre. Les Carolingiens comprennent parfaitement ce que les Byzantins veulent dire. Ils ne les accusent pas de transférer le culte de latrie aux saints et aux images ; lorsqu'ils parlent d'adoration des images, c'est le culte de dulie qu'ils combattent, ainsi que la proskynèse, le geste de prosternation par lequel il se manifeste. Le synode de Paris distingue clairement la dulie (*colere*) qui se fait avec affection et zèle de la proskynèse (*adorare*) qu'on peut accomplir sous la contrainte ou par flatterie. Mais c'est pour affirmer que le premier commandement réserve à Dieu seul à la fois la latrie, la dulie et la proskynèse. Le *distinguo* entre latrie et dulie est écarté, car les deux mots signifient également « servitude » , tandis que la polysémie de « dulie » , qui s'étend aux rapports familiaux, politiques et religieux, ne peut qu'engendrer les équivoques.

En effet, le culte impérial et le culte des saints, construits sur le modèle du culte divin, mêlent une affection filiale très légitime à une servitude irritante. Et les Grecs ne s'arrêtent pas en si bon chemin ; ils vont jusqu'à adorer des objets fabriqués de main d'homme. Pour les

Carolingiens, l'être humain peut bénir un objet, mais pas l'adorer. Or les Grecs traduisent « bénir » par « adorer » dans la Bible [57]. Lorsque la Bible dit que Jacob a érigé une stèle et l'a bénie (*Genèse*, 35, 13-15), ils comprennent qu'il l'a adorée [58]. Il n'a pas non plus adoré Pharaon, mais lui a donné sa bénédiction [59]. Le rapport entre un homme et une pierre, entre un prophète et un impie, ne peut qu'être le contraire d'un rapport d'adoration. Le supérieur bénit l'inférieur et ne l'adore pas. Les Grecs vont si loin dans la confusion qu'ils prétendent qu'on adore le signe de croix, alors que ce signe est une bénédiction, qu'il consacre et n'a pas à être consacré [60]. Les Carolingiens excluent donc toute servitude envers autre chose que Dieu et la confusion entre la capacité de bénir ce qui est inférieur et l'adoration, ou même la salutation respectueuse.

Le désaccord avec les grecs renvoie au problème logique. Dans la polysémie de « dulie », on a reconnu celle du vocabulaire logique qui assimile la coercition, la parenté et la participation au spirituel. En réalité, les Carolingiens raisonnent avec les mêmes prémisses logiques que les Grecs et utilisent tout autant le vocabulaire de la parenté dans la sphère politique et religieuse. Mais ils maintiennent quatre distinctions de niveaux :

1) Les saints n'ont jamais prétendu se faire adorer. Il faut certes honorer dignement leurs reliques et leurs basiliques, mais pas d'une manière incompétente et indécente [61]. Le synode de Paris va plus loin en condamnant l'adoration d'images dont les modèles refusèrent de leur vivant d'être adorés et prend saint Augustin à témoin qu'il n'y a pas lieu d'adorer les martyrs [62], tandis qu'Agobard fait du Christ le seul médiateur [63]. Malgré tout, la distinction entre adorer et honorer les saints n'est pas beaucoup plus claire que celle entre latrie et dulie, de telle sorte que Claude de Turin enverra aux Carolingiens des critiques semblables à celles qu'ils font aux Grecs.

2) Le pouvoir politique forme un « type », une préfiguration de la Jérusalem céleste, mais ne s'identifie pas à elle. Il est de nature charnelle, sublunaire, passagère, non pas immuable comme les entités spirituelles. C'est ce que symbolise la statue de Théodoric aux portes du palais. Le premier des *Libri carolini* s'ouvre par une dénonciation indignée de la mystification du pouvoir chez les Grecs. Constantin et Irène osent dire de Dieu qu'il « règne avec eux » (*conregnat*) [64]. Ils appellent « divins » (*divalia*) leurs faits et gestes [65], prétendent que Dieu, tout comme eux « supplie » (*rogat*) le pape [66]. Nous serons semblables à Dieu par l'immortalité et la gloire à la fin des temps, mais pas dans une similitude corporelle. Les saints règneront avec Dieu, mais

certainement pas les pécheurs qui devraient commencer par apprendre l'humilité.

3) C'est dans son intériorité que l'homme ressemble à Dieu [67]. L'homme intérieur est à l'image de Dieu et saint Augustin le compare à la Trinité, car il possède l'intellect, la volonté et la mémoire, qui apparaissent dans le même ordre que les personnes divines [68]. Lorsque les psaumes parlent du visage de « Dieu » , il faut comprendre le Fils, par lequel nous parvenons à la connaissance de Dieu [69]. La ressemblance est alors d'ordre spirituel et ne peut se traduire par une forme mimétique.

4) L'image d'un être animé n'est identique que par le nom à celui qu'elle représente. Il n'y a pas d'images saintes, mais des images des saints. Si l'image possédait la sainteté, on serait celle-ci avant qu'on ne la fasse ? Dans le bois de la forêt dont on brûle le reste ? Dans les couleurs pleines de choses impures ? Dans la cire ? Pour que la sainteté vienne ensuite à l'image, il faudrait qu'on lui impose les mains, mais on ne la consacre pas. Et si la sainteté était inhérente à l'image, il faudrait qu'elle lui vienne d'ailleurs et se répande ensuite d'une image à l'autre [70].

Les Carolingiens considèrent qu'une chose peut toujours en signifier, en symboliser, en préfigurer une autre, de niveau supérieur, mais ils ne veulent pas entendre parler de transition des formes du spirituel au sensible. Leur position s'apparente à celle de Boèce, à son mépris de l'inanimé, et s'écarte de celle de Denys, dont ils commencent à entendre parler. Il y a une divergence fondamentale sur la notion de forme. Les Byzantins considèrent comme un argument en faveur des images une citation de saint Cyrille : « La foi nous dépeint que le Verbe se trouve dans la forme de Dieu » . Mais les *Libri carolini* répondent :

1) qu'il faudrait vérifier si le texte n'est pas corrompu,
2) qu'il n'est en tout cas pas question d'images ici [71].

Dans sa critique des *Libri*, le pape maintient que la sentence est pertinente [72]. Pareillement, il interprète le « visage du Seigneur » dont parlent les psaumes comme sa forme selon la chair, car l'Epoux se montre incarné à l'Epouse [73]. Les Carolingiens séparent au contraire la forme logique qui est de nature spirituelle, de la forme visuelle qui est une apparence sensible. Pour eux, l'image est un phénomène matériel.

Il convient d'abord de bien distinguer l'« image » de Dieu et l'image proprement dite. On fait de nouveau appel à saint Augustin, à qui on emprunte une distinction entre image, similitude et égalité dont le moyen-âge se servira beaucoup [74]. L'image implique une similitude, l'égalité aussi, mais la réciproque n'est pas vraie : la similitude n'implique ni l'égalité, ni l'image ; l'égalité et l'image ne s'impliquent pas mutuellement. Toutes trois sont des catégories de la relation, mais, tandis que la similitude et l'égalité se disent par comparaison avec autre chose, l'image est l'expression de la chose. Elle n'est pas plus ou moins image, mais exprime la chose ou ne l'exprime pas, alors que la similitude et l'égalité sont susceptibles de plus ou de moins.

Le reflet dans un miroir possède la similitude du modèle, mais pas l'égalité, alors que deux oeufs de poule possèdent l'égalité, donc la similitude, mais ne sont pas l'expression ou l'image l'un de l'autre. L'oeuf de perdrix, semblable à l'oeuf de poule, n'en est pas l'image non plus et n'est pas de la même grandeur. Enfin, une image peut posséder l'égalité : les fils sont l'image de leurs pères ; ils leurs sont semblables et leurs seraient égaux sans l'intervalle de temps, dont on ne peut faire complètement abstraction que pour la Trinité.

En définitive, c'est l'intention d'exprimer le modèle par une similitude qui caractérise l'image. Cette intention se manifeste par l'apposition d'un nom sur l'image, comme dans l'exemple déjà cité d'une belle fille qui, sans inscription, pourrait être aussi bien l'image de la Vierge que celle de Vénus. On comprend mieux ainsi l'exemple des pères et des fils. Un enfant naturel peut ressembler à son géniteur, mais il n'y a pas intention de signifier, tandis que la transmission du nom fait effectivement du fils l'image de son père.

Les formes sensibles ne transmettent donc pas ce qui est essentiel au modèle ; elles ne suffisent pas à le désigner. Sans le nom, l'image ne possède rien de la substance du modèle et ne transmet que des ressemblances accidentelles. L'adoration ne peut donc pas, comme le prétendent les Grecs, transiter par l'image des formes corporelles à la forme spirituelle du prototype [75]. Ils le prétendent, mais ne sauraient en donner la raison. Si l'on adore ce que montre l'image, faut-il adorer les images pour la beauté, la qualité du matériau, la ressemblance, ou au contraire en fonction inverse de ces qualités ? Est-ce que les images les plus réussies sont plus adorables que les autres ? Ils croient en somme profitable pour la foi d'adorer l'oeuvre des peintres. Certes, quelques doctes peuvent éviter ce travers et adorer ce qui est représenté, mais c'est le scandale pour les simples qui ne vénèrent et n'adorent que ce qu'ils voient.

A la limite, on pourrait donc imaginer une vénération de la forme spirituelle devant les images, à condition précisément de savoir qu'elle n'est pas visible dans les images. Cela ne serait possible qu'à un homme instruit mais, aux simples qui ne peuvent lire le nom du saint, l'image n'offre rien d'autre que des formes sensibles à adorer.

Les arguments en faveur des images sont des sophismes. Il ne saurait être question d'une Bible des illettrés : « C'est dans les livres et non dans les images que nous acquérons l'érudition de la doctrine spirituelle » [76]. Il est faux de prétendre que les peintres « démontrent » ce que dit l'Ecriture [77]. L'art peut représenter le vrai et le faux, le possible et l'impossible. Même un illettré peut constater qu'on peint des choses totalement fausses, comme l'abysse sous forme humaine, la terre tantôt stérile, tantôt couverte de fruits. Le même anthropomorphisme est utilisé pour les fleuves, la lune et le soleil, les vents, les mers et les saisons. On peint les fables des poètes et on transforme les histoires vraies en balivernes incroyables. On représente Bellérophon tuant une chimère à trois têtes, alors qu'en réalité, il n'a pas tué une bête, mais rendu une montagne habitable. On représente Vulcain boiteux, Scylla avec une tête de chien, Phyllis transformée en arbre pour l'amour d'un jeune homme, etc. Les peintres peuvent mettre deux têtes sur un corps, faire l'hippocentaure et le minotaure. En revanche, ils ne « démontrent » pas les préceptes de la loi divine qui, tout comme les exhortations des prophètes, ne peuvent se peindre. On peint les choses terrestres et changeantes qui n'ont aucun rapport avec l'Ecriture, laquelle est immuable.

Dans ce texte, qui s'inspire de l'*Art poétique* d'Horace, les peintres sont supposés dénaturer par anthropomorphisme les textes qu'ils illustrent, en reproduisant les allégories au pied de la lettre. Tous les exemples cités font allusion à l'Antiquité païenne. A propos de Bellérophon, on nous offre l'interprétation rationaliste d'un mythe relatif au peuplement. La démarche rappelle celle de Jacques Le Goff dans une étude sur saint Marcel, où il interprète la domestication du dragon par le saint comme l'assèchement d'un marais [78]. On comprend donc pourquoi les *Libri carolini* évitent ici les exemples bibliques et, en même temps, on se demande ce qu'ils pensent réellement du sens littéral de la Bible. Faut-il comprendre que les peintres ne saisissent que la fable dans les récits fantastiques de la Bible et ne parviennent pas, faute d'interpréter les allégories, à comprendre les vérités rationnelles qui s'y cachent ? En tous cas, la peinture prive le récit de sa dimension intelligible et de sa vérité.

L'argument qu'on fait des images pour la mémoire ne vaut pas mieux que celui de la Bible des illettrés [79]. Il laisse supposer que ceux qui font des images de Dieu et des saints pour ne pas les oublier n'ont pas très bonne mémoire. En fait, on contemple Dieu avec les yeux de l'esprit et non avec ceux de la chair que possèdent aussi les animaux. Certes, nous faisons aussi des images pour la mémoire, mais c'est pour garder celle des événements et non celle des saints. De toutes manières, les images ne permettent pas de mémoriser les choses invisibles. C'est par le Verbe que nous adorons Dieu ; il ne réside pas dans les choses fabriquées, mais dans le coeur [80]. Il serait triste qu'il se manifeste dans la vision d'un mur peint et non par l'amour. Si les iconodules perdaient les images ou la vue, ils oublieraient sans doute Dieu tout-à-fait.

La réduction de l'image à sa matérialité entraîne autant la condamnation de l'iconoclasme que celle de l'iconodulie. Comme l'image ne possède rien de son modèle, il est stupide de s'acharner sur elle. Les Byzantins utilisent l'argument de l'iconoclasme pour fonder le lien entre l'image et son modèle, en considérant que si quelqu'un insulte ou mutile l'image de l'empereur, c'est l'empereur qui est injurié [81]. De la même manière, « quand on introduit dans les villes le visage et les images de l'empereur, que les juges et le peuple viennent à leur rencontre avec des louanges, ils n'adorent pas le tableau et les caractères de cire coulée, mais la figure de l'empereur ». Ces manipulations sont dédaignées par les Carolingiens : « Le vulgaire, poussé par une liesse bachique, enflammé par la nouveauté de la pompe séculière, cupide d'honneurs venteux, asservi dans l'adulation et craignant le châtiment, honore les images des empereurs avec des louanges vaines et pernicieuses. Alors que dire de nous qui nous glorifions de la croix du Christ ? ». Cet exemple détourne plutôt du culte des images.

Si l'iconoclasme et l'adoration des images sont solidaires, c'est l'adoration qui provoque l'iconoclasme, car on s'acharne sur une image parce qu'elle a été érigée en symbole par ses adorateurs. L'adoration des images contient en puissance l'iconoclasme, c'est-à-dire la sédition. Elle est donc elle-même séditieuse. C'est pourquoi saint Grégoire interdit en même temps l'adoration et l'iconoclasme [82], tandis que le second concile de Nicée ne peut qu'entraîner la guerre civile [83]. L'iconoclasme est une réaction indéfendable, mais compréhensible, face à un scandale.

Il est le fait d'ignorants, mais peut s'expliquer par le zèle religieux [84]. Comme leurs parents ont agi ainsi, les participants de Nicée II les ont anathématisés et sont d'autant plus séditieux [85]. Si leurs parents sont des hérétiques, ils ont été engendrés, enseignés et consacrés par des hérétiques. Nous prions pour nos parents, ils anathématisent les leurs. Ils mettent le culte d'objets inanimés au-dessus du respect qu'on doit à ses parents [86].

L'adoration des images a donc un coût politique important, en opposant les générations, en entraînant la sédition iconoclaste, puis la sédition contre les iconoclastes. Elle a aussi un coût économique, puisqu'on érige des oeuvres coûteuses pour les détruire ensuite. Les *Libri carolini* donnent l'exemple de deux manuscrits précieux, revêtus d'une image d'argent, qui furent successivement adorés et détruits. Va-t-on faire subir ce sort aux vêtements liturgiques et à tous les objets qui sont décorés d'images [87] ? C'est à tort que les Byzantins assimilent les soins respectueux que nous portons à nos monuments aux soins qu'ils portent aux images [88]. Il est normal qu'on « vénère » la maison du Seigneur mais, comme nos légats et ceux de notre défunt père l'ont remarqué, leurs basiliques manquent non seulement de cierges et d'encens, mais encore de tuiles.

On ne saurait donc surestimer ce qu'il entre de goût de l'ordre et de la gestion saine dans l'attitude de Charlemagne. L'ordre, c'est le respect de la hiérarchie logique entre le spirituel et la matière. En se prosternant devant les choses inanimées, on abolit la raison. Les rapports d'autorité sont bafoués, car les hommes renoncent à leur supériorité sur les choses et, ce qui est logiquement aussi grave, refusent à leurs parents le respect qu'ils leurs doivent. Lorsqu'ils insultent l'empereur à travers son image, leur attitude s'apparente sans doute pour les Carolingiens à la magie, bien que cela ne soit pas dit expressément.

On sait que les prélats carolingiens se sont vigoureusement élevés contre les mythes relatifs à la sorcellerie. Le texte le plus significatif à cet égard est le *Canon Episcopi*, intégré dans les *Décrets* de Burchard de Worms [89], qui condamne ceux qui croient au vol des sorcières à deux ans de pénitence. Le parallèle entre cette superstition et l'adoration des images, ou plutôt entre le point de vue des Carolingiens sur l'une et sur l'autre, est remarquable. Celui qui croit au vol des sorcières retourne à l'erreur des païens, « car il considère qu'il existe quelque chose de divin ou de la puissance divine hors de Dieu seul ». Il faudrait être sot et hébété (*stultus et hebes*) pour croire que ces choses arrivent corporellement. C'est aussi de sottise que sont accusés les iconodules, parce qu'ils attribuent à une catégorie de choses un pouvoir qu'elles n'ont pas. Vouloir insulter l'empereur en manipulant son image est un acte aussi irrespectueux de l'ordre des choses que de craindre les vieilles femmes. Un être doué de raison considère l'image comme un morceau de bois, recouvert de couleurs avec plus ou moins d'art, pour reproduire l'apparence accidentelle des choses.

La sacralisation de la matière par le culte des images est également immorale d'un point de vue économique et social. Si le culte chrétien tient à ce point à l'adoration d'images, qu'en est-il des pauvres qui n'ont pas d'artistes pour leur en faire ? Et comme les artistes sont de valeur inégale, les plus belles images auraient-elles plus de vertus que les autres [90] ? Les Carolingiens craignent donc une esthétisation coûteuse et discriminatoire de la piété. Ils jugent que le cycle infernal du culte des images et de leur destruction entraîne Byzance dans le gouffre économique et la guerre civile. Il est suffisamment pénible de voir le pape jouer à la poupée comme les Grecs, mais qu'on ne nous oblige pas à en faire autant et à les accompagner dans la faillite morale, économique et politique. Voilà ce que pensent les Caroligiens du culte des images. Il n'y a là ni faiblesse intellectuelle, ni esprit de contention, ni malentendu.

CHAPITRE III

L'IMAGE CAROLINGIENNE

La critique du culte des images s'accompagne, dans les *Libri carolini* surtout, de la mise en place d'un système artistique différent, ce qui n'apparaît pas du premier coup lorsqu'on examine les objets produits. On ne peut en effet constater aucune tendance à créer un style original et bien distinct. Sur les neuf manuscrits enluminés à la cour de Charlemagne que nous connaissons, trois forment un groupe antiquisant et sont probablement dus à une équipe de peintres byzantins ou à une équipe travaillant sous la direction d'un peintre byzantin. Ce sont les *Evangiles* dits *du Couronnement*, au Trésor de Vienne, ceux *du Trésor d'Aix-la-Chapelle* et le manuscrit dont provient le *Feuillet de Xanten*, conservé à Bruxelles [91]. Le problème des thèmes iconographiques est plus complexe, mais on peut dire d'emblée que l'éclectisme prévaut : nous verrons qu'il n'y a pas de thèmes typiquement carolingiens.

Le programme tracé par les *Libri carolini* se retrouve pourtant dans la production artistique. Tout d'abord, et c'est l'essentiel, il ne semble pas y avoir d'images destinées à l'adoration. L'icône ne s'est pas introduite ; du moins ne conservons-nous aucune image carolingienne sur panneau de bois. A plus forte raison, il n'existe aucune trace de statue sainte, à l'exception des crucifix sur lesquels nous reviendrons [92]. On trouve des représentations anthropomorphes du Christ et des saints, les évangélistes surtout, sur les objets de luxe, dans les manuscrits, à l'abri des fidèles. Enfin, il y a les fresques et les mosaïques. La fresque-icône, rapprochée du fidèle et conçue pour l'adoration, n'existe pas. A Aix-la-Chapelle et à Mustair, la majesté divine est située ici dans la coupole, là dans un cul-de-four qui s'élève à dix-huit mètres. Le cas de Saint-Benoît de Malles (ill. 12), près de Mustair, est beaucoup plus ambigu [93]. Le plafond ne s'élevant qu'à cinq mètres, les faibles dimensions de l'oratoire rapprochent du fidèle les saints personnages qui occupent les niches du chevet. L'adoration des figures peintes serait donc possible. La niche centrale présente le Christ debout, entouré de deux anges, les niches latérales saint Grégoire et saint Etienne. Au sommet de la paroi se trouvent les bustes des apôtres ; entre les niches, deux donateurs munis de nimbes carrés, un laïc à la droite du Christ et un ecclésiastique à sa gauche. Ils sont placés plus bas que le Christ et les deux saints qui se tiennent au-dessus des fenêtres. Trois autels prenaient place au pied des fresques, maintenant le culte et, jusqu'à un certain point, l'attention, à la hauteur du regard. Le programme, très étagé, rappelle ceux des églises ravennates. Il s'agit sans doute plus d'affirmer l'existence d'une zone céleste et la position hiérarchique de personnages sacrés morts et vivants que de promouvoir l'adoration des images, mais on ne peut l'affirmer en toute certitude. A Malles, nous nous trouvons à la fois aux marges de l'empire et aux portes de l'Italie. L'oratoire dépend de Mustair, fondation impériale. Sa date est discutée. La qualité des fresques est de premier ordre, mais le style pourrait se rattacher à l'Italie du Nord. Il est en somme très difficile de dire de quoi Saint-Benoît de Malles est représentatif, situation embarrassante, car nous raisonnons sur un très petit nombre d'oeuvres conservées. Il paraît néanmoins très probable que, dans l'ensemble et malgré de possibles exceptions, l'image carolingienne n'ait pas été prévue pour l'adoration.

Les *Libri carolini* présentent l'argument de la valeur pédagogique des images comme déplacé dans le cas des portraits sacrés, mais l'admettent jusqu'à un certain point pour les scènes narratives, de même le synode de Paris [94]. On trouve donc des cycles narratifs sur les murs des églises : vie du Christ à Mustair, scènes vétéro-testamentaires à Saint-Benoît de Malles, vie de saint Etienne à Saint-Germain d'Auxerre. Mais on dénie énergiquement aux images toute qualité spirituelle. Les peintres n'ont rien d'intrinsèquement pieux ; ils sont désarmés devant la tâche de représenter le spirituel ; les images sont faites de couleurs impures ; elles ne font pas de miracles [95]. L'image se justifie donc surtout par la richesse du matériau et la qualité de l'exécution : on ne recherche que la beauté des couleurs et le supplément de valeur dû au travail [96]. En comparant les images à l'arche d'alliance, Charlemagne les considère comme l'oeuvre de l'artisan (*opifex*), alors que l'arche serait plutôt celle du commanditaire, Moïse en l'occurrence [97]. Cette conscience du rôle de l'artiste s'oppose totalement au mythe des achiropoïètes et nous vaut de connaître le nom de plusieurs artistes carolingiens, dont Eginhard. Il est significatif du statut de l'artiste que ce savant ait pratiqué l'orfèvrerie à la cour sans déroger. Comme

12. Saint-Benoît de Malles, peintures murales de la paroi orientale.

l'oeuvre d'art n'est pas mystifiée, le travail artistique n'apparaît ni comme servile, ni comme divin : on lui demande d'être habile.

Même dans les cas où elles seraient dues à des artistes identiques, les oeuvres carolingiennes et byzantines diffèrent donc entièrement par leur statut économique. Bredekamp a bien décrit l'image byzantine comme mise en forme de la richesse qu'on adore et qui draine à son tour la richesse, par le jeu des pèlerinages et des offrandes [98]. Au XIIe siècle, après l'abandon par l'Occident du système artistico-religieux carolingien, saint Bernard fait le même raisonnement : à travers la mise en forme artistique, l'argent appelle l'argent [99]. Faire des images coûteuses, c'est alors investir. En rejetant l'adoration des images, c'est ce mode d'enrichissement d'un pouvoir aux dépens de ceux qu'il domine que refusent les Carolingiens. L'ont-ils fait par conviction morale ou parce que le procédé aurait été difficile à mettre en oeuvre dans les conditions sociales et politiques de l'empire naissant ? Les deux probablement.

En étudiant les manuscrits et les objets liturgiques que nous ont laissés les Carolingiens, il apparaît que ces oeuvres servaient surtout de cadeaux. Dans le cas des manuscrits précieux, on peut se faire une idée du type d'échange à partir des renseignements connus [100] :

- 781-783 *Evangéliaire de Godescalc* Paris BN Nouv. acq. lat. 1203	Offert par Charlemagne à son fils Louis d'Aquitaine ? Appartient au IIe siècle à Saint-Sernin de Toulouse.
- 783-795 *Psautier de Dagulf* Vienne, Österr. Nat. Bibl. cod. 1861	Devait être offert par Charlemagne au pape Adrien Ier.
- 785-786 *Sacramentaire* (non conservé)	Envoyé par Adrien Ier à Charlemagne.
- fin VIII[e]s. *Evangiles* Abbeville BM n 4	Offerts par Charlemagne à Angilbert, abbé de Centula qui les remet à l'abbaye.
- v. 800 *Evangiles d'Ada* Trèves, Stadtbibl. cod. 22	Donnés ou légués par Ada, religieuse de St Maximin de Trèves, à son abbaye.
- v. 800 *Evangiles de Saint-Médard de Soissons* Paris BN lat. 8850	Hérités de Charlemagne par Louis le Pieux et Judith qui les lèguent à St-Médard de Soissons.
- déb. IXe s. *Evangiles de Xanten* Bruxelles BR ms 18723	Offerts par la cour à l'abbaye St Victor de Xanten ?
- déb. IXe s. *Evangiles*	Offerts par un souverain

Brescia, Bibl. Civ. Queriniana cod. E. II. 9	carolingien à la cathédrale de Brescia ?
- v. 810 *Evangiles de Lorsch* Bucarest BN et Rome, Vatican Pal. lat. 50	Offerts par la cour à l'abbaye de Lorsch ?
- v. 820 *Evangiles d'Ebbon* Epernay BM ms 1	Donnés par Ebbon, archevêque de Reims, à l'abbaye de Hautvillers, l'une de ses résidences.
- v. 840 *Psautier de Louis le Germanique* Berlin, Stift. Preuss. Kulturbesitz, Staatsbibl. Theol. lat. fol. 58	Provient de l'abbaye de St-Omer et est dédicacé à Louis le Germanique.
- v. 840 Raban Maur, *De laudibus Sanctae Crucis*	Exemplaires dédicacés par l'auteur, abbé de Fulda, à Louis le Pieux, au pape Grégoire IV, à l'archevêque de Mayence, etc.
- 845-846 *Bible de Vivien* Paris BN lat. 1	Offerte par Vivien, abbé laïc de Tours, à Charles le Chauve qui l'aurait offerte en 869-870 à la cathédrale de Metz.
- 849-851 *Evangiles de Lothaire* Paris BN lat. 266	Offerts par Lothaire Ier à l'abbaye St-Martin de Tours.
- 850-855 *Sacramentaire de Drogon* Paris BN lat. 9428	Offert par Drogon, fils naturel de Charlemagne et évêque de Metz, à sa cathédrale.
- v. 869 *Bible* Rome, Saint-Paul hors-les-murs	Offerte au pape par Charles le Chauve en 875 ?
- 870 *Codex aureus de Saint-Emmeran* Munich, Bayr. Staatsbibl. Clm 14000	Commandé par Charles le Chauve. Offert par l'empereur Arnulphe à l'abbaye St-Emmeran de Ratisbonne vers 893.
- 871-873 Seconde *Bible* de Charles le Chauve Paris BN lat. 2	Offerte à Charles le Chauve par son fils Carloman qui s'était rebellé contre lui. Léguée par Charles le Chauve à l'abbaye de Saint-Denis.

(BN = Bibliothèque Nationale ; BM = Bibliothèque Municipale ; BR = Bibliothèque Royale)

Il existe d'autres manuscrits carolingiens de premier ordre, comme le fragment d'un évangéliaire ayant appartenu à Charlemagne (Londres, Brit. Mus., Harvey 2788), les *Evangiles de Fleury* (Berne, Burgerbibl. cod. 34), le *Psautier de Charles le Chauve* (Paris BN lat. 1152) et la

Bible de Moutier-Grandval (Londres, Brit. Mus., add. ms 10546). Nous ne savons pas s'ils ont servi de cadeaux. Cette hypothèse n'est exclue que pour les *Evangiles du Couronnement* qui auraient été retrouvés par Otton III sur les genoux de Charlemagne, lorsqu'il fit ouvrir sa tombe en l'An Mille et pour les *Evangiles d'Aix-la-Chapelle*, sans doute destinés à la chapelle palatine. Cela fait donc deux manuscrits qui n'ont pas servi de cadeaux contre dix-huit qui ont sans doute été offerts une ou plusieurs fois et quatre dont on ne sait rien. Il est probable que, dans une sphère d'échanges plus modeste et plus large, les livres liturgiques aient circulé selon le même modèle.

Peut-on faire des statistiques sur dix-huit « livres-cadeaux », tous de très haute qualité et néanmoins de qualité variable ? On se contentera de remarquer que les souverains sont les donateurs dans sept à dix cas et que les oeuvres finissent leur parcours, comme il est normal, dans une cathédrale (deux à trois cas), ou plus souvent dans une abbaye (huit à neuf cas). Les souverains ne firent pas que donner, puisque cinq manuscrits connus leurs furent remis. Il faudrait savoir si ce sont de vrais cadeaux ou des commandes déguisées en cadeaux. Il est également courant qu'un grand personnage ecclésiastique offre un manuscrit à son église.

On obtiendrait des figures comparables pour les autres catégories d'objets précieux. Dans son recueil de sources sur l'art carolingien, Julius von Schlosser réunit trente mentions d'objets d'art ayant circulé comme cadeaux [101]. Mais il reste à dire pourquoi nous parlons de cadeaux plutôt que de donations et pourquoi nous croyons le phénomène original. Lorsque le souverain offre un objet liturgique à un ecclésiastique, il s'agit en général d'un grand personnage, éventuellement de sang royal, qui le remet ensuite à son église ou à son abbaye. Les bénéfices ecclésiastiques sont en effet confiés, comme les autres, à des grands dont on doit s'assurer la fidélité, même (ou à plus forte raison) lorsqu'ils sont de sang royal. Réciproquement, ces grands, comme Vivien, abbé laïc de Tours, ou Carloman, fils rebelle de Charles le Chauve, manifestent leur fidélité par des cadeaux au souverain. En l'occurrence, la fidélité de Carloman ne dura guère : il se révolta de nouveau en 873, ce qui obligea son père à lui faire crever les yeux. Le donateur carolingien, dans la mesure où il confesse la justification par la foi, ne fait pas de donations pour le salut de son âme, mais des cadeaux, pour conserver son statut politique, sa clientèle et ses protecteurs.

L'échange de donations coûteuses contre des avantages symboliques ne se développe vraiment qu'à partir du XIe siècle lorsque l'ordre de Cluny encourage le culte des morts et les oeuvres pour leur salut. L'art carolingien s'échange entre vivants et dans des limites apparemment raisonnables. Cela entraîne deux conséquences fondamentales, d'une part la grande liberté d'expression de cet art, d'autre part sa faiblesse quantitative.

On a déjà mentionné l'absence d'un style carolingien homogène. Le premier manuscrit enluminé pour Charlemagne, l'*Evangéliaire de Godescalc* (781-783), possède des traits stylistiques italianisants qui, après vingt ans d'interruption, réapparaissent dans l'atelier de la cour avec des oeuvres comme les *Evangiles d'Ada* et ceux *de Saint-Médard de Soissons* (ill. 13, 14, 15). Les trois manuscrits byzantinisants formant le groupe dit du Couronnement leur sont contemporains, malgré un choix stylistique opposé (ill. 16). Au lieu d'un tracé net, séparant clairement les objets, on a utilisé une touche rapide et mouvementée dans les drapés, sur les visages et dans les fonds de paysage, faiblement articulés. L'atelier, sans doute byzantin, se caractérise par l'imitation fidèle de modèles hellénistiques ou de leurs dérivés. On retrouve son influence dans l'école qui se développe à Reims sous l'épiscopat d'Ebbon (816-835) et accentue la suggestion du mouvement jusqu'au paroxysme. L'école de Tours mène une existence plus discrète, jusqu'à l'arrivée d'un peintre rémois lors de la dispersion de l'équipe d'Ebbon. Tours développe alors un style plus sage que celui de Reims, mais d'un illusionnisme efficace, tout en participant, avec un atelier qui apparaît à Metz, à une renaissance de l'ornement abstrait. Les fresques, les ivoires et l'orfèvrerie semblent se caractériser par la même évolution d'ensemble que l'enluminure.

De ces péripéties stylistiques, on retiendra surtout la facilité avec laquelle peuvent se développer des courants illusionnistes, privilégiant l'impression de vie aux dépens de la rigueur, la touche aux dépens du contour, le dégradé aux dépens d'une nette distinction des objets. Cela va à l'encontre des caractères généraux de l'art médiéval, tels que nous les définissions à la fin de la première partie. Les Carolingiens semblent hésiter à s'engager sur la voie du moyen-âge. Une remarque ironique des *Libri carolini* montre implicitement qu'on n'attendait pas de l'artiste le maximum de schématisme et de clarté [102]. Il y est question des Fuites en Egypte dont on orne les basiliques et aussi les vases, les coupes, les vêtements de soie et même les tapis. Comment pourrait-on adorer la Vierge sans adorer l'âne, puisqu'ils sont faits du même matériau et d'un seul tenant ? L'auteur de cette remarque comprend la surface colorée comme un tout où rien d'essentiel ne sépare un objet représenté d'un autre. Son regard n'est pas posé sur le « sujet », sur la

13. *Adoration de l'Agneau*, Evangiles de Saint-Médard de Soissons, Paris, Bibliothèque Nationale, ms. latin 8850, fol. 1v.

« forme » de la Vierge ; il voit l'oeuvre comme une surface peinte, dans sa matérialité.

La tolérance de l'art carolingien n'est pas moindre sur le plan iconographique. Comme pour le style, les solutions se juxtaposent sans s'exclure, même celles qu'on croirait incompatibles. Une théorie ingénieuse de H. Schnitzler a fait un peu perdre de vue la variété des iconographies, en supposant des intentions iconophobes dans l'entourage de Charlemagne [103]. Elle a été diversement jugée [104] mais, comme il arrive souvent face à une théorie clairement articulée, les historiens ne l'acceptent ni ne la rejettent entièrement : ils admettent qu'il doit y avoir du vrai. En l'occurrence, l'Adoration de l'agneau dans les *Evangiles de Saint-Médard de Soissons* (ill. 13), l'abside de Germigny et l'unique illustration des *Evangiles de Fleury* (ill. 17) sont désormais présentés comme des manifestations d'hostilité envers l'image sainte [105].

Selon Schnitzler, des directives auraient régné à la cour de Charlemagne, à partir du concile de Francfort, pour éviter la représentation de la majesté du Christ. Celle qui se trouvait dans la coupole de la chapelle palatine à Aix-la-Chapelle aurait été un remaniement de la fin de l'époque romane et aurait remplacé un Agneau mystique. Cette hypothèse est très vraisemblable, car la gravure de Ciampini qui nous fait connaître l'état ancien de la coupole montre le Christ curieusement placé, tandis que le style du trône semble bien médiéval. De plus, une enluminure en double page du *Codex aureus* de Saint-Emmeran qui montre l'empereur trônant sur la page de gauche et fixant l'agneau adoré par les vingt-quatre vieillards de l'Apocalypse sur la page de droite, pourrait bien reproduire la coupole d'Aix dans son état primitif. Dès lors, Schnitzler croit pouvoir constater la disparition de la majesté du Christ dans l'art de la cour entre l'*Evangéliaire de Godescalc* et les *Evangiles de Lorsch* (v. 810).

L'existence de cette politique iconophobe nous paraît improbable pour plusieurs raisons. Notons d'abord qu'on raisonne sur trop peu d'oeuvres pour pouvoir dégager une telle tendance. Entre les deux manuscrits qui servent de limites à Schnitzler ne sont connus que quatre recueils d'évangiles enluminés à la cour, où la majesté du Christ ne figure vraiment pas. Si les *Evangiles de Saint-Médard de Soissons* contiennent une Adoration de l'agneau au folio 1 verso (ill. 13), face à la Fontaine de vie, on y trouve la majesté, plus discrète certes, dans l'initiale *Q* de l'Evangile selon saint Luc (fol. 124 r ; ill. 15). Surtout, les évangélistes et leurs symboles sont surmontés de la majesté dans les *Evangiles de Xanten*. Enfin, une reliure d'évangéliaire, due à l'atelier

14. Portrait de saint Marc, Evangiles de Saint-Médard de Soissons, Paris, Bibliothèque Nationale, ms. latin 8850, fol. 81v.

15. Initiale Q de l'Evangile selon saint Luc, Evangiles de Saint-Médard de Soissons, Paris, Bibliothèque Nationale, ms. latin 8850, fol. 124r.

16. *Christ et évangélistes*, Evangiles de Xanten, Bruxelles, Bibliothèque Royale, ms. 18723, fol. 16v.

17. *Main de Dieu et tétramorphe*, Evangiles de Fleury, Berne, Burgerbibliothek, codex 348, fol. 8v.

de la cour à son apogée (Oxford, ms Douce 176), s'organise autour du Christ triomphant sur l'aspic et le basilic. Cela fait trop d'exceptions ou de nuances pour une hypothèse reposant sur quelques oeuvres.

En examinant de plus près le programme iconographique des évangéliaires carolingiens, on peut s'apercevoir d'une particularité autrement frappante. Plaçons en tableau l'illustration des recueils d'évangiles les plus importants :

	Portraits des évangélistes avec/sans symboles	Majesté du Christ	Canons	Autres thèmes
- *Godescalc* Paris BN nouv.acq. lat. 1203	4	1		Fontaine de vie
- *St-Médard* Paris BN lat. 8850	4	1 (initiale Q)	12	Fontaine de vie et adoration de l'agneau
- *Ada* Trèves Staatsbibl. 22	4	10		
- *Centula* Abbeville BM no 4	4	16		
- *Couronnement* Vienne Schatzkammer	4	16		
- *Ev. d'Aix* Aix-la-Chapelle Schatzkammer	4 (sur la même feuille)	12		
- *Xanten* Bruxelles BR ms 18723	4 (sur la même feuille)	1 (avec les évangélistes)	1	10
- *Lorsch* Bucarest BN + Vat. Pal. lat. 50	3	1	12	Ancêtres du Christ
- *Fleury* Berne cod. 348			15	Symboles des évangélistes sans leurs portraits

- *Ebbon* Epernay BM ms 1	4		12	
- *Blois* Paris BN lat. 265		4	12	
- *Lothaire* Paris BN lat. 266	4	1	12	Portrait de Lothaire
- *François II* Paris BN lat. 257	4		12	Crucifixion
- *Codex aureus* Munich Clm 14000	4	1	12	Adoration de l'agneau avec portrait de Charles le Chauve

(Les chiffres indiquent le nombre d'enluminures ou de scènes)

Il apparaît que sur ces quatorze manuscrits, s'échelonnant sur près d'un siècle, il n'y en a pas deux qui soient iconographiquement identiques. Dans le meilleur des cas, ils diffèrent encore par le nombre des pages de canons. Les enlumineurs s'ingénient à varier les formules. La plus classique est celle du portrait des évangélistes, avec leurs symboles, ou bien leurs symboles sans les portraits. On peut placer les quatre évangélistes sur la même feuille, avec ou sans les symboles, surmontés ou non de la majesté du Christ. On peut même remplacer Matthieu par le Christ, comme à Lorsch. Quant à la majesté du Christ, on s'aperçoit qu'elle n'est pas plus fréquente après la mort de Charlemagne que de son vivant. La recherche de la variété nous semble exclure toutes directives officielles, sauf peut-être celle de ne pas se répéter.

Au niveau du code iconographique, la diversité l'emporte également sur la rigueur et la clarté. Les portraits des évangélistes ont perdu leurs symboles dans les *Evangiles du Couronnement* et, sur le feuillet pourpre introduit dans ceux de *Xanten*, il manque aussi l'auréole. On ne peut donc les identifier que par leur emplacement dans le manuscrit. Les évangélistes sont partiellement dépourvus d'auréoles dans les *Evangiles d'Ebbon* où les symboles, minuscules, sont presque cachés. Les *Evangiles d'Ada* présentent les symboles sous la forme de peintures, ornant l'abside dans laquelle se tient l'évangéliste, tandis que l'artiste qui enlumina ceux de *Saint-Médard* s'amusa à faire sortir de son cadre la patte du lion, symbole de saint Marc, afin de contredire l'impression d'un décor d'abside (ill. 14). Ce jeu sur le code iconographique est inséparable de la recherche de variété stylistique. Dans ce contexte, on comprend mieux le curieux passage des *Libri carolini* mentionné plus haut, où les images de la Vierge et de Vénus ne sont censées différer que par le nom. Placé dans un autre contexte, le feuillet pourpre de Xanten pourrait aussi bien représenter Ovide ou Martial qu'un évangéliste.

Même si la politique iconophobe supposée par Schnitzler n'a pas existé, il reste à savoir si tel individu puissant, comme Théodulphe d'Orléans, n'a pas eu une prédilection pour les thèmes aniconiques, une « répulsion envers les images » (Demus), une « aversion pour le portrait des évangélistes » (Mütherich), qui lui viendraient de ses origines espagnoles et se manifesteraient aussi dans les *Libri carolini* dont il serait l'auteur. Cette iconophobie ne concernerait que la représentation de Dieu et des saints, car Théodulphe était un grand amateur d'art. Les pièces du dossier sont l'abside de Germigny, où l'on voit l'arche d'alliance entourée des chérubins au lieu d'une représentation directe de la divinité, les deux exemplaires de la *Bible*, somptueux mais sans illustrations, qu'il a commandés et enfin deux *Evangéliaires* sans illustrations figuratives provenant de Fleury, dont il était abbé [106]. La chose est tout-à-fait possible, précisément parce que la liberté iconographique qui régnait, l'existence simultanée de thèmes aniconiques, comme l'Adoration de l'agneau et de thèmes anthropomorphes, comme la Majesté du Christ, permettait à chacun de choisir ce qu'il préférait. Les images, selon les *Libri carolini*, ne sont pas indispensables à un chrétien. Un prélat d'origine espagnole, désireux d'adorer la divinité sous une forme abstraite, est donc libre de le faire sans encourir le soupçon d'hérésie. En revanche, l'attitude supposée de Théodulphe envers les images n'est pas une raison pour en faire l'auteur des *Libri carolini*. Il est tout de même incroyable qu'on fasse passer tantôt pour iconoclaste, tantôt pour iconodule, un ouvrage qui renvoie les uns et les autres dos à dos et nous ne voyons aucune raison pour en faire l'oeuvre d'un individu plutôt que d'un autre, alors qu'il s'agit du produit d'un débat et de la position de l'empereur. Qu'elles qu'aient été les connaissances de Charlemagne en matière d'écriture et de théologie, il est l'auteur des *Libri*, tout comme Napoléon est l'auteur du code qui porte son nom. De plus, les *Libri* ne contiennent aucune prescription iconographique. Ils parlent de l'arche d'alliance pour répondre aux Grecs qui l'assimilaient à une image sculptée [107], mais ne proposent jamais de peindre des arches d'alliance sur les murs, encore moins d'éviter l'anthropomorphisme. A la limite, il serait moins déraisonnable d'imaginer que le concile de Francfort se soit opposé aux opinions de Théodulphe, à supposer qu'il ait eu les opinions qu'on lui prête. En dehors de la référence obligée et paradoxale à Théodulphe, Elbern définit parfaitement la position du concile qui « fait prévaloir la qualité formelle, fonction du processus de création artistique, et le caractère décoratif, sur le sujet cultuel représenté ; il ouvre ainsi un vaste champ libre et inexploré à l'art figuratif » [108].

Une production d'aussi haute qualité est coûteuse. L'art carolingien n'est donc pas abondant. Il faut sans doute tenir compte des destructions, particulièrement nombreuses pour l'orfèvrerie religieuse, systématiques pour l'orfèvrerie profane. Dans le cas des fresques et des mosaïques, nous n'avons guère que des vestiges épargnés par hasard. C'est en fait grâce aux manuscrits précieux, qu'il n'y avait aucune raison de détruire, que nous avons une idée de la répartition qualitative et quantitative de cet art. Les évangéliaires et les psautiers conçus pour le souverain en constituent nécessairement le sommet. Ils sont produits sous Charlemagne par l'atelier de la cour, dont les oeuvres enrichissent également quelques centres religieux importants, comme Centula. L'atelier semble disparaître à l'avènement de Louis le Pieux. Sous ce règne triomphe l'atelier d'Ebbon à Reims, dont la dispersion en 835 permet à Tours, à Metz et peut-être à Saint-Denis d'atteindre un niveau comparable. Le niveau descend très vite lorsqu'un centre décline ou lorsqu'on s'éloigne de ces quelques lieux. Il devient franchement provincial à Fulda, Cologne, Wurzbourg, Mondsee ou Salzbourg, pour ne rien dire de la Bretagne. Lorsque l'empereur Lothaire veut offrir un évangéliaire à Saint-Martin de Tours, en 849-851, il est obligé de s'adresser à l'atelier tourangeau, le seul qui soit au niveau de la commande, et s'en excuse [109]. Mieux encore, Porcher identifie l'artiste commandité à Tours comme un transfuge de Reims qui se retrouverait dans chacun des principaux manuscrits du temps de Charles le Chauve, possédant une sorte de monopole de fait.

Comme le pouvoir, l'art carolingien est une grosse affaire familiale. Au-delà d'un cercle restreint, la culture figurative disparaît, sauf peut-être en Italie. Plus encore que celle des lettres, elle se limite à certains établissements religieux. L'artiste carolingien se caractérise d'abord par une virtuosité graphique qui nous amène à le chercher parmi les clercs possédant la discipline du scribe. Il est aussi un superbe calligraphe qui sait dissimuler les mots sous des initiales énigmatiques, héritées de l'Irlande. Probablement est-il aussi un homme de lettres, à la manière d'Eginhard. La liberté iconographique que nous avons relevée serait difficilement pensable avec des artistes peu cultivés qui risqueraient sans cesse le contresens. Qu'on pense aux embûches qui guettaient l'artiste chargé d'illustrer le *Psautier d'Utrecht* (Rijksuniversiteit, Script. eccl. 484), à raison d'une enluminure par psaume, contenant chacune plusieurs scènes différentes. Une production moins savante aurait demandé de standardiser les formules, de codifier et d'uniformiser l'iconographie, mais cela ne s'est pas produit. Dans ces conditions, les *Libri carolini* sont conséquents en faisant de l'image un luxe facultatif dont le culte chrétien peut très bien se dispenser.

CHAPITRE IV

JONAS D'ORLÉANS CONTRE CLAUDE DE TURIN

A partir du moment où les images sont licites dans les lieux de culte et même sur les objets liturgiques, on s'avance peut-être trop en assurant que les Carolingiens n'adorent pas les images. Nous avons supposé un net contraste entre l'attitude des Byzantins, prosternés devant leurs icônes et celle des Francs qui se refusent à cette pantomime. Puisqu'on s'en tient aux gestes d'adoration, indépendamment de l'intention et de la ferveur qui ne sont pas vérifiables, un cas comme celui de Saint-Benoît de Malles oblige à nuancer. Qu'on l'ait voulu ou non, les gestes d'adoration se produisent devant les images dans ce petit édifice. Au coeur du système religieux carolingien, lorsque le célébrant baise les livres saints, ses lèvres se posent sur un plat de reliure figuré, sur une image du Christ ou de la Vierge, en ivoire ou en argent. Comme du reste les Byzantins prétendent ne pas adorer l'image, mais l'archétype qu'elle représente, on serait en droit de penser que nous nous attardons à des distinctions oiseuses, qu'il vaudrait mieux admettre que tout le monde adore les images ou que personne ne le fait.

Tel serait en effet le résultat d'une archéologie qui utiliserait les vestiges matériels et les documents iconographiques en se désintéressant des spéculations d'un quarteron de théologiens, coupés de l'« existence », du « réel », du « vécu » et du « peuple ». En fait, le vestige, l'objet de fouille, le document n'existent pas en soi. Dire qu'un tesson trouvé en stratigraphie prouve quelque chose est au mieux un abus de langage, au pire une superstition. Deux objets que rien ne distingue matériellement, ou deux gestes identiques, peuvent être aussi différents dans la réalité que deux synonymes parfaits. Pour s'en apercevoir, il ne suffit pas de lire les textes, car le théologien qui prétend ne pas adorer une image en se prosternant devant elle peut se tromper ou mentir, ou encore utiliser le vocabulaire dans un sens que nous ne comprenons pas. La tâche première de l'historien est donc de restituer le système conceptuel qui seul peut donner sens aux objets.

A travers ses réfutations, nous possédons d'importants fragments d'une violente attaque contre les cultes carolingiens due à Claude de Turin [110]. Les Byzantins, dont Anastase le Bibliothécaire qui résidait en Occident, ont aussi un point de vue critique sur ces cultes. Mais chacun confirme qu'ils n'adoraient pas les images. Ce qu'on leur reproche, c'est d'adorer d'autres objets en prétendant que leur adoration est plus licite que celle des images. S'il y avait eu le moindre doute, par exemple dans le cas du prêtre qui baise une reliure, Claude de Turin aurait utilisé l'argument et Jonas d'Orléans aurait écrit plusieurs pages d'apologie embarrassée pour écarter le soupçon. On pourrait s'en tenir là, mais il ne nous semble pas inutile d'étudier un peu ces textes pour savoir ce qu'adoraient les carolingiens.

La nouvelle traduction des actes de Nicée II par Anastase est précédée d'une préface en latin dédiée au pape Jean VIII [111]. Tout le monde, dit-il, accepte les actes du concile, sauf les Gaulois à qui l'utilité des images n'a pas été révélée. « Ils disent en effet qu'il ne faut adorer aucune oeuvre faite de mains d'hommes, comme si le codex des évangiles qu'ils adorent et qu'ils baisent quotidiennement, n'était pas l'oeuvre de mains d'hommes. Sans aucun doute, ils ne peuvent nier qu'un évangéliaire est plus vénérable qu'un chien qui n'est pas l'oeuvre de mains d'hommes. » Du reste, ils adorent la croix : l'image du Christ, n'est-elle pas plus vénérable que celle d'une croix ?

Anastase raisonne ainsi pour défendre le culte des images, tandis que Claude de Turin utilise des arguments semblables pour interdire, d'une part l'adoration de quelque objet matériel que ce soit, d'autre part la production des images saintes. Sur l'adoration des images qu'il découvrit avec effroi en Italie, Jonas et lui sont d'accord. Les Italiens prétendent ne rien attribuer de divin aux images et les vénérer pour adorer la personne représentée. Jonas tient avec lui contre cet argument : si les images ne contiennent rien de divin, il est encore plus coupable de les adorer [112]. L'argument vient des Orientaux qui persistent dans leur erreur scélérate. En revanche, il aurait voulu voir Claude agir avec plus de discrétion. Il considère l'accusation d'idolâtrie comme excessive, proche en cela des *Libri carolini* et du synode de Paris, tandis qu'Agobard s'accorderait plutôt avec Claude [113].

Le différend sur la possession d'images est sans doute moins profond qu'on ne le croirait [114]. Claude a été prêtre à la cour et ne semble pas avoir fait de scandale. Mais à Turin, face aux iconodules, il ne suffisait pas de leur demander de cesser, puisqu'ils prétendaient ne pas adorer les images. Le retrait des images était donc la seule possibilité concrète, même si les prélats qui n'étaient pas sur le terrain ne s'en rendaient pas compte. Aussi l'accuse-t-on d'avoir agi sans prudence ni modération : ses ouailles, dit-il, l'auraient bien mangé vivant, mais il l'a cherché [115]. Claude se trouve donc dans la situation qui était celle de Serenus à Marseille, deux siècles plus tôt, lorsque Grégoire le Grand lui prêchait le *distinguo* entre avoir des images et les adorer.

Ce malentendu n'aurait sans doute pas suffi à envenimer les choses, si Claude n'avait étendu ses critiques au culte des reliques, aux pèlerinages et à l'adoration de la croix, c'est-à-dire à des structures fondamentales du système religieux carolingien. Analysée de près, cette polémique met le doigt sur l'essence de ce système et sur les raisons profondes qui interdisent le culte des images.

Après les images, Claude attaque donc les reliques. Il refuse d'adorer les morts qui ne possèdent plus la ressemblance de Dieu, mais celle du bétail, de la pierre et du bois [116]. L'argument se veut logique, puisque l'arbre de Porphyre fait de l'âme rationnelle, sensitive ou végétative, un critère de distinction entre les espèces. La mort est un changement d'espèce pour le corps [117]. Jonas répond par un argument pragmatique. Si l'on suivait ce raisonnement, il n'y aurait plus de raisons d'enterrer les morts et on pourrait les abandonner aux bêtes. Puis il rappelle que les corps ressusciteront dans la gloire. Ce sont les temples consacrés du Saint-Esprit ; ils méritent d'être embrassés et honorés avec amour. L'argument de la résurrection lui permet de contourner le problème sans pécher contre la logique, puisque les morts sont des vivants en puissance. Comme Claude dénonce plus généralement l'adoration des créatures, il l'accuse de nier l'intercession des saints. C'est curieux, car Agobard la nie également et ne semble pas avoir été inquiété. La position d'Agobard, diffère-t-elle vraiment de celle de Claude ?

Pour Agobard qui cite saint Jérôme, nous n'adorons (*colimus et veneramur*) que Dieu ; nous honorons les reliques et adorons celui dont les saints sont les martyrs [118]. Il admet donc qu'on rende des honneurs aux dépouilles, en faisant un *distinguo* qui rappelle celui que font les Byzantins entre latrie et dulie. Mais il rejette l'intercession, c'est-à-dire la justification mythique du rite : « Les anges et les hommes saints doivent être aimés et honorés par charité, mais sans servitude. On ne doit pas leur offrir le corps du Christ, car ils appartiennent à ce corps. Ne mettons pas notre espoir en l'homme, mais en Dieu » [119]. Adorer les saints en tant qu'hommes et que cadavres serait de l'idolâtrie et leur demander de l'aide en tant qu'ils forment le corps du Christ serait redondant par rapport à la médiation du Christ. Du reste, c'est spirituellement qu'ils forment ce corps et non dans leurs dépouilles. Agobard est donc du même avis que Claude, à ceci près qu'il n'attaque pas les rites relatifs aux reliques, qu'il les interprète comme des honneurs légitimes au lieu d'y voir une adoration déplacée. Il évite ainsi le conflit.

L'hostilité de Claude envers les reliques l'entraîne à dénoncer les pèlerinages [120]. Il a polémiqué avec un abbé du nom de Théodemire sur le pèlerinage de Rome qu'il se défend de vouloir prohiber ; mais il admet ne pas l'approuver et demande ironiquement pourquoi l'abbé enferme ses moines au couvent si ce pèlerinage est nécessaire au salut. Il explique le pèlerinage comme une interprétation littérale et fausse du pouvoir qu'a saint Pierre de lier et de délier. Jonas objecte qu'il y a différentes manières de faire son salut ; il ne voit pas de contradiction entre la stabilité des moines et les pérégrinations du peuple. Claude s'oppose selon lui à la possibilité donnée aux simples de faire leur salut à leur manière et veut diviser l'Eglise. Jonas ne professe donc pas l'interprétation littérale des pouvoirs de Pierre, mais la croit nécessaire à ceux qui ne peuvent comprendre spirituellement. Comme pour l'adoration des reliques, il s'agit d'une concession envers les pratiques contraires au spiritualisme carolingien. La médiation du visible est meilleure que celle des mots pour émouvoir : « C'est le propre de l'esprit humain que ce qu'il entend le touche moins que ce qu'il voit » [121]. Ce lieu commun servirait aussi bien à justifier le culte des images. Mais ici encore, Jonas est plus près de son adversaire qu'on le croirait. Pour Claude, celui qui comprend spirituellement les clés du Royaume ne cherche pas l'intercession locale de saint Pierre. Jonas s'inquiète moins de l'idée que de ses conséquence ; il craint qu'on considère comme inutiles les inventions de reliques.

Claude prétend que, si l'on fait attention à la propriété des mots, le Christ n'a pas dit que ce que Pierre liera et déliera dans les cieux sera lié et délié sur terre [122]. Les pouvoirs de l'Eglise se transmettent de vivant à vivant. Il oppose donc la hiérarchie de l'Eglise militante à l'intercession des saints et, à l'intérieur de l'Eglise militante, les vrais apôtres à qui ces pouvoirs se transmettent, à ceux qui n'ont d'apostolique que le titre : « Il ne faut certainement pas considérer comme apostolique celui qui siège dans la chaire de l'apôtre, mais celui qui remplit l'office » [123]. Ce ne sont donc ni les morts, ni la hiérarchie en elle-même, mais les ecclésiastiques consciencieux qui ont le pouvoir de lier et de délier. On reconnaît ici une hérésie grave, le donatisme qui subordonne le pouvoir religieux à la sainteté de celui qui l'exerce.

La réaction de Jonas est réprobatrice face à la négation du pouvoir des morts, mais il ne lui vient pas à l'esprit d'accuser Claude de donatisme. Il est sur ce plan aussi hérétique que lui. Il accepte le principe que seul est apostolique celui qui se conduit en apôtre et craint uniquement ce que la formule pourrait avoir d'insultant envers un supérieur hiérarchique [124]. Puis il cite saint Grégoire qui demande de respecter même un ordre injuste de son supérieur, ce qui suppose que l'Eglise peut donner des ordres injustes. Ici, l'éditeur du texte s'indigne et place en note l'avertissement « Caute lege » pour prévenir le lecteur que Jonas est dangereux. Il est même encore plus donatiste que Claude, car il lui reproche un peu plus haut de ne pas tenir compte des mauvais prêtres, en réservant aux vivants les pouvoirs judiciaires [125]. Selon lui, ces pouvoirs s'annulent chez les mauvais prêtres et subsistent dans la communion des saints. C'est à peu près l'hérésie qui vaudra le bûcher à Jeanne d'Arc. Jonas tient à l'intercession des saints et aux pratiques rituelles des laïcs, pour contrebalancer les dangers que feraient courir les prêtres à la chrétienté, s'ils s'identifiaient trop au sacré. Plus optimiste sur le clergé, ou du moins sur l'influence pastorale des bons prêtres, Claude met l'accent sur les pouvoirs d'un clergé vivant et digne. Selon Jonas, c'est de la présomption : Claude se croit la lumière du monde.

La passe d'armes la plus vive concerne l'adoration de la croix qui constitue le centre du système cultuel carolingien. Malgré le refus d'adorer les images, on adore la croix peinte et figurée en l'honneur du Christ [126]. Comme l'écrit Jonas, « en mémoire de la passion du Seigneur, nous exprimons l'image du Christ crucifié dans l'or et l'argent ou nous la peignons sur des tableaux enduits de diverses couleurs » [127]. Y aurait-il eu des icônes carolingiennes de la crucifixion ? Le texte suggère bien la production et non l'importation des oeuvres. Jonas mentionne d'abord l'or et l'argent, puis la peinture. Il peut s'agir dans le premier cas de reliures d'évangéliaires, peut-être de reliquaires, sans doute de crucifix indépendants, composés d'une âme de bois et d'une couverture de plaques métalliques [128]. Cités ensuite, les « tableaux » dont il est question pourraient donc être des substituts de l'or et de l'argent dans des oeuvres de même fonction, plutôt que des icônes à la manière byzantine. On pense par exemple aux croce dipinte que nous connaissons en Italie à l'époque romane et qui décoraient l'entrée du choeur.

Selon Claude, tout ce qu'on retient de telles images est le scandale de la mort du Christ. Les gens le tiennent crucifié en leurs coeurs et ne comprennent pas qu'ils le verront selon la chair [129]. En se comportant ainsi, ils le crucifient à nouveau [130]. Dieu a ordonné de porter sa croix et non de l'adorer [131]. S'il faut adorer les croix, alors il faut adorer tout ce qui a un rapport avec le Christ : les six heures qu'il a passées sur la croix, les neuf mois de sa gestation, les pucelles parce qu'il est né de la Vierge, les crèches, les langes, les navires, les ânes et les agneaux. « Mais ces adorateurs de dogmes pervers veulent manger les agneaux vivants et adorer les agneaux peints sur les murs » [132].

Il est plus facile de manier l'ironie que de la réfuter. Les propositions les plus comiques de Claude (nous avons abrégé la liste des objets proposés à l'adoration) sont longuement discutées pas Jonas, puis rejetées comme scandaleuses. L'adoration des pucelles, par exemple, serait le contraire de celle de la croix, car on remplacerait l'ascétisme par la luxure. Il corrige au passage des inexactitudes ou des allusions déplacées, rappelant qu'on vénère la Vierge et qu'on ne l'adore pas, niant qu'on pratique l'adoration des agneaux peints et qu'on mange les agneaux vivants : on les fait préparer par le cuisinier. Du coup, il lance une pointe perfide contre Claude : serait-il végétarien par manichéisme ? Il pèche en tout cas par orgueil, s'estimant seul à porter sa croix, alors que les Germains et les Gaulois en seraient incapables. Jonas se déchaîne face à la proposition d'adorer les ânes. Comme ces animaux n'ont pas la même allure en Italie et en Allemagne, il faudrait choisir lesquels adorer. L'âne, c'est Claude [133].

L'échange d'accusations burlesques n'est pas si insignifiant qu'on le croirait, mais plein de sous-entendus. Une nouvelle fois, il s'agit de se situer comme être rationnel dans l'arbre de Porphyre et de situer l'adoration dans les rapports hiérarchiques. Selon Claude, des gens capables d'adorer du bois et des os pourraient tout aussi bien manger un homme vivant, en tout cas une viande non cuisinée. Dans l'adoration de la croix, il dénonce non sans raison un rituel d'inversion. Il ne semble pas faire grand cas des paradoxes pauliniens sur la croix, symbole de la folie du Christ face à la prudence du monde. La croix lui inspire l'ascétisme, en aucun cas l'humiliation de la raison ou l'exaltation de la mort. Le Christ est mort une fois pour toutes, afin que nous ressuscitions. Il n'y a pas à le tuer chaque année en effigie, à manipuler spectaculairement l'image de son humiliation. Comme le note Jonas, c'est à l'adoration de la croix dans la liturgie pascale qu'il en veut [134]. Pourquoi pas l'adoration de l'âne ? L'exaltation de l'humilité, de la souffrance et de la déraison est incompatible pour Claude avec la dignité d'un être rationnel, avec la logique telle qu'il la comprend.

Il faudrait un jour écrire une histoire de l'âne. Depuis le graffiti de Pompéi qui montre un chrétien en train d'adorer un âne crucifié, l'image de l'âne n'a cessé d'accompagner celle du Christ comme son double ou son ombre. Les *Libri carolini*, comme on l'a vu, reprennent la plaisanterie païenne de l'adoration de l'âne contre les Byzantins, à propos de la fuite en Egypte. Dès le IXe siècle, on repère la chevauchée de l'âne parmi les rituels infamants [135]. La fête de l'âne apparaît au moyen-âge dans le cycle de Noël, jouant le rôle d'une joyeuse inversion des hiérarchies, comme les anciennes Saturnales. L'âne divin fait une remarquable carrière littéraire, ponctuée par les *Métamorphoses* d'Apulée, le *Roman de Fauvel*, le *De incertitudine* d'Agrippa et, finalement, le *Zarathoustra* de Nietzsche. Boèce introduit l'âne parmi les exemples de logique, mais sans en faire l'objet de plaisanteries. Mais au XIe siècle, Garland propose comme exemple de sophisme « *Deus est asinus* », en ajoutant « *Iupiter scilicet* » pour calmer les esprits chagrins [136]. Symbolisant tantôt le paysan, le laïc ou l'écolier, l'âne devient la mascotte des logiciens qui ne manquent aucune occasion de jeter le trouble dans la distinction des espèces en introduisant cet animal équivoque. Du folklore à la logique, l'âne apparaît comme le renversement comique de toutes les valeurs, le symbole du monde à l'envers, qu'il s'agisse de dénoncer l'inversion ou de la promouvoir, ce qui revient au même, car vouloir inverser l'ordre des choses, c'est supposer qu'il est à l'envers.

Nous avons décrit la naissance d'une sorte de monde à l'envers dans la logique, de Porphyre à Boèce : les mots ont pris en quelque sorte la place des choses, accédant à l'être aux dépens des réalités sensibles. Nous avons vu que cette révolution logique s'accompagnait d'une révolution iconographique de même ampleur. Mais la logique se contentera, pendant le moyen-âge, de cette inversion-là et l'âne ne trônera jamais au sommet de l'arbre porphyrien que par plaisanterie. Dans le système religieux au contraire, l'inversion entre la raison et la déraison, entre la vie et la mort, est un thème constant et conflictuel qui trouve son expression dans la théologie et la liturgie de la croix.

La mise en cause de l'adoration de la croix par Claude de Turin et les plaisanteries sur le thème de l'âne ne sont donc pas sans signification. Jonas suggère que Claude est un âne qui manque d'humilité et ne demanderait pas mieux que de se faire adorer vivant, à la place du Christ mort. Ce n'est pas tout-à-fait faux, car en voulant interdire à la fois le culte des morts et celui des objets symboliques qui représentent Dieu sur la terre, Claude condamne ses ouailles ou bien à un culte absolument intérieur, jugé impensable de la part des illettrés, ou bien à l'adoration des êtres animés rationnels, autrement dit du clergé.

Sur l'adoration du Verbe et donc sur le renversement des valeurs entre les mots et les choses, les deux théologiens sont d'accord, car Jonas fait remarquer à son adversaire qu'il baise les Ecritures, bien qu'elles soient faites de peau et d'encre [137]. Le différend porte sur la croix, un morceau de bois peint pour Claude, l'étendard du chrétien pour Jonas qui ne l'embrasse pas à cause du bois, mais par amour du Christ. Pour lui, la croix est un insigne et donc un signe : elle renvoie à quelque chose d'autre, comme les caractères d'un livre, à la différence des images que seuls les iconodules prétendent être des signes du divin. L'enjeu est considérable, car si l'Ecriture vaut seule comme signe adorable, la religion n'est possible que pour les clercs. Si la croix est également un signe, mais lisible à tous, la chrétienté peut s'unir dans son adoration, lettrés et illettrés confondus. Ne sert-elle pas, dès le moyen-âge, de signature aux illettrés ?

Rappelons-nous que le couple d'opposition sujet/objet n'existe pas au moyen-âge. L'adoration, comme la spéculation, est le rapport en miroir de deux sujets vivants et rationnels, d'où l'objection qu'on fait à l'adoration d'objets morts et irrationnels comme les images, par opposition au Verbe incarné. En prétendant que la représentation du Christ mort sur la croix est un signe adorable, les Carolingiens commettent une monstruosité selon Claude. On éloigne les hommes du Verbe vivifiant et on prétend les constituer comme sujets, face à un morceau de bois qui serait aussi un sujet. Des êtres spirituellement morts, plongés dans l'irrationalité, se prosternent devant du bois mort où figure — folie et scandale — l'effigie d'un cadavre. C'est nier la résurrection et assassiner rituellement le Verbe. De tels gens peuvent aussi bien adorer des os, manger les animaux vivants ou leurs semblables, car ils ont perdu toute notion de l'humanité.

CHAPITRE V

CONCLUSION

Grâce à Claude de Turin, nous avons vu en quoi consistait le système religieux carolingien. Les images sont soustraites à l'adoration et on leur substitue des objets considérés comme des signes du divin : les livres saints pour les prélats, la croix et les reliques pour tous. Le choix de ces objets entraîne un rapport dissymétrique entre clercs et laïcs. Les premiers sont seuls à posséder et à adorer l'Ecriture, confinée dans une langue écrite et sacrée, le latin. Ces adorateurs du Verbe en maintiennent la pureté grâce à la grammaire et à un système logique qui l'exalte. Le peuple des illettrés adore la croix et les martyrs, c'est-à-dire le scandale logique qui consiste à s'offrir à la mort pour obtenir la vie. Mais il n'y a pas deux religions différentes, car les clercs participent aux rites qu'ils offrent aux laïcs.

Y a-t-il contradiction entre le scandale de la croix et la logique de Boèce ? On pourrait penser que non car, dans la *Consolation de la philosophie*, le logicien affrontait avec sérénité les sbires de Théodoric et tirait de son système des conclusions proches de celles des martyrs. Mais on arrive à l'opinion contraire si l'on observe, avec Claude, le rôle joué par le cadavre et par sa représentation. Il s'agit d'une démarche parallèle à celle de Denys l'Aréopagite : la matière inanimée devient le symbole du spirituel. Mais, alors que Denys considérait les matériaux précieux comme seuls capables de symboliser le spirituel, les Carolingiens mettent l'accent sur les reliques. Les objets beaux et précieux sont attirants pour eux, mais ils ne possèdent aucune valeur spirituelle particulière. Ils s'échangent comme cadeaux à l'intérieur d'un cercle restreint. On ne les offre pas pour développer la richesse et le pouvoir des églises, mais plutôt pour confirmer la place qu'une église occupe déjà dans le réseau de la richesse et du pouvoir. Il y a certainement des transferts de richesse : les abbayes reçoivent probablement plus qu'elles ne donnent, tout comme Rome qui vend les ossements des saints à des prix élevés [138]. Mais le principal caractère du système est tout de même son coût modique.

On dissocie en somme l'adoration, la richesse et le pouvoir, grâce au refus de l'adoration des images. Cette adoration a en effet un caractère centralisateur qui manifeste le pouvoir. C'est évident pour l'image de l'empereur que les Carolingiens ne diffusent pas, mais aussi pour la majesté du Christ et des saints qui est iconographiquement homologue à celle de l'empereur. Plus généralement, les images se diffusent à partir de prototypes particulièrement vénérables et supposés achiropoïètes et leur diffusion ne peut que renforcer la sacralité du prototype. Or le système carolingien ne fonctionne pas ainsi.

C'est surtout Rome, politiquement périphérique, qui possède le prestige dû aux images sacrées et d'où se diffusent des images qu'on cesse d'adorer au-delà des Alpes. Aix-la-Chapelle n'est pas un pèlerinage exceptionnel, bien qu'on y ait accumulé des reliques pour la convenance. Surtout, le seul culte qui ait une extension universelle dans l'empire est celui de la croix, qu'on manipule rituellement chaque année pendant le temps pascal. La qualité matérielle de cet objet est relativement indifférente. La peinture peut remplacer l'or et l'argent. La croix elle-même peut être remplacée par l'hostie [139]. Cette liturgie universelle ne met pas l'accent sur l'exaltation du pouvoir profane. Les *Libri carolini* l'affirment clairement, en opposant le culte impérial et le culte des images à celui de la croix [140]. L'homologie entre religion et pouvoir que permet le culte des images est désamorcée à partir de l'Evangile : il faut rendre à César ce qui est à César et à Dieu ce qui est à Dieu [141]. Le culte universel est celui du Dieu unique à travers un signe aux occurrences multiples, mais pas à travers des objets multiples : on n'adore pas les images ou les croix, mais la croix, ce qui est incompréhensible pour Anastase, ou plus tard pour Bellarmin, qui ne conçoivent pas la croix comme un signe, mais comme une image [142].

En revanche, les cultes locaux sont d'une extrême diversité, car ils reposent essentiellement sur le culte des saints, c'est-à-dire des reliques. Chacun possède les siennes et les arrange selon une hiérarchie qui reproduit les rapports de force locaux. Ce sont des objets uniques dont la présence entraîne des déplacements de populations qui manifestent l'influence d'un pouvoir religieux local. Mais ce pouvoir est concret et donc limité. On vient embrasser le corps du saint au lieu que celui-ci se diffuse par l'image pour créer des ramifications du pouvoir. Comme la démocratie suisse primitive, ce pouvoir religieux ignore la représentation ; il lui manque la possibilité de se démultiplier.

Le culte local des martyrs est antérieur au culte universel de la croix qui caractérise l'ère carolingienne. Leur juxtaposition s'exprime dans l'architecture des édifices. L'Est est occupé par le *martyrium*, le sanctuaire du saint où se célèbre l'eucharistie. A l'Ouest, on rajoute des *Westwerke*, des antéglises dédiées au Sauveur et non plus à ses saints, où se célèbre la liturgie universelle de l'empire, la commémoration de la croix. C'est encore là que siège l'empereur s'il vient en visite. L'église met donc en image les rapports de force politiques. Elle juxtapose le pouvoir local, exprimé par le culte très concret des reliques qu'on embrasse, et le pouvoir impérial, une abstraction qui ne sait s'incarner, mais se manifeste indirectement par la négation du pouvoir, par le culte désintéressé de la croix. Le sacré se produit plutôt du côté du pouvoir local : les reliques y guérissent les malades et on y célèbre quotidiennement la messe. L'Ouest, consacré au pouvoir universel, mais aussi aux catéchumènes, ne voit pas l'invisible s'actualiser. Il sert à commémorer le Christ, à annoncer sa seconde venue et le Jugement dernier. Ici, l'invisible est le passé et le futur : il est de l'ordre du signe, historique et prophétique.

On aura reconnu sans peine dans cette disposition la métaphore d'un empire constitué, d'une part d'un pouvoir universel qui tient au monopole du signe écrit et de l'administration, mais ne parvient pas à s'actualiser par un rapport de force quotidien dans ses provinces, d'autre part des pouvoirs locaux qui ne parviennent pas au stade de l'institution, mais se manifestent sur place dans l'existence concrète des rapports d'homme à homme. A l'absence de l'image correspond celle d'une institution qui serait vraiment présente en chaque part du territoire impérial. L'empereur n'est vraiment représenté ni par des hommes, ni par des images. Pendant deux siècles, le pouvoir carolingien s'exténue à châtier des révoltes, la présence momentanée du souverain et de son armée étant les seules garanties du pouvoir impérial en un lieu déterminé.

Le pouvoir de l'Eglise pourrait être considérable, mais il ne parvient pas à se centraliser. Rome ne redevient une force politique internationale qu'au XIᵉ siècle. Le pouvoir ecclésiastique est à l'échelle du pouvoir des féodaux et des reliques, à ceci près que les clercs communiquent entre eux sur de vastes territoires, grâce au latin écrit. En fait, ce sont eux qui maintiennent la cohésion, essentiellement abstraite et spirituelle, de l'empire. Ils sont pratiquement condamnés à travailler pour des entités abstraites, l'empire et l'Eglise, car ils ne peuvent transmettre les richesses et le pouvoir qu'ils auraient accumulés à des héritiers par le sang.

Il y a des disparités économiques et culturelles : la région entre Seine et Meuse est sans doute la plus avantagée, mais cela ne suffit pas à lui assurer la domination sur les autres et à lui permettre des prélèvements. La dispersion des pouvoirs concrets et leurs limites rendraient illusoire toute velléité de drainer la richesse sur une grande échelle pour constituer et sacraliser le pouvoir à l'aide d'images. Il ne faut donc pas s'étonner que, du VIIIᵉ au XIᵉ siècle, si peu d'art ait subsisté. On imagine trop volontiers des populations exterminées par les invasions et la famine, terrifiées par l'approche du Jugement dernier, pour expliquer la faiblesse de la superstructure à cette époque. Les textes suggèrent plutôt que l'investissement spirituel ne dépassait pas la contrepartie de ce que l'Eglise pouvait offrir, comme force économique et politique. Les hommes de l'An Mille ne se ruinaient pas plus à construire des cathédrales que des palais. Ils vivaient confortablement dans des maisons de bois, avec des églises modestes et proportionnées aux ressources.

Le système religieux carolingien a donc évité pendant plus de deux siècles le gaspillage somptuaire, en renonçant à assurer la toute-puissance de l'Eglise ou de l'Etat. Pendant que la bureaucratie et les moines ruinaient lentement Byzance par leurs prélèvements et leurs querelles, l'Occident latin connaissait d'imperceptibles transformations économiques, au terme desquelles le XIᵉ siècle vit le décollage. Le prélèvement suivit le décollage économique aussitôt, au lieu de le devancer et de le rendre impossible. On comprend maintenant l'intérêt des protestants pour la théologie carolingienne des images, car leur religion parcimonieuse partit d'une inspiration semblable, pour permettre la thésaurisation profane et l'accumulation primitive d'où sortit, deux siècles après, le capitalisme. Sans rien savoir au départ de la religion carolingienne, ils avaient réinventé pour leur propre compte la justification par la foi, l'unique médiation du Christ, le refus de l'intercession, l'abolition du culte des images.

TROISIÈME PARTIE

LES SYMBOLES DU POUVOIR
(XIᵉ-XIIIᵉ SIÈCLE)

Ferdinand Lot (1866-1952) jouit de la vénération que les historiens accordent ordinairement à leurs prédécesseurs et qui n'oblige nullement à les lire. Au lendemain du crime barbare d'Hiroshima, il écrivit un remarquable article pour balayer le mythe des terreurs de l'An Mille, montrant comment l'interprétation abusive de quelques textes avait transformé les hommes de ce temps en sauvages affamés et crédules [1]. Selon lui, la peur de l'Apocalypse serait sans doute plus à sa place aujourd'hui. A la fin de sa démonstration, Lot émet des doutes sur sa propre autorité, sachant que celle d'un historien ne pèse pas lourd face aux mythes. Ces doutes étaient malheureusement légitimes, et cela pour deux raisons :

— d'une part, les textes du Xe et du XIe siècle ont un caractère religieux très prononcé et présentent l'univers comme le théâtre de miracles et de prodiges souvent terrifiants. Sur un lecteur naïf pour qui ces textes reflètent la perception du réel et les croyances de leurs auteurs, l'argumentation sobre et rationnelle de Lot ne peut faire effet. Seul le culte des ancêtres empêche alors de traiter le vénérable historien de vieux positiviste.

— d'autre part, l'histoire des mentalités est axée sur un schéma d'interprétation qui l'apparente en fait au positivisme : il s'agit toujours de montrer comment le sentiment religieux s'est atténué pour faire place à la rationalité dont s'autorise l'historien, en combinant la fierté de l'homme enfin civilisé et la nostalgie d'un passé religieux et donc poétique. L'origine mythique du processus historique est le « peuple » profondément croyant par nature, et qui garde toujours, principalement en milieu rural, quelque chose de son ancienne simplicité. Les populations angoissées et primitives de l'An Mille sont ainsi nécessaires au discours historique ou à ce qui en tient lieu. Elles permettent d'enchaîner sur la « renaissance » du XIIe siècle, puis sur l'« humanisme » gothique. Suivent les pestes et les guerres de la fin du moyen-âge, qu'on expliquera éventuellement par la détérioration du climat. Voici enfin les élites acculturantes de la Renaissance et de la Réforme qui parachèvent l'hominisation du peuple.

Faute de reconnaître le bien-fondé de ce schéma, faute de pouvoir observer le lent dégrossissement d'un peuple encore païen par des élites plus délicates qui l'auraient mené paternellement dans une religion spiritualisée, nous montrerons comment un système religieux assez simple et économique se compliqua progressivement et devint si onéreux qu'il fallut le remplacer. Au centre de ce système se trouve le culte des images, de telle sorte qu'un nouvel iconoclasme caractérisa la Réforme et, dans une moindre mesure, la Contre-Réforme.

CHAPITRE I

SAINTE FOY DE CONQUES

L'origine du culte des images dans l'Occident latin est assez mal connue, car les textes et les oeuvres sont également rares. Il existe cependant, à Sainte-Foy de Conques, une statue-reliquaire qui nous est parvenue avec les principaux documents écrits relatifs à son culte (ill. 18). La statue fascine les historiens ; elle est donc fréquemment reproduite, mentionnée, voire discutée [2]. Malheureusement, les deux principales monographies, dues à Jean Taralon et à Marie-Madeleine Gauthier, aboutissent à des conclusions diamétralement opposées. Pour l'un, il s'agit d'une lointaine descendante des idoles celtes, pour l'autre elle appartient à un genre radicalement nouveaux dont la *Vierge de Clermont* serait le prototype, au milieu du Xe siècle. Pour sa part, Jean Hubert a repris récemment le problème des plus anciennes statues-reliquaires et parvient encore à d'autres conclusions : la majesté de sainte Foy serait l'un des deux plus anciens reliquaires anthropomorphes connus et daterait sous sa forme primitive du dernier quart du IXe siècle, comme le pense Taralon. Si elle procède d'une tradition figurative d'origine antique, elle s'inscrit néanmoins selon lui dans un nouveau type de culte. Il nous paraît donc nécessaire de rouvrir le dossier : survivance païenne ou naissance d'une sorte de paganisme médiéval ?

1. Le pèlerinage de Bernard d'Angers

Un écrivain du XIe siècle exposa sa surprise devant les manifestations d'idolâtrie qu'il rencontra dans le Sud-Ouest de la France. Il n'est pas dans nos habitudes de considérer un récit autobiographique comme le reflet de la réalité. Pourtant, nous raconterons l'histoire en suivant aveuglément le récit de Bernard, écolâtre d'Angers, et nous nous en justifierons ensuite [3].

Elève de Fulbert de Chartres, Bernard fut appelé vers 1010 par l'évêque d'Angers, Hubert de Vendôme, pour diriger l'école épiscopale [4]. Il avait entendu parler du pèlerinage de Conques et des miracles qui s'y accomplissaient, mais manifestait un certain scepticisme. Il fit voeu de s'y rendre pour aller voir, ce dont sa nomination à Angers l'empêcha d'abord. Pendant trois ans, il accumula les tracas dans son nouveau poste, ce qui le poussa finalement à accomplir son voeu. Il s'agit en somme d'une situation classique, bien décrite par Victor et Edith Turner [5]. Dans un étroit réseau de relations locales, la vie sociale entraîne une accumulation d'énervement, de petites disputes qui finissent par former un fardeau insupportable ; il est alors temps de partir en pèlerinage.

Cheminant vers Conques avec son disciple Bernier, Bernard visita l'église d'Aurillac et y vit « la statue de saint Géraud posée sur l'autel, insigne par l'or le plus pur et les pierres précieuses. Elle rendait si parfaitement le visage d'un être humain en effigie (*ita ad humanae figurae vultum expresse effigiatam*) que la plupart des rustres (*rustici*) qui la regardaient avaient l'impression d'être confrontés à un regard perçant, réverbérant parfois une plus grande indulgence envers les voeux des suppliants ». Avec un sourire discret et en se servant du latin, Bernard s'adresse à Bernier : « Que dis-tu de l'idole, mon frère ? Est-ce que Jupiter ou Mars auraient trouvé une telle statue indigne d'eux ? » Bernier répondit avec des plaisanteries complices déguisées en éloges [6].

Trois jours après, les deux pèlerins arrivèrent à Sainte-Foy de Conques. Lorsqu'ils entrèrent dans l'église, le hasard voulut qu'on ait ouvert les portes du réduit où la statue était conservée. L'étroitesse du lieu et la foule prosternée rendaient le passage difficile et ils ne purent se prosterner à leur tour. Bernard prétend en avoir été contrarié, mais la prière qu'il adressa à la sainte laisse entendre qu'il ironise : « Sainte Foy, dont une partie du corps repose dans ce simulacre, viens-moi en aide au jour du Jugement ». Il fait un clin d'oeil à Bernier, « estimant inepte et très éloigné de la droite raison que tant d'êtres rationnels suppliassent une chose muette et insensible ». Mais il finit par regretter d'avoir traité de simulacre le mémorial de la martyre comme s'il s'agissait de Vénus ou de Diane, lorsque le doyen Adalgerius, un homme vénérable et honnête, lui raconta l'histoire du clerc Ulric. A force de ridiculiser la statue, Ulric avait réussi à faire baisser le nombre des pèlerins et des offrandes. La sainte lui apparut dans son sommeil et le

18. Statue-reliquaire de sainte Foy, Sainte-Foy de Conques, Trésor.

réprimanda durement : « Et toi, le pire des scélérats, pourquoi as-tu osé blâmer mon image ? » Puis elle le frappa d'un bâton qu'elle tenait de la main droite. Il ne survécut que le temps de raconter son histoire.

Bernard était venu dans le Sud-Ouest avec des idées préconçues sur les images qui correspondent mot pour mot à la position carolingienne : « C'est un vieil usage et une antique coutume en Auvergne, en Rouergue, dans le Toulousain et les environs, qu'on érige, en or, en argent ou dans n'importe quel autre métal, chacun selon ses moyens, la statue de son saint, afin d'y placer la tête du saint ou, plus généralement, une partie assez vénérable de son corps. Non sans raisons, les sages trouvent cela superstitieux, car il y a toute apparence qu'on pratique les rites de l'ancien culte des dieux, ou plutôt des démons [...] En effet, s'il s'agit de rendre correctement son culte au seul Dieu souverain et véridique, il semble néfaste et absurde de former une statue de gypse ou de bois et d'airain, à l'exception du Seigneur crucifié. Qu'on fasse cette image par affection, à l'aide de la sculpture ou du modelage, l'Eglise sainte et universelle l'admet. Quant à la mémoire des saints, c'est par l'écriture vraie du livre ou par les images peintes comme des ombres sur les murs colorés qu'elle doit être exposée aux regards humains. En effet, nous ne souffrons en aucune manière les statues des saints, sauf à cause d'un antique abus et d'une coutume invincible et congénitale des simples. Cet abus prévaut à ce point dans les lieux susdits que, si je m'étais exprimé à haute voix sur l'image de saint Géraud, j'aurais peut-être subi le châtiment propre à un grand crime » [7].

Après s'être laissé convaincre par l'histoire d'Ulric, Bernard changea de langage. La statue de sainte Foy n'est pas une idole, car on n'y fait pas d'immolations. Au contraire, c'est un pieux mémorial qui permet d'implorer décemment l'intercession de la sainte pour nos péchés, avec la componction du coeur. Il est très sage de comprendre que c'est un reliquaire fabriqué en forme de saint à la guise de l'artiste et qui abrite un trésor bien plus précieux que l'arche d'alliance. S'il contient le crâne entier d'une telle martyre, il s'agit sans aucun doute de l'une des perles les plus précieuses de la Jérusalem céleste. Par le mérite de cette sainte, la bonté du ciel opère des miracles, tels que nous ne connaissons rien de comparable qu'elle aurait accompli de notre temps pour d'autres saints. « L'image de sainte Foy n'est donc pas quelque chose qu'il faudrait détruire ou blâmer, car il apparaît que personne n'est retombé à cause d'elle dans l'antique erreur, que les vertus des saints n'en ont pas été diminuées et qu'absolument rien de ce qui constitue la religion n'en a dépéri » [8].

Résultat de cette conversion, Bernard s'installe quelque temps auprès de sainte Foy pour collecter ses miracles qui se transmettent encore oralement [9]. Il transcrit le récit complet des plus importants et prend sur les autres des notes qu'il rédigera à son retour. Dans ce pays d'illettrés, personne n'avait eu l'idée ou la possibilité de le faire, alors que les moines ne demandaient pas mieux. Ils hébergèrent Bernard, lui facilitèrent l'enquête et mirent même des serviteurs à sa disposition [10]. Il en résulta un recueil de miracles que, toujours selon Bernard, les gens s'arrachèrent littéralement. Aussi revint-il une seconde fois à Conques, notant six nouveaux miracles. Lors d'un troisième voyage, on lui demanda de poursuivre et il collecta encore huit miracles. Après sa mort, un moine de Conques prit la relève, regroupa en deux ces trois livres inégaux et y ajouta deux nouveaux livres de son cru.

Dans ce *Liber miraculorum sanctae Fidis*, Bernard et son continuateur nous donnent encore bien d'autres renseignements sur la statue miraculeuse et sur son culte. Voici comment Bernard décrit cette oeuvre que les habitants du lieu appellent la majesté de sainte Foy : « Elle est faite de l'or le plus pur et, comme le veut la façon artistique, les divisions du vêtement sont décemment ornées de gemmes, subtilement insérées par un ouvrier appliqué. Elle porte un diadème également insigne par l'or et les gemmes. Des bracelets d'or ornent ses bras d'or ; ses pieds d'or reposent sur un escabeau d'or. Le trône est tel qu'il n'y apparaît rien que des pierres précieuses et l'or le meilleur. Couronnant l'extrémité antérieure des accoudoirs, deux colombes composées de gemmes et d'or relèvent la beauté du trône entier » [11]. Au chapitre suivant, nous apprenons que la statue avait été longtemps le seul ornement important du lieu [12]. Les richesses se sont accumulées depuis qu'un miracle (dont nous reparlerons) fit affluer les pèlerins, autour de 985. Et pourtant, sa facture antique la ferait aujourd'hui apparaître bien humble, si on ne l'avait entièrement refaite en mieux.

La statue est gardée dans un réduit derrière le choeur. Les grilles s'accumulent pour protéger le lieu, qui contient aussi le trésor ; elles sont faites avec les chaînes déposées par les prisonniers que sainte Foy a fait évader. Plus exactement, la statue se trouve derrière l'autel central, dédié au saint Sauveur, sur la châsse qui contient le reste du corps. On la sort assez souvent, accompagnée de la châsse, pour faire des processions. Elle va parfois jusqu'en Auvergne, en particulier lorsqu'il faut réaffirmer la possession d'une terre par l'abbaye [13]. Ces processions se font en grande pompe, au son des cymbales et des olifants, et sont l'occasion de nombreux miracles. Le texte suggère que la statue n'entre pas dans les villes, mais la procession s'installe à quelque distance, avec ses propres cloches pour sonner les miracles. On sort ainsi la statue pour la faire siéger à un synode, ou chacun amène la sienne. C'est ce qui se produisit à Rodez ; on éleva sur le pré Saint-Felix, près de la ville, des tentes et des pavillons, pour y installer toute l'« armée » des saints [14]. Il y avait, outre la sainte de Conques, la majesté d'or de saint Marius, celle de saint Amand, le reliquaire de saint Saturnin, une image d'or de la Vierge et de nombreuses reliques moins prestigieuses.

2. Les données archéologiques

La statue de sainte Foy fut démontée et décrite en 1878, puis en 1954-1955, lorsqu'on modifia la présentation du trésor. Le premier démontage permit l'authentification des reliques [15]. D'après les médecins qui ont inspecté les ossements, ils appartenaient bien au crâne d'une jeune fille entre douze et seize ans. On procéda encore à quelques réparations sur la statue. En rapportant les résultats du second démontage, Jean Taralon arrive aux conclusions suivantes [16]. La tête de la statue aurait été découpée dans un buste en or de la Basse Antiquité, probablement un empereur ou un dieu masculin. A la fin du IXe siècle, c'est-à-dire à l'époque de la translation furtive des reliques, on aurait placé cette tête sur un tronc d'arbre sculpté, servant d'âme à un revêtement de plaques d'or. Cette âme de bois se présentait comme une statue acéphale assise, le siège faisant corps avec la sainte et l'extrémité du cou servant de cheville pour fixer la tête antique. A la fin du Xe siècle, on aurait entamé le bois à l'emplacement du trône, pour adapter le siège orfévré qu'on voit aujourd'hui. La statue aurait alors été munie d'un nouveau revêtement d'or et de pierreries, sous lequel subsistent quelques vestiges du revêtement antérieur. De nombreuses autres modifications jalonnent l'histoire de la statue, comme le remplacement complet des avant-bras au XVIe siècle, ou la disparition à une date inconnue des colombes d'or dont parle Bernard.

Certaines de ces observations sont contestées par Marie-Madeleine Gauthier qui considère l'âme de bois comme contemporaine du revêtement actuel [17]. La majesté aurait été conçue à la fin du Xe siècle, sur le modèle de la Vierge de Clermont, à partir d'une tête-reliquaire qui devait se trouver antérieurement sur le reliquaire du corps. Contrairement à Taralon, mais aussi à Harald Keller, l'auteur hésite à dater la tête de la Basse Antiquité. Bien entendu, son interprétation se fonde, tout comme celles qu'elle contredit, sur une lecture attentive des textes, mais ceux-ci donnent des informations contradictoires. Le *Liber miraculorum* prétend que la statue, comme les autres majestés de la région, repose sur un usage ancien, tandis que la Majesté de Clermont est présentée ailleurs comme une nouveauté radicale, ce sur quoi se fonde M.-M. Gauthier. Peut-on trancher la querelle ? Nous nous contenterons de discuter quelques points et de proposer une hypothèse.

Il nous semble tout d'abord difficile de mettre en doute les observations de Taralon sur l'antériorité à la fois de la tête et de l'âme de bois. La tête est percée de petits trous qui ont dû primitivement servir à attacher une couronne de laurier. Quant au rajustement de l'âme de bois lors de la réfection et aux traces d'un premier revêtement, ce sont des informations que M.-M. Gauthier ne réfute pas. De plus, l'un des récits du *Liber miraculorum* suppose l'existence de la statue avant 985 environ, date à laquelle la guérison du dénommé Guibert, à qui les yeux avaient été arrachés, aurait motivé son érection ou sa réfection [18]. Le gardien Gimon, qui vivait avant le miracle de Guibert [19], croyait parfois entendre la statue d'or se mouvoir avec un cliquetis. Cette histoire nous paraît plus compréhensible s'il s'agissait d'une statue complète et non d'un simple buste.

Mais cela n'oblige pas nécessairement à faire remonter la statue au IXᵉ siècle, comme le voudraient Taralon et Hubert. Jusqu'au démontage de 1954, l'opinion prévalait qu'elle datait, au moins sous une première forme, de l'époque d'Etienne, abbé de Conques et, de 937 ou 942 à 984, évêque de Clermont. On la pensait contemporaine de la nouvelle basilique, érigée au début de l'épiscopat. Le principal argument contre cette datation vient du récit de Bernard. Il n'y avait pas tant d'objets précieux dans l'église, dit-il, avant le miracle de Guibert. « Le principal ornement en était l'image, de fabrication ancienne, et qui serait aujourd'hui des plus minimes, si elle n'avait été entièrement rénovée en une meilleure figure » [20]. Tout le problème est de savoir ce que Bernard veut dire par fabrication ancienne (*ab antiquo fabricata*) et, plus généralement, lorsqu'il parle des reliquaires anthropomorphes comme d'un usage ancien.

En fait, sa transcription de récits oraux ne garde pas le souvenir de plus que deux générations, la sienne et celle qui précède, et cet intervalle de temps lui paraît considérable. Racontant la donation par Bernard, abbé de Beaulieu entre 984 environ et 1005, des colombes d'or qui ornaient le trône de la statue, il situe l'événement par rapport à un miracle récent de la manière suivante : « Bien longtemps avant et cependant de notre temps... » [21]. En gros, il existe pour lui une période contemporaine qui commence avec le miracle de Guibert, vers 985, et une période juste antérieure qui correspond au temps où Gimon était gardien des reliques et sur laquelle il sait peu de choses. Il nous paraît donc raisonnable de considérer que ce qui précède les années 960 se perd pour lui dans la notion d'ancienneté. A la réflexion, nous sommes souvent portés nous-mêmes à considérer comme anciens des usages relativement récents. Les anthropologues sont à peu près seuls à savoir que le Père Noël ne s'est diffusé en France qu'après la seconde guerre mondiale et malgré la condamnation de cette innovation par l'épiscopat en 1952 [22]. Les termes de Bernard d'Angers ne nous semblent donc pas plaider davantage pour 880 que pour 950 environ.

Les indications fournies par le *Liber miraculorum* et par le récit en prose de la translation furtive [23] sur l'emplacement de la statue dans l'édifice n'ont pas été vraiment mises à profit, parce qu'elles sont rapides et semblent contradictoires. En essayant d'y voir clair, les bollandistes, puis l'abbé Bouillet, n'ont fait que compliquer les choses [24]. Le récit en prose de la translation se poursuit jusqu'au réaménagement des lieux, sous l'évêque Etienne, sans doute dans les années qui suivirent son accession à l'épiscopat, au milieu du Xe siècle. La présence des pèlerins empêchait les moines de célébrer dignement le culte, dans un édifice trop petit. On construisit, dans un laps de temps rapide, une nouvelle basilique jouxtant le *monasterium* (vraisemblablement l'ancienne église). D'après Bernard d'Angers, elle avait trois nefs avec l'autel du Sauveur au centre, celui de saint Pierre à droite et celui de la Vierge à gauche. Un oratoire (sans doute dans la tribune occidentale selon la tradition carolingienne) était dédié à saint Michel. On avait spécialement prévu la basilique pour accueillir les pèlerins, afin qu'ils cessent de déranger les moines en prière. Grâce à l'ouvrage de Carol Heitz sur l'architecture et la liturgie carolingiennes, on peut se représenter assez facilement les lieux. La basilique du saint Sauveur formait une antéglise et l'ancienne église, sans doute à l'Est, un second sanctuaire plus petit, mais suffisant pour abriter les moines. L'existence d'une antéglise nous paraît confirmée par l'aspect de la construction actuelle, datant de la seconde moitié du XIe siècle, dont la partie occidentale avec tribune constitue, selon Heitz, une antéglise dégénérée [25].

Le projet des moines souffre pourtant d'une contradiction. C'est l'antéglise, destinée normalement au culte du Sauveur (alors que le sanctuaire oriental est dédié au saint), qui devait accueillir les pèlerins et tout d'abord la statue de sainte Foy. On se préparait en effet à transférer les reliques dans la nouvelle basilique, sans doute à l'autel du saint Sauveur, mais la translation échoua : il fut impossible aux religieux de soulever le corps de la sainte qui avait décidé de rester où elle était.

Comment comprendre ce miracle ? Ou bien les moines avaient renoncé d'eux-mêmes à la disposition prévue ; ou bien les fidèles avaient décidé de continuer à adorer la sainte dans son sanctuaire primitif. En tout cas, on changea d'idée, mais à partir de là, les témoignages deviennent difficiles à comprendre.

Le récit de la translation dit qu'après avoir renoncé au projet, « on fut contraint de fabriquer, à côté de la face arrière de l'autel susdit du saint Sauveur, un reliquaire (*theca*) auquel la pompe de l'or rutilant et des gemmes étincelantes donnait un merveilleux apparat et sous lequel la très digne vierge figurée repose dans la félicité du Christ, fréquentée en cet endroit même par une foule à coup sûr innombrable » [26]. L'autel en question est généralement interprété comme l'autel principal du temps de Bernard, ce qui contredit les indications qu'il donne par ailleurs sur le « lieu retiré ». En fait, la référence à l'autel « susdit » devait renvoyer à l'endroit où était primitivement déposée la sainte, c'est-à-dire dans l'ancien sanctuaire qui était lui-même déjà dédié au Sauveur, et « au lieu le plus digne » (*in loco decentissimo*) de ce sanctuaire. Il doit donc s'agir de l'ancien autel saint Sauveur.

Cependant, lorsqu'il décrit la basilique, Bernard prétend que les reliques furent transférées dans sa partie centrale, parce qu'on y célèbre plus fréquemment l'office [27]. A l'en croire, les reliques (celles du corps ?) auraient donc passé dans la basilique, tandis que la statue serait restée dans le lieu retiré, c'est-à-dire dans l'ancienne église. Comme, dans le récit du miracle de Guibert [28], la sainte se dit enterrée près d'un autel distinct de celui du Sauveur, la translation dont parle Bernard serait postérieure à ce miracle et pourrait avoir coïncidé avec la réfection de la statue.

En tout cas, le récit de la translation fait état d'un merveilleux reliquaire (*theca*), érigé au-dessus du corps de la sainte qui est figurée (*obsigillata* ; Bouillet traduit à tort ce mot par « scellé avec soin »). Dès lors, la *theca* pourrait être la figure de la sainte, sa statue authentifiant comme un sceau le corps qu'elle surplombe et dont elle contient la tête.

Le corps de la sainte restant, dans un premier temps du moins, à son emplacement primitif en compagnie de la statue, la disposition générale des lieux était conforme à la norme carolingienne : antéglise dédiée au Sauveur, sanctuaire dédié maintenant au saint local. On s'explique ainsi l'épisode du miracle de Guibert, où sainte Foy lui demande d'aller poser un cierge sur l'autel du Sauveur et un autre sur le sien [29]. L'autel de la sainte est sans doute l'ancien autel saint Sauveur rebaptisé sainte Foy du fait de la nouvelle disposition. Lors de la réfection de la statue, la châsse du corps aurait donc été transférée au nouvel autel du Sauveur, dans la basilique, la statue restant sur place dans l'ancienne église. Hubert mentionne deux exemples d'une telle séparation entre le chef et le corps d'un martyr, précisément au Xe siècle, celui de saint Pourçain après 945 et celui de saint Valérien à Tournus en 979 [30]. Lorsque Bernard arrive à Conques, les portes du petit sanctuaire sont ouvertes pour l'adoration de la statue et il ne suffit pas à contenir les pèlerins [31]. La disposition des lieux est donc normale, à ceci près que l'ancienne église est trop petite. Les moines n'ont pu s'approprier le lieu qui leur aurait suffi et sont toujours dérangés dans la basilique par la foule bruyante, ce qu'indique un autre récit [32].

Si cette reconstitution est exacte, la statue-reliquaire est la *theca*, fabriquée à l'initiative d'Etienne tout comme la Vierge de Clermont, les deux oeuvres étant alors contemporaines. Il est même possible qu'Etienne ait fait parvenir à son abbaye le buste antique qui permit de réaliser la tête de la statue, et d'autres objets impériaux qui se trouvent là, on ne sait pourquoi. Dès lors, le succès de la statue, puis l'histoire de Guibert firent affluer les offrandes précieuses : il devint possible et nécessaire de rénover la statue pour lui donner approximativement son aspect actuel, après 985 environ. C'est alors qu'on aurait fait le trône à accoudoirs sur lequel, entre cette date et 1005, furent posées les colombes d'or. D'après le dessin qu'on en a conservé [33] (ill. 19), la *Vierge de Clermont* siège sur un trône plus modeste, sans accoudoirs, comme pouvait l'être celui de sainte Foy avant cette réfection. En revanche, la structure générale de l'objet n'aurait guère été modifiée et devrait remonter au milieu du Xe siècle. On constate avec intérêt que la majesté de sainte Foy se présente comme une Vierge à l'Enfant auquel on aurait enlevé l'Enfant. N'aurait-elle pas été conçue — à ce détail près — sur le modèle de la *Vierge de Clermont*, avant d'être restaurée à la suite du miracle de Guibert ?

Que les habitants de la région aient présenté à Bernard le culte des statues-reliquaires comme une ancienne coutume n'a rien d'étonnant, car la tendance à vieillir les objets de culte pour leur donner plus de prestige est un fait courant. La châsse dans laquelle on promène le corps de la sainte aurait été offerte par Charlemagne, ce qui, du reste, ne semble pas avoir convaincu Bernard : il se contente de raconter ce qu'on prétend (*fertur*) [34]. Si, comme le pense Jean Hubert [35], *Carolus Magnus* veut dire Charles le Chauve et non pas Charlemagne, la méfiance de Bernard est encore plus intéressante : il évite de cautionner une date antérieure à 877. De toutes manières, Bernard ne considère pas le culte des statues-reliquaires comme une coutume très ancienne : il le traite de *vetus mos et antiqua consuetudo*, puis le compare à l'antique culte des

20. *Christ en majesté*, Toulouse, basilique Saint-Sernin.

19. *Vierge à l'Enfant*, Clermont-Ferrand, Bibliothèque municipale, ms. 145, fol. 134r.

dieux, ou plutôt des démons (*priscae culturae deorum vel potius demoniorum*). *Priscus* s'oppose à *antiquus* comme en français « antique » à « ancien ». Si la statue était du IXe siècle, on pourrait supposer une « survivance » païenne, alors que la comparaison de Bernard suggère un parallélisme entre l'Antiquité païenne et son temps. Sans prétendre réfuter les opinions de Taralon et d'Hubert sur la date de la statue, nous penchons davantage pour le début de l'épiscopat d'Etienne II, parce que cette hypothèse permet de concilier assez harmonieusement l'ensemble des textes et qu'elle n'est pas contredite par les observations archéologiques.

3. Le mythe de sainte Foy

Peut-être faut-il maintenant justifier le crédit que nous accordons à des récits de miracles comme ceux de Bernard d'Angers, jusqu'à accepter que la guérison d'un homme dont les yeux auraient été arrachés constitue un repère chronologique sûr ? Cela tient au fait paradoxal que Bernard est crédible. Pour s'en rendre compte, il suffit de le lire avec attention et de ne pas lui faire dire plus qu'il ne dit.

1. La conversion de Bernard d'Angers

Les deux premiers livres du *Liber miraculorum* abondent en discussions sur la véracité des miracles et sur le scepticisme qui prévaut. Le tableau qu'ils donnent de leur siècle s'oppose terme à terme à ce que racontent aujourd'hui les historiens. Rien n'est plus difficile, à les lire, que de faire croire à un miracle. Bernard se plaint d'avoir été traité d'imposteur dans un chapitre entièrement apologétique [36]. La sainte est souvent obligée de faire des miracles contre les incrédules qui la méprisent, ainsi le chevalier Hildegaire qui voulait fouler aux pieds la statue [37], ou le clerc Ulric qui réussit un moment à tarir l'afflux des donations en la ridiculisant [38]. Les miracles sont facilement accueillis par la dérision, comme la guérison du dénommé Gerbert qui imitait trop servilement celle de Guibert [39].

Bernard lui-même est arrivé à Conques sceptique envers les miracles et hostile à la forme du culte. Son récit contient de telles nuances qu'on se demande s'il réussit ensuite à se convaincre. Tout en admettant s'être trompé, il laisse passer dans le texte des expressions qui contredisent sa conversion. Le culte des images apparaît « à bon droit » (*haud injuria*) comme superstitieux aux sages et Bernard approuve l'ironie de son disciple Bernier qui a vitupéré le buste de saint Géraud « non sans raison » (*nec prorsus immerito*) [40]. Il ne dit pas que le culte des statues lui paraissait un abus (*abusio*), mais que c'en est un. Aussi ne convainc-t-il qu'à moitié en changeant brusquement de ton au cours du récit pour condamner sa propre attitude « qui ne procédait pas d'un coeur bon ».

L'histoire du clerc Ulric, terrassé par la sainte, lui avait été racontée par le doyen Adalgerius et c'est ce qui l'avait converti : « il n'y a plus lieu d'argumenter ». On reconnaît ici le thème paulinien de la foi par l'écoute, *fides ex auditu* (*Romains*, 10, 17), qui est à la mode à Conques. Comme l'a remarqué Hoepffner dans son commentaire du texte, la *Chanson de sainte Foy* débute par l'affirmation répétée de ce thème [41]. La *fides* se caractérise ici comme la confiance qu'on accorde au récit d'une personne autorisée et cette autorité prévaut sur les arguments. Cela ne signifie pas que la confirmation visuelle soit négligeable. Bernard, qui a déjà entendu parler des miracles de Conques vient pour voir et attache une grande importance aux témoignages visuels, en particulier au fait de fréquenter Guibert et de voir ses yeux dans ses orbites. Il aurait certes aimé voir un miracle éclatant se produire sous ses yeux, mais ce privilège lui a été refusé. Lors de la guérison d'un aveugle, les moines courent chercher Bernard, mais il arrive trop tard pour y assister [42]. Au chapitre suivant, il raconte le châtiment d'un chevalier qui avait agressé un pèlerin, miracle « qu'il a failli voir, mais n'a pas vu » [43]. Bernard s'en tient donc strictement à reproduire des récits, sur la *foi* de ses informateurs : « Mais celui qui le savait me l'a rapporté en public, sous la vérité et la sainteté du serment. Jamais en effet, tant que Dieu me conservera le sens et la raison, je n'inscrirai sciemment et volontairement quelque chose de faux dans une page sacrée, car Dieu ne prend aucun plaisir aux vains discours et ne veut pas d'une adulation mensongère ». A aucun moment, Bernard ne s'engage davantage, sauf dans les trois derniers miracles qui sont de sa main, où il raconte successivement la guérison de son frère et de son secrétaire, ainsi que la restitution d'un psautier que deux de ses élèves avaient perdu [44]. Il hésite d'ailleurs sur le caractère miraculeux de cette dernière histoire. Pour les deux autres, il s'agit de la guérison de maladies sans lésions, ce qui se produit toujours aujourd'hui à foison dans les pèlerinages. D'un bout à l'autre, Bernard prend soin de préciser exactement ce qu'il sait et ne sait pas, et de donner tous les éléments nécessaires pour qu'on puisse évaluer la crédibilité du récit.

Comme les miracles de sainte Foy n'avaient jamais encore été rédigés, Bernard se donne comme tâche de reproduire l'histoire orale. Il s'excuse du désordre et de la longueur des narrations [45], mais recherche avant tout la transcription la plus authentique. Nous le verrons même mentionner des variantes. Le problème de crédibilité vient du caractère particulier de son texte qui ne repose ni sur l'*auctoritas* de sources écrites, ni sur le témoignage de la vision directe. En plus, le meilleur informateur de Bernard est Guibert l'Illuminé, le miraculé qui retrouva ses yeux arrachés. Et cet homme n'est pas digne de foi.

Guibert était le familier, probablement le fils naturel, d'un prêtre peu fréquentable [46]. A la suite d'une rivalité amoureuse entre les deux hommes, ce prêtre nommé Géraud lui aurait fait arracher les yeux. Guibert aurait été recueilli et soigné par la mère de Géraud, puis gagna sa vie comme « jongleur ». Le *joculator* est celui qui fait des *joca*, autrement dit des « blagues » qui peuvent être des *practical jokes*, c'est-à-dire des tours, ou bien des *verbal jokes*, des histoires fabuleuses et plaisantes. Le métier lui réussit car, lorsque sainte Foy lui apparut une nuit en lui promettant la guérison, il ne manifesta aucun empressement, ce qui étonna la sainte. Il obtempéra finalement, retrouva ses yeux et la possibilité d'exercer un métier plus sérieux. En fait, l'abbé lui confia la vente des cierges, afin de mettre le bagout du miraculé à la disposition des visiteurs. Les affaires prospérant, il retomba dans le péché, oublieux de sa dignité de miraculé. Pour le punir, la sainte le rendit aveugle d'un oeil. Nouvelle conversion et nouvelle guérison : Guibert se fit clerc, bien qu'illettré. Mais il succomba de nouveau à son goût pour les femmes. Vieux et méprisé, il mendie maintenant avec l'autorisation des moines et raconte ses histoires.

Il apparaît ainsi que Bernard a rencontré un vieux mendiant illettré, mais expert en « blagues » (*joca*). Son talent de conteur était utilisé par les moines pour divertir les pèlerins et les attirer. Et c'est cet homme que Bernard prit ouvertement à témoin ! Il ne pouvait mieux faire pour se discréditer, ou du moins pour induire son lecteur à prendre les miracles pour ce qu'ils sont. Le plus grand de ces miracles aux yeux de Bernard, celui qui ouvre la série, repose sur la foi d'un pécheur fainéant et illettré, Guibert l'Illuminé. Comment expliquer ce paradoxe ?

Si Guibert est illettré, les moines ne valent pas beaucoup mieux. Arrivant à Conques, Bernard s'est trouvé plongé dans l'ambiance de la fabulation orale et du mythe. A ce jeu-là, les premiers sont les derniers et c'est le vieux conteur qui a la vedette. Bernard semble avoir été complètement fasciné par ses histoires qui, la préface le suggère, s'opposaient pour lui à l'ennui des années passées à Angers comme professeur de lettres. Le professeur se lia d'amitié avec le mendiant dont il transcrivit les contes. Lors de son deuxième voyage à Conques, il le retrouva bien vieilli et, en le quittant, baisa jusqu'à trois ou quatre fois ses yeux miraculés : « Je n'étais pas poussé par moins d'affection que celui qui quitte ses doux enfants ou sa chère épouse pour traverser les mers, incertain de jamais les revoir » [47]. Il fit voeu, s'il retrouvait Guibert vivant lors d'un troisième voyage, d'immortaliser le prodige. C'eût été un miracle comme son époque n'en a jamais obtenu. Bernard revint bien une troisième fois en 1020, mais Guibert était mort. Il accomplit les cérémonies d'usage et s'apprêtait à s'en aller au plus vite, lorsque les moines le conjurèrent d'écrire encore un troisième livre. Aux six miracles composant le second livre, il en rajouta péniblement huit, en faisant feu de tout bois, mais il ne revint plus. Il s'intéressait à la transcription de la littérature orale et le conteur avait disparu.

2. Les plaisanteries de la Foi

Sainte Foy se plaît à faire des miracles qui peuvent sembler dérisoires, comme de ressusciter les mulets. Dans leur intelligence rustique, les habitants du lieu désignent ce genre de miracles comme les *joca sanctae Fidis* [48], ce que l'abbé Bouillet traduit bien faiblement par « badinages de sainte Foy ». A l'origine de l'expression se trouve un jeu de mot, attribué à Berthe, comtesse de Rouergue. Elle assistait à l'étrange concile de Rodez, où les saints étaient alignés sous les tentes dans un pré, et se tenait avec les autres dignitaires (*seniores*) à quelque distance, pour observer la foule. Soudain éclatèrent les applaudissements du vulgaire, saluant probablement un miracle. Les dignitaires se demandèrent ce qui se passait : « Que signifie cette ovation populaire ? » La comtesse Berthe répondit : « *Quid aliud esset, nisi quia sancta Fides jocatur ut solet* ? » Tous alors, après s'être informés, remplis autant de stupeur que de joie, excitèrent l'assistance à louer le Seigneur, répétant fréquemment, face aux débordements d'allégresse, les mots de cette vénérable matrone [49].

La plaisanterie orale de la comtesse est intraduisible. Il faudrait pouvoir supprimer les majuscules qui distinguent aujourd'hui les noms propres et posséder un concept de « foi » aussi large que *fides* en latin médiéval, *fe* en langue d'oc, ou *foy* en langue d'oïl. Car la boutade signifie en même temps :

1) Que serait-ce, sinon que sainte Foy plaisante, comme d'habitude ?

2) Que serait-ce, sinon que la sainte foi plaisante, comme d'habitude ?

Ce langage à double entente rappelle les plaisanteries de Bernard et de Bernier devant la statue, exprimant à la fois l'incrédulité et l'acceptation des règles du jeu, dictées par le comportement de la foule. Loin d'apaiser le tumulte, les dignitaires décident de l'attiser tout en se répétant le mot de la comtesse, peut-être en partie pour se rassurer eux-mêmes qu'il ne s'agit que d'une plaisanterie. On peut difficilement s'expliquer autrement que le mot *jocatur* soit utilisé pour caractériser la guérison d'un enfant aveugle, boiteux, sourd et muet de naissance. Nous sommes dans un domaine auquel les chercheurs actuels, qu'ils appartiennent à l'Eglise ou à l'Université, sont le plus souvent insensibles : le comique religieux. Cette excitation religieuse dépourvue de sérieux et de « croyance » est pourtant un fait observable. Lévi-Strauss a bien analysé l'activité d'un shaman dans une atmosphère comparable [50], tandis qu'un romancier comme Gide, dans *Les caves du Vatican*, ou des cinéastes comme Fellini ou Pasolini, ont décrit ce genre de phénomènes sur un ton bon enfant qui rappelle celui de Bernard.

Lorsqu'on a compris que même le nom de la sainte est un calembour, les textes prennent plus de relief et de sens. C'est la « foi » qui sauve ; elle illumine les aveugles et appartient d'abord aux humbles. Les ânes et les mulets sont visiblement ses animaux préférés et apparaissent souvent dans les récits, tantôt comme bénéficiaires, tantôt comme instruments des miracles. Le jeu de mot est à ce point inévitable que Bernard demande aux moines de ne plus décliner *Fides, -ei*, comme *fides, -ei*, mais *Fides, -is* [51]. En fait, il reste à savoir s'il s'agissait d'interdire un calembour ou d'en permettre un autre, car *fides, -is* signifie « lyre » ou « vièle ». Pour un grammairien consciencieux comme Bernard, son ami Guibert ne peut être qu'un « âne jouant de la lyre », selon l'expression proverbiale au moyen-âge. De plus, la vièle est l'instrument des jongleurs (*joculatores*). Le jeu de mot passe dans un poème collecté par le continuateur de Bernard :

> *Quam mea saepe fides legem temeravit Averni,*
> *Non ut Trax fidibus Plutonis regna revisit,*
> *Legibus irruptis, ut adit praedamque reposcit* [52].

(Combien souvent ma foi affronta la loi des enfers. A la différence d'Orphée à la lyre, elle retourne au royaume de Pluton ; elle en détruit les lois, pour aller lui redemander sa proie).

La déclinaison proposée par Bernard rappelle que la sainte est la patronne les jongleurs et qu'elle est elle-même une jongleresse, comme l'attestent entre autres la comtesse de Rodez et un poème en langue vulgaire :

> « Non m'en veilh an vous veulh contar
> Com fos sancta Fe ioglaresse... » [53].

Cela revient toujours à dire que la sainte foi fait des blagues. Dans l'un des miracles racontés par le continuateur de Bernard [54], des prisonniers sont sauvés, non pas par la sainte en personne, ni même par un « âne céleste » comme dans un récit de Bernard [55], mais par des *joculatores* dont l'auteur préfère taire le nom, pour qu'ils ne passent pas à la postérité.

On notera cependant que les bons mots ont une limite : Bernard et son continuateur évitent l'équivoque sur *fides*, au sens de « fidélité féodale », car ils ne font pas l'apologie des vertus chevaleresques. Cela est dû à la rivalité entre l'abbaye et les chevaliers au début du XIe siècle, évidente dans le *Liber miraculorum*. Par contre, vers 1060, l'auteur anonyme de la *Chanson de sainte Foy* utilise cette possibilité et décrit la sainte comme « fille de chevalier ». La sainte Foy de Bernard serait plutôt « infidèle » ; féminine, capricieuse et changeante. Elle est aussi l'ennemie de la justice féodale et délivre ses victimes, fussent-ils des malfaiteurs. Elle a encore l'habitude d'« extorquer » de l'or aux gens riches qu'elle visite la nuit et qu'elle tyrannise pour obtenir les bijoux qu'elle désire [56]. Ainsi s'explique une variante du récit de Guibert qui embarrasse Bernard [57]. Lorsque ses yeux furent arrachés, un oiseau vint les prendre et les amener à Conques. Certains prétendent que ce fut une colombe, d'autres que ce fut une pie. Ce dernier animal caractérise bien sûr mieux les agissements de la sainte, bavarde et voleuse, que la blanche colombe.

En lisant le *Pénitentiel* de Burchard de Worms et d'autres textes de ce genre, on s'aperçoit que la *fides* symbolisée par la sainte ressemble à s'y méprendre à la *superstitio*. Elle guérit les animaux et les ressuscite, tout comme la *Domina Ludi*, la Dame du Jeu, auprès de laquelle s'envolent les sorcières [58]. Comme les Bonnes Dames et les sorcières, elle traverse les portes closes, inspecte les maisons, oppresse les dormeurs, rallume les lumières éteintes [59]. Guillaume d'Auvergne interdit de croire aux démons qu'il appelle *joculatores* [60] et de pratiquer les lustrations par le feu, alors qu'un dévot de sainte Foy les fait subir à ses enfants en son honneur [61]. Enfin, la sainte autorise par un miracle les chants profanes dans son église, tandis que Bernard et les auteurs de pénitentiels tenaient ces chants pour abominables [62]. Le culte de sainte Foy est donc bien proche de celui que les petites vieilles sont supposées accorder à Diane, à Hérodiade ou aux Bonnes Dames. Au niveau du mythe, la ressemblance est totale. Au niveau du rite, il s'agit d'un phénomène différent. Si les vieilles femmes sont souvent favorables à sainte Foy dans le *Liber miraculorum*, le culte ne se limite pas à ce groupe, mais tend à l'universalité. De plus, il n'a rien de clandestin ni de pauvre, mais s'associe à un remarquable prélèvement de richesse, par des moines dont l'orthodoxie n'est pas mise en doute. Surtout, il est fondé sur une statue prestigieuse dont le seul nom suffit à faire des miracles.

3. Le corps, le nom et l'image

Essayons maintenant de distinguer les éléments dont se compose le culte de sainte Foy. Ils forment deux couches successives. La première est constituée par un culte de saint de type carolingien : il y a un corps, un nom particulièrement riche de sens et une légende hagiographique qui les relie. La seconde se compose d'une statue autour de laquelle gravitent de nouveaux récits qui font de *sancta Fides* le symbole de la croyance locale et sa justification par les clercs.

La légende du martyre de sainte Foy et de son compagnon saint Caprais nous est parvenue sous plusieurs formes. L'abbé Bouillet a publié la version la plus ancienne qu'il date du début du Xe siècle [63]. Cette version fut développée dans deux passions, l'une en prose et l'autre en vers, qu'a publiées Hoepffner [64]. Elles servent à leur tour de sources à la *Chanson de sainte Foy*, rédigée vers 1060 en langue d'oc. Les quatre textes respectent pour l'essentiel le schéma hagiographique assez banal que voici.

Issue d'une famille noble d'Agen, mais chrétienne, sainte Foy affronte la persécution de Dacien au sortir de l'enfance. Son juge cherche à la convaincre d'adorer Diane et, dans les versions les plus récentes, lui fait même des propositions. Devant ses refus, il la fait mettre au cachot, puis supplicier sur un gril. Les assistants, émus, se convertissent en grand nombre. L'un d'eux, saint Caprais, voit la martyre sauvée et couronnée par les anges ; il décide alors de l'accompagner en paradis. L'échec du supplice sur le gril entraîne le passage à la décapitation de la sainte. Les chrétiens enterrent ses restes comme ils peuvent, en attendant que l'évêque Dulcidius lui donne une sépulture plus digne.

On remarque aisément la parenté de cette légende avec celles de sainte Agnès ou de sainte Catherine. Le récit du martyre sert à justifier l'adoration d'un corps et d'un nom, pas encore d'une image. A l'aide des relations les plus circonstanciées, principalement de la *Chanson*, on peut essayer de dégager le sens du récit.

Au départ, Agen est une ville païenne. Ses habitants seraient de bonnes gens s'ils ne sacrifiaient pas aux idoles. La description que donne la *Chanson* de leur comportement n'est pas sans évoquer celle qu'un témoin défavorable pourrait faire des modernes pèlerins :

« Belle aurait été la gent, s'ils avaient été sains ;
Malades sont les coeurs, parce qu'ils sont païens.
Ils abandonnaient Dieu, ils couraient au temple ;
Ils le couvraient tout d'or cordouan.
Chacun lui offrait l'anneau de la main,
Qui ne peut davantage, un morceau de pain.
Mieux eût valu le donner au chien !
Toute leur oeuvre, ils la font en vain.
Ah ! que n'étaient-ils chrétiens » [65].

Mais le seigneur de la cité était crypto-chrétien et Dieu l'en récompensa :

« Il lui donna une fille de si grand agrément,
Qu'elle a nom *Fides* par mandement de Dieu »[66].

Le poète présente le nom de la sainte comme un nom sacré. Il ne le profère qu'une seule fois dans toute la *Chanson* et, de surcroît, en latin. L'usage de la langue sacrée pour ce seul nom lui donne un statut différent de celui des autres noms propres. Par rapport à la langue vulgaire, le latin joue ici un rôle métalinguistique : le signifiant *Fides* apparaît plutôt comme le nom d'un nom (en l'occurrence de *Fe*, « Foy ») que d'une personne ou d'une chose. On repère des équivoques comparables dans les versions latines. Si dans la légende, la sainte répond à son juge : *Fides vocor* (Je m'appelle Foy), la réponse est amplifiée dans la première passion où elle devient : *Fides et nomine et opere vocor* (Je m'appelle Foy par le nom et par les oeuvres) [67]. *Fides* est donc plus qu'un nom propre. L'équivoque plaît et se retrouve dans le *Liber miraculorum* : *nomine et opere Fides sancta* [68]. La passion en vers se contente de présenter le nom comme un présage : *Fides ei nomen, cui verum contulit omen* [69], tandis que le *Liber miraculorum* lui confère ailleurs une vertu, bien qu'il soit le nom d'une vertu : *Et ubicumque sancta Fides habet nomen, ibi quoque habet virtutem* (Et en chaque lieu où se trouve le nom de sainte Foy, là se trouve aussi sa vertu) [70]. Il s'agit en somme d'un nom agissant.

La description de la jeune sainte présente une autre équivoque : elle a du « sens », alors que ses bourreaux n'en ont pas :

> « Son corps est beau et petite la taille,
> Mais le sens qui gît dedans est plus noble » [71].

Le mot « sens » traduit *sensus* et signifie bien sûr intelligence, « bon sens », mais il s'agit aussi du « sens » que possède un nom. C'est nous qui distinguons une signification subjective et une signification objective du mot, ce dont le moyen-âge n'a que faire. Sainte Foy est un nom qui a du sens et qu'on peut chanter. Inversement, il convient de taire le nom des insensés, de ne pas leur accorder le (re)nom :

> « Leur nom ne convient pas en chanson,
> Sauf en conte de maquignon,
> Car ils furent traîtres et félons » [72].

Aussi, l'auteur abrège-t-il le récit de leur châtiment. Le destin des noms est si étroitement associé à celui des corps que les païens s'acharnent à détruire les corps de chrétiens, puis à les priver de sépulture, pour que leurs noms disparaissent. D'après la passion en vers, « ils jetaient à la mer ou consumaient par le feu le corps lacéré des saints, pour qu'on ne chante pas leur louange » [73]. Mais ils sont punis selon la loi du talion. Voici la conclusion de la *Chanson* :

> « Dieu brûla ce lignage, comme le feu la torche :
> Vous n'en verrez plus même les déchets.
> Et s'ils sont morts, qu'il ne vous en chaille,
> Car moi je n'en fais le cas d'une maille.
> De les chanter voilà qu'ennui me prend » [74].

Une métaphore revient plusieurs fois pour désigner le corps, celle de l'arbre. En s'inspirant du *Cantique des cantiques*, l'auteur de la *Chanson* compare la sainte à un pommier. Comme les ronces et le chardon, les païens éteignirent le jeune plant, « mais Dieu en prit un fruit doux et bon » [75]. Après la décapitation, le corps qu'on n'a pu brûler reste « tronqué et mutilé » [76], mais les chrétiens l'enterrent et il repousse en quelque sorte :

> « La chair sent bon, à mesure qu'elle mûrit ;
> Jamais ver n'y fit même d'égratignure » [77].

Quant aux païens :

« L'enfer, qui est très profond, les prit ;
Ils gisent là très bas comme des troncs [...]
La fumée bleue du soufre les tue » [78].

Il y a deux sortes d'arbres, ceux qui sont jeunes, sains, portent des fruits et sentent bon, ceux qui sont vieux, pourris, stériles et puants. A l'inverse de ceux-ci, ceux-là sont incombustibles : on ne peut que les tronquer et ils repoussent. Voilà pourquoi le supplice des saints échoue si souvent, sauf la décapitation qui est aisée, mais aussi inefficace que celle d'une hydre [79]. La tête (*caput*) de l'arbre est en effet la racine.

La métaphore de l'arbre répond à l'assimilation, faite par les païens, des chrétiens à des bêtes :

« Ces gens causèrent aux saints même tourment
Que le chasseur aux cerfs, de bon matin » [80].

Ils ont voulu « rôtir » sainte Foy sur le gril [81]. S'ils traitent les chrétiens comme des bêtes, c'est évidemment parce qu'en refusant de sacrifier, ils s'excluent eux-mêmes de l'espèce humaine. Sainte Foy a renoncé à « nourrir » ses familiers [82] ; elle « fait la guerre » à ses semblables [83] et garde sauvagement sa virginité au lieu de se reproduire, ce qui la désigne finalement comme victime sacrificielle. Mais on ne peut la réduire en cendres et abolir son nom. Le corps renaît comme un nom ou un arbre, « cultivé » par les fidèles.

Jusqu'ici, la légende cautionne le culte d'un corps associé à un nom, mais pas celui d'une image. L'érection de la statue oblige à compléter le mythe, pour justifier l'adoration supplémentaire d'un objet muet et insensible qui ne ressuscitera pas au Jugement dernier. Un premier élément est en place : l'âme a disparu au paradis. L'objet d'adoration se définit ainsi comme inanimé, qu'il s'agisse du corps ou de l'image. Mais cela n'est pas suffisant. Ici intervient la tradition orale, finalement rédigée par Bernard d'Angers. Valorisant la virginité, l'hostilité envers l'idolâtrie et la pauvreté, la légende ne pouvait fonder le culte, lucratif pour les moines, d'une statue en or. Les récits de miracles font évoluer le message à coups de gros renversements structuraux, parfois virtuellement présents dans la légende.

La légende utilisait le *topos* de l'enfant-vieillard, jeune de corps, vieux par l'esprit. Après son martyre, l'enfant est couronnée au ciel et devient une majesté [84]. La statue représente la sainte sous cet aspect digne et sévère, tandis que son double juvénile fait l'objet d'apparitions. L'antithèse s'accentue et c'est une jeune coquette, espiègle et tyrannique, qui tourmente les dormeurs. Sa cupidité entraîne même l'assimilation à une pie.

Second renversement structural : la prédilection de la sainte pour les illettrés, symbolisée par sa prédilection pour les ânes, et la prédilection des illettrés pour elle. De manière plus insinuante, Bernard dit la même chose que Claude de Turin : seuls des ânes peuvent adorer les objets inanimés. En observant la nature des miracles, on en trouve une nouvelle confirmation. Nous nous restreignons aux quarante premiers chapitres, ceux que Bernard a écrit du vivant de Guibert.

L'un de ces miracles est parfaitement anodin : la sainte éteint et rallume un cierge pour taquiner le gardien Gimon [85]. Un second, répétitif aussi, concerne toutes les catégories sociales [86]. L'ensemble des autres miracles peut être divisé en actions bénéfiques et maléfiques. En considérant que les gens dont le statut social n'est pas précisé appartiennent au peuple, nous pouvons dresser le tableau suivant, où les chiffres indiquent le nombre des miraculés :

	Nobles	Clercs	Peuple	Mulets
Résurrections				2
Guérisons		1	10	
Délivrance de prisonniers	1		2	
Restitution de biens	1			
Extorsions	3	1	2	
Châtiments non mortels	1	1	5	
Châtiments mortels	4	2	1	

Le plus prestigieux des miracles, la résurrection, se produit deux fois, mais en faveur de mulets. Bernard est obligé de fournir une longue justification théologique de cet incroyable caprice [87]. Parmi les guérisons, on peut distinguer les plus extraordinaires, comme la remise en place des yeux arrachés, de celles qui ne concernent pas une lésion observable. Les guérisons de la première catégories concernent l'une Guibert, les deux autres un certain Gerbert qui s'applique à l'imiter. La seconde catégorie comprend sept hommes du peuple contre un clerc. Les miracles les moindres concernent à égalité les nobles et le peuple. Lorsqu'on en vient aux miracles maléfiques, la tendance s'inverse. Il est normal que la sainte extorque en priorité les riches, tout en épargnant plus souvent les clercs. Les châtiments non mortels sont des avertissements suivis le plus souvent de rémission qui touchent essentiellement le peuple, tandis que les exécutions capitales sont réservées, à une exception près, aux clercs et surtout aux nobles. Cette énumération sèche laisse échapper beaucoup de nuances intéressantes. Ainsi, la délivrance d'un chevalier prisonnier se fait à l'aide d'un âne que Bernard assimile aux anges et sur lequel, du fait de ses chaînes, le chevalier doit chevaucher en amazone, perdant ainsi sa dignité comme dans un charivari [88].

On espère avoir convaincu le lecteur de l'ambiguïté du texte de Bernard qui, tout en présentant le culte de sainte Foy comme un rituel d'inversion (n'est-elle pas en somme la déesse des ânes ?), fait incontestablement la propagande du pèlerinage. A vrai dire, ces deux aspects du texte ne paraissent incompatibles que si l'on met dans la définition du phénomène religieux le refus du rire, une attitude qui se rencontre ailleurs au temps de Bernard et qui pourrait bien être systématique aujourd'hui. Or le culte de sainte Foy fonctionne précisément grâce à la valorisation religieuse du rire. Les équivoques sur le nom de la sainte permettent de présenter la « foi » comme la « vièle » du jongleur et on sait que les jongleurs n'avaient pas la réputation de gens sérieux. Mais ce n'est pas tout.

La *Chanson de sainte Foy*, dont l'auteur connaît et cite le texte de Bernard, parvient à articuler la légende de la passion et les *joca*, grâce au thème du rire. Il est deux fois questions du rire dans la *Chanson*. La première fois, la sainte, s'inspirant du *Cantique des cantiques*, décrit le séjour qu'elle se promet au ciel :

> « A notre Seigneur je veux m'abandonner,
> Et dans ce que je sais choisir de meilleur.
> Il n'y a rien du tout que j'admire autant.
> Si je ne l'ai lui, je ne peux guérir.
> Je n'aime rien autant, je ne veux mentir ;
> Avec lui je veux rire et me réjouir » [89].

La symbolique amoureuse et ludique remplace ici celle de la couronne qu'utilisait la passion en latin, et s'accorde avec le personnage juvénile que le *Liber miraculorum* fait apparaître. Cette nouveauté qui aura pendant plusieurs siècles un succès étonnant et déterminera le système iconographique, contribue à donner aux entités spirituelles le comportement le plus humain. Le rire s'oppose ici à la gravité majestueuse, à l'absence d'émotions qu'on attendrait de ces entités. Or c'est de nouveau le rire que déclenche la sainte en montant au paradis :

> « De l'âme, les anges s'en réjouissent ;
> Ils l'emportent avec joie et avec rire.
> Tout le Paradis en est dans l'allégresse,
> Avec les saints qui siégeaient dedans » [90].

L'auteur se rend compte qu'il va un peu loin et qu'il doit se justifier :

« Je ne dis pas mensonge ce m'est avis,
Si je ne me suis pas mépris par oubli,
Car je me suis enquis d'hommes sages
Et je l'ai appris de savants ;
Comme garant, je vous cite saint Denis » [91].

Le passage de la *Hiérarchie céleste* qu'il prend à témoin et que Hoepffner a identifié [92], ne parle que de *congaudere* et de *copiosissima laetitia*, de joie plutôt que de rire. Ici, le rire est cautionné comme comportement religieux, ce qui répond au comportement bruyant des pèlerins, voulu par la sainte dans son église [93] et à la sacralisation de la plaisanterie qui fonde finalement le culte. L'inversion des valeurs, la légitimation de l'irrespect, la confusion entre la sainteté et l'ânerie, s'associent à la pratique du jeu de mot et au rire pour justifier l'adoration d'une image. L'institution d'un tel culte exigeait la subversion du rationalisme carolingien sous une forme qu'on peut caractériser comme carnavalesque.

La confusion entre le corps, le nom et l'image est ce que le logicien appelle une équivoque. On a vu Boèce prendre l'exemple d'une statue, celle d'Achille, pour illustrer l'équivoque sur les espèces. Bernard joue sans doute sur les mots lorsqu'il désigne la statue comme *sanctae Fidis effigiata species*, ce qui veut dire « l'aspect (ou l'espèce) effigié de sainte Foy » [94]. Selon le point de vue qu'on prend, la confusion entre l'image et la réalité, entre les mots et les choses, relève de la crédulité ou de la plaisanterie. Avec une habilité de jongleurs, les apologistes de sainte Foy surent associer inextricablement les deux idées. C'est dans cette ambiance point trop austère que naît le culte des images, en mettant à profit le sommeil de la théorie logique. On vivait depuis cinq siècles sur l'oeuvre de Boèce. Encore fallait-il un grammairien en vacances, comme Bernard, pour pouvoir respecter ou enfreindre les règles de cette logique. Et lorsqu'on en arrivait là, il s'avérait que Boèce n'avait pas présenté de manière suffisamment claire le rapport des mots et des choses. Un homme comme Bernard profite de la situation pour écrire un livre ambigu et plein d'humour. On devine l'impression que ce livre a pu produire sur un théologien consciencieux comme saint Anselme, féru précisément de logique. Il est possible que de tels excès aient contribué *a contrario* au réveil de la logique médiévale et on constate avec intérêt que, selon De Rijk, c'est autour de deux problèmes que se constitua la *logica modernorum* : le rapport à la grammaire et le dépistage des équivoques [95].

CHAPITRE II

LE RÉTABLISSEMENT DES IMAGES

Comme les problèmes de l'évêque Claude à Turin, la surprise de Bernard d'Angers à Sainte-Foy de Conques traduit une opposition entre le comportement religieux au centre du système carolingien, entre Rhin et Loire, et à la périphérie. Cette opposition ne cessera pas avant le triomphe des solutions gothiques, apparues au centre. Auparavant, c'est Byzance, extérieure au système, qui impose les solutions stylistiques et très souvent l'iconographie, jusqu'au pillage de Constantinople (1204) en tout cas. Il se passe néanmoins quelque chose de radicalement nouveau en Occident : la subordination du décor figuratif à l'architecture. Le panneau mobile, le tableau en somme, ne pénètre pas, sans doute parce qu'on n'en avait pas l'usage, comme le pense Belting. Tandis que les Byzantins rejettent la statuaire pour écarter le soupçon d'idolâtrie, elle se développe rapidement en Occident, prend une importance primordiale, mais s'intègre à l'architecture et ne sert donc pas, le plus souvent, d'objet d'adoration.

1. Le décor du sanctuaire

Les prises de position carolingiennes sur le problème des images rendaient licite le décor du sanctuaire, sous la forme de l'ornement abstrait ou de scènes narratives, qu'il soit peint ou sculpté : ce n'était qu'une question de moyens. La renaissance de l'empire dans l'Allemagne ottonienne s'accompagna d'un beau développement artistique, axé en priorité sur la peinture. Les tentatives de sculpture sont très diverses, mais tournées vers le passé : elles n'annoncent pas un développement homogène. Il y a d'extraordinaires chefs-d'oeuvre, comme les *portes de bronze* et la *colonne triomphale* de Hildesheim, le *Crucifix de Géron* à Cologne, ou l'*antependium* de Bâle au musée de Cluny, des oeuvres moins convainquantes comme la *Vierge-reliquaire d'Essen* et quelques reliquaires de membres, mais aucune de ces formules n'est à l'origine d'un développement progressif et régulier de la sculpture sur plusieurs générations.

1. *L'évolution artistique*

Un tel développement s'amorce dans la seconde moitié du XIe siècle, en Italie du Nord, en Bourgogne et dans les pays de langue d'oc. Si l'on prend l'exemple du Sud-Ouest, où l'apport des générations successives est bien établi, on observe immédiatement l'essor d'un décor animalier raffiné, principalement sur les chapiteaux, à Saint-Sernin de Toulouse ou au cloître de Moissac. Les artistes maîtrisent tout de suite les courbes sinueuses et élégantes de monstres reptiliens et les organisent selon une géométrie complexe, hautement normalisée, que J. Baltrusaitis a si bien analysée [96]. Ils sont en revanche plus empruntés pour figurer l'être humain. Le sculpteur Gildouin domine le chantier de Saint-Sernin à la fin du XIe siècle. On lui doit entre autres le *Christ en majesté* qui se trouve actuellement dans le déambulatoire (ill. 20). Ce bas-relief de marbre est imposant, mais trahit une pensée purement graphique, la traduction de l'enluminure dans la pierre et le grand format. Les choses changent en une génération. A la porte Miégeville de Saint-Sernin, le relief se creuse et les chapiteaux transcrivent la figuration animée et le haut-relief des sarcophages antiques. Avec les bustes des modillons, on entre complètement dans le tridimentionnel. Mais il faut remarquer que plus la sculpture est petite, plus elle s'enhardit. Le relief d'inspiration graphique se maintient dans le grand format, sur les tympans par exemple. Il s'agit sans doute à la fois d'un problème technique et d'une réticence face au choc émotionnel que provoquerait l'irruption de la grande statuaire.

La statuaire grandeur nature apparaît vers 1140, mais selon des modalités particulières, avec les *statues-colonnes* de Saint-Denis puis de Chartres (ill. 21). L'emplacement choisi est l'ébrasement des portails où les statues viennent flanquer les colonnes engagées. Le bloc de section carrée n'est pas attaqué de face, mais à partir d'un angle, comme la proue d'un navire. Les statues très sveltes et droites, les bras collés au corps, trahissent cette contrainte technique. Par rapport à un spectateur qui entre dans l'église, elles n'entretiennent pas un

21. Statues-colonnes du Portail
Royal, cathédrale de Chartres.

22. *Vierge dorée*, Amiens, cathédrale.

face-à-face, mais se trouvent de part et d'autre du portail, à 45° de l'axe de vision. On peut ainsi parler d'un rapport « oblique », bien différent de la frontalité caractéristique des idoles.

La statue-colonne n'est pas un accident de parcours dans le développement de la sculpture médiévale, car elle contient en germe tout ce développement. Elle apparaît à Saint-Denis, au lieu précis de la naissance du gothique : sa diffusion et son évolution accompagnent fidèlement celles de ce style. Deux principes lourds de conséquences s'imposent ainsi :

— la statue médiévale, dans la grande majorité des cas, n'est pas frontale et n'entretient pas un rapport intense avec le spectateur : elle se présente normalement de trois-quarts [97]. Il s'agit non d'une loi, mais d'une forte tendance imposée par le gothique. Dès que ce style s'installe quelque part, il fait reculer lentement les Vierges frontales du type *Sedes Sapientiae*, au profit des Vierges à l'Enfant debout qui dérivent du thème byzantin de la *hodigitria* [98]. Lorsque le déhanchement gothique se développe, enlevant aux statues leur raideur de cariatides, le torse se déporte vers l'arrière et latéralement à la fois, faisant saillir le ventre et la hanche, sans que le corps prenne appui, comme dans l'art antique, sur une jambe tendue, l'autre étant alors au repos. La formulation aboutie du déhanchement gothique correspond aux Vierges d'Ile-de-France dans la seconde moitié du XIIIe siècle (ill. 22), largement diffusées par les ivoiriers parisiens. La saillie du ventre et de la hanche permet d'asseoir l'Enfant Jésus avec qui dialogue la Vierge, sans affronter le spectateur. La tendance que nous décrivons reste fondamentale jusqu'à la Renaissance et constitue peut-être le trait le plus caractéristique de la statuaire gothique. De plus, alors que les débuts de la sculpture médiévale sont marqués par la transcription du graphisme dans le relief, le rapport s'inverse. La peinture s'approprie les formules des sculpteurs, visant de plus en plus à rendre le relief des drapés et s'imposant le mouvement de trois-quarts, paradoxal dans un graphisme qui ignore l'expression de la profondeur. Comme dans l'art antique, la vue de face et le profil sont exceptionnels, de sorte que les personnages se tiennent à mi-chemin entre le dialogue entre eux et le dialogue avec le spectateur.

— l'emplacement privilégié de la statuaire médiévale n'est pas l'intérieur, mais l'extérieur de l'édifice : portails, galeries de la façade, niches disposées dans les culées des arcs-boutants, gables, etc. Alors que le *titulus* indiquant le nom du saint est d'un emploi fréquent dans la peinture, l'identité des statues n'est pas précisée et se déduit, parfois très difficilement, de leurs attributs. Il n'est pas fréquent qu'on puisse donner une identité certaine aux rois et aux prophètes, uniformément munis de sceptres ou de phylactères. Jusqu'aux travaux d'E. Mâle, les interprétations les plus fantaisistes avaient cours. Les rois de Juda qui ornent la façade de Notre-Dame de Paris furent décapités à la Révolution parce qu'ils étaient pris, depuis le XVIIᵉ siècle en tout cas, pour les rois de France. Il est peu probable que ces réinterprétations soient modernes : les citadins médiévaux n'étaient pas tous théologiens et, à supposer que ces erreurs eussent été évitables, il aurait encore fallu qu'on s'abstînt de fabuler sur l'étrange armée anonyme, maintenue à l'extérieur du sanctuaire et privée de culte. Ces statues pourraient bien avoir contribué au développement de l'un des grands mythes médiévaux, celui de la Mesnie Hellequin, de l'armée des mal-morts [99]. La situation de ces personnages, rejetés à l'extérieur, est assez comparable à celle de morts sans sépultures, tandis que les descriptions de la horde sauvage mentionnent des personnages reconnaissables à leurs vêtements (rois, chevaliers, etc.), portant parfois des instruments de supplice tout comme les martyrs, voire leur propre tête comme les saints céphalophores.

A l'intérieur du sanctuaire, le décor se modifie profondément. Les peintures murales formaient un art très lisible qui racontait la vie du Christ et des saints d'une façon qu'on peut qualifier de pédagogique. Mais justement, le passage du roman au gothique entraîne un fort recul de la fresque au profit du vitrail, nettement moins lisible. Le vitrail permet certes la présentation frontale du saint, plus grand que nature, mais son utilisation la plus fréquente repose sur son extrême compartimentation en petites scènes narratives. Dès lors, il devient à peu près illisible. L'historien d'art s'acharne à le déchiffrer à l'aide d'une lorgnette ou se sert de la photographie et applaudit à chaque nouvelle parution du splendide *Corpus vitrearum medii aevi*. Cette présentation presque inaccessible des récits sacrés contredit l'opinion, sans cesse répétée depuis E. Mâle, qui fait de la cathédrale la « Bible des illettrés », à moins qu'on n'entende par là que le fidèle médiéval avait aussi peu accès à ces programmes qu'à la Bible. Dans le meilleur cas, il faut supposer une totale indifférence aux vertus pédagogiques de l'image ; au pire, les récits sacrés seraient volontairement soustraits à la curiosité des fidèles.

Les éléments figuratifs les plus accessibles à l'intérieur du sanctuaire sont fournis par le jubé, par la clôture du choeur qui en interdit l'accès aux laïcs. Il s'agit d'une répétition du motif — et des thèmes — du portail. Il est vrai, le fidèle a accès aux autels de la nef, encore rares, et à ceux des chapelles rayonnantes, dans le déambulatoire.

Sur ces autels peuvent se trouver des statues destinées à l'adoration. Nous sommes assez mal renseignés sur ce qu'ils présentaient, mais, à travers les oeuvres qui ont survécu et grâce à quelques représentations d'autels, on peut se faire une idée [100]. Les deux thèmes qui doivent largement dominer sont le crucifix et la Vierge à l'Enfant. Cette dernière quitte progressivement la forme « idolâtrique » de la majesté, trônante et frontale, pour se tenir debout et oblique. Il serait difficile de retracer les étapes de cette évolution, entre l'apparition du gothique et le milieu du XIIIᵉ siècle, car le décor des autels a presque toujours disparu. Pour le crucifix, il existait deux types. Le type nu et douloureux, correspond sans doute au standard carolingien et s'impose définitivement à l'époque gothique. Le type *volto santo*, vêtu d'une tunique, couronné et triomphal, est périphérique au XIᵉ siècle et se trouve surtout en Italie. Le gothique le fait disparaître.

2. *La richesse et l'idolâtrie*

Le problème de l'idolâtrie que pouvaient ranimer des oeuvres telles que la sainte Foy de Conques, tend donc à se résoudre au XIIᵉ siècle dans un habile compromis : l'utilisation préférentielle de l'extérieur du sanctuaire pour placer les statues et l'invention d'une posture oblique qui exclut le face-à-face entre le fidèle et la statue. Pourtant, l'Eglise encourage un rapport très direct avec les statues. Déjà chez Bernard d'Angers, l'attitude du gardien Gimon, un homme simple et rustique qui menaçait la statue de la battre ou de la noyer, est présentée comme un acte de piété authentique [101]. Ce genre d'incitation se retrouve dans la *Légende dorée*, compilée vers 1270 par l'évêque de Gênes, Jacques de Voragine. Trois histoires au moins encouragent la plus grande familiarité avec les statues. La première est celle d'un prêtre qui éprouvait des tentations charnelles [102]. Il demande au pape la permission de se marier et celui-ci lui donne un anneau, pour qu'il aille l'offrir à l'image de sainte Agnès, située dans son église. Il s'exécute et l'image lui présente l'annulaire. On prétend que l'on voit encore l'anneau à son doigt, à Sainte-Agnès de Rome. Cette histoire fantastique est peut-être l'origine du thème de la Vénus d'Isle, si prisé des romantiques. En tout cas, elle possède un pendant diabolique dès le moyen-âge, l'histoire d'un jeune homme qui tombe amoureux d'une statue de Vénus et lui offre son anneau [103]. Le second cas concerne une Vierge à l'Enfant [104]. Une femme dont le fils est prisonnier implore en vain la Vierge pour sa délivrance, se fâche, prend l'Enfant des bras de la statue et l'emporte en otage. Loin de la punir de ce sacrilège, la Vierge cède au chantage et lui rend son fils. Une troisième histoire concerne saint Nicolas [105]. Un juif se fit sculpter l'image du saint et la plaça dans sa maison. Il lui confiait ses biens lorsqu'il partait en voyage et la menaçait de coups de fouet en cas de défaillance. Des voleurs font un jour irruption et emportent tout sauf la statue. Le juif la flagella avec la plus grande cruauté, de sorte que saint Nicolas apparut aux voleurs dans un état pitoyable et exigea d'eux la restitution des richesses volées. Après avoir retrouvé son bien, le juif se convertit au christianisme.

Il n'existe malheureusement pas d'édition critique de la *Légende dorée*, ce qui ne facilite pas l'étude de ces légendes. Celle de saint Nicolas semble être apparue sous une forme un peu différente autour de l'An Mille, en Calabre, et nous est connue par un texte grec datant de 1077 : le héros est un Vandale et non pas un juif. Elle se diffuse en France au XIe-XIIe siècle, dans des mystères qui font de l'image une *iconia* et lui donnent ainsi une touche orientale. Celle de sainte Agnès est visiblement d'origine romaine, comme son pendant diabolique. Mais retenons qu'elles sont acceptées toutes trois par Jacques de Voragine, qui n'hésite pas à faire des réserves lorsqu'un récit lui paraît douteux, et qu'elles en retirent la plus grande autorité. Loin de chercher à « acculturer les masses », l'Eglise propose des modèles de comportement qu'on traite facilement de « populaires » ou de « superstitieux » dans une population qui les ignorait aux départ, en important et en adaptant des récits italiens, voire byzantins. Il lui est aisé, si besoin est, de présenter ces pratiques comme le fait des idiots, des illettrés, car la manipulation d'objets est une pratique des signes dont les lettrés peuvent s'affranchir, mais qui est indispensable aux illettrés pour concrétiser leur pensée, pour l'inscrire dans un matériau et la solenniser.

Il faut donc supposer que ces pratiques se développent sans déchaîner trop de critiques avant la fin du moyen-âge. Car le problème fondamental n'est pas celui de l'idolâtrie, mais celui de la richesse. Les oeuvres ne sont pas formellement conçues pour la manipulation idolâtrique, mais comme décor, comme mise en forme de la richesse. Et c'est cette dépense, croissant avec l'essor économique du XIe au XIIIe siècle, qui prête à controverse. L'*Apologie à Guillaume de Saint-Thierry*, écrite en 1124-1125 par saint Bernard est une attaque en règle contre le luxe monastique. Le chapitre 12 concerne les images et on ne trouve guère d'ouvrages sur l'art du moyen-âge qui ne lui emprunte la célèbre diatribe contre les chapiteaux romans. Revenons à notre tour sur ce chapitre qui contient d'autres notations précieuses.

Le luxe des sanctuaires, selon saint Bernard, fait partie des choses auxquelles on ne fait plus attention, tant elles sont devenues normales [106]. Le point de vue critique sur les choses normales fait l'intérêt du texte : Bernard va décrire ce dont personne ne penserait à parler. Il commence par une concession traditionnelle, où la dureté des mots trahit la mauvaise grâce. Contrairement aux moines, les évêques ont quelque justification à orner luxueusement le sanctuaire : « Nous savons bien qu'ils ont des devoirs envers les fous comme envers les sages ; ils excitent donc la dévotion du peuple charnel avec des ornements corporels, ce qui ne serait pas possible avec des ornements spirituels ». Mais nous, les moines qui devrions nous tenir à l'écart du siècle, nous n'avons pas cette excuse : « Quel fruit en recherchons-nous, l'admiration des sots ou l'offrande des simples ? »

Le paragraphe suivant présente une critique qui, malgré les précautions oratoires, ne s'adresse pas qu'aux églises monastiques : « Et, pour parler franchement, serait-ce l'avarice, c'est-à-dire le service des idoles, qui fait tout cela ? Cherchons-nous le don plutôt que le fruit ? Si l'on objecte : "Comment ?" je répondrai : "D'une étrange manière". Il existe un art de semer l'argent qui le multiplie. On le dépense pour qu'il augmente et sa perte engendre l'abondance. A la vue de vanités somptueuses mais étonnantes, les hommes sont plus excités à donner qu'à prier. Ainsi, les richesses drainent les richesses, l'argent attire l'argent car, je ne sais pourquoi, c'est là où l'on voit le plus de richesses que l'on offre le plus volontiers ».

L'idolâtrie est ici l'avarice. Le mot-clé du texte est celui de fruit (fructus). Il s'agit du gain légitime qu'on attend d'un travail ou encore d'un exercice spirituel, par opposition au don (datum). Saint Bernard conçoit le monastère comme une entreprise de défrichement et non pas comme un lieu de prélèvement situé sur une terre déjà riche. Cette valorisation du travail l'oppose aussi bien à Cluny qu'aux ordres mendiants qui naîtront de l'échec cistercien. Aussi rejette-t-il le mécanisme du don, malgré son caractère parfaitement évangélique. Qu'on se souvienne de Luc, 8, 18 : « Car on donnera à celui qui a, mais à celui qui n'a pas, on ôtera même ce qu'il croit avoir ». Avec sa morale de producteur besogneux, saint Bernard intègre son ordre dans l'économie médiévale, mais il le rend incapable de convertir la richesse qu'il accumule en pouvoir spirituel, de sorte que les cisterciens furent l'un des mouvements religieux qui faillit le plus vite à sa mission.

Il n'est à aucun moment question de critiquer l'adoration des saints. Bernard dénonce au contraire un manquement à cette adoration : « On exhibe tel saint ou telle sainte sous la plus belle forme, de sorte qu'ils sont crus d'autant plus saints qu'ils sont plus colorés. On les place n'importe où dans la basilique. Pourquoi ne vénère-t-on même pas les images des saints, qui grouillent partout sur le pavement et sont foulées aux pieds ? Il arrive fréquemment qu'on crache au visage d'un ange ou que les passants s'essuient les pieds sur la face de quelque saint ». Si l'on ne respecte pas les saints, qu'on économise au moins les couleurs. Devant de telles critiques, on peut supposer que saint Bernard aurait préféré voir plus souvent l'image des saints dans un emplacement propice à l'adoration.

Revenant ensuite au problème spécifique des moines, le saint dénonce les chapiteaux des cloître : « Du reste, que vient faire dans les cloîtres, face aux frères qui lisent, cette ridicule monstruosité, cette étonnante beauté difforme et cette belle difformité (*deformis formositas ac formosa difformitas*) ? Que viennent faire ces singes immondes, ces lions cruels, ces centaures monstrueux, ces êtres moitié-hommes, ces tigres tachetés, ces chevaliers au combat, ces chasseurs sonnant du cor ? On voit plusieurs corps sur une seule tête et plusieurs têtes sur un corps. On discerne ici un quadrupède à queue de serpent, là un poisson à tête de quadrupède. Voici une bête qui commence en cheval et dont la moitié inférieure est celle d'une chèvre ; voilà un corvidé avec l'arrière-train d'un cheval. Il apparaît enfin une telle variété de formes si nombreuses et si diverses en tous lieux qu'on préfère lire dans les marbres que dans les livres, et s'occuper toute la journée à admirer chaque détail plutôt que de méditer la loi divine. Mon Dieu ! Si l'on n'a pas honte de l'ineptie, comment alors ne pas regretter la dépense ? »

Nous voilà toujours aussi loin du problème de l'idolâtrie au sens propre. Saint Bernard critique la profusion de richesses et de formes ; il insiste sur le caractère monstrueux et irrationnel des représentations. Il oppose la lecture au plaisir visuel, mais il est un point qu'on oublie généralement de remarquer : sa diatribe épargne les programmes iconographiques anthropomorphes, qu'il s'agisse de scènes narratives ou d'images destinées à l'adoration, car l'art roman n'est pas fait que de petits monstres. Il n'en veut certes pas dans les abbayes cisterciennes, à l'exception de la croix peinte [107], mais il n'a pas d'objections envers un décor figuratif des églises dont la splendeur ne serait pas insolente. Comme l'a bien vu Von Simson, saint Bernard serait plutôt de connivence avec le changement de goût qui commence à se manifester et mène au gothique en quelques années [108]. Il ne s'écarte de ce courant que sur le problème de la dépense. L'architecture cistercienne la plus authentique, comme l'abbaye de Fontenay, ne respire pas la pauvreté, mais elle s'en tient à un degré de luxe et d'élégance qui est celui des plus beaux châteaux-forts de la période et non celui des cathédrales.

Le témoignage de saint Bernard, comme celui de Pierre le Chantre qui s'en inspire un peu plus tard [109], montre que le problème du luxe se dissocie de celui du culte des images. Au siècle suivant, les prescriptions de la règle franciscaine limitent le coût des édifices religieux plus que celles des cisterciens, car elles interdisent le voûtement des nefs [110]. En revanche, elles autorisent le décor figuratif de la chapelle principale. Surtout, les ordres mendiants et tout particulièrement les franciscains jouent un rôle déterminant dans la diffusion de l'image de piété, en encourageant la jouissance privée de telles images, en plus de leur culte public [111]. Il faut sortir un peu du cadre chronologique de cette partie pour rencontrer, au début du XIVe siècle, une première démolition en règle du culte des images. Il est néanmoins légitime d'en faire état immédiatement, car la forme de culte mise en cause est exactement celle que Jacques de Voragine recommande.

Comme Guillaume d'Ockham, Conrad de Megenberg gravitait autour de Louis de Bavière. On lui doit une violente diatribe contre l'Eglise, le *Planctus Ecclesiae*, qui fait parfois penser à la propagande hussite du siècle suivant [112]. Le chapitre II, 21 s'annonce comme « la ridiculisation par une fable de l'erreur qui naît de la vente des indulgences » [113]. Un paysan nommé Adam entre dans une église où une indulgence vient d'être publiée. Il se demande ce que c'est et se fait renseigner par des écoliers qui lui apprennent qu'en donnant quelque chose, il sera purifié de ses fautes et gagnera cent mille jours de purgatoire. Il craint que ce soit cher, mais l'un des écoliers le rassure : « Donne ce que tu as ; c'est une pièce ou de petits dons, crois-moi, que veut saint Venceslas, ou même saint Nicolas ». Adam se félicite de cette nouveauté. Sa femme se proposait justement d'aller vendre des oeufs, mais le marché de saint Nicolas est plus intéressant. Il décide de réunir le maximum d'oeufs, frais ou non, car à cent mille jours d'indulgence pour un oeuf, il ne se contentera pas d'en offrir deux ou trois. Il en réunit quatre et trois fois mille, multipliant le premier nombre par le second ou l'inverse, le regard cloué au sol. Il compte se faire pardonner non seulement les crimes qu'il a commis, mais encore ceux qu'il commettra tout le temps qu'il lui reste à vivre. L'enfer est vaincu par la toute-puissance de Dieu ; que le diable prenne garde aux verges ! De même que Dieu est Trois et Un, il est désormais, avec les seigneurs Venceslas et Nicolas, Adam Trinitaire.

Revenant à l'église, Adam tombe sur la statue de saint Nicolas, reproche à ce vieillard chauve de ne pas lui rendre le salut, puis lui propose le marché. Le saint reste silencieux, mais le paysan part du principe que « qui ne dit rien consent » et lui remet quatre et trois fois mille oeufs, comptant qu'il ne sera pas assez sot pour ne pas tout avaler, même sans sel. Désormais sûr de son salut, Adam prend l'épée et le bouclier, bien décidé à assassiner n'importe qui. Il rencontre un prêtre que l'auteur présente comme digne et qui lui conseille de se confesser. La suggestion offense la sainteté d'Adam et est mal accueillie. Vu les prodiges que peuvent faire simplement deux oeufs, son marché l'a rendu infaillible. Perplexe, le prêtre lui demande ce qui s'est passé, l'apprend et réprimande en vain. Adam fait une épouvantable grimace et un geste hostile, maudit le prêtre et la confession, court dénoncer l'affront à saint Nicolas et réclamer vengeance. Conformément à sa nature, la statue reste coite. Raisonnant toujours à coups de dictons, le paysan comprend que le saint consent à l'opinion du prêtre par son silence. Il précipite la statue à terre et une pièce de monnaie se déverse d'une cavité qui y avait été pratiquée comme dans un tronc d'église. Adam s'estime bien mal payé pour tous ses oeufs et menace de purger, comme un médecin, le ventre du saint gonflé du bien d'autrui. Insultant et flagellant l'idole, il fracture complètement le tronc qu'elle dissimule et il en sort quatre livres. Le bâton, conclut Adam, amende les mauvais payeurs. De même, les boeufs ne boivent que forcés et les femmes, lorsqu'elles n'ont pas été rossées copieusement, ignorent ce à quoi elles sont tenues. L'auteur conclut à son tour que le mépris du clergé est général et que les gens ne croient pas devoir se gêner de pécher, si quatre sous rachètent une multitude de crimes.

Notre résumé ne rend pas compte de toutes les nuances d'un texte qui, de surcroît, est souvent obscur et probablement corrompu par endroits. Quoi qu'il en soit, Conrad de Megenberg mène à ses plus extrêmes conséquences un irrespect envers les saints que la *Légende dorée* contribuait à légitimer. Mieux encore, la mystique de saint Bernard, si influente, réclamait (sur un ton certes très différent) que l'amour abolisse le respect dans le rapport intime avec la divinité [114]. Cette condition *a priori* de la relation mystique est l'un des objets du persiflage de Conrad. L'autre est la relation d'échange entre le fidèle et son Dieu. Les oeufs semblent jouer le rôle d'une monnaie de compte rurale pour les produits bon marché. De plus, tout comme le bâton dont Adam sait si bien faire usage, ils ont une forte connotation sexuelle. Lorsque Adam dit que deux oeufs suffisent à faire des merveilles, on pense tout de suite à un quatrain cité par Rabelais :

Monachus in claustro
Non valet ova duo ;
Sed quando est extra,
Bene valet triginta [115].

(Un moine au couvent ne vaut pas deux oeufs ; mais, lorsqu'il est dehors, il en vaut bien trente)

Enfin, comme on a déjà eu l'occasion de le dire, le refus des offrandes alimentaires est l'un des points qui distinguent le mieux le christianisme du paganisme. Lorsqu'il ne va pas jusqu'à faire don de soi, le chrétien n'offre à la divinité que des biens précieux et durables. Il reçoit en contrepartie des biens spirituels au centuple, dont la chair même du Christ, matérialisée par un produit alimentaire de valeur minime qui possède la forme d'une pièce de monnaie : l'hostie [116]. Avec son bon sens paysan nourri de dictons, Adam corrige les termes de l'échange, glosant à sa manière les silences de saint Nicolas et le boniment des marchands d'indulgences. Il se propose d'acheter les biens spirituels, en l'occurrence les journées de paradis, avec des objets de peu de valeur, des oeufs qui ne sont pas tous frais. Puis, lorsque le prêtre refuse de cautionner l'opération, il exige le remboursement de ses oeufs et l'obtient au centuple, ce qui confirme ironiquement l'efficacité du culte des saints, lorsqu'il est énergique.

Ce texte d'une remarquable drôlerie montre qu'au début du XIVᵉ siècle, une partie au moins du public considère l'Eglise comme une entreprise d'escroquerie. Dès la fin du XIIIᵉ siècle, les marges de manuscrits présentent de nombreuses caricatures du clergé, sous la forme du renard qui prêche aux poules et du loup dans la bergerie, pour ne citer que les plaisanteries les plus innocentes [117]. De fait, l'Eglise avait encore de beaux jours devant elle et le culte médiéval des images survécut deux siècles à ce discrédit. Il faut donc supposer à l'une et à l'autre des fonctions sociales d'un intérêt plus général que l'enrichissement du clergé.

2. Les fonctions de l'iconographie

L'iconographie en général et le culte des images en particulier, se sont redéployés à partir du XIᵉ siècle pour répondre aux problèmes posés par le développement des institutions. Voilà la thèse que nous soutiendrons dans ce chapitre. Elle demande d'emblée quelques éclaircissements.

Une institution, à commencer par l'Etat, est un système de relations et une abstraction. Elle peut recourir à la force pour se faire respecter, mais ce n'est pas cela qui la caractérise. On peut douter qu'une junte militaire ne tirant son pouvoir que de la force armée soit une institution. C'est plutôt la « reconnaissance » qui fait l'institution, l'affirmation de son existence, à la fois par ceux qu'elle domine (par exemple s'ils se constituent en nation pour former un Etat) et par ceux avec lesquels elle est en rapport (reconnaissance diplomatique par exemple). Cette reconnaissance passe par le vocabulaire lorsqu'on désigne une collection de gens comme nation ou comme peuple, plutôt que comme des réfugiés ou des rebelles. Elle passe non moins nécessairement par des symboles qui sont de l'ordre de la « représentation », l'ouverture d'une ambassade par exemple. Un homme agit à la place de l'institution ; il est considéré d'une part comme une personne privée, d'autre part comme une entité ayant d'autres droits et d'autres devoirs qu'une personne privée (immunité parlementaire, devoir de réserve, etc.) Il se dédouble en quelque sorte, à la manière d'un signe. De plus, les institutions peuvent avoir une personnalité juridique et se comporter en justice à la manière d'un individu. Enfin, les images, les tombeaux et les cénotaphes jouent souvent un rôle de premier plan pour représenter les institutions : portraits de présidents dans les lieux publics, Marianne dans les mairies, monuments aux morts, Panthéon, etc. A travers le symbolisme, il est possible de manipuler ces entités abstraites que sont les institutions. On peut manifester, seul ou en groupe, son adhésion ou son refus, en faisant processionner des portraits ou en brûlant des effigies, en fleurissant une tombe ou en la saccageant, car ce langage est compris par les autres.

L'attitude la plus affligeante face aux institutions consiste à se soumettre mécaniquement à celles dans lesquelles on vit et à dénoncer comme religieuses, magiques ou superstitieuses celles qui sont éloignées dans l'espace ou dans le temps. Ce qui relève ici du civisme ou du savoir-vivre devient là-bas une croyance ou un culte. Si l'anthropologie fait de gros efforts pour sortir de cette attitude qui la caractérisait mieux que toute autre à l'époque des empires coloniaux, on ne peut en dire autant de l'histoire. Combien d'entre nous financent actuellement la destruction du monde par l'industrie nucléaire militaire et civile, sans même y penser, tout en attribuant la construction des cathédrales à la foi du charbonnier, dont aucune analyse « réductrice » ne pourrait rendre compte. Le comportement médiéval est pourtant moins déconcertant que le nôtre. Parmi les rares historiens qui, loin de mystifier le passé pour s'interdire la compréhension du présent, ont au contraire exploré la genèse de nos comportements les plus inexplicables, nous citerons Wolfgang Brückner et Ernst Kantorowicz, dont l'oeuvre concerne plus directement notre propos.

Dans *Bildnis und Brauch*, Brückner étudie les effigies de souverains et de criminels, ainsi que les curieuses manifestations cérémonielles auxquelles elles donnèrent lieu de la fin du moyen-âge à la Révolution [118]. L'abondante littérature historique sur la question était unanime : il s'agissait d'usages médiévaux dont l'origine remontait à la nuit des temps et qui relevaient de la magie de l'image (*Bildzauber*). L'analyse minutieuse des documents permit à Brückner de montrer qu'ils étaient systématiquement déformés par la recherche pour justifier cette thèse et que chaque interprétation fausse en fondait de nouvelles. En fait, l'auteur a su expliquer toute cette pseudo-magie du point de vue du droit public et privé, tel qu'il s'est développé depuis la fin du moyen-âge. L'exubérance du symbolisme est donc ramenée au progrès des institutions, au lieu que le symbolisme passe pour une « survivance » que le « progrès » fait disparaître.

The King's two Bodies de Kantorowicz, publié en 1957, est un modèle à suivre pour quiconque veut se dégager des caricatures arbitraires du passé en termes de mentalités ou de psychologie collective [119]. Le sujet qu'il traite n'est pas moins fantastique que les effigies de cire dont Brückner fait l'histoire, et il s'y apparente : c'est le dédoublement de la personne royale au moyen-âge. En gros, tout en restant dans sa nature humaine un individu comme les autres, le roi se double d'une nature divine qui l'assimile aux entités spirituelles et, du même coup, aux êtres de langage. Avec une capacité très originale de se mouvoir d'un domaine à l'autre, l'érudition de Kantorowicz va traquer le dédoublement de la personne là où il fut inventé, dans la théologie. De même, le mariage de l'évêque avec son Eglise inspire celui du roi avec le fisc divinisé. Comme Brückner, Kantorowicz ramène le développement du symbolisme à celui des institutions. Au lieu de l'attribuer à une mentalité différente, à des croyances qui nous seraient étrangères, il sait y lire la naissance de réalités que nous ne concevons pas comme des superstitions : la personnalité juridique, le fisc, l'Etat. Il faut souligner la dimension éthique de ce livre qu'on envisage trop souvent du seul point de vue de l'érudition, car il s'agit d'une mise en cause des figures agissantes du pouvoir qu'on peut rapprocher du meilleur Michel Foucault malgré la différence de tempérament, et qui le précède. Qu'on lise à ce propos le chapitre intitulé *Pro patria mori*.

1. Le problème des institutions

Ce qu'il restait des institutions romaines dans le langage fut sans doute aussi inessentiel au système féodal (jusqu'au XIIᵉ siècle en tout cas), que les ruines vénérables qui embellissaient le paysage. En l'absence d'une administration plus étendue que l'unité agricole et fondée sur l'écrit, le principal rapport formel entre les hommes était la *fides*. Nous avons montré ailleurs que ce terme complexe recouvrait autre chose que ce que nous appelons la « foi »: la confiance dans la promesse orale et la fidélité aux engagements ainsi contractés, sans lesquels disparaîtraient ensemble la parenté, l'économie et la société [120]. Pour sa part, Alain Guerreau a dégagé l'importance d'un autre concept, celui de *dominium*, qui désigne approximativement le rapport de production féodal. C'est un état de fait lié aux rapports de force, en aucun cas une institution [121]. Au départ, la *fides* était un lien privé, fondant l'amour et l'amitié. Son extension à la totalité des rapports humains répondait à l'effondrement des institutions et contribua, comme le *dominium*, à faire de la féodalité un système où l'opposition du public et du privé n'a guère de sens. La *fides* se rapproche cependant davantage de notre notion d'institution que le *dominium*, parce qu'elle suppose un consentement et parce qu'elle ne dépend pas du rapport de force, du moins en théorie.

En organisant la société féodale, l'Eglise a placé la *fides* au fondement du rapport à Dieu, légitimant ainsi le rapport social par l'autorité de la religion et la religion par la nécessité du rapport social. Voilà qui nous rapproche encore de l'institution, car le « fidèle » n'accorde pas sa confiance au prêtre comme au seigneur féodal, mais à Dieu et à son Eglise, c'est-à-dire à des abstractions auxquelles la *fides* permet d'exister. Comme la *fides* était un rapport d'homme à homme, Dieu et l'Eglise devaient nécessairement se mouler dans des représentations anthropomorphes.

Voilà donc l'Eglise seule institution dans un monde sans institutions. Elle a besoin de mesures radicales pour se maintenir comme telle et d'un symbolisme adapté pour se faire comprendre. La mesure la plus radicale est le célibat du clergé, qui permet de l'arracher aux liens de parenté, aux intérêts particuliers et contradictoires qu'ils entraînent. Dans la mesure où les noms propres rattachent à une parenté, les clercs peuvent changer de nom en entrant dans les ordres. Le phénomène devint particulièrement sensible au XIIᵉ siècle, lorsque fut réintroduit le patronyme [122]. De plus, les dignitaires possèdent un titre indépendant de leur personne physique, une « dignité » immortelle, comme

« archevêque de Reims » ou « abbé de Cluny » [123]. En tant que tel, le prêtre garde tous ses pouvoirs, quelle que puisse être l'indignité de sa personne. Derrière l'insistance de l'Eglise à valider le sacrement administré par un mauvais prêtre, il y a d'abord la volonté de se conduire en institution ; dans le moralisme des hérétiques qui refusent le sacrement ainsi administré, la lutte contre cette institution. Enfin, l'Eglise se considère comme un corps, le *Corpus Christi* jusqu'au XIIe siècle, puis le *Corpus mysticum Christi* [124]. Ce corps immortel possède une existence juridique qui lui permet d'être propriétaire, d'adopter, d'hériter, etc.

Ce système passe par un symbolisme tiré des usages ordinaires. Deux champs sémantiques sont particulièrement exploités, celui de la parenté et celui de la logique, lesquels sont déjà liés entre eux. A la parenté, l'Eglise emprunte la dénomination des relations entre ses membres qui sont l'un par rapport à l'autre père, fils, frère, etc., mais aussi la métaphore du mariage pour désigner le lien entre l'évêque et son église, entre les religieuses et leur Epoux virginal. La logique permet les métaphores de la pérennité [125]. La dignité qui ne meurt pas (*dignitas non moritur*) est assimilée, au XIIIe siècle en tout cas, à une *universitas*, composée de tous ses détenteurs successifs. Selon le juriste Bernard de Parme, « la dignité (par exemple : abbé de Winchester) n'est pas un nom propre, mais un nom singulier comme "phénix" et qui possède la même appellation » ou, en d'autres termes, qui désigne la personne de la même manière. L'exemple du phénix, déjà présent chez Boèce, est développé par Balde, toujours à propos de la *dignitas* : « Le phénix est un oiseau unique absolument singulier, chez lequel le genre entier se maintient dans l'individu ». La métaphore logique permet ainsi de figurer une notion nouvelle, celle d'une corporation d'un seul homme, que le droit romain n'avait pas [126].

Comparaison n'est pas raison : l'assimilation d'une société de célibataires à une parenté et d'un dignitaire à un concept ambulant présente des contradictions. Le Christ et l'Eglise, en épousant le clergé, pratiquent la polygamie simultanée et successive dans une société où la monogamie est la plus stricte. L'Eglise étant notre mère à tous, on ne peut l'épouser sans inceste. Si l'on ajoute que les mystiques des deux sexes s'assimilent à l'Epouse du *Cantique des cantiques* pour recevoir le crucifié, lequel peut être aussi considéré comme une mère, une dénomination littérale des thèmes conduirait à un catalogue de perversions : inceste, homosexualité, nécrophilie..., pour ne citer que les plus évidentes. L'extraordinaire est que l'Eglise ne se soit pas émue de telles métaphores, mais les ait recherchées à plaisir. Il faut supposer, comme le fait Anita Guerreau à propos de l'inceste, qu'elles créaient un écart sacralisant par rapport au monde profane [127].

Avant l'époque ottonienne, l'Eglise n'avait subi aucune concurrence sérieuse en tant qu'institution. On a dit combien les Carolingiens s'étaient montrés prudents face aux possibilités qu'elle leur offrait de fonder un pouvoir théocratique. Avec une symbolique fondée sur l'Ancien Testament et une religion que Kantorowicz qualifie à juste titre de théocentrique, l'assimilation du souverain à un homme-dieu aurait été difficile. Cette assimilation tend au contraire à se produire à l'époque ottonienne, avec le passage à un système christocentrique [128]. Le frontispice des *Evangiles d'Aix-la-Chapelle* présente l'empereur trônant au-dessus de la terre et couronné par la main de Dieu. Un voile divise son corps en deux et symbolise le ciel, auquel l'empereur appartient par l'une de ses deux natures, l'autre étant terrestre. L'oeuvre fut produite à la Reichenau, peut-être vers 973 pour Otton II, comme le pense Kantorowicz, plus vraisemblablement vers l'An Mille pour Otton III. Il s'agit en tout cas du thème byzantin de l'empereur *christomimétès* qui paraissait si blasphématoire aux Carolingiens. La dualité du souverain homme et dieu s'affirme clairement dans un traité anglo-normand anonyme, vers 1100 [129]. Si le Christ possède cette dualité par nature, le souverain se la voit conférée par la grâce divine. Les Ottoniens ont ainsi développé une théologie royale qui passe aux Saliens et dans les royaumes normands. Roger II de Sicile (1093-1154) se fait représenter dans les mosaïques de la Martorana à Palerme, couronné par le Christ dont il reproduit les traits.

En utilisant les ressources de la théologie et de l'image religieuse pour se fonder en institution, les souverains se plaçaient dans une situation contradictoire face à une Eglise qu'ils contrôlaient tout en la voulant forte. Après avoir rendu à Rome son prestige en imposant des papes capables, les empereurs germaniques furent entraînés dans la querelle des investitures et vaincus par la papauté qu'ils avaient restaurée. En reprenant leurs prétentions, Roger II s'exposa à un violent conflit avec Rome dont hérita Frédéric II de Hohenstaufen au XIIIᵉ siècle. Plus prudents et surtout placés dans des circonstances politiques différentes, les Capétiens évitèrent, jusqu'à saint Louis en tout cas, de développer une théologie originale du pouvoir. Ils n'affrontèrent l'Eglise que sous Philippe le Bel, en position de force cette fois. Auparavant, leur pouvoir s'énonce plutôt dans la chanson de geste, le roman et la légende, dans un secteur profane sur lequel l'Eglise n'a pas prise. Le parangon du souverain est Charlemagne, parfois aussi le roi Arthur ou Alexandre le Grand. Dans ces récits qui ne sont d'ailleurs pas spécifiques au domaine royal français, la conception du pouvoir est féodale et chevaleresque. Mais on y trouve aussi un thème fondamental de la royauté : l'inceste.

Le soupçon d'un péché abominable pèse en effet sur les grands souverains mythiques, tout particulièrement sur Charlemagne. Dans la *Vita Aegidii*, qui date du Xe siècle, saint Gilles reçoit d'un ange, pendant qu'il célèbre la messe, un billet où est inscrit le péché que Charlemagne n'osait confesser, ce qui lui permet d'absoudre l'empereur [130]. Dans une variante de la *Visio Turpini*, ce sont saint Denis, si lié à la monarchie française, et saint Jacques, tous deux acéphales, qui sauvent Charlemagne. La tradition la plus répandue veut que l'empereur ait engrossé sa sœur Gisèle de Roland et l'ait donnée en mariage, enceinte, à Milon d'Angers. Une autre tradition remplace l'inceste par la nécrophilie. L'impératrice gardait dans sa bouche un talisman qui lui assurait l'amour de Charlemagne. Lorsqu'elle mourut, il la fit embaumer et l'emmena dans tous ses déplacements. Quant aux récits arthuriens, ils font parfois de Morduc, parfois de Mordrec, le fils incestueux d'Arthur. Dragonetti remarque plus généralement un attachement excessif de l'oncle maternel au neveu dans les cycles épiques et romanesques, et le met en relation avec ce mythe.

Sans vouloir se lancer dans l'interprétation des légendes arthuriennes, on peut y constater la fréquence d'une situation où le héros vit à la cour de son seigneur dans une sorte de cage dorée, en bons termes avec lui et en trop bons termes avec son épouse ou avec celle d'un dignitaire. L'étonnant aveuglement du mari sert en fait son pouvoir, mais le jeune homme finit par s'échapper vers l'aventure et part à la recherche d'une princesse lointaine, gardée par des sbires qu'il décapite. On passe donc d'une endogamie perverse, liée au pouvoir du seigneur, à l'exogamie extrême et au mariage vers le haut qui caractérisent le chevalier modèle [131]. Cela suffit pour montrer que la chevalerie, comme la vassalité, exprime le pouvoir à travers les thèmes de la parenté et s'inspire du symbolisme mis en place par l'Eglise [132]. Les symbolismes parallèles communiquent. C'est ainsi qu'un poème goliardique militant pour le concubinage des prêtres, la *Consultatio sacerdotum*, mêle l'inceste avec la sœur de type carolingien, l'inceste ecclésiastique et l'équivoque entre le nom (le pronom en l'occurrence) et la personne, pour s'en prendre au pape :

> « *Coram tota curia papa declaravit*
> *Sacerdotum, qui hic et haec et hoc declinavit,*
> *Omnem non generantem excommunicavit,*
> *Ex sorore ipse procreavit* » [133.] .

(Devant toute la Curie, le pape déclara prêtre celui qui décline *hic, haec, hoc*. Il excommunia toute personne qui n'engendre pas et procréa lui-même avec sa soeur)

Declinare permet ici une de ces équivoques dont le moyen-âge était friand, car on peut comprendre « mettre au lit celui-ci, celle-ci, cela ». La confusion volontaire entre les mots (décliner) et les choses (mettre au lit), entre le signifiant et le signifié du pronom, en autorise une seconde entre la génération spirituelle du clergé, symbole du pouvoir, et l'immoralité. Comme on le voit, rien ne vaut les textes parodiques pour expliciter la nature d'un système idéologique.

Les nouvelles institutions qui émergent de toutes parts autour de 1100, les communes et autres collectivités, empruntent également leur symbolisme à la parenté et à la logique. Elles s'érigent en confraternités et tendent à se considérer comme les enfants d'une mère spirituelle : l'Université, *Alma mater*, en est un bon exemple. Le terme *universitas* qui désigne aussi bien une commune qu'une université, fait de ces institutions quelque chose comme des universaux. Kantorowicz a montré que cette assimilation posait deux problèmes graves.

D'une part, l'institution se présente comme impérissable, un privilège que l'Eglise se réservait en affirmant que le monde avait un début et une fin. Un juriste comme Odofredus (mort en 1265) considère qu'un *municipium* ne peut périr, sauf au jour du Jugement, car « les genres ne peuvent périr » [134]. Ce n'est pas encore la thèse averroïste de l'éternité du monde mais on rencontre pour le moins de l'averroïsme diffus chez Balde, sur le même sujet : « De même que ce qui est universel ne peut périr, ainsi l'homme en tant que genre ne meurt pas ». Si le problème théologique n'apparaît qu'à la fin du XIIIᵉ siècle, ces entités équivoques que sont les institutions sublunaires, moitié noms, moitié personnes, posent dès leur apparition un problème logique. Peut-il exister de telles entités ? Les mots existent-ils à la manière des choses ? On reconnaît la célèbre querelle des universaux qui est à nos yeux la conséquence du développement des institutions.

D'autre part, l'intégration de communautés dans des rapports formels fondés sur le lien d'homme à homme est d'autant moins évidente que leurs représentants ne valent pas pour le tout, à la manière d'un souverain. Une institution, peut-elle avoir une parole, une responsabilité morale, une âme ? Il est traditionnel d'expédier avec mépris les premiers logiciens terministes qui disputaient, selon Jean de Salisbury, sur des propositions telles que : « le mot souris mange du fromage ». Mais, à la réflexion, est-il plus paradoxal pour un mot de manger du fromage que pour une abstraction de signer d'un sceau ?

Comment une collectivité qui survivra à ses membres actuels peut-elle s'engager au nom de ceux qui ne sont pas encore nés ? Inversement, peut-on châtier des institutions ? L'arme morale la plus redoutable que possédait l'Eglise, l'excommunication, se révéla complètement inappropriée pour dompter ces monstres, puisqu'elle envoyait en enfer des nouveaux-nés innocents. En 1245, Innocent IV dut interdire l'excommunication d'une *universitas* ou d'un *collegium*, sous prétexte que ce sont des *personae fictae* qui n'ont pas d'âme [135]. Cela fut possible parce que, au début du siècle, les théologiens avaient définitivement pris position contre les âmes collectives, telle l'*anima mundi*, tandis qu'au XII⁰ siècle, un fort courant s'était dessiné en faveur de ces entités. Les discussions sur l'âme du monde nous paraissent donc répondre au même problème que la querelle des universaux.

2. *La réorganisation du système logique*

L'oeuvre de Boèce resta jusqu'au XII⁰ siècle l'autorité unique et incontestée en logique. On en pratiquait surtout les livres les plus élémentaires. Il y avait donc un parfait consensus pour accepter une théorie des universaux qui en faisait des entités spirituelles. Outre que les termes de « réalisme » et de « nominalisme » ne forment pour aucune époque un cadre de classement très clair des doctrines logiques et philosophiques, ils sont inadaptés pour décrire la logique du haut moyen-âge, car la question de savoir dans quelle mesure les universaux atteignent ou non la réalité individuelle ne tourmentait pas les esprits. A partir du XI⁰ siècle, on voit poindre une tendance « nominaliste », s'il faut appeler ainsi la tendance à considérer que la logique s'occupe des mots et non des choses. En fait, il s'agit sans doute de la conséquence d'une association très étroite entre logique et grammaire. Au milieu du XI⁰ siècle, la *Dialectica* de Garland le Computiste témoigne d'un « nominalisme » de ce type, à la fois radical et sans problèmes [136]. Pour lui, les prédicables sont des noms qui servent à désigner d'autres noms, à savoir les sujets et les prédicats, comme lorsqu'on dit : *Homo est species* (l'homme est une espèce). Dans ce cas, *homo* apparaît comme un mot (*vox*) et non pas en tant qu'il signifie un individu, car le fait que l'homme soit une espèce n'entraîne pas que Socrate en soit une aussi. On trouvera rapidement, au XII⁰ siècle, des solutions nouvelles qui rejettent en quelque sorte *Homo est species* dans le métalangage, mais il serait vain de vouloir les opposer à un réalisme qui consisterait à croire valides des expressions telles que « Socrate est une espèce », ou à nier que la logique porte sur des termes signifiants, car un tel réalisme ne semble pas avoir existé. Il est donc peu satisfaisant de parler de nominalisme à propos de Garland : sa doctrine ne s'oppose à aucun réalisme connu et laisse largement ouvert le problème du rapport entre les universaux et la réalité individuelle.

Un passage sur les qualités passives suggère même qu'à force de considérer comme des mots le plus d'entités possibles, Garland peut verser dans une sorte de « réalisme » déconcertant [137]. Selon lui, les qualités passives ou bien sont inférées par des « passions », comme le teint foncé (*nigredo*) à celui qui subit la chaleur, ou bien infèrent une passion à quelqu'un, comme la douceur du miel infère le mot « doux » à la bouche de celui qui en mange. Elles peuvent aussi être les deux à la fois, comme la peur nocturne qui est inférée par des fantômes et infère le mot « pâleur » au terme qui désigne la victime. « De même, la douceur est inférée dans la bouche d'Aveline par le miel et la douceur de la bouche d'Aveline infère à son tour la douceur dans la bouche de Garland lorsqu'elle l'embrasse ». Les passions sont donc des mots pour Garland, ce qui donne à ces mots une réalité qu'aucun réaliste n'a jamais osé leur donner. Il faut sans doute faire la part du canular dans ce texte. Garland choisit l'exemple de la bouche parce que cet organe sert à la fois de passage aux nourritures spirituelles, aux nourritures terrestres et aux baisers. Mais en somme, lorsqu'il est vraiment question du degré d'existence des termes, notre logicien semble se comporter à peu près comme Bernard d'Angers face à la très équivoque sainte Foy.

La manipulation ludique du rapport entre les mots et les choses est donc comparable, malgré la différence de registre, aux manipulations religieuses qui font naître les entités spirituelles. On n'est pas loin non plus du mot « souris » qui mange du fromage. Mais à la fin du XIᵉ siècle, on voit apparaître, avec Roscelin, un nominalisme qui semble destiné à bloquer ce genre de manipulations. Malheureusement, nous ne connaissons guère ce logicien que par ses adversaires [138]. Il aurait professé que les universaux sont de purs *flatus vocis*, des émissions sonores. La seule réalité serait celle des choses singulières. La division d'une chose singulière en parties serait purement nominale selon lui. Enfin, il aurait mis en cause la possibilité de séparer les accidents de la substance. En 1092, il fut accusé au concile de Soissons de professer des erreurs sur la Trinité. Sa doctrine réduisait en effet la Trinité à l'addition de trois personnes distinctes, possédant chacune une substance distincte. « C'est par une habitude de langage qu'on triple la personne sans tripler la substance. Cette fois, c'est Roscelin qui parle, car nous possédons la lettre qu'il adressa à Abélard sur ce sujet » [139].

Roscelin abjura son erreur et admit qu'il fallait respecter l'usage courant, sans être convaincu, en qualité de logicien, de la pertinence de cet usage. Son but n'était pas de fonder une religion trithéiste et il est significatif qu'on ne l'ait pas inquiété davantage. Il voulait plutôt refuser une existence substantielle aux collections d'individus, ce que son adversaire saint Anselme explique clairement : « Qui ne comprend pas encore comment plusieurs hommes sont spécifiquement un seul homme, de quelle façon comprendrait-il comment, dans la nature la plus mystérieuse, plusieurs personnes dont chacune est un Dieu parfait, sont un seul Dieu ? » [140]. En considérant qu'un ensemble de substances n'est qu'un mot et que les parties d'une substance ne sont à leur tour que des mots, Roscelin nie que quelque chose comme une institution puisse exister. Comme il n'a pas fini sur le bûcher, il faut supposer que ce n'était pas à l'Eglise qu'il en voulait, mais bien plutôt aux autres institutions qui naissaient sous ses yeux, aux *universitates*.

Le nominalisme logique est de loin le courant dominant depuis la fin du XIᵉ siècle. D'une manière ou d'une autre, il s'agit de montrer que les universaux n'ont pas le même type d'existence que les individus, qu'ils forment des réalités d'un autre ordre. Ecrit en 1159, le *Metalogicon* de Jean de Salisbury est une véritable chronique de la vie intellectuelle [141]. Sans être une autorité en logique, l'auteur comprend ce dont parlent les logiciens et aime les fréquenter. Tout en les défendant contre le pragmatisme de ceux qui considèrent les lettres comme inutiles, il ne veut pas que la logique soit une fin en soi. Aussi critique-t-il la fixation des logiciens sur le problème des universaux, ce qui l'amène à décrire les opinions en présence [142], puis à donner sa propre solution [143].

Pour Aristote, écrit-il, le genre et l'espèce n'existent pas en tant que tels et sont des produits de l'intellect, des êtres de raison. Comme ils n'existent pas, il n'y a pas lieu de discuter de leur nature. Il est faux de les assimiler aux mots (Roscelin), aux concepts (Abélard), aux choses (Gautier de Mortagne première manière), aux idées (platonisme de Bernard de Chartres, finalement adopté par Gautier de Mortagne), aux « formes natives » (Gilbert de Poitiers) ou aux collections (Goscelin de Soissons), car ce serait toujours leur accorder une existence. Même si l'on concédait aux plus obstinés que les universaux sont des choses, on ne pourrait admettre que leur existence augmente le nombre des choses. De même, les corps constitués ne s'additionnent pas aux individus. Les qualificatifs « incorporel » et « insensible » sont appropriés pour les universaux, mais uniquement en tant qu'ils sont privatifs et qu'ils ne leur attribuent pas de propriétés. En effet, une chose incorporelle est ou bien un esprit, ou bien une propriété d'un esprit, ce que les universaux ne sont pas. Les genres et les espèces n'ont pas été créés par Dieu ; ils n'existent donc pas. Ce sont des fictions employées par la raison humaine pour expliquer les choses. Le droit possède de même ses propres fictions.

Jean de Salisbury se présente habituellement comme un partisan du juste milieu et son but déclaré est de mettre fin à la querelle des universaux, où l'on distingue maintenant des opinions assez nettement réalistes et nominalistes. Loin de proposer une solution conciliante, il sombre sans le vouloir dans un hyper-nominalisme qu'aucun logicien n'aurait osé imaginer : les universaux sont des fictions ! A première vue, cette position est sotte. En fait, lorsqu'il dit cela, il veut signifier qu'ils n'appartiennent pas à la nature et qu'ils sont des créations de l'homme. Ils relèvent donc d'une pratique qu'on cultive et non d'études théoriques. On se souvient que ces autres fictions, les oeuvres d'art, ne relèvent pas au moyen-âge d'une démarche théorique, en l'occurrence d'une esthétique : les « arts » en général se pratiquent, imitant la nature qui, elle, est connaissable.

Telle est la base du « nominalisme » logique de Jean de Salisbury, qu'il ne faut pas confondre avec un nominalisme ontologique [144]. En même temps qu'il enlève l'existence aux universaux, il l'accorde généreusement aux mots, aux concepts, aux idées platoniciennes, aux formes natives et aux collections. Du coup, il reconnaît l'existence de ce que nous appelons des classes, ce qui met en contradiction sa logique et son ontologie. Enfin, nouvelle contradiction, le réalisme ontologique disparaît lorsqu'il prend des exemples dans la réalité juridique : les corps constitués servent de point de comparaison pour montrer le caractère fictif des universaux. Et pourtant, son attitude n'est pas incohérente : il oppose un domaine naturel où les classes existent, à un domaine artificiel, fictif, celui d'activités humaines telles que la logique et le droit où elles sont des fictions.

En assimilant les institutions humaines (celles qui, contrairement à l'Eglise, n'ont pas été créées par Dieu) aux universaux et en prenant une position hyper-nominaliste sur les universaux tout en maintenant une ontologie réaliste, il parvient à ôter l'existence aux corps constitués sans menacer l'Eglise et, à plus forte raison, sans s'attaquer comme Roscelin au mystère de la Trinité. Toute position, nominaliste ou réaliste, qui voudrait s'appliquer aux conventions humaines et aux institutions divines les mettrait sur le même plan et menacerait l'hégémonie de l'Eglise. Voilà pourquoi, jusqu'au début du XIVᵉ siècle où cette hégémonie cesse d'être évidente dans les faits, De Rijk a pu observer qu'on combinait, de manière souvent plus subtile, certes, que chez Jean de Salisbury, le nominalisme logique et le réalisme ontologique. Ce qui est vrai des logiciens ne l'est pas moins des juristes qui n'hésitent pas à reconnaître le caractère fictif des entités sur lesquelles ils travaillent et les comparent avec un malin plaisir aux universaux. Cette attitude prudente a sans doute protégé la naissance et la croissance des institutions, jusqu'à ce que l'une de ces fictions, l'Etat de Philippe le Bel, manifeste soudain son accession à l'existence par la gifle bien réelle que reçut le pape Boniface VIII à Anagni. Guillaume d'Ockham tira les conséquences philosophiques de la nouvelle situation en prolongeant dans l'ontologie le nominalisme logique, de telle sorte que toutes les entités abstraites, logiques, juridiques ou divines, furent logées à la même enseigne.

De Roscelin à Guillaume d'Ockham, il est pratiquement entendu que les institutions profanes n'existent pas. Il s'ensuit que leur développement ne s'est pas accompagné de manipulations religieuses directes, comme l'aurait été l'érection d'une statue à la Justice, à l'Université ou à la Commune. Chaque institution se place en fait sous la protection d'entités spirituelles, mais en choisissant parmi celles auxquelles l'Eglise reconnaît l'existence. Au lieu que sainte Justice s'introduise dans le panthéon chrétien, on voit se diffuser le Christ-juge, dont l'existence est basée sur les saintes Ecritures, alors que le thème iconographique est une nouveauté. Les communes choisissent pour la plupart la protection de la Vierge, en l'individualisant un peu pour en faire Notre Dame de Paris, Notre Dame de Chartres, etc. Les autres corps constitués se placent chacun sous la protection d'un ou de plusieurs saints, avec lesquels ils entretiennent un rapport souvent très arbitraire. Saint Nicolas est le patron des bateliers parce qu'il a sauvé un navire en perdition, sainte Catherine la patronne des meuniers parce que son attribut est une roue, saint Barthélémy le patron des pelletiers parce qu'il fut écorché. Les corps constitués choisissent donc leur patron à peu près comme on choisit un prénom dans le stock des saints.

Lorsque l'institution se présente avec ses propres mythes, comme la royauté, elle cesse le plus souvent de les mettre en compétition avec les mythes chrétiens, mais cherche plutôt à les y incorporer. L'empereur Frédéric Barberousse obtient en 1165 la canonisation de Charlemagne, puis chaque lignée royale cherche à faire canoniser le maximum de ses ancêtres. Ce furent ensuite les villes qui demandèrent et obtinrent des saints issus de leurs rangs [145]. De son côté, l'Eglise se lance dans la récupération des mythes qui sont nés hors de son contrôle : les cycles arthuriens sont réorientés autour de la quête du Graal, puis légitimés sous cette forme par le culte de la sainte Lance. L'Eglise garde donc un très fort contrôle sur le symbolisme, payé par des concessions qui, dans l'immédiat, renforcent encore son emprise : ou bien les mythes qu'elle ne cautionne pas sont d'innocentes fictions, ou bien ils se transforment en mythes qu'elle cautionne. Les antagonismes restent périphériques et le plus violent est la rivalité entre Frédéric II et la papauté, une situation où plus rien n'empêchait l'empereur de se présenter comme divin, sur le modèle antique.

Suscitée par le développement des institutions, la querelle des universaux débouchait sur un compromis acceptable quant à leur mode d'existence. Quelle qu'ait été la prudence bien légitime des nominalistes, ils firent réagir les théologiens et causèrent ainsi un changement aussi profond que discret du statut des entités spirituelles. Nous avons vu combien, pour la théologie carolingienne, ces entités étaient de l'ordre du signe et quelle était sa réticence à les imaginer sous une forme sensible, comme des « choses » existant à part des signes, accessibles à la vue, placées à la portée — ou à la merci — des illettrés. Saint Anselme est sans doute le théologien qui a réagi le plus vivement à l'offensive nominaliste, avant que celle-ci ne débouche sur un compromis. On le voit d'abord préoccupé par la théologie de l'Incarnation qui ne semble pas avoir été le principal souci des Carolingiens. Comme logicien, il s'est appliqué à résoudre le problème des paronymes, un aspect de son oeuvre qui faisait rire les spécialistes, jusqu'au moment où D. P. Henry mit en valeur un style de pensée impeccable [146]. Les paronymes sont des désignations d'individus concrets, tirées de termes abstraits, ainsi *grammaticus* tiré de *grammatica*. Saint Anselme édifie un système logique cohérent où ces paronymes, conformément à ce qui était plutôt implicite chez Boèce, ne désignent aucune substance. Aussi paradoxal que cela puisse paraître, le grammairien n'existe pas ou, si l'on préfère, « grammairien », tout en se référant à un homme existant, ne désigne qu'une qualité. Dans ce système, des paronymes tels que « citoyen » ou « Français » ne désigneraient rien de substantiel. Saint Anselme précise donc la pensée de Boèce d'une manière qui interdit l'existence des institutions sans verser dans le nominalisme.

Mais c'est sans doute dans la fameuse preuve ontologique de l'existence de Dieu que les conséquences de la réaction anselmienne sont les plus nettes [147]. En démontrant qu'on ne pouvait pas ne pas concevoir Dieu comme existant, Anselme avait fait tout ce qui aurait été nécessaire, un siècle plus tôt, pour prouver l'existence de Dieu. Jamais ni Boèce, ni les Carolingiens, n'auraient requis quelque chose de plus que cette nécessité d'ordre logique. Or saint Anselme se croit obligé d'aller plus loin, considérant que la perfection de Dieu ne peut être absolue que si elle inclut une existence extra-mentale, extra-linguistique et finalement extra-logique. Cela fut une évidence pour tous ceux qui ont ensuite repris ou combattu l'argument, mais il est peu probable que cette conception franchement réaliste de la divinité eût été jugée pensable par ses prédécesseurs. Ils auraient sans doute trouvé scandaleux de faire ainsi de Dieu une « chose ». Qu'est-ce en effet que cette existence supplétive, sinon celle des choses qui tombent sous le sens, comme les idoles des païens ? Pour irrespectueuse qu'elle soit, la comparaison est fortement suggérée par Anselme lui-même, lorsqu'il explique la différence entre avoir Dieu dans l'intellect et comprendre qu'il existe : « En effet, lorsque le peintre pense à ce qu'il va faire, il l'a dans l'intellect, mais il ne comprend pas encore ce qu'il n'a pas encore fait. Mais lorsqu'il a peint, à la fois il l'a dans l'intellect et il comprend que ce qu'il a fait existe » [148].

Nous ne voulons pas faire dire à saint Anselme que Dieu est une idole, ou encore qu'il est palpable. On notera seulement qu'il n'a pas reculé devant la comparaison entre Dieu et l'oeuvre du peintre. Il écrit d'ailleurs au moment où l'art roman prend son essor en imposant définitivement l'image anthropomorphe de Dieu. Tout le monde s'accorde à croire Dieu invisible et pourtant, c'est comme chose peinte qu'on l'expose, sans que personne ne s'en choque plus. Sans pouvoir développer ici ce point, notons encore que saint Anselme joue un rôle décisif dans le passage vers une mystique imagée et sensuelle. Ce qui vaut pour Dieu vaut à plus forte raison pour les autres entités spirituelles. Leur visualisation massive et leur adoration sous cette forme est le contrecoup du caractère aniconique des institutions. Le nominalisme face aux institutions entraîne le réalisme face au divin. Les institutions n'étant que des mots, il faut que leurs symboles soient en plus des choses.

Le plus bel exemple de cette révolution religieuse est ce qu'on a pu appeler le « réalisme » eucharistique [149]. Le terme « réaliste » de *Corpus Christi* qui désignait la communauté des fidèles passe à l'hostie au milieu du XIIe siècle et, inversement, le nom de *Corpus mysticum Christi* passe de l'hostie à la communauté. La réalité de la présence divine tend à habiter la chose signifiante, plutôt que la communauté signifiée. Du coup, les cisterciens introduisent l'élévation de l'hostie pendant la seconde moitié du XIIe siècle et l'offrent ainsi à l'adoration. L'exhibition du corps du Christ sous une forme visible se généralise au début du XIIIe siècle, en attendant que la peinture représente le sacrifice eucharistique par la vision du Christ mort-vivant et que les saints sépulcres sculptés permettent d'enchâsser l'hostie dans une sorte de reliquaire anthropomorphe. Belting a remarquablement décrit cette évolution, mais sans parvenir à l'expliquer [150]. Il est obligé de postuler un « besoin de voir » des populations médiévales, auquel le développement des dévotions laïques donnerait une importance croissante. Cette interprétation n'aurait pas déplu aux clercs médiévaux, toujours prompts à mettre sur le compte des illettrés le développement des images. Mais elle tourne court en manquant l'essentiel, c'est-à-dire la profonde réorganisation des rapports entre le visible et le spirituel due au développement des institutions. Cette réorganisation est déterminée de manière évidente par l'évolution sociale, tout en lui donnant la possibilité esthétique et logique de se formuler et donc de se produire. Le « besoin de voir » est donc aussi peu nécessaire à l'explication du phénomène que les trop fameuses mentalités.

3. Le texte et l'image

Le développement des institutions fit perdre à l'Eglise son monopole de l'organisation des rapports sociaux et donc une partie de son immédiate nécessité. En revanche, elle garda le contrôle du symbolisme. Les nouvelles institutions durent se donner comme des fictions et ne purent se sacraliser qu'en adoptant les cultes autorisés par l'Eglise et dont le rapport avec elles était aussi arbitraire que l'imposition d'un nom à un nouveau-né. En même temps, l'Eglise orienta sa production iconographique dans le sens d'un contact très concret avec les « choses » divines, soulignant le contraste entre ces réalités et le caractère illusoire des fictions profanes. Par-delà l'épisode carolingien, elle adoptait une position proche de celle des Grecs, ce qui permit d'importantes influences byzantines, tant sur le style que dans la structure des oeuvres. Le mouvement culmina avec l'apparition, au XIIIᵉ siècle, du panneau peint, autrement dit de l'icône. Le développement iconographique réagit à la naissance des institutions, mais il n'en fut ni le reflet, ni l'antithèse. Il serait aussi impossible d'interpréter globalement les images comme une légitimation des institutions ou comme leur négation farouche et univoque. L'analyse ne peut être que fausse ou confuse si l'on néglige de traiter un point généralement mal compris, le rapport entre textes et images. En effet, le point de vue qui s'est imposé depuis Emile Mâle fait des images l'illustration de textes beaucoup plus anciens, ce qui donne l'illusion d'un système rigide où seules les fantaisies de l'âme populaire amèneraient des innovations, dépourvues de conséquences idéologiques. On ne peut rejeter sans discussion ce point de vue, car il est troublant que les hommes du XIIIᵉ siècle illustrent si souvent des légendes byzantines ou mérovingiennes, sans rapport apparent avec leur société. Il faut reconnaître que les thèmes religieux se passent rarement d'un texte qui les justifie d'autant mieux qu'il est plus ancien.

Prenons l'exemple des vies de saints. On ne saurait minimiser le contrôle qu'exerce sur l'iconographie leur forte codification. Il s'agit d'un genre écrit, ce qui stabilise le mythe et décourage dans une large mesure la production de variantes, si féconde dans une littérature orale. On rencontre toujours à l'époque gothique une hagiographie orale, souple et inventive, dont le saint lévrier Guinefort que J. - C. Schmitt a rendu célèbre est le plus parfait exemple [151]. Mais plus un culte prend de l'ampleur, plus la légende se moule dans des normes. La vie des grands saints du passé a été le plus souvent écrite par les Grecs et n'évolue plus dans sa structure. Celle des saints modernes se modèle sur le mythe déjà constitué, l'ascétisme remplaçant le martyre lorsqu'il y a lieu. L'imagier est donc le plus souvent condamné à suivre un récit sur lequel il a peu de prise.

La situation est d'autant plus troublante que l'Eglise, dont on comprendrait le conservatisme, n'est pas seule responsable de l'édification d'une cathédrale. Au contraire, le monument est d'abord l'oeuvre d'une commune qui devait avoir son mot à dire. En fait, nous savons assez mal comment s'élaborait le programme iconographique. C'est sur ce point que le beau livre d'Otto von Simsom, *The Gothic Cathedral*, apporte le moins [152]. Les parties en jeu sont le maître d'oeuvre, le chapitre et les donateurs. Le plus gros du financement était dû aux donateurs, c'est-à-dire d'une part aux habitants de la ville, individus et corps de métiers, d'autre part à des seigneurs étrangers, des marchands, des pèlerins, puis à tous ceux que touchait à distance la vente d'indulgences. Lorsqu'un étranger fait un don en argent pour l'oeuvre de la cathédrale, on peut supposer qu'il n'a aucune influence sur le programme. Mais lorsqu'un individu ou une corporation offre un vitrail à son saint patron, les représentants du chapitre contrôlent tout au plus la correction de l'iconographie, à supposer qu'ils aient des raisons et la possibilité de le faire. De plus, la construction d'une cathédrale se poursuivait sur plusieurs décennies et comportait presque toujours d'importants changements en cours de route. Il était donc à peu près impossible de prévoir d'un seul coup un programme cohérent, ce qui favorisait les initiatives d'où qu'elles vinssent. La pression en faveur de certains thèmes dut être très grande. Comme le note E. Mâle, le couronnement de la Vierge apparaît trois fois dans la seule cathédrale Notre-Dame de Paris. Cinq reliefs sont consacrés à sa mort, à ses funérailles et à son assomption [153]. Si un théologien pensait la totalité du programme, de telles surenchères qui ressemblent fort à des effets de mode, pourraient être évitées.

Ces remarques conduisent à insister d'abord, non pas sur la création de thèmes, mais sur les choix réalisés à l'intérieur du stock existant, car le choix d'un thème ancien peut être une initiative aussi significative que l'élaboration d'un thème nouveau. Le développement d'un culte entraîne en effet, plus souvent que la création de légendes nouvelles, la redécouverte de légendes négligées. Le cas le plus notoire est celui de la dévotion mariale qui met au premier plan les traditions byzantines relatives à la dormition, ou encore la légende de Théophile, née au VIe siècle en Asie Mineure. L'explication de ces comportements peu novateurs nous paraît se trouver dans la structure même du stock hagiographique. Un examen tant soit peu attentif de la *Légende dorée* mène à deux constatations :

— d'une part, il existe un modèle statistique du saint, particulièrement répétitif : c'est ce qu'on retient en général de ce livre. Les situations-types se répètent inlassablement : le saint est de noble race, d'une intelligence et d'une piété précoces. Dans la majorité des cas, il se fait religieux, évêque de préférence, et jouit de pouvoirs miraculeux qui lui attirent la persécution du tyran. S'ensuivent des supplices peu variés qui s'apparentent aux préparations culinaires et sont contrecarrés par de nouveaux miracles, jusqu'à la décollation finale. Le corps du saint échappe aux mauvais traitements et devient objet d'adoration.

— d'autre part, si l'on cherche à dire en quoi consiste le saint médiéval sans prendre la moyenne statistique pour la réalité, on s'aperçoit qu'il n'existe pas de critère, même minimal, de la sainteté. Le saint peut être n'importe quel pécheur, un prêtre concubinaire, une prostituée, un brigand. Il appartient à n'importe quelle catégorie sociale ou psychologique. Les cas limites sont nombreux : citons celui des Saints Innocents qui n'étaient ni chrétiens, ni doués de raison, pour ne rien dire du chien Guinefort qui ne figure pas dans la *Légende dorée*.

L'hagiographie est donc une sorte d'encyclopédie où l'on peut trouver la sanctification de ce qu'on veut. Son exhaustivité a sans doute contrarié la production de nouvelles légendes. En même temps, elle fournit des modèles très précis de la sainteté, valorise fortement certaines prédispositions, comme celles dues à la naissance, et certaines vertus, comme la virginité. On peut donc faire évoluer le système religieux sans créer de nouvelles histoires. Il suffit d'accorder plus ou moins d'importance à telle ou telle catégorie de saints, de promouvoir les guerriers plutôt que les anachorètes, les jeunes plutôt que les vieux, les saints redoutables ou séduisants. A l'intérieur de la vie du saint, on insistera sur l'époque où il faisait les quatre cents coups, ou au contraire sur sa fin édifiante. Ajoutons que ce qui vient d'être dit pour l'hagiographie vaut également pour l'Ecriture, un recueil de textes complètement disparate. Les changements religieux s'accompagnent systématiquement d'une prédilection pour certains livres et de l'oubli de certains autres. Les livres historiques de l'Ancien Testament fournissent bien plus souvent les thèmes iconographiques aux XIᵉ-XIIᵉ siècles qu'au XVᵉ. Le *Cantique des cantiques* fait une percée foudroyante au XIIᵉ siècle, alors qu'il n'a pas beaucoup marqué la spiritualité carolingienne.

Si l'on suit maintenant l'histoire de l'un des thèmes gothiques les plus populaires, le couronnement de la Vierge, l'originalité du processus iconographique apparaîtra nettement [154]. La plus ancienne représentation connue du thème est au portail de Senlis, vers 1170 (ill. 23). Suger l'a peut-être déjà utilisé pour un vitrail offert à la cathédrale de Paris et disparu. A Senlis, la Vierge apparaît à la droite du Christ, tenant le livre et déjà couronnée. Tous deux se partagent une banquette, ce qui est la solution normale. Les portails postérieurs, comme ceux de Chartres, de Paris et d'Amiens, montrent un ange couronnant la Vierge pendant que son fils la bénit. Elle a désormais le plus souvent les mains jointes. A partir du milieu du XIIIᵉ siècle, c'est le Christ lui-même qui couronne sa mère.

Les textes légendaires compilés dans la *Légende dorée* ne mentionnent pas le couronnement, bien qu'ils décrivent la réception de la Vierge au ciel [155]. L'idée de couronnement peut cependant se déduire des textes scripturaires appliqués à la Mère de Dieu. Jacques de Voragine cite un apocryphe attribué à saint Jean qui raconte les funérailles sur le modèle d'une liturgie, avec voix alternées. Jésus s'adresse à la Vierge en ces termes : « Venez, vous que j'ai choisie, et je vous placerai sur un trône parce que j'ai désiré votre beauté ». Faisant toujours office de chantre, il reprend : « Venez du Liban, mon épouse, venez du Liban, vous serez couronnée ». Selon Mâle, l'office de l'Assomption utilise les psaumes dans le même sens : « La reine s'est assise à sa droite vêtue d'or », ou bien : « Il a posé sur sa tête une couronne de pierres précieuses ». C'est plus qu'il n'en faudrait pour faire naître la légende du couronnement, mais cela ne se produit pas. Au contraire, Jacques de

23. Tympan du couronnement de la Vierge, cathédrale de Senlis.

Voragine, s'appuyant sur saint Jérôme, rejette le livre attribué à saint Jean et recommande de ne pas en diffuser le contenu. Même l'assomption, selon l'évêque de Gênes, est une « pieuse croyance » et ne repose que sur des arguments probables.

La glorification de la Vierge suscite donc de nettes réserves de la part du théologien, un phénomène qui se poursuivra pendant toute la fin du moyen-âge : qu'on songe à la querelle de l'Immaculée Conception. Nous ne voulons pas dire que l'alternative à une élaboration strictement théologique serait l'entrée en scène de l'« âme du peuple », comme le fait Mâle en pareil cas, mais qu'il est plus facile de faire accepter une innovation dans l'iconographie que dans la littérature religieuse écrite. A Senlis, la Vierge déjà couronnée est clairement figurée en tant qu'Eglise : elle tient le livre. L'imagier a compris les mots : « je vous placerai sur mon trône », comme une référence à la banquette sur laquelle un couple peut s'asseoir côte-à-côte, ce qui permet de figurer la relation de l'Epoux et de l'Epouse qui devient plus explicite au XIIIe siècle, lorsque le Christ donne à la Vierge une couronne métallique, comme les amants de l'iconographie profane s'offrent des couronnes de fleurs.

L'iconographie a donc transformé une série de métaphores en événement historique, sans attendre que le récit soit constitué. Il reste à savoir à qui profite cette transformation. Bien qu'hypothétique, la réponse paraît simple. En tant que symbole de l'Eglise, la Vierge couronnée atteste la suprématie de cette institution qui règne à la place du Christ, mais en union avec lui. Le livre la désigne à Senlis comme l'Eglise enseignante. A Amiens, elle tient le sceptre et possède donc l'autorité royale. Il s'agit donc de représentations très flatteuses pour le clergé. Mais la Vierge est aussi la patronne de la ville où elle a installé sa résidence et qui bénéficie spécialement de ses miracles. La glorification de la cité se mêle donc à celle de l'Eglise, surtout lorsque disparaît le livre qui fait allusion à L'Eglise enseignante. Enfin, la soumission qu'exprime la Vierge lorsqu'elle a les mains jointes et, à la fin du moyen-âge, lorsqu'elle s'agenouille devant son Fils ou devant la Trinité entière, marque sans doute une moindre exaltation du pouvoir collectif, ville ou Eglise, face à l'autocrate divin. Dans tous les cas, on perçoit un compromis négocié entre les pouvoirs existants, mais jamais l'expression idéologique d'un seul pouvoir, encore moins d'un groupe social unique.

Si l'iconographie adapte un mythe en réinterprétant une littérature trop conservatrice, il existe un second processus qu'elle seule peut accomplir, le passage à l'adoration. Les tympans que nous avons cités ne sont pas prévus pour l'adoration. De plus, le couronnement de la Vierge ne fait que conclure un cycle comprenant tout ou partie des thèmes suivants : annonciation à la Vierge de sa mort, dormition, apparition du Christ au chevet de sa mère, funérailles, doute de Thomas, miracle des mains arrachées, assomption, couronnement. Placé à l'extrémité supérieure du tympan, où il occupe en général plus de place que les autres scènes, le couronnement est l'épisode essentiel et le plus lisible. Mais, au milieu du XIIIᵉ siècle, le thème se détache complètement de son environnement narratif dans la petite sculpture portative, les ivoires notamment. On obtient ainsi un objet en ronde-bosse parfaitement adapté à l'adoration. Le thème fait aussi fortune dans les petits polyptyques, en attendant le développement du retable. Devenu autonome, il produit de nouveaux thèmes. Au XIVᵉ siècle apparaît, surtout dans les pays germaniques, un type de Vierge à l'Enfant où l'Enfant se met à couronner sa mère [156]. Il va de soi qu'une telle invention est un phénomène strictement iconographique : l'image engendre l'image.

Belting a montré que le rapport entre la structure d'une image et son adoration était complexe. La forme et la fonction ne s'ajustent pas de manière immédiate et mécanique [157]. Son étude porte sur un genre importé de Byzance, l'*imago pietatis* qui est au départ une icône destinée à l'adoration. La situation est ici différente : un thème pris dans un réseau narratif s'isole pour recevoir l'adoration. On peut imaginer concrètement deux processus :

— quelqu'un prend l'initiative de transformer en image d'adoration un thème narratif qui n'était pas adoré précédemment. Dans ce cas, son initiative peut connaître le succès, susciter un mouvement de dévotion, ou bien paraître incongrue et échouer.

— un phénomène d'adoration se produit autour d'une image narrative mal adaptée à ce rôle, située trop haut, à l'extérieur de l'église, dans un endroit malcommode, etc. On confectionne alors des images plus appropriées qu'on peut placer sur les autels et dans les oratoires privés.

Dans l'un et l'autre cas, personne ne domine la totalité du processus, surtout pas l'Eglise. Il ne suffit pas d'élever une statue à un saint pour susciter une dévotion enthousiaste. Si l'adoration parvient à se mettre en place, elle peut être liée à une interprétation du saint très différente de celle que l'Eglise veut promouvoir. Lorsqu'une dévotion peu orthodoxe s'installe, il n'est pas facile de l'arrêter, car l'Eglise doit choisir entre les profits qu'elle en tire et la rigueur doctrinale. Il est facile d'illustrer ces points. Tous les « lancements » de saints ne connaissent pas le même succès. Saint Bernard réussit, mais surtout en milieu monastique. Malgré leurs efforts, les dominicains n'ont pas su imposer leur fondateur à la population aussi bien que les franciscains. Mais ils triomphèrent avec sainte Catherine de Sienne, grâce à l'appui du patriotisme siennois. La réinterprétation du saint par la population est évidente. Il suffit pour s'en convaincre de remarquer la dérive des noms de saints en langue vulgaire, engendrant des étymologies fantaisistes et parfois scabreuses : on pense à saint Vit ou à saint Greluchon. L'étude de J. - C. Schmitt sur saint Guinefort montre que le nom du saint devient méconnaissable d'un lieu à un autre et que sa description varie en même temps. Les limites sont par exemple indécises avec sainte Wilforte, laquelle peut se présenter comme une femme à barbe crucifiée, à partir d'un contresens iconographique sur les anciens crucifix du type *volto santo* qui portaient une tunique semblable à une robe (ill. 24). Cela ne veut pas dire que les cultes les plus bizarres soient nécessairement des « créations populaires », mais cela suppose un faible contrôle des initiatives locales.

Même sans inventer de thèmes nouveaux, l'iconographie joue un rôle fondamental dans l'évolution religieuse par des choix statistiques incontrôlables et par le changement dit « stylistique » qu'on oppose trop facilement à l'iconographie. Au niveau statistique, un phénomène comme le développement des images de la Vierge aurait une énorme signification, même si les thèmes étaient restés les mêmes. L'iconographie se modifie plus que la liturgie, la liturgie plus que la théologie, de sorte que l'iconographie et la théologie semblent parfois appartenir à des religions différentes. Un archéologue qui ignorerait tout des écrits du XIIe siècle, mais disposerait du matériau iconographique, conclurait non sans raison qu'on est passé d'une religion paternaliste au culte de la déesse-mère. Quant au changement stylistique, il modifie insensiblement la nature du phénomène religieux. Des impulsions imperceptibles transforment une image solennelle et impérieuse de la Vierge en silhouette gracieuse et séduisante. Le travail de l'artiste sur les plis des vêtements modifie le sens des oeuvres. De part et d'autre de 1200, le costume des personnages sacrés abandonne le modèle byzantin pour se rapprocher de la mode. La *sainte Modeste* de Chartres, l'*Eglise* et la *Synagogue* de Strasbourg, portent le même costume que les héroïnes profanes dans l'illustration des romans de chevalerie : une longue robe d'étoffe fine moulant le corps, avec une ceinture qui marque la taille assez bas. Les seins discrets, peu proéminents, ne sont pas dus à la timidité de l'artiste : ils passaient alors pour les plus attirants [158]. Les choses changent au milieu du XIIIe siècle avec l'apparition, sur les

24. Hans Springinklee, *Miracle de sainte Wilforte* (1513), gravure sur bois.

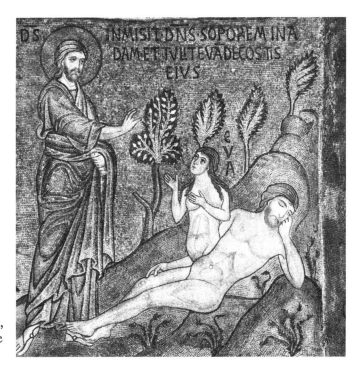

25. *Création d'Eve*, Palerme, Chapelle palatine.

statues, de larges manteaux dont les plis lourds se cassent en entourant le corps d'une géométrie abstraite qui le camoufle. L'écart est alors marqué entre le personnage sacré et le monde profane, atténuant l'effet opposé que produit la posture sensuelle du corps. Mais si la présence obligée du manteau maintient la Vierge à une certaine distance de l'humanité, les autres saintes subissent toujours plus la tyrannie de la mode à la fin du moyen-âge. Cette évolution des saints vers une humanité, une mondanité et une sensualité croissantes modifie certainement le contenu de la dévotion sans être un phénomène contrôlable. De plus, elle crée des types iconographiques. En rapprochant progressivement les visages de la Vierge et de l'Enfant, en augmentant les signes de tendresse réciproque, l'artiste fait passer insensiblement la Vierge du rôle de trône (*Sedes Sapientiae*) à celui d'Epouse mystique.

Il existe en somme un système iconographique dans lequel convergent les volontés du commanditaire, de l'artiste et du public et qu'il est absolument impossible de réduire aux textes. On a essayé d'évaluer son degré d'autonomie et le jeu complexe des initiatives qui le fondent. Il reste à voir jusqu'à quel point il se structure logiquement pour produire ses propres significations.

CHAPITRE III

L'UNIVERS ICONOGRAPHIQUE

Il est souvent question ici de *L'art religieux du XIIIe siècle en France*, parce que le chef-d'oeuvre d'Emile Mâle procède d'une visée systématique, à l'inverse des études de détail bien cloisonnées qui s'additionnent à la manière des articles d'un dictionnaire et trouvent effectivement leur consécration dans les renvois bibliographiques de dictionnaires, comme ceux de Réau ou de Kirschbaum [159]. En décidant d'interpréter l'iconographie gothique comme un système reposant sur quelques principes récurrents de formation, il avait trouvé la bonne voie : les découvertes se succèdent en cascade dans son livre. Mais on a vu aussi que ses hypothèses fixèrent de sérieuses limites à cette réussite. En faisant du système iconographique l'illustration et le doublet redondant des textes, il crut pouvoir le déduire de ceux-ci, d'où l'emprunt à Vincent de Beauvais d'un cadre d'organisation qui avait certes l'avantage de ne pas être anachronique : miroir de la nature, miroir de la science, miroir moral et miroir historique. Cela suppose la soumission de l'artiste et aussi du commanditaire, devant une Eglise toute-puissante, généreuse et bienveillante, unissant la société dans le travail et la foi. Aussi dénonce-t-il dans sa conclusion la perspective laïque de Viollet-le-Duc qui osait chercher dans la cathédrale l'expression de la lutte des classes [160]. On voit transparaître, dans la grandiose construction d'E. Mâle, une vision sociale paternaliste et corporatiste qui cherche sa caution dans un passé idéalisé et entretient avec le moyen-âge le même genre de rapport que l'art néo-gothique. En lisant les descriptions sentimentales qu'il fait de l'art gothique, on se surprend à imaginer les pastiches du XIXe siècle. Cela n'a rien d'étonnant, car sa conception de l'artiste médiéval lui vient en grande partie de ses prédécesseurs immédiats qui étudiaient l'art religieux médiéval pour le faire renaître. L'anachronisme est là, dans la conception de l'artiste comme illustrateur.

1. Le degré de structuration

Le caractère idéographique poussé de l'image gothique constitue la principale présomption en faveur d'une forte structuration interne. On a vu pourquoi nous n'attribuons pas cette structuration aux textes que les images illustreraient. Les recherches récentes de l'abbé F. Garnier sur la situation et les gestes des personnages dans l'art médiéval apportent des résultats cohérents et précis, à partir de l'hypothèse d'une structuration interne [161]. Mais, chez Garnier comme chez Mâle, c'est au niveau des signes iconographiques composant l'image que se trouve la structuration, non pas au niveau de la thématique. Si Garnier veut montrer que tel geste signifie la douleur, il se contente de vérifier que ce geste apparaît dans des thèmes où les textes font état de douleur. L'examen approfondi d'un corpus bien choisi (une dizaine de milliers d'oeuvres du XIe au XVe siècle) lui a permis de nombreuses découvertes, mais l'autorité qu'il accorde aux textes limite pour l'instant l'efficacité de sa méthode.

1. Les obstacles à la systématisation

Des objections sérieuses peuvent certes être faites à la recherche d'un système au niveau de la thématique. L'évolution continue des thèmes, leur diversité géographique, l'existence au même moment de représentations modernes ou attardées peuvent décourager la coupe synchronique. La cathédrale ne fournit pas un programme homogène, pensé d'un seul tenant, mais une tranche d'histoire, dans laquelle on lit des changements de pensée artistique. On perçoit au coup par coup beaucoup d'intentions symboliques. Le Jugement dernier n'est sans doute pas situé par hasard à l'Ouest, région des morts, par opposition aux autels principaux, situés à l'Est, dans la direction de Jérusalem. Mais même pour des données aussi générales et constantes, les exceptions sont nombreuses. A Strasbourg, le Jugement dernier se trouve à l'intérieur de l'édifice, dans le bras sud du transept, sous la forme d'un pilier et non d'un tympan. Il existe des églises qui ne sont pas orientées, d'autres qui ont deux choeurs, etc. On aimerait pouvoir affirmer qu'une modification du programme en entraîne nécessairement une autre, pour retrouver la cohérence de la structure, mais l'impression de bricolage prévaut.

Les nombreux ouvrages consacrés au symbolisme médiéval, même les mieux informés comme celui de M. - M. Davy, utilisent l'exégèse des docteurs comme une clé de déchiffrement [162]. Cette démarche met en quelque sorte dans l'ambiance, mais n'explique rien du tout. Car l'exégète n'explique pas un symbole préexistant dans la Bible ou dans la conception médiévale de la Bible : il fabrique le symbolisme au fur et à mesure de ses besoins sans craindre les contradictions. Prenons un exemple parmi des milliers, dans les sermons de saint Bernard sur le *Cantique des cantiques* [163]. Il s'agit d'expliquer le passage suivant : « Car tes mamelles sont meilleures que le vin, ton arôme surpasse les parfums du plus grand prix ». Comme le texte ne dit pas clairement qui prononce ces paroles, Bernard considère que nous avons la liberté de choisir. En fait, il ne choisit pas, mais envisage successivement trois possibilités : l'Epoux, l'Epouse ou les compagnons de l'Epoux. Dans le premier cas, l'Epoux allaite l'Epouse et le lait est celui de la grâce. Dans le second, les mamelles appartiennent à l'Epouse et leur gonflement montre qu'elle a été spirituellement engrossée par la pratique de l'oraison. Dans le troisième, les compagnons de l'Epoux reprochent à l'Epouse de s'être trop exclusivement attachée aux baisers de l'Epoux et d'avoir perdu de vue sa capacité de nourrir les enfants, c'est-à-dire ses devoirs de prédication. Mais saint Bernard ne s'arrête pas en si bon chemin : « Il me vient à l'esprit un autre sens encore des mêmes paroles, auquel je n'avais pas songé, mais que je ne saurais passer sous silence ». Ce sont les enfants spirituels qui se plaignent d'être délaissés par l'Epouse, trop amoureuse de l'Epoux. Loin d'expliquer quelque symbolisme que ce soit, saint Bernard complique à dessein un symbolisme relativement simple et rend impossible la codification. Si on leur avait demandé ce que signifient les mamelles dans le symbolisme chrétien, les docteurs médiévaux se seraient flattés d'avoir le maximum de réponses possibles et également acceptables.

Essayons tout de même de tirer parti du texte de saint Bernard pour déchiffrer l'iconographie. Les mamelles de l'Epouse sont peu sollicitées dans l'art de son temps, mais il est vrai qu'elles prennent ensuite de l'importance [164]. Quant aux mamelles de l'Epoux, elles réservent une surprise. Si nous ne connaissons pas de représentations du Christ allaitant, il existe des choses proches : le pélican offrant son coeur comme nourriture à ses petits, saint Jean dormant sur le sein de son maître, ou encore le jet de sang qui sort de la blessure du crucifié. Mais alors, le sang a remplacé le lait. Est-ce la même chose ? Non, car la transformation en lait du sang d'un martyr, saint Paul ou sainte Catherine par exemple, existe comme thème hagiographique et n'aurait aucun sens s'il en était ainsi. Du reste, il existe bien dans l'iconographie gothique des créatures masculines arborant de fortes mamelles, mais ce sont des diable qu'il n'est pas conseillé de prendre comme nourrices. La lecture de saint Bernard n'explique pas l'iconographie : elle permet tout au plus de la gloser indéfiniment. Et pourtant, elle entraîne des rapprochements curieux, qu'on soupçonne d'être significatifs et donc de manifester l'existence d'un système, car il n'existe pas de significations sans système.

Dans l'art comme dans la théologie médiévale, le symbolisme est produit par deux principes fondamentaux, repérés depuis longtemps : l'analogie et l'antithèse. Mais on s'interdit généralement d'y voir clair en multipliant les concepts (symbole, allégorie, typologie, anagogie...) sans en préciser les articulations. Le couple analogie/antithèse nous semble recouvrir la totalité du symbolisme médiéval et former une opposition exclusive, que les autres procédés subdivisent.

Le symbolisme issu de l'analogie est désarmant pour le chercheur épris de système. Le pélican est analogue au Christ parce qu'il se sacrifie pour ses petits, le lion parce qu'il dort éveillé, Joseph parce qu'il a été jeté dans un puits et en est ressorti. Le lion est aussi analogue au diable, parce qu'il est dangereux, mais il ne s'en déduit pas que le diable soit analogue au Christ. On en arrive presque toujours à la structure suivante : A est analogue à B qui est analogue à C, mais A n'est pas analogue à C, ce qui décourage toute présentation systématique.

Les médiévaux ont pourtant fait une tentative méritoire pour sortir de ce jeu arbitraire : c'est la typologie qui se développe au XIIᵉ siècle [165]. Le point de départ remonte à l'art paléo-chrétien. Un certain nombre d'épisodes bibliques y sont traités en symboles du salut : Jonas sortant du ventre de la baleine, les trois jeunes gens dans la fournaise, Susanne et les vieillards... Il y a donc une litanies de symboles pour désigner une réalité unique : le salut. La typologie qui se met en place au XIIᵉ siècle, en particulier chez Honorius Augustodunensis, consiste à trouver des équivalents symboliques à chaque moment de l'Incarnation. Ce sont les types, auxquels s'opposent les antitypes qu'ils symbolisent. Par exemple, le serpent d'airain est un type de la crucifixion qui est son antitype.

Apparemment, la typologie devrait aboutir à un système structuré et complexe. Examinons un instant l'*Ambon de Klosterneuburg*, exécuté en 1181 par l'orfèvre Nicolas de Verdun, l'exemple le plus classique de monument typologique [166] (ill. 31-34). L'artiste a aligné l'histoire du salut en quinze scènes, de l'annonciation au Jugement dernier. Ce sont les antitypes, les événements survenus *sub gratia*. Au-dessus de ce cycle sont disposés les types de chaque épisode *ante legem*, c'est-à-dire jusqu'à la remise à Moïse des tables de la loi. En-dessous sont disposés les types *sub lege*, sous la loi, c'est-à-dire de Moïse à l'Incarnation. Ces scènes narratives occupent des encadrements en forme de baies. Dans les écoinçons de la rangée supérieure (*ante legem*) figurent des anges, anonymes comme il se doit. Les écoinçons de la rangée médiane (*sub gratia*) sont occupés par les prophètes qui ont annoncé chacun des événements reproduits. Ceux de la rangée inférieure (*sub lege*) reçurent les vertus appropriées aux types correspondants : la vertu de joie, par exemple, pour la naissance de Samson.

En comparant ce cycle typologique à d'autres, artistiques ou littéraires, on s'aperçoit d'abord qu'il n'y a pas de formules fixes et que le choix des types est assez arbitraire. Si le sacrifice d'Abraham est normal comme pendant *ante legem* de la crucifixion, le pendant *sub lege* est fourni par le retour des éclaireurs de Moïse, ramenant une grappe géante de la Terre Promise, un choix assez original. Du coup, le type le plus courant de la crucifixion fait défaut, à savoir le serpent d'airain. L'artiste commence son cycle christologique avec l'annonciation, la nativité et la circoncision, pour lesquelles il ne dispose pas de types très significatifs. Il choisit donc une solution banale : en haut, l'annonce à Abraham (ill. 31), la nativité d'Isaac et sa circoncision (ill. 34) ; en bas l'annonciation de la naissance de Samson à sa mère, sa nativité et sa circoncision. Le remplissage est évident. On démontrerait aussi facilement que l'articulation des vertus dans la série *sub lege* est tantôt judicieuse tantôt arbitraire. Dans ces conditions, le cycle typologique ne présente pas la belle ordonnance qu'on aurait espérée, mais un bricolage analogique plus ou moins réussi. Tout comme les méthodes exégétiques auxquelles elle appartient, la typologie est une production assez arbitraire de symbolisme, non pas une interprétation du symbolisme ou une manière de mieux l'organiser.

L'anagogie, telle qu'elle s'est développée à partir de Denys l'Aréopagite, aboutit également à une forme de codage. Elle présuppose que les choses corporelle peuvent symboliser les choses spirituelles et hésite d'emblée entre deux directions : celle d'une analogie immédiate, lorsque des objets fortement valorisés, comme l'or, signifient la divinité ; celle des symboles dissemblables destinés à éviter toute confusion entre le signe et la chose, ainsi l'utilisation d'animaux pour représenter les évangélistes. Cela n'empêche pas l'analogie, mais la fait passer au plan intellectuel : le veau symbolise l'évangéliste Luc parce qu'il est l'animal du sacrifice, etc. L'anagogie ne définit donc pas un système particulier de codage ; elle est une condition *sine qua non* du symbolisme religieux. Tout au plus permet-elle de déduire des réalités matérielles quelques constantes du symbolisme médiéval : l'or est plus précieux que l'argent, le soleil plus brillant que la lune, de sorte que ce qu'ils symbolisent doit se trouver dans le même ordre hiérarchique.

Si l'analogie, la typologie et l'anagogie sont des concepts empruntés au moyen-âge qui en parle abondamment, l'antithèse n'apparaît pas comme une méthode théorisée. Elle est omniprésente, sous la forme d'oppositions entre le ciel et la terre, la chute et la rédemption, Adam et le Christ, Eve et Marie, mais elle ne relève pas d'une méthode interprétative explicite. Les résultats obtenus par Lévi-Strauss sur les mythes amérindiens en faisant jouer sans cesse des oppositions structurales laisseraient espérer beaucoup d'une analyse du symbolisme médiéval qui prendrait appui sur les antithèses. On voudrait pouvoir utiliser des schémas tels que, si A est une antithèse de B, B une antithèse de C, alors A est au moins analogue à C. En fait, cette probabilité est fortement limitée par la nature même du christianisme médiéval, qui réagit sans cesse contre les tentations manichéennes. Eve est l'antithèse de Marie, laquelle foule le serpent, mais Eve n'est pas analogue à un serpent. L'arbre de la connaissance du Bien et du Mal s'oppose souvent à la croix, mais celle-ci est faite de son bois. Les oppositions structurales sont fréquentes, mais toujours relatives et instables. Par la nature et par la grâce, Adam est à l'image de son Créateur. Par le péché il en est dissemblable. On ne peut pas dire avec certitude si un acte d'Adam doit être l'antithèse d'un acte du Christ ou sa préfiguration. L'ambiguïté est à son comble lorsque l'Enfant Jésus reçoit une pomme de la main de Marie. Tout le monde comprend qu'il s'agit d'une allusion à la chute. Mais comment dire si cette pomme vient de l'arbre de vie et forme l'antithèse du fruit défendu, ou si Jésus prend la pomme fatale pour assumer le péché de l'humanité et la mort ? Un théologien placé devant l'image l'aurait peut-être commentée avec autant d'aplomb dans un sens et dans l'autre. L'historien risque toujours de se transformer en exégète et de donner une interprétation qui, dans le meilleur des cas, vaudra celle du théologien et se servira de l'image comme d'un prétexte.

2. Nouvelles hypothèses

Essayons pourtant de chercher, à la manière de Lévi-Strauss, des élément pertinents et des couples d'opposition significatifs dans les images gothiques. L'aspect très formalisé de cette iconographie nous y invite. Des paires contrastées, comme enfant/adulte, grand/petit, nu/vêtu, etc., possèdent un caractère discret qu'on chercherait en vain dans l'art du XVIIᵉ siècle par exemple, où elles se monnaient en nuances infinies. Ici au contraire, les personnages n'ont pas plutôt 27 ou plutôt 32 ans, mais sont divisés en classes d'âge bien distinctes : enfant/jeune homme imberbe/homme avec collier de barbe/vieillard à barbe longue. Le Christ ne mûrit pas lentement sous nos yeux. Nous le quittons nourrisson après la fuite en Egypte, pour le retrouver adulte au baptême ou aux noces de Cana. On tend à éviter les épisodes intermédiaires, comme Jésus parmi les docteurs.

Supposons par hypothèse que l'opposition nu/vêtu soit significative dans le système iconographique. Le crucifié serait alors en rapport analogique avec Adam et Eve au paradis, ou encore avec les âmes qui s'échappent de la bouche des morts. L'hypothèse est intéressante et mérite au moins d'être envisagée. Peut-être, la nudité des élus dans le sein d'Abraham, ou celle de l'Enfant Jésus lors de la circoncision, ont-elles une signification analogue à celle des nudités précédentes ? Mais on s'aperçoit aussitôt que dans ces deux derniers thèmes, la nudité est facultative. L'opposition est peut-être significative, mais alors, deux artistes interprètent différemment le même thème. Dès lors, si la nudité d'Adam et d'Eve symbolise probablement leur innocence, comme nous le savons par ailleurs, celle du Christ au baptême peut avoir le même sens, mais il n'est pas sûr que la nudité éventuelle de l'Enfant Jésus ou des élus ait ce sens. Une opposition serait donc pertinente dans certains cas et pas dans d'autres. Comment distinguer ?

L'appel à l'histoire sainte est une solution scabreuse. On a déjà vu dans l'introduction qu'il fait ignorer les spécificités iconographiques, ainsi lorsque les auréoles sont refusées à des saints et distribuées à des personnages qui ne le sont pas. Il y a par contre un cas où une opposition pourrait difficilement ne pas être significative : c'est lorsqu'un thème se modifie. Il serait par exemple très improbable que l'abandon du crucifié vêtu d'une tunique au profit du Christ nu, juste recouvert du périzonium, soit une fantaisie sans conséquences. Le crucifié habillé et couronné dont les yeux ouverts n'expriment pas la souffrance, apparaît comme souverain au moment même de sa mort. Sans posséder de connaissances théologiques, on s'apercevrait qu'il possède une dualité de nature. Mais ce type, le *volto santo*, perd toute signification, au point que les exemplaires conservés ont pu passer pour la représentation d'une femme à barbe. On préfère visiblement, autour de 1100, opposer l'image du Crucifié nu et souffrant à la majesté glorieuse, telle qu'on la voit au portail de Moissac par exemple. Il apparaît alors qu'on insiste sur l'opposition entre une première venue du Christ pour souffrir et une seconde venue pour régner. Le Christ règnera à la fin des temps, mais son premier séjour sur terre n'a pas établi son pouvoir.

Cette conclusion est théologiquement discutable. On peut objecter les pouvoirs miraculeux dont disposait le Christ sur terre, le caractère messianique et royal de la première venue. Mais nous parlons du système iconographique et là, nous trouvons une confirmation. La vie publique du Christ, ses miracles et son enseignement, si souvent mis en image à l'époque ottonienne, deviennent des thèmes plus rares vers 1100. On saute en général du cycle de l'Enfance à celui de la Passion, en escamotant le caractère triomphal que les Evangiles prêtent à la première venue. De même l'image plus discrète du tombeau vide est préférée à la représentation de la résurrection, du Christ sortant victorieusement de son tombeau. Cette fois, nous tenons donc une série d'oppositions structurales cohérentes. Il ne s'agit pas de combinaisons aléatoires dans le vocabulaire du mythe, avec lesquels nous décririons un monde de virtualités presque infinies, créant éventuellement nous-mêmes du symbolisme, mais d'un moment précis de l'idéologie médiévale dont l'interprétation est possible. Car, parmi les suggestions si diverses qu'offrent les Evangiles, on a oublié, puis retrouvé celle-ci : « Mon royaume n'est pas de ce monde ». Le rapport avec les institutions s'établit facilement : Kantorowicz a soigneusement analysé le passage d'une idéologie politique christocentrique liée aux pouvoirs laïcs, à l'hégémonie de la papauté [167], d'où la disparition du Christ adulte régnant sur terre. Le pouvoir terrestre de la papauté se représente plutôt par l'adoration des mages qui s'adressent à l'Enfant dans le giron de sa mère. L'évolution des thèmes permet donc de dégager des oppositions pertinentes de celles qui ne le sont pas.

Dans certains cas, le type d'oppositions nettes dont nous faisions état à propos des classes d'âges prévaut. Dans d'autres, les nuances viennent compliquer les choses. Entre le crucifix de type *volto santo* et le type souffrant s'interpose une gamme de nuances. Dans l'*Evangéliaire d'Uta* par exemple, (Ratisbonne, vers 1020) nous trouvons un type de *volto santo* avec la tête inclinée. Comme l'a bien vu S. Sinding-Larsen, tous les crucifix expriment à la fois la mort et la victoire sur la mort, ce qui l'amène à rejeter la distinction érudite entre un type *triumphans* et un type *patiens* comme artificielle [168]. En revanche, l'évolution des crucifix entre le XIᵉ et le XVᵉ siècle montre bien qu'il y en a de plus souffrants que d'autres. L'art allemand du XIVᵉ siècle a produit des crucifix d'une horreur incomparable. La gamme des nuances devient plus gênante lorsqu'il s'agit d'oppositions du genre nu/vêtu. Nous avons considéré comme approximativement nu le crucifié revêtu d'un périzonium, alors qu'une feuille de figuier suffit à présenter Adam et Eve comme vêtus. Dans le premier cas, nous supposons un euphémisme, mais pas dans le second. En revanche, la tenue du Christ gothique, de la descente aux Limbes jusqu'au Jugement dernier, semble un compromis irréductible à la nudité ou au vêtement. Il est nu sous le manteau, pour pouvoir montrer ses plaie. Conféré aux grands personnages, porté d'ordinaire par-dessus la tunique, le manteau est un signe de puissance, alors que la nudité, celle de Job ou du pauvre Lazare par exemple, signale leur dénuement. Le manteau se combine donc avec le corps souffrant du Christ pour figurer une sorte de mort-vivant, humilié et glorieux à la fois. Il ne s'agit certainement pas d'un cache-sexe comme le périzonium.

Pour distinguer le symbole de l'euphémisme, nous en sommes réduits à un appel au bon sens empirique. La mythologie chrétienne possède une forte tendance à l'euphémisme dans tout ce qui concerne la parenté, la sexualité et le corps. Devant la verge fleurie de saint Joseph, devant l'arbre de Jessé qui pousse fréquemment entre les jambes du personnage, l'historien d'art indique d'un sourire entendu qu'il a compris le message. Le déchiffrement s'apparente à celui du rêve, tel que l'a institué Freud. On court par conséquent le risque de projeter du symbolisme sexuel là où il n'y en a pas. Freud rappelait lui-même qu'un avion n'est pas toujours un phallus, mais parfois le moyen approprié de se rendre d'un lieu à un autre. Par bonheur, nous possédons un moyen de vérification assez sûr : c'est la dénonciation des euphémismes par les contemporains, le prédicateur hostile à telle iconographie, le poète satirique, l'auteur de fabliaux anticléricaux. Nous ne manquerons pas d'en faire usage au cours de ce travail. Au lieu de présupposer du symbolisme inconscient, nous cherchons la conscience du symbolisme où elle se trouve, ce qui explique l'importance donnée dans ce livre aux auteurs mal-pensants, les meilleurs complices de l'historien.

2. Esquisse d'une interprétation structurale

L'interprétation d'un système iconographique aussi riche que celui de l'art gothique est pratiquement infinie. Les dictionnaires de Réau et de Kirschbaum donnent une idée du matériau qu'elle devrait mettre en oeuvre pour approcher de l'exhaustivité. Nous nous contenterons ici de préciser les articulations entre quelques thèmes dont la fréquence atteste l'importance.

Il n'est pas nécessaire d'envisager la totalité du système pour dégager une interprétation partielle, mais juste. C'est ce que montre avec éclat l'analyse que Roberto Zapperi consacra récemment au thème iconographique de la naissance d'Eve [169]. Une nouvelle manière de présenter le thème se constitue au XIe siècle et se généralise au siècle suivant. Un personnage de grande taille, vêtu comme un seigneur, barbu et nimbé, se penche avec un geste impérieux sur un homme nu, endormi et privé de sexe. Il fait surgir du flanc de cette homme la partie supérieure d'une femme (ill. 25). On peut lire le texte biblique comme on veut, il ne justifie pas, mais contredit cette représentation de la naissance d'Eve. Dieu est supposé avoir tiré une côte du flanc d'Adam, puis avoir façonné Eve à partir de cette côte ; jusqu'alors, l'iconographie était conforme à ce récit. La modification du thème est lourde de conséquences. Désormais, Adam accouche en quelque sorte d'Eve par le côté. Dieu lui a transmis le pouvoir de produire un être. Si la femme met d'ordinaire au monde les enfants, l'homme a mis la femme au monde. Le rapport hiérarchique qu'implique la procréation passe entièrement dans les mains de l'homme qui usurpe l'importante prérogative féminine de l'enfantement.

On lit ainsi un rapport de pouvoir évident entre Dieu et l'homme féminisé d'une part, entre l'homme et la demi-femme qu'il engendre d'autre part. L'homme est à Dieu ce que la femme est à l'homme. Mais l'image ne dit pas que cela. Pour quiconque la replace dans son contexte, c'est-à-dire dans le cycle iconographique de la Genèse, l'homme va épouser celle qu'il a enfanté : il est donc incestueux, ce que les iconographies antérieures ne suggéraient pas vraiment. Le mariage, institué par Dieu au paradis, sanctionne un acte de chair assimilé à l'inceste. Plus exactement, et nous voudrions introduire ici une nuance dans l'analyse de Zapperi, c'est la chute qui rend le mariage incestueux dans la mesure où sa consommation, sans laquelle il n'y aurait pas d'inceste, est métaphorisée par celle de la pomme. Enfin, le travail de l'enfantement n'est pas représenté. Adam dort tranquillement et le Seigneur agit à sa place en ordonnant et en tirant éventuellement Eve par le bras. La production est attribuée à celui qui commande et se l'approprie. L'image condense ainsi en les assimilant les rapports de parenté, de pouvoir et de production. Elle fonde dans la loi divine l'autorité du père et du seigneur, en escamotant le processus réel de la production et de la reproduction. Zapperi trouve sans peine dans la littérature théologique et morale du moyen-âge l'exacte confirmation de sa thèse, non pas en cherchant le texte selon lequel Adam aurait « accouché » d'Eve (les textes sont aussi métaphoriques que les images), mais en montrant qu'on y use exactement de la même rhétorique. Les autres thèmes iconographiques viennent à leur tour confirmer l'interprétation. On peut voir dans la *Bible moralisée* l'Eglise naître, à mi-corps, du côté droit du crucifié (ill. 26). Le rapport entre le Christ et l'Eglise est alors présenté comme semblable au rapport entre l'homme et la femme, conformément à saint Paul : « Le mari est le chef de sa femme, comme le Christ est le chef de l'Eglise » (*Ephésiens*, 5, 24).

L'analyse de Zapperi n'est pas exhaustive et ne prétend pas l'être. Une remarque indique une piste qui n'est pas exploitée : « Dans cette procréation, les rôles de l'homme et de la femme sont inversés pour signifier que la procréation, prérogative des femmes, a pour correspondant chez l'homme la faculté de création : la femme procrée les enfants, l'homme crée les oeuvres et produit les objets » [170]. En outre, la scène de la naissance d'Eve contient encore un protagoniste insistant : c'est l'arbre. Sur les portes en bronze de la cathédrale de Monreale, l'arbre prend exactement la forme en Y du groupe formé par Adam et Eve. La similitude est trop forte pour qu'on ne devine une intention : Adam, encore au paradis, se reproduit à la manière d'un arbre, engendrant de nouvelles branches et non pas des individus autonomes. A partir de ces observations, deux nouvelles pistes surgissent.

La première mène vers l'arbre de consanguinité, un thème iconographique fréquent, récemment étudié par Hermann Schadt [171]. Dans l'art du XIIᵉ siècle, l'arbre de consanguinité prend la forme d'un homme-arbre, qui peut représenter le « maître de l'arbre » (*dominus arboris*), voire Adam lui-même, comme père de l'humanité. De manière générale, c'est le seigneur et le maître. Les « rameaux » constitués par ses descendants sont les parties insécables de son corps et correspondent précisément aux individus qui ne peuvent se marier entre eux sans commettre l'inceste.

La seconde piste mène vers un arbre non moins célèbre, celui de Porphyre, qui a pris une forme figurée depuis le XIᵉ siècle [172] (ill. 3). Nous connaissons maintenant suffisamment cet arbre pour savoir qu'il repose à son tour sur l'assimilation des rapports de parenté et de pouvoir, non pas cette fois dans l'univers matériel, mais dans l'univers spirituel des êtres de langage. Adam n'engendre pas Eve naturellement, mais spirituellement, comme le genre engendre l'espèce. L'engendrement spirituel ne produit pas un être distinct et séparé : il réunit dans l'Un au lieu de diviser dans le multiple. Spirituellement, Eve est incluse dans Adam comme l'espèce dans le genre. Leur disjonction entraîne le péché de chair, la contradiction entre l'Un et le multiple, entre le spirituel et la nature déchue, que métaphorise l'inceste. L'homme au paradis était l'homme spirituel, l'homme-langage.

On objectera probablement que l'artiste n'avait pas pensé à une histoire aussi compliquée, qu'il ne se préoccupait pas des universaux et que nous surinterprétons. En fait, la récurrence de l'idée iconographique prouve le contraire. L'assimilation de la consanguinité avec l'existence paradisiaque apparaît clairement lorsque l'arbre de consanguinité est assimilé au sein d'Abraham, une autre représentation du paradis, ce qui se produit dans trois manuscrits du XIIᵉ siècle au moins [173]. Dans l'*Hortus deliciarum*, la célèbre encyclopédie rédigée à la fin du XIIᵉ siècle par Hérade, abbesse de Hohenbourg, l'enlumineur renonce pudiquement à faire sortir Eve du côté d'Adam [174] (ill. 27). Face à l'homme endormi, Dieu transforme en femme la côte qu'il tient d'une main. Adam est abrité par un arbre étrange dont les fleurs sont des têtes humaines. Dans son savant commentaire des illustrations, Gérard Camès montre qu'il s'agit de l'arbre de vie, assurant une génération sans corruption, comme en témoignent Honorius Augustodunensis et d'autres commentateurs. Il se demande « plus prosaïquement » s'il ne s'agit pas d'un âge d'or où les arbres de l'Eden prendraient sur eux le fardeau de la reproduction humaine. Il rapproche à juste titre l'enluminure d'une représentation du sein d'Abraham dans les *Péricopes d'Henri II*, conservés à Brême [175], où l'on voit les âmes du paradis naître des arbres à mi-corps, sous forme d'enfants nus.

Lorsqu'on fait abstraction de la génération charnelle et de la corruption, ce qui naît reste la partie d'un grand corps indivisible, à l'intérieur duquel les rapports charnels seraient incestueux. L'inceste est explicitement comparé par le pape Alexandre II, en 1063, à l'ablation d'un membre de ce corps, la main, le bras ou la jambe [176]. De même, les universaux « homme », « boeuf », « âne », sont les parties inséparables de l'être animé, contrairement aux individus qui naissent et meurent (cet

26. *Crucifixion symbolique*, Bible moralisée, Paris,
Bibliothèque Nationale, ms. latin 11560, fol. 186r.

27. *Création d'Eve*, d'après le manuscrit détruit de l'*Hortus deliciarum*, fol. 17r.

homme, ce boeuf, cet âne). Les institutions survivent de la même manière aux individus, ainsi la *dignitas*. On se souvient que les juristes utilisaient la métaphore du phénix, de l'individu qui est à lui seul l'espèce, pour désigner la double nature du dignitaire. Mais le phénix a un pendant théologique qui est Adam, un thème bien dégagé, une fois de plus, par Kantorowicz qui met à contribution la *Divine comédie* de Dante [177].

Par la chute, Adam a donc cessé d'être une entité purement spirituelle, pour devenir un être contradictoire, relevant à la fois du langage et de la matière. Au langage qui se produit et se reproduit sans effort, succèdent le travail et l'enfantement dans la douleur, à la promiscuité licite du spirituel, l'inceste puis le fratricide, qui divisent un corps pourtant voué à l'unité. Le mythe fonde donc non seulement la parenté, la production et le pouvoir, mais encore le système logique, dans la mesure où il expose désormais la contradiction entre les mots et les choses, entre le spirituel et la matière, entre l'Un et le multiple.

A partir de la naissance d'Eve, des pans entiers du mythe s'organisent de manière déductive, à l'aide d'une matrice logique qui est un petit peu la calculatrice de poche du moyen-âge :

p	q
+	+
+	-
-	+
-	-

Saint Anselme parvient à déduire l'Incarnation de la naissance d'Eve grâce à cet outil : « Dieu peut faire un homme de quatre manières, à savoir soit d'un homme et d'une femme, comme on le constate habituellement, soit sans homme ni femme, comme il créa Adam, soit d'un homme sans femme, comme il fit Eve, soit d'une femme sans homme, ce qu'il n'avait pas encore fait. Afin de prouver que ce moyen était également en sa puissance et que son oeuvre s'étendait jusque là, rien ne lui était plus convenable que de produire d'une femme sans homme cet homme que nous cherchons » [178]. Un tel texte nous paraît à l'opposé de l'allégorisme, car il énonce la structure du mythe :

Issu(s)	d'un homme /	d'une femme
Hommes	+	+
Eve	+	-
Christ	-	+
Adam	-	-

Il est maintenant aisé de diviser l'histoire en quatre moments. L'existence paradisiaque est celle de l'homme-langage inengendré, produit par la seule (béné)diction du Verbe (- -). A l'opposé se trouve la génération charnelle, caractéristique de la nature déchue (+ +). La transition est faite par la naissance d'Eve (+ -), un moyen terme entre (- -) et (+ +). Pour ramener l'homme au paradis à la fin des temps, le Verbe s'incarne en inversant la naissance d'Eve (- +), ce qui permet de passer de (+ +) à (- -). L'état de nature déchue ne se confond pas avec l'histoire humaine qui est celle de la chute et de la rédemption. Même défiguré par le péché, l'homme n'est pas un animal irrationnel, mais participe de l'institution, de la loi. Il est un moyen terme entre l'esprit et la chair, le langage et la matière. Voyons maintenant comment l'iconographie figure cette idée abstraite.

1. La nature déchue

Il y a dans l'art médiéval une dualité constante entre la figuration et l'ornement, l'humain et le monstrueux, le langage iconographique et le caprice. Le décor roman consiste ou bien en scènes religieuses clairement identifiables, ou bien en entrelacs et en volutes composés d'éléments humains, animaliers et végétaux (ill. 28 et 29). C'est à ce second type de décor que pensait saint Bernard en décrivant les chapiteaux des cloîtres et Baltrusaitis a montré qu'il reposait sur une combinatoire géométrique abstraite [179]. Lorsque ce type de décor passe de mode, avec le développement du gothique, on voit apparaître les drôleries qui le remplacent, en particulier dans les marges des manuscrits.

Dans sa forme romane, ce décor représente très exactement la matière, telle que les logiciens pouvaient la concevoir : un enchaînement de métamorphoses où règnent la confusion et la diversité. Le caractère principal de ce décor est l'absence des formes substantielles, des formes stables auxquelles on peut attacher un nom qui désigne réellement une substance. Si l'on croit un instant avoir vu et pouvoir désigner une femme, on s'aperçoit aussitôt que le bas du corps est composé de deux queues de sirène qui se terminent en volutes végétales. Il s'agit toujours de contredire l'arbre de Porphyre le plus systématiquement possible. On reconnaît la persistance du décor dit « barbare », pratiqué pendant le haut moyen-âge par les orfèvres et les enlumineurs, mais à son bestiaire fantastique s'ajoute la confusion des espèces. De parfaits exemples en sont fournis par la sculpture du Sud-Ouest et de l'Ouest de la France (cloître de Moissac), ou encore par les manuscrits enluminés dans les cloîtres du Nord (Saint-Amand, Saint-Bertin).

Lorsque ce décor évolue vers la représentation d'une action narrative, on voit prédominer trois thèmes : le combat, la chasse et la manducation. C'est à peu près tout ce que savent faire ces créatures monstrueuses : s'entre-dévorer. De même qu'elles naissent les une des autres, elles retournent les unes dans les autres. Il est raisonnable de voir dans ce mouvement cyclique, si bien suggéré par la prédominance des courbes, une métaphore de la génération et de la corruption. De plus, l'indifférenciation des êtres évoque un univers sans lois, autophage et pervers polymorphe.

Plus la représentation devient distincte, plus elle représente l'enfer. A Chauvigny, par exemple, la transition est insensible entre les scènes infernales les plus conventionnelles, motivées par le cycle eschatologique, et les figures monstrueuses qui s'entre-dévorent, mais qui ne sembleraient pas, sans le contexte, avoir de signification iconographique (ill. 29).

En passant de ce décor aux drôleries gothiques, on assiste à une évolution intéressante : les objets fabriqués par l'homme, d'abord presque inexistants, deviennent de plus en plus nombreux : costumes, armes, ustensiles, etc. Dans les Jugements derniers des cathédrales, l'enfer évolue de la même façon : on y dispose désormais de chaudrons, de crocs à viande et de chaînes. Les inventions humaines, dont l'essor technique du XIIe siècle oblige à voir l'importance, entrent mal dans le cadre logique : ce sont des fictions. Il n'y a rien de tel au paradis ou dans le sein d'Abraham. A la fin du moyen-âge, cette opposition prend sa forme la plus grandiose chez Jérôme Bosch qui peuple son *Jardin des délices* d'hommes nus ignorant les techniques et réserve pour l'enfer les inventions de l'humanité (Madrid, musée du Prado).

On peut donc regrouper tout un pan de l'art médiéval, à mi-chemin entre le thème et le genre : la représentation du cycle génération/corruption par l'hybridation des espèces, avec une forte insistance sur la lutte, la chasse et la manducation. Ce groupe de représentations fait globalement allusion à la nature déchue et à l'enfer, également caractérisés par l'absence d'ordre et de distinctions logiques. Il s'agit en somme du vaste domaine de l'innommable. L'enfer peut alors se définir comme la perte du nom, châtiment d'une mauvaise vie, alors que les saints deviennent des noms glorieux, comme on l'a vu à propos de sainte Foy. Les petits personnages nus qui occupent le sein d'Abraham peuvent être considérés comme des noms immortels et on comprend alors pourquoi, lorsque le corps meurt, on les voit naître par

28. *Adoration des mages*,
Chauvigny, Eglise Saint-Pierre.

29. *Dragon dévorant des âmes*,
Chauvigny, Eglise Saint-Pierre.

la bouche, organe de la parole. Au paradis, ils ne travaillent ni ne mangent, sauf éventuellement les fruits de l'arbre de vie, qui s'opposent à la cuisine infernale. Contrairement aux habitants de l'Enfer, les âmes élues ne font pas la cuisine et ne sont pas cuisinées ; les martyrs, pour leur part, l'ont été suffisamment de leur vivant.

2. L'humanité

Au paradis, Adam, l'homme-espèce, est nu, sans caractères sexuels affirmés, tout comme les âmes. Mais il a la taille d'un adulte, comme Abraham, le réceptacle des âmes. L'un et l'autre sont par rapport aux hommes et aux âmes comme le genre par rapport à l'espèce, comme l'espèce par rapport aux individus. Adam se reproduit en effet par ramification comme les universaux et la parenté. Etre de langage, il se distingue cependant du Verbe qui n'est pas un être de langage, mais produit de tels êtres. L'artiste médiéval utilise pour le Créateur la figure du Christ incarné, adulte et vivant : un homme barbu, vêtu de la tunique et du manteau, portant le nimbe cruciforme. Les variantes sont nombreuses : il peut se tenir debout, être assis sur le globe ou bien apparaître en buste. Le Christ n'« engendre » pas Adam et Eve : au contraire, la présentation byzantinisante en buste serait destinée, selon le *Rationale divinorum officiorum* de Guillaume Durand, à écarter les mauvaises pensées que suggère le bas du corps [180]. Le Verbe agit toujours en produisant des mots, ce qu'exprime le geste de bénédiction : il ne fait jamais rien d'autre dans les cycles néo-testamentaires. On voit cependant s'installer momentanément, à partir de la fin du XIe siècle, une représentation différente de la Création, où le Verbe manipule un compas et dessine le monde. Il ne faut pas en conclure qu'il travaille, mais que l'artiste, sous prétexte qu'il utilise le nombre et la mesure, qu'il trace le plan au lieu de l'exécuter, prétend ne pas travailler, mais créer spirituellement [181].

L'acte qui s'oppose à la bénédiction dans l'iconographie médiévale n'est pas la malédiction, car il s'agit du même signe, mais la manducation. Il y a là, sans aucun doute, un écart par rapport à la littérature religieuse, comme on le voit dans les représentations de la sainte Cène, où l'artiste gothique ne représente pas exactement la communion des apôtres, mais l'absorption par le seul Judas du corps du Christ. C'est en mangeant du fruit défendu qu'Adam et Eve se perdent.

Faut-il assimiler la chute à la « consommation » de l'acte sexuel, en jouant sur l'équivalence, assez courante, entre la nourriture et la

30. *Arbre d'affinité*, Henri de Suse, *Summa copiosa*, Paris,
Bibliothèque Nationale, ms. latin 4000, fol. 186r.

sexualité, ou encore sur les associations d'idées qui feraient du serpent ou de l'arbre des symboles phalliques ? On essayera d'être plus rigoureux. Un fort courant théologique s'appuie sur saint Augustin pour considérer qu'Adam et Eve ont été punis du péché d'orgueil et non du péché de chair. Mais la théologie qui nous intéresse ici est celle qui se déduit des images. Il apparaît d'abord que l'arbre n'y est pas un vague symbole phallique, mais revêt une signification plus précise. Il n'y a qu'un seul arbre, selon la Bible, auquel Adam et Eve ne doivent pas toucher et il est possible que la Genèse vise déjà l'inceste par cette image [182], mais cela sort de notre propos. Pour l'artiste médiéval, cette interprétation paraît s'imposer ; parfois sorti en même temps qu'Eve du flanc d'Adam, parfois inextricablement mêlé au groupe, parfois placé juste à côté d'Adam, l'arbre représente sa descendance. Dans les arbres d'affinité étudiés par Schadt, l'arbre s'interpose au XIIIe siècle entre l'homme et la femme pour signifier le tabou de l'inceste [183] (ill.30). Comme ces représentations font nettement allusion à la chute de nos premiers parents par leur disposition formelle, l'emprunt de l'arbre paradisiaque semble indiquer qu'il fait bien allusion au rapport de parenté entre Adam et Eve dans les illustrations de la Genèse.

Le serpent est de loin l'animal le plus fréquent dans le décor monstrueux qui symbolise la nature déchue, car son corps sinueux se prête à l'arabesque et se mêle étroitement aux éléments végétaux. Le serpent décoratif et celui du paradis présentent les mêmes variantes : l'un et l'autre peuvent devenir dragon, avec des ailes et parfois des pattes. Le serpent du paradis apparaît souvent comme hybride, avec une tête de femme [184]. Il est donc raisonnable de l'assimiler à la génération et à la corruption, d'en faire la copule, non pas logique, mais charnelle, qui manquait à Adam et Eve avant son apparition.

Expulsés du paradis, Adam et Eve travaillent et se multiplient. Nous n'allons pas détailler la suite du récit iconographique, mais nous nous contenterons de quelques remarques générales. On voit apparaître dans le cycle de la Genèse les principales étapes de la civilisation : institution du sacrifice, de la ville, de la guerre, etc. Ces événements concernent l'humanité à mi-chemin entre la nature et la grâce, spirituelle sans être divine, charnelle sans être diabolique. Il s'ensuit que les cycles vétéro-testamentaires sont la partie la plus « réaliste » de l'iconographie religieuse, au sens vulgaire du terme « réaliste ». Les événements représentés évoquent fortement l'existence de l'homme médiéval, avec la conséquence qu'ils sont reproduits dans les ouvrages sur la vie médiévale pour leur valeur documentaire. On voit souvent une scène comme la tour de Babel affublée de la légende : « construction d'une cathédrale ». Sans vouloir cautionner cette utilisation pré-critique des images, on peut reconnaître qu'elles s'y prêtent. A travers le costume, les insignes, le mobilier religieux, l'outillage, le moyen-âge décrit l'Ancien Testament sur le modèle de la réalité sociale, alors qu'il donne au cycle de l'Incarnation un caractère plus surnaturel, monstrueux ou exotique. La crucifixion, l'ascension ou la Pentecôte pourraient difficilement passer pour des scènes de la vie médiévale, alors qu'Abraham et Melchisédech, tels qu'ils sont représentés, par exemple, à la cathédrale de Reims, intéressent l'histoire du costume. Il ne faut pas s'en étonner, car l'artiste donne à Melchisedech le calice qu'on utilise dans la liturgie, tandis que les descriptions du temple de Salomon et de son mobilier servent de modèles pour les constructions et les objets liturgiques médiévaux.

On trouve donc dans les représentations de l'Ancien Testament les signes d'une déchéance, le travail, le meurtre, l'idolâtrie et la fornication, et ceux d'un ordre spirituel qui n'a pas disparu pour autant. Les exploits des Justes se rapprochent, grâce à la typologie, des grands moments du Nouveau Testament. Il arrive que la divinité leur apparaisse sous une forme peu voilée et qu'ils fassent des miracles : Moïse voit directement le Verbe dans le Buisson Ardent et fait jaillir l'eau du rocher.

L'histoire d'Abraham, vue par l'artiste gothique, est un bon exemple de l'écart qui est maintenu entre l'homme et la nature. Pour s'en convaincre, il faut à nouveau lire l'image dans un oubli volontaire du récit biblique afin de comprendre les adjonctions, les modifications et les choix opérés par l'artiste, sans exclure bien sûr les recoupements entre les mythes judaïques antiques et ceux du moyen-âge chrétien. Plusieurs scènes de la vie d'Abraham apparaissent dans l'*Ambon* de Nicolas de Verdun à Klosterneuburg qui nous servira d'exemple. Au début du cycle, trois anges auréolés s'adressent à Abraham, venus de droite, (ill. 31). Comme le précise l'inscription, ils lui annoncent la naissance d'Isaac. Auréolé lui aussi, le patriarche lève les mains ouvertes dans un geste d'acceptation et d'oraison qui répond à la bénédiction du premier ange. La situation d'Abraham évoque donc celle de la Vierge lors de l'Annonciation (ill. 32) et, de plus, lui sert de pendant typologique. L'ange apparaît à la Vierge en venant de gauche, ce qui distingue cette scène de ses deux pendants, l'annonce à Abraham et celle qui est faite à la mère de Samson. Abraham partage le destin de deux femmes : il se voit annoncer une naissance selon la même procédure, contrairement à Joachim par exemple, pour qui l'annonce prend la forme d'une vision. La disposition manifeste donc une inversion qui rappelle le thème de l'homme enceint, si bien analysé par

31. Nicolas de Verdun,
Annonce à Abraham,
ambon de Klosterneuburg.

32. Nicolas de Verdun,
Annonciation,
ambon de Klosterneuburg.

33. Nicolas de Verdun,
Sein d'Abraham,
ambon de Klosterneuburg.

34. Nicolas de Verdun,
Circoncision d'Isaac,
ambon de Klosterneuburg.

Zapperi, et qui se confirme à la fin du cycle, où l'on trouve les élus dans le sein d'Abraham (ill. 33).

Dans la seconde scène relative à Abraham, la nativité d'Isaac, l'artiste a représenté l'allaitement d'Isaac par Sarah, dont les rides attestent l'âge. Une jeune servante s'apprête à recueillir l'enfant. Abraham fait un geste de dénégation qui semble indiquer que la naissance miraculeuse n'est pas son oeuvre, mais celle du Très-Haut. La scène suivante représente la circoncision d'Isaac qui fait pendant à celles du Christ et de Samson[185] (ill. 34). L'insistance est à nouveau forte sur les rides de Sarah qui maintient l'enfant pendant l'opération. L'inscription précise : *Flet circumcisus Ysaac tuus o Sara risus*, ce qu'on peut traduire (assez mal) par : Isaac circoncis pleure, ton rire, ô Sarah. En effet le nom d'Isaac fait allusion au rire qui prit Sarah lorsqu'une naissance fut annoncée au vieux couple. Comme le geste de dénégation prêté à Abraham, le rire de Sarah sanctionne l'anomalie de la filiation, symbole de son caractère spirituel.

Le patriarche réapparaît à la scène suivante, en armure, offrant de l'or et du bétail à Melchisedech, prêtre couronné. Comme le précise l'inscription, il s'agit de la dîme. Le roi sacerdotal reçoit donc les présents du pouvoir profane, comme dans les deux pendants que sont l'adoration des mages et la visite de la reine de Saba à Salomon. Melchisédech dont le sacrifice est représenté plus loin dans l'ambon, symbolise le Christ, tandis qu'Abraham apparaît comme une figure du pouvoir profane. Dans la scène du sacrifice d'Isaac qui sert de type à la crucifixion, Abraham s'apprête à mettre son fils à mort, mais l'ange retient son bras. Sans l'intervention miraculeuse, il jouerait donc un rôle comparable à celui des bourreaux du Christ.

Le thème d'Abraham s'éclaire par comparaison avec les autres représentations du pouvoir profane dans l'art et le mythe médiéval. L'homme enceint est une métaphore du souverain, en la personne de Néron, par exemple, qui accouche d'un crapaud [186]. La *Légende dorée* utilise également l'autre facette du mythe d'Adam pour désigner le pouvoir profane, l'inceste du père avec la fille, fortement suggéré dans l'histoire d'Hérode, tandis que Judas, qui est une sorte de prêtre maléfique, épouse au contraire sa mère et reçoit la dîme. Hérode, pour maintenir son pouvoir incestueux, tua les Saints Innocents, mais aussi ses propres enfants [187]. Il semble ainsi que l'ange empêche Abraham de persévérer dans la logique funeste du pouvoir profane en égorgeant sa descendance pour maintenir sur terre une fausse perpétuité. Aussi devient-il au ciel la mère qui porte les élus en son sein.

35. *Arbre de Jessé*, Psautier de Shaftesbury, Londres,
British Museum, codex Landsdowne 383, fol. 15r.

3. La grâce

L'acte qui instituait l'humanité sous sa forme terrestre était l'inceste entre Adam et celle qu'il avait enfantée. Les pouvoirs de ce monde s'instituent ensuite selon des pratiques comparables. Par contre, l'histoire du salut prend comme origine un retournement de situation : une femme conçoit sans homme (annonciation) pour être unie à son Fils, en paradis, comme une reine à son roi (couronnement de la Vierge). L'iconographie multiplie donc les antithèses en se servant d'éléments formels, comme la posture des personnages ou leur position respective, pour suggérer les rapprochements. C'est ainsi que l'arbre de Jessé apparaît au XIIe siècle (ill. 35), empruntant des éléments de la naissance d'Eve et s'inspirant des arbres de consanguinité. Jessé est endormi comme Adam, mais habillé. Un arbre pousse de son flanc gauche ou de l'emplacement de son sexe et les rameaux constituent la parenté terrestre du Verbe. Cette génération s'oppose terme à terme à celle de l'Eglise qui sort du flanc droit du Christ, et non pas du flanc gauche ou du sexe, mais aussi à l'arbre de consanguinité, car l'arbre de Jessé va de bas en haut, de sorte que l'ancêtre se trouve au bas de l'arbre et que le dernier rejeton, Dieu lui-même, domine l'arbre : ici, les parents obéissent à l'Enfant.

L'annonciation, thème constitué depuis le haut moyen-âge, est réinterprétée comme antithèse de la naissance d'Eve ou encore de la chute, comme à la cathédrale de Verdun où les deux scènes se présentent en pendants sur les contreforts du choeur [188]. Dans l'entrée du porche de Moissac, vers 1120, l'antithèse proposée est plus brutale (ill. 36). Le pendant de l'annonciation est un couple formé par un diable au ventre proéminent et une femme nue qui allaite des serpents ; il s'agit d'une caricature du pouvoir profane, fondée sur des thèmes qui nous sont maintenant familiers : la grossesse masculine et l'allaitement dérisoire.

L'antithèse entre la nativité et la naissance d'Eve est produite par plusieurs procédés. On met successivement l'accent sur la mort future du Christ qui rachètera la Faute, puis sur son union avec sa mère qui s'oppose à celle d'Adam et Eve. Dans la nativité, Marie est allongée comme Adam et surmontée le plus souvent par l'Enfant qui occupe un édicule rappelant tout à la fois un tombeau et un autel, par opposition à l'arbre. L'allusion au sacrifice et à la mort est évidente et encore renforcée par l'emmaillotement du Christ qui évoque l'ensevelissement. Mais, dès le XIIIe siècle, l'Enfant se libère le plus souvent du maillot et la Vierge s'occupe de lui. On voit alors les gestes de tendresse se développer entre la Vierge et l'Enfant, tout comme ceux de la Vierge

36. *Diable et femme*, Moissac, porche de l'abbaye, relief dans l'entrée.

pour le Christ mort dans la déposition, la mise au tombeau et les thèmes qui en dérivent. L'incarnation du Verbe est donc présentée comme une sorte de mort. Il devient chair, c'est-à-dire cadavre et c'est en tant que tel qu'il est l'objet, sur terre, de l'amour maternel. Quant à Joseph, il est isolé et assoupi dans un coin. Son effacement s'oppose à l'activité bénissante du Verbe lors de la naissance d'Eve.

L'adoration des mages présente l'Enfant sous un tout autre aspect. Il est cette fois le modèle réduit du Christ Pantocrator, du Verbe souverain : tunique, manteau, geste de bénédiction. Si l'on enlève mentalement les rois mages du groupe, il reste la Vierge à l'Enfant, la *Théotokos*, telle que les Grecs l'adorent en icône et les Latins sous forme de statue (ill. 28). Il s'agit de l'image la plus fondamentale de l'art chrétien après la crucifixion. Comme la crucifixion et plus tard la *pietà* ou le groupe du Christ et de saint Jean, c'est une image d'adoration qui peut retourner dans le cycle narratif par addition de personnages comme elle en sort par l'exclusion de ces personnages. De même, on passe de la *pietà* à la déploration et inversement. Les rois mages jouent dans la scène de l'adoration le même rôle que les fidèles devant la *Théotokos,* de sorte que l'adoration des mages peut servir de mode d'emploi à la dévotion [189]. Il s'agit de l'une des représentations les plus fréquentes de l'art chrétien et peut-être de la seule représentation univoque et fréquente du triomphe du Christ dans son existence terrestre.

Le Pantocrator enfant, dont la Vierge a remplacé le trône (elle est le *Sedes Sapientiae*, le siège de la Sagesse) tend à se substituer à l'original adulte. Le Pantocrator était un thème dominant dans la seconde moitié du XIe siècle et au début du siècle suivant, qu'il s'agisse des tympans romans, des enluminures ou du décor des absides et des autels. Il pouvait être à la fois Christ-roi, Christ-juge, Verbe triomphant, ascension, représentation de la seconde venue. Globalement, il manifestait ici-même la présence du Verbe souverain. A partir des tympans d'Autun, de Conques et de Saint-Denis, il est repoussé clairement à la fin des temps et se spécialise dans le Jugement. Au même moment, la fonction royale s'assimile de plus en plus à celle de juge, mais l'iconographie, tout en présentant le pendant religieux de cette réalité, l'écarte de l'adoration et du temps présent. Dans l'immédiat, le Pantocrator est petit et n'existe qu'en Marie, symbole de l'Eglise. La Vierge, c'est-à-dire l'Eglise, est plus grande que le Verbe qu'elle contient en son sein, mais elle est muette par elle-même : c'est généralement lui qui bénit, parle, ordonne et reçoit les cadeaux. Dans toute son iconographie, la Vierge est silencieuse ; elle ne fait que très exceptionnellement le geste de bénédiction. Elle est par conséquent à la fois dominante et dominée, plus grande et plus petite que celui qu'elle porte.

Un thème auparavant secondaire se développe dans la liturgie du XIIe siècle : la Vierge est qualifiée de Mère et Fille de Dieu à la fois (*Dei mater et filia*) [190]. Kantorowicz a montré que c'était là le symbole de l'institution médiévale, à la fois obéissante et dominatrice [191]. S'inspirant de ce symbolisme, Frédéric II de Hohenstaufen se présente comme père et fils de la Justice (*pater et filius Justitiae*), montrant ainsi qu'il règne au nom d'un principe transcendant et qu'il obéit lorsqu'il commande. L'iconographie donne encore à la Vierge un autre caractère de l'institution. Bien qu'elle ait vécu au moins soixante ans selon la légende, elle ne vieillit pas dans l'art. Les textes peuvent suggérer son incorruptibilité en remplaçant sa mort par la dormition, mais la distinction ne saurait être évidente dans l'iconographie ; on utilise donc un symbole efficace de l'incorruptibilité, l'éternelle jeunesse.

Le *Sedes Sapientiae* et son pendant narratif, l'adoration des mages, profitent donc de l'effacement du Pantocrator, mais aussi de celui de la vie publique du Christ qui, si fréquente à l'époque ottonienne, devient un thème rare. Le cycle de l'Enfance s'arrête au baptême du Christ, qui présente de nouveau une inversion de pouvoir : Jean Baptiste, vêtu de sa peau de bête, bénit le Christ nu en prière. La seule scène triomphale fréquente où apparaisse sur terre le Pantocrator adulte est l'entrée à Jérusalem, qui introduit le cycle de la Passion. Encore, chevauche-t-il un âne et bénit-il des enfants. Le cycle de la Passion, en insistant sur le couronnement d'épines, met en valeur le caractère dérisoire de cette royauté terrestre, à mesure qu'on avance vers la fin du moyen-âge.

L'image de la crucifixion inverse la situation de l'adoration des mages. Le crucifié est nu/grand/passif, par opposition à l'Enfant Jésus habillé/petit/bénissant. Il donne comme fils à sa mère le disciple bien-aimé qu'il tenait sur son sein pendant la Cène. Vivant sur terre, le Verbe apparaissait comme mort (nativité) ou petit (adoration des mages). Il devient par sa passion un mort-vivant qui règne et se présente désormais nu sous le manteau, pour la descente aux Limbes, la résurrection et finalement le Jugement. Ce costume tend à s'imposer dès le milieu du XIIe siècle pour le Jugement (portail de Saint-Denis), puis pour les autres thèmes postérieurs à la Passion. L'idée du mort-vivant qui montre ses plaies est également caractéristique de l'image de dévotion, avec le Christ de pitié qui se développe au XIIIe siècle sous l'influence des icônes byzantines [192].

Il s'agit de nouveau d'un symbole du pouvoir, complémentaire de l'éternelle jeunesse de la Vierge. Le souverain survit à sa propre mort.

C'est encore Kantorowicz qui a démêlé les tenants et aboutissants du thème dans un remarquable article sur le testament authentique et les testaments fictifs de Frédéric II [193]. Le roi se couche à l'Ouest comme le soleil, et ressuscite à l'Est dans la personne de ses rejetons. On utilise à ce propos la prophétie sibylline : *Vivit et non vivit* (il vit et ne vit pas). Pour affirmer l'identité du père et du fils dans la succession, on utilise *Jean* 14, 9 : « Qui me voit voit aussi mon Père », et les *Institutes* (3, 1, 3) : « Au moment de la mort du père, le *dominium* se continue en quelque sorte », avec pour glose : « le père et le fils sont un par la fiction du droit ». Ce symbolisme n'a rien de mystérieux ou de mystique, tant qu'il se donne lui-même comme métaphore de la succession. Mais très tôt, déjà chez Salimbene, l'adage *Vivit et non vivit* sert à faire de l'empereur un mort-vivant dont on attend le retour, comme bien avant lui Théodoric. C'est sans doute sous l'influence de l'eschatologie chrétienne qu'on passe des histoires de revenants du type chasse maudite à une seconde venue qui rappelle davantage celle du Christ. Inversement, la transformation iconographique qui fait du Christ un mort-vivant pourrait avoir été, au XIIᵉ siècle, la réponse de l'Eglise aux prétentions à la perpétuité des pouvoirs profanes.

Sur terre, l'ascension du Christ entraîne une sorte de régence : la Vierge siège au milieu des disciples et reçoit l'Esprit, lors de la Pentecôte. Iconographiquement, la scène est une amplification de l'annonciation, avec la colombe et le rayon de lumière, cette fois subdivisé. Le passage au gothique correspond une fois de plus à une modification des thèmes. Le modèle byzantin, souvent une synthèse entre l'ascension et la Pentecôte, mettait la Vierge au milieu des apôtres. En Occident, la Vierge était plus souvent absente de la scène à l'époque romane, puis elle se réintroduisit à la place d'honneur, cette fois définitivement, assimilée à l'Eglise dans son existence terrestre.

Le couronnement de la Vierge est l'apothéose de l'Eglise, épouse de son fils et reine des cieux. Dans les précédents iconographiques immédiats du couronnement de la Vierge, ainsi dans l'abside de Santa Maria in Trastevere, vers 1140, c'était encore l'Eglise qu'on trouvait couronnée à la droite du Christ. La Vierge l'a donc remplacée progressivement dans le rôle de l'Epouse que lui donnaient les commentaires du *Cantique des cantiques*. L'assimilation définitive de l'Eglise avec la Mère et Epouse de Dieu se produisit dans les portails d'Ile-de-France, à partir de celui de Senlis. Il semble que cela n'ait pas été sans résistance. « Saint Bernard est habituellement présenté comme un instigateur essentiel du culte marial. Selon E. Mâle, « Saint Bernard, qui commenta si largement le *Cantique des cantiques*, en applique à

Marie toutes les métaphores » [194]. Mais c'est très précisément ce qu'il ne fait pas. Il interprète généralement l'Epouse comme métaphore de l'âme dévote et semble éviter la Vierge dans ce contexte. Les quelques sermons qu'il a consacré à la Vierge font parfois usage du symbolisme de l'Epouse, mais il distingue alors de Marie l'Eglise à laquelle il s'applique [195]. L'iconographie pourrait bien avoir joué un rôle décisif dans la suppression du doublet Marie/Eglise, en réunissant en une même reine l'allégorie sans histoire et son double légendaire.

On ne se fait aucune illusion sur le caractère fragmentaire, incomplet, souvent arbitraire et allusif des remarques qui précèdent. Nous avons essayé de regrouper les thèmes les plus fréquents de l'art gothique avant 1300 et de présenter l'interaction (dérivations et cohérence structurale) entre leurs formulations les plus fréquentes. Il ne s'agit que d'une esquisse provisoire, destinée à montrer l'existence d'un réseau de relations qui produit du sens par sa logique propre. Il apparaît ainsi que le système se redéfinit en profondeur au XIIe siècle, dans la transition du roman au gothique, et que cette transformation accompagne celles de la société, dont elle n'est sans doute ni la cause, ni la conséquence, mais tout simplement un aspect.

QUATRIÈME PARTIE

L'AMOUR DES IMAGES (XIVe-XVe SIÈCLE)

Les notions qu'on utilise d'ordinaire pour saisir l'évolution intellectuelle et artistique du moyen-âge à la Renaissance sont non seulement imprécises, mais trompeuses. Sans parler de la trop fameuse « découverte de l'homme et du monde », on peut évoquer les couplets relatifs à la naissance de l'« individualisme ». Bien des choses ont changé dans la manière de penser l'individuel et l'individu de saint Thomas à Descartes. Mais avant de parler d'une montée de l'individualisme, il faudrait d'abord se demander ce qu'on entend par ce mot. Son usage le plus courant aujourd'hui semble recouvrir des réactions engendrées par la contradiction entre l'idéologie libérale qui valorise l'initiative individuelle et des rapports de production qui la découragent. Cet individualisme peut se manifester par le goût des westerns, par la pratique d'un hobby ou par des choix vestimentaires. Si l'on tient à parler d'un individualisme de la Renaissance, il faudra au moins le distinguer de celui-là. Si l'on évoque une réaction face aux contraintes collectives, il faudrait prendre en compte le développement du corporatisme à la fin du moyen-âge et l'évolution qui mène vers l'Etat absolutiste, plutôt que d'opposer une Renaissance individualiste à un moyen-âge qui ne le serait pas. Nous éprouvons la même méfiance lorsqu'il est question d'un subjectivisme croissant qui s'opposerait à l'objectivisme médiéval, dès lors que le concept d'objet n'existe même pas au moyen-âge. La prudence est encore nécessaire face aux discours sur la naissance du rationalisme ou, pire encore, de l'« esprit » scientifique. Si l'on entend par là la subordination des connaissances à la technologie considérée comme une fin en soi, il serait bon de le dire.

Sans avoir les mêmes conséquences, la confusion est à son comble lorsqu'on parle du « réalisme » artistique qui n'aurait cessé de se développer du moyen-âge à la Renaissance. Il est vrai qu'on tempère parfois le mot de guillemets, du fait de son ambiguïté, mais il importe de dissocier les significations qu'on y a réunies depuis le XIXᵉ siècle. Sans prétendre à l'exhaustivité, on peut distinguer les sens suivants :

— fidélité aux proportions des objets telles qu'elles apparaissent dans un espace en perspective ;

— rendu minutieux des matières représentées ;

— effacement de la matérialité de l'oeuvre, de la touche par exemple, dans un but illusionniste ;

— expressivité, en particulier dans la représentation des visages ;

— ressemblance individuelle dans le cas des portraits et des caricatures ;

— prédilection pour la représentation de la laideur, de la maladie, de la mort et des classes sociales inférieures, de tout ce qui choque la sensibilité.

Le mot « réalisme » est donc à peu près inutilisable. Pourtant, chacun des éléments dans lesquels nous le décomposons est caractéristique de la période, même si ces éléments ne se développent pas régulièrement, au même rythme et dans les mêmes lieux. Du reste, des tendances à l' idéalisation qui sont le contraire de ce qu'on entend par « réalisme » caractérisent tout autant la période. On pense aux « belles madones » du gothique international et, bien sûr, à la Renaissance florentine. Essayons donc de cerner l'évolution stylistique avec des termes plus précis et une problématique moins naïve.

CHAPITRE I

NOMINALISME LOGIQUE
ET « RÉALISME » ARTISTIQUE

Il est impossible d'assigner un point de départ à l'évolution artistique de la fin du moyen-âge. Il faudrait pour cela dire à quel moment le caractère idéographique de l'art médiéval fut le plus fort et prendre cette acmé comme repère chronologique. En fait, la tendance à l'idéogramme est en contradiction avec la nostalgie de l'illusionnisme antique depuis le VIe siècle, d'où le problème des « renaissances » successives auquel Panofsky a consacré un livre [1], mais qu'il analyse déjà dans *La perspective comme forme symbolique* [2]. L'une des thèses centrales de cet essai est la nécessité, pour que puisse naître l'espace perspectif moderne, d'une fusion totale de l'espace et des corps que ne connaissait pas l'illusionnisme antique. Il fallut donc que le moyen-âge mette l'espace et les corps sur le même plan en les réduisant à un pur jeu de surfaces, pour que la représentation des corps et de l'espace évolue vers une perspective où ils seraient solidaires. En même temps, Panofsky explique le rôle primordial de l'Italie par la présence des recettes illusionnistes byzantines, ce qui est à première vue contradictoire [3].

Selon lui, la réduction des corps et de l'espace à la surface était totalement réalisée peu après l'An Mille, tandis que le développement de la perspective commence trois siècles plus tard, avec Giotto et Duccio. Les citations illusionnistes d'origine byzantine qu'on repère entre ces dates n'auraient pas contribué à la naissance de la perspective, faute de servir à unifier l'espace. Mais à partir de Giotto, elles deviennent la source d'inspiration pour un espace cohérent et unifié, avec des moments d'avancée et de recul jusqu'à l'adoption de la *costruzione legittima*, de la perspective mesurée, dans les années 1420 à Florence.

L'impression d'arbitraire que donne cette thèse est due à la volonté de fixer la date exacte du changement. En fait, la réduction de l'espace à la surface par l'art médiéval ne fut jamais achevée. Il aurait fallu pour cela renoncer entièrement au caractère mimétique de la peinture. La seule superposition partielle de deux personnages suggère la profondeur. On peut aller jusqu'à dire que les tapisseries à mille fleurs et les motifs héraldiques de l'art du XVe siècle sont des progrès tardifs dans la négation de l'espace illusionniste. Sans être fondamentalement fausse, la théorie panofskienne ne rend pas compte de la contradiction inhérente au formalisme de l'art médiéval. Cette contradiction commence avec l'impossible refus de la mimésis au VIe siècle et s'achève avec l'adoption de la *costruzione legittima*. Il serait difficile de dire quand elle a commencé à s'estomper.

La négation de l'espace est une tendance fondamentale de l'art médiéval, particulièrement forte du XIe au XIIIe siècle. En analysant son apparition au VIe siècle, nous avons montré qu'elle participait d'une élaboration logique de l'image. Dans un univers délimité par le cadre sont représentées des figures aux contours bien distincts et en nombre fini. Leur configuration est conventionnelle et impersonnelle, ce qui permet leur récurrence et donne aux oeuvres un caractère idéographique, de sorte que les programmes s'articulent les uns sur les autres. L'image, comme on l'a vu, vise à représenter des substances éternelles par des moyens visuels. Ce qui reste d'inévitable accidentalité dans cet art anthropomorphe est reconverti en symbole, pour figurer les relations entre substances. L'évolution artistique du XIe au XIIIe siècle a surtout restauré le système en le perfectionnant dans le sens de la rigueur et de la complexité. On ne peut donc pas dissocier l'évolution de l'espace pictural et celle de cette idéographie. Il en découle que la lente dissolution du système est un phénomène de nature logique, que c'est la manière de mettre en forme et même de formaliser l'expérience qui est en cause.

1. Le problème logique

Panofsky a voulu expliquer une évolution d'ordre logique par des considérations sur les doctrines qui dépendent elles-mêmes de cette évolution. Dans son essai sur la perspective, il met en avant, sous l'influence de Duhem et de Cassirer, les changements qui affectent la cosmologie et la notion d'infini à la fin du moyen-âge. De même, dans *Early Netherlandish Painting*, il reconduit au nominalisme l'insistance sur l'individuel propre à l'art flamand et au néo-platonisme les tendances à l'idéalisation de la peinture florentine :

« C'est un truisme de dire que le gothique tardif du Nord tend à individualiser, tandis que la Renaissance italienne est à la recherche de ce qui est exemplaire ou, comme on dit, de l'"Idéal" ; il accepte les choses créées par Dieu ou produites par l'homme comme elles se présentent elles-mêmes à l'oeil, au lieu de chercher une loi universelle ou un principe auquel elles se conformeraient avec plus ou moins de succès. Mais c'est peut-être plus qu'un accident que la *via moderna* du Nord — cette philosophie qui affirmait que la réalité est exclusivement une qualité appartenant aux choses particulières directement perçues par les sens et aux états psychologiques particuliers connus directement par l'expérience intérieure — ne semble pas avoir fructifié en Italie hors d'un cercle limité de naturalistes ; et c'est justement en Italie et, plus spécifiquement à Florence, qu'on peut assister à la résurgence et à l'acceptation enthousiaste d'un néo-platonisme selon lequel, pour citer son plus grand porte-parole, Marsile Ficin : la vérité de la chose créée consiste d'abord dans le fait qu'elle correspond entièrement à l'Idée » [4].

La position de Panofsky est généralement reprise par ceux qui acceptent le principe d'une sociologie de l'art et refusée par les autres comme une spéculation vaine. Sa grande faiblesse est de mettre sur le même plan un langage artistique et un discours philosophique, alors même que ce qu'il dit n'est pas vraiment faux. *Grosso modo*, il y a bien corrélation entre la géographie du nominalisme et celle de l'art septentrional et ce n'est certainement pas par accident que la représentation de l'infini par le point de fuite, dans un espace pictural arbitrairement centré sur le point de vue du spectateur, est contemporaine de Nicolas de Cuse. Mais, à moins de vouloir expliquer les travaux de Brunelleschi par la philosophie de Nicolas de Cuse, ce qui serait une erreur, il s'agit de trouver le principe commun de chacune de leurs découvertes, ce que Panofsky n'a pas fait. Sa position prête le flanc à des critiques aussi faciles que destructrices. S'il y a un rapport entre le nominalisme et le langage pictural des flamands, dans quel langage pictural s'exprime un peintre flamand thomiste ou scotiste, à supposer que les peintres s'intéressent à la philosophie ? Faut-il être convaincu, comme Nicolas de Cuse, de l'existence de l'infini en acte et non seulement de celle de l'infini en puissance, pour pratiquer le point de fuite ?

Il importe en fait de constater que les querelles philosophiques ne modifient pas le langage artistique et que les révolutions artistiques n'ont pas de résonances philosophiques. Il est également impossible de percevoir dans le style d'un peintre son adhésion au thomisme ou à l'ockhamisme que de trouver dans la littérature philosophique du XVe siècle l'écho de la révolution picturale. L'invention de la perspective bouleverse complètement l'art religieux, mais ni Brunelleschi, ni Masaccio n'ont été traînés devant l'Inquisition. Pendant un siècle, le développement de la perspective mesurée a connu d'immenses résistances ; des peintres qui la connaissaient refusaient de l'utiliser, sans que cela s'articule en conflit philosophique. C'est donc une fois de plus dans l'évolution du système logique qu'il faut chercher la clé de l'évolution artistique, parce que le langage artistique est de nature logique. Si l'on prend les choses à ce niveau, deux constatations sont immédiatement possibles :

— d'une part, ce n'est pas un point de doctrine qui sépare le Nord et le Sud au XVe siècle. Marsile Ficin et les théologiens de Louvain n'auraient guère pu se contredire, car ils ne s'occupaient pas des mêmes disciplines. Les Florentins ont pratiquement abandonné l'étude de la logique formelle au profit de la rhétorique et de la philologie. L'invention de la perspective mesurée est due à des humanistes indifférents aux progrès de la logique formelle. Sa diffusion dans le Nord au temps de Dürer accompagna la victoire des Belles-Lettres sur la scolastique.

— d'autre part, une représentation empirique de l'espace se développait depuis la fin du XIIIe siècle approximativement. Le phénomène aboutit en Italie à la perspective mesurée, tandis que l'art flamand négligeait cette dernière découverte. Nous allons montrer que la représentation empirique de l'espace fut la conséquence d'une révolution logique aussi profonde que discrète : le concept d'existence (*existentia*) se spécialisa dans le sens d'un « être-là » contingent ; en même temps, sans que personne ne protestât, l'opposition entre un univers visible et un univers invisible fit place à celle de la nature et du surnaturel ; enfin la distinction entre substance et accident se trouva compromise. Tout cela passa inaperçu, pendant qu'on s'affrontait sur les rapports entre la foi et la raison. Personne n'a été tenu responsable de cette évolution et personne n'y a échappé.

Ce cadre permet d'emblée de prendre position sur le découpage paradoxal de la période. On peut parler de fin du moyen-âge pour désigner l'univers intellectuel et artistique qui repose sur le renouvellement du système logique au XIIIe siècle et disparaît avec la condamnation de la logique scolastique comme une sophistique perverse et stupide. Là où cette condamnation a triomphé, là où les érudits écrivent à la manière d'Horace ou de Tertullien et non plus en latin scolastique, on est entré dans l'« âge de l'humanisme », dans la Renaissance si l'on veut, à condition de ne mettre qu'un style sous ce mot, sans quoi on situera la banque Médicis à la Renaissance et sa filiale de Bruges au moyen-âge. Même dans le domaine artistique, il ne faut pas hypostasier les différences. L'art florentin ne ressemble pas beaucoup à l'art flamand, mais, à partir des années 1420, la liquidation du gothique international se fait à peu près au même rythme ici et là, avec cette conséquence que des figures plus solides occupent un espace plus articulé, chez Masaccio comme chez Van Eyck.

Le tournant qui s'opère dans la seconde moitié du XIIIe siècle est plus fermement articulé sur l'infrastructure, avec l'arrêt des défrichements et de la progression démographique, la crise monétaire et les troubles sociaux. Sur le plan intellectuel, on voit s'estomper l'habitude optimiste, prise par les dialecticiens au XIIe siècle, de surmonter les doctrines divergentes en construisant une théorie plus générale qui inclue leurs aspects jugés positifs. A partir de saint Thomas, les intellectuels les plus autorisés de la chrétienté commencent à camper sur des positions inconciliables et qu'ils ne cherchent plus à concilier. C'est ainsi que le système d'Aristote dont l'étude avait été renouvelée par les commentaires d'Averroès, parvient à son plus grand succès sans passer aux yeux de tous pour compatible avec la foi chrétienne. Il suppose en effet l'éternité du monde. Encore faut-il, pour qu'il y ait conflit, que cette thèse séduise certains esprits. Kantorowicz a montré qu'elle permettait de considérer les institutions humaines comme perpétuelles et que le courant dominant des juristes pratiquait un averroïsme pratique et tacite, sans qu'on puisse assurer qu'il reposait sur une véritable compétence philosophique [5]. Il est encore plus difficile de savoir qui, parmi les philosophes, cherchait réellement à imposer la thèse de l'éternité du monde, car personne n'était assez téméraire pour la présenter comme une conviction personnelle.

Quoi qu'il en soit, de tels débats exigeaient qu'on sache réfuter n'importe quel système, fût-ce celui d'Aristote, de sorte que l'outil logique continua à se perfectionner. En l'occurrence, la logique d'Aristote était nettement dépassée au milieu du XIIIe siècle, ce qui explique peut-être qu'on ait eu ensuite le courage de mettre en doute son système. Le rapport entre les termes logiques et les choses existantes est alors analysé avec des concepts nouveaux, ceux de supposition et d'appellation, qui permettent une étude très poussée des significations, ce que les logiciens appellent aujourd'hui une sémantique [6]. L'appellation est l'emploi d'un terme pour une chose existante et se distingue de la supposition qui est la possibilité de combiner ce terme avec les autres termes de la proposition. Mais il reste à savoir ce qu'on entend par exister. Le problème est particulièrement délicat car, si l'on voit aujourd'hui les historiens s'intéresser au petit peuple, aux femmes, aux enfants, à l'odorat et au sexe, ce qui est certes louable, il ne leur est pas venu à l'esprit d'écrire une histoire de l'existence. Rares sont ceux qui comprennent que la proposition « Dieu existe » n'a pas le même sens et les mêmes conséquences chez saint Anselme, Pascal ou Maritain, pour ne rien dire de l'existentialisme chrétien. Même le vocabulaire change, puisque Pascal préfère encore l'expression « Dieu est », qui n'a plus pour nous beaucoup de sens intuitif.

Le meilleur ouvrage sur l'existence reste certainement *L'Etre et l'essence* de Gilson [7]. Mais, comme à son habitude, l'auteur part du problème métaphysique sans en analyser l'origine logique. Il définit une fois pour toutes l'existence comme le fait d'être, indépendamment du fait d'être une chose déterminée, d'être ceci ou cela, bref, d'avoir une essence. Puis il retrace dans l'histoire de la métaphysique les relations entre l'essence et l'existence ainsi conçue, sans étudier vraiment l'évolution du concept d'existence. Faute d'études plus précises, on se contentera de faire ici quelques remarques provisoires et volontairement limitées au sens du mot, en évitant de reprendre la question des rapports entre l'essence et l'existence, ou même la question plus fondamentale à nos yeux de la définition de l'existence comme propriété de la chose, de l'objet ou du concept, que Gilson n'aborde pratiquement pas.

Dans le vocabulaire pourtant très formalisé des logiciens du XIIe siècle, les mots *existere* et *existentia* sont assez rares et ne semblent pas avoir un usage technique absolument précis. *Existentia* sert parfois de supplétif à *est*, peut-être pour éviter l'infinitif *esse* qui mènerait à un discours sur l'Etre prohibé par Aristote. A la suite de Boèce, Abélard préfère aussi *existens* à *ens* lorsqu'il parle, par exemple, de la substance comme *res per se existens* (une chose existant par elle-même) [8]. Dans un autre passage de sa *Dialectica*, on lit : *Si vere praesens existeres*, là où nous dirions : « Si tu étais présent » [9]. Il s'agit alors de l'existence actuelle, du fait d'être là, dans un lieu quelconque, à un moment donné, de manière éventuellement contingente. Il dit de même que les heures du jour ne peuvent pas « exister » au même moment [10]. Il n'est pas probable qu'Abélard entende ici la même chose que dans *res per se existens* ou *existens* désigne plutôt l'essence. Dans trois autres passages, De Rijk comprend également *existentia* comme synonyme d'*essentia* [11].

Il est extrêmement significatif qu'on ne songe pas à définir l'existence. Le concept possède ainsi un flou comparable à celui des prédicables, avant que Porphyre n'en eût fait la théorie.

A la fin du XIIᵉ siècle, l'emploi du mot « existence » tend à se préciser, en relation avec la théorie de l'appellation, en particulier dans les *Fallacia Parvipontane* [12]. On parle d'existence de la chose « appelée » par le terme sujet si cette chose a été, est ou sera, conformément au temps du verbe par rapport auquel le sujet « suppose ». Cette conception de l'existence aboutit, en tout cas à la fin du XIVᵉ siècle chez saint Vincent Ferrier, à la distinction des conditions de vérité dans la *suppositio naturalis* et la *suppositio personalis* [13]. La proposition *rosa odoriferat* (la rose sent bon) est vraie en *suppositio naturalis*, même si le sujet ne s'applique pas à une rose déterminée, s'il n'« appelle » pas. En revanche, elle n'est vraie en *suppositio personalis* que si le sujet « appelle », s'il est bien vrai qu'il y a, ici sur mon bureau et maintenant, la rose dont nous parlons. En d'autres termes, la *suppositio naturalis* renvoie à l'essence de la rose et la *suppositio personalis* à son existence actuelle.

Existere et *existentia* signifient donc une présence concrète. Cet usage si différent du nôtre saute aux yeux, par exemple, dans les discussions du XVᵉ siècle sur la sorcellerie. Une question du genre : « la sorcellerie existe-t-elle ? » n'aurait aucun sens. Par contre, on peut lire chez Alphonse de Spina : *existentia tum illorum nunquam ab illo loco absens fuit, sed solum actio* (leur existence ne fut jamais absente de ce lieu, mais seulement leur action) ; et dans un rapport sur la *Vauderie d'Arras*, il est question de prouver *hanc possibilitatem et veram atque realem existentiam*, c'est-à-dire la possibilité du vol dans les airs et son effectuation à Arras par les inculpés [14].

L'existence se dit donc d'individus concrets. L'erreur serait de croire que cet usage caractérise les nominalistes et que les réalistes s'expriment différemment. En l'occurrence, la distinction philosophique entre l'essence d'une chose et son existence est acceptée par saint Thomas qui n'a jamais passé pour nominaliste. Son « réalisme » ne consiste pas à les confondre pour prêter l'existence à des entités abstraites, mais à faire de l'existence l'actualisation d'une essence. On ne peut donc rendre compte de la situation qu'en distinguant nominalisme logique et ontologique, comme nous l'avons fait dans la partie précédente, à la suite de Moody, De Rijk et d'autres. La logique de la fin du moyen-âge est fortement nominaliste, en ce sens qu'elle ne parle d'existence qu'en relation avec des individus, mais elle sert de langage commun à des ontologies réalistes et nominalistes. Rares sont

ceux qui cherchent à saper le nominalisme logique. Il y a un courant
oxfordien favorable au réalisme logique et que Gilson distingue à juste
titre du scotisme, mais ce courant mène à Wiclif, c'est-à-dire à la mise
en cause de tout le système. Gerson n'hésitera pas à rendre le réalisme
responsable des erreurs de Jérôme de Prague et de Jean Hus [15]. Il pourrait
donc y avoir un rapport direct entre la subversion du nominalisme
logique et la mise en cause du système religieux de la fin du moyen-âge.

Le sens restreint donné au concept d'existence conduit à un
empirisme radical. Nous ne connaissons que ce qui tombe sous les sens
et ce qu'on peut en inférer de manière probable. Il s'agit de la nature
dont les lois sont, certes, hautement probables, mais jamais certaines. Il
est en effet arrivé à Dieu d'arrêter la course du soleil et à une vierge de
concevoir. Le surnaturel n'est pas en lui-même improbable ou extraordinaire, mais il est la cause des effets miraculeux. Saint Thomas nous
attribue encore une connaissance assez certaine du surnaturel, mais cela
change vite. Aussi bien le réaliste Duns Scot que le nominaliste Ockham
considèrent la volonté divine comme strictement contingente et par
conséquent le surnaturel comme inaccessible à la connaissance
rationnelle.

L'univers se compose donc de naturel et de surnaturel, ce qui paraît
banal. De fait, on peut dire que le XIIIe siècle a inventé aussi bien la
nature que le surnaturel, en tant qu'ils forment un couple d'opposition.
Le Père de Lubac a étudié l'histoire du mot « surnaturel »
(*supernaturalis*) [16]. Il apparaît pour la première fois au VIe siècle dans
la traduction d'un texte grec, puis au IXe siècle dans celle de Denys
l'Aréopagite. Il n'a alors aucun sens technique : le préfixe
super- (*hyper-* en grec) sert à forger les attributs de la divinité qui la
caractérisent comme inaccessible au langage. Comme l'avoue l'auteur,
c'est « une entrée peu triomphale et suivie d'une longue éclipse ». Le
mot ne se trouve ni chez saint Anselme, ni chez saint Bernard et ne se
répand qu'à partir de saint Thomas. Mais alors, le docteur angélique
impose le couple d'opposition naturel/surnaturel et c'est bien entendu
ce couple d'opposition qui donne sens au concept : on voit mal comment
l'idée du surnaturel pourrait exister sans que la nature ait été
préalablement conçue comme un ensemble de lois dépourvu de
signification religieuse. Cela, De Lubac ne peut l'admettre : il prétend
que, si le mot est relativement récent, l'idée existe dès l'origine et
qu'« elle est aussi essentielle au christianisme que peut l'être par
exemple l'idée de révélation, ou celle d'incarnation, ou celle de
sacrement ». On ne peut lui en vouloir car, en tirant les conséquences
qu'imposait l'histoire du vocabulaire, en admettant que des éléments

essentiels du dogme soient récents, il aurait professé l'hérésie moderniste, condamnée au début du siècle [17].

Le couple d'opposition naturel/surnaturel remplace dans la langue philosophique un autre couple d'opposition dont nous avons dit l'importance : visible/invisible. Tant que la science était une activité religieuse monopolisée par des clercs, on accédait par l'activité intellectuelle à l'ordre invisible du spirituel. Mais l'essor de la logique et des autres « arts » dans les universités conduisait les laïcs à s'intéresser aux entités invisibles. Dans le même contexte, l'idée d'une nature disposant, une fois créée, d'une certaine autonomie, d'un fonctionnement qui ne requiert pas l'intervention constante du Créateur, faisait son chemin depuis Bernard Sylvestre et Alain de Lille. Enfin, la redécouverte de la *Physique* d'Aristote donnait un modèle théorique satisfaisant d'une nature sans Créateur qui ne se réduisait pas pour autant à ses effets visibles. Dans la nature, l'homme est à la recherche d'un Bien naturel, distinct du Bien spirituel, qu'il soit chrétien ou non. Aussi s'organise-t-il politiquement et vit-il dans des institutions profanes. Il revient à saint Thomas d'avoir clairement exposé les fins naturelles de l'homme et le bien-fondé des institutions profanes. Du même coup, l'Eglise s'occupe de ses fins surnaturelles ce qui, aux yeux de saint Thomas, lui donne encore la prééminence. Les institutions étant par nature invisibles, le couple d'opposition visible/invisible ne recoupait plus du tout celui du profane et du sacré. On peut aussi suivre le développement d'un invisible naturel dans la physique : ce sont les cause occultes.

Les lois de la nature se réduisent à de fortes probabilités dès qu'on adopte une logique nominaliste. Cet empirisme permit un certain essor scientifique : on pense à la physique du XIVᵉ siècle. Mais il ne permit pas de passer de belles hypothèses souvent justes à des lois scientifiques certaines et non probables. On soupçonnait, par exemple, le mouvement de la terre autour du soleil, sans que cette hypothèse puisse se vérifier, s'imposer et servir de base à de nouvelles hypothèses. En n'affirmant que des probabilités, l'empirisme faisait bon ménage avec la foi, permettant un fidéisme sincère ou hypocrite selon les cas, mais qui excluait de toutes manières l'attaque frontale contre le surnaturel. On pouvait douter d'un événement surnaturel, le considérer comme fortement improbable, mais il était impossible de l'exclure formellement.

Prenons l'exemple du vol des sorcières et de leur métamorphose en bêtes. Contrairement à une opinion largement répandue, la grande majorité des doctes rejetait ces histoires comme superstitieuses, encore au XVe siècle : c'était pour eux des phénomènes que la nature ne permet pas. Sur 55 textes du XVe siècle qu'a recensé l'historien J. Hansen, essentiellement des traités, il n'y en a pas plus de 11 qui affirment clairement la réalité du vol dans les airs, tous postérieurs à 1440 [18]. La métamorphose en bête est universellement rejetée. En revanche, les arguments utilisés contre ces fables sont assez faibles. L'argument d'autorité est sans doute le moins inefficace, tandis que l'appel aux lois de la nature entraîne comme riposte que le diable agit par des moyens surnaturels, ce qu'on ne peut nier sans être hérétique. Pour contourner l'obstacle, on doit donc nier qu'il reçoive la permission divine dans de tels cas, ce qui mène à l'arbitraire théologique le plus total. En fait, la résistance opposée par la plupart des théologiens médiévaux à la chasse aux sorcières et aux mythes qui la fondent relève surtout du bon sens et de l'humanité. On est loin de la situation carolingienne où la critique des « superstitions » répondait spontanément aux présupposés du savoir. Il y a donc un rapport assez direct entre le triomphe d'une logique nominaliste et l'exubérance religieuse de la fin du moyen-âge, avec ce qu'elle comporte de pire. *A contrario*, lorsque l'historien veut faire passer les gens du haut moyen-âge pour crédules, il leur prête une croyance au surnaturel, dont ils n'avaient même pas la notion.

Si la redéfinition de l'existence et le couple d'opposition naturel/surnaturel se sont imposés au XIIIe siècle, on hésite cependant à en tirer toutes les conséquences. De fait, il est difficile de dire sur quoi repose encore la dichotomie de la substance et de l'accident, en quoi consiste cette existence immuable qui caractérise les substances, comment on distingue empiriquement une substance d'un accident. D'une manière générale, tout le réel pourrait être également substantiel ou également accidentel, également durable et certain ou également chimérique. Ockham fait un grand pas vers cette unification du réel, en rejetant la conception anselmienne des paronymes. Dans sa logique, le grammairien existe au même titre que l'homme [19] : les substances sont les choses individuelles et leurs propriétés. Le pas suivant est fait par Jean de Mirecourt qui émet l'hypothèse d'un univers entièrement composé de substances et poursuit : « Si l'on ajoute que l'on nie ainsi tous les accidents du monde, je concède la conclusion ; je crois même que, s'il n'y avait la foi, beaucoup diraient déjà que n'importe quelle chose est substance »[20]. On peut tout aussi bien considérer que le monde est entièrement composé d'accidents, hypothèse défendue avec plus ou moins de précautions par Nicolas d'Autrecourt et Richard Billingham [21]. Pour eux, le couple d'opposition substance/accident semble bien avoir perdu son utilité scientifique ; il n'est plus qu'un dogme.

En fin de compte, plus la logique médiévale se perfectionne, moins elle cautionne les constructions philosophiques positives, car elle évolue vers la neutralité métaphysique. Elle permet de montrer qu'un système philosophique n'est pas valide, mais pas d'en construire de plus valides. Réduisant considérablement la portée du raisonnement déductif, elle entraîne un intérêt nouveau pour le réel pré-théorique et pousse à conduire le raisonnement au plus près de l'expérience ainsi conçue, tout en faisant relever de la foi les spéculations dont le point de départ n'est pas le réel empirique. Avant de voir les conséquences sur l'image de cette évolution, nous voudrions faire état d'une conséquence religieuse qui réagit à son tour sur l'art.

2. L'essor de la dévotion

La philosophie se replie donc dans une sorte de logicisme, plutôt que d'organiser le système religieux. Cela laisse place à une théologie plus pratique, très apparente chez Jean Gerson qui s'oriente vers la pastorale et se détourne volontiers des spéculations métaphysiques, en affirmant le primat de la dévotion. L'organisation de l'invisible était une activité théorique, mais l'organisation théorique du surnaturel serait quelque chose de contradictoire, sinon d'absurde. On l'évite depuis Duns Scot en affirmant l'arbitraire de la volonté divine que la raison humaine constate, mais dont elle ne peut percer le mystère. Dès lors, la dévotion est le rapport le plus authentique au surnaturel.

L'histoire de la dévotion est loin d'être faite, car pour l'historien chrétien (et la majorité des historiens de la religion sont chrétiens), il s'agit d'une activité aussi vieille que le monde et qui ne relève pas de l'explication rationnelle. Nous définirons ici la dévotion comme un comportement non seulement rituel, mais encore affectif, qui s'articule sur un imaginaire religieux. Ce comportement affectif ne peut en effet répondre qu'à une construction imaginaire, sans laquelle le symbolisme religieux n'éveillerait aucun affect. L'affect est d'autant plus intense que la construction imaginaire est anthropomorphe, voire érotique, et qu'elle gagne en insistance par le recours aux techniques de la méditation et au support de l'image. Lorsque la mystique s'évade des représentations concrètes et s'oriente vers l'expérience indicible, il n'est plus sûr que le nom de dévotion lui convienne encore : personne ne songe à traiter Maître Eckhart de dévot. De même, la dévotion est peu caractéristique des religions sans images, comme le judaïsme, l'islam ou le calvinisme. Le christianisme primitif et carolingien n'y fait guère appel, contrairement à la piété byzantine ou byzantinisante. La place de la dévotion dans le système religieux occidental est fortement affirmée dès le XIIᵉ siècle, lorsque Hugues de Saint-Victor fait de la connaissance et de l'affection (*cognitio* et *affectus*) les deux composantes de la foi [22]. Dès lors, elle ne cesse de croître.

On a vu comment et pour quelles raisons s'est restaurée l'adoration des images. Elle devient progressivement la forme essentielle de la dévotion et — la dévotion devenant la forme essentielle de la religion — elle passe au centre de l'investissement cultuel. Dans la cathédrale gothique, une grande partie des images était soustraite à l'adoration et jouait le rôle d'une affirmation dogmatique abstraite, presque cachée aux fidèles par l'épaisseur du symbolisme et l'indifférence au point de vue du spectateur. Mais la construction des cathédrales se ralentit fortement à la fin du XIIIᵉ siècle et cesse d'être l'investissement prioritaire. Les cathédrales qui ne sont pas achevées à cette date traînent en longueur, jusqu'au XVᵉ siècle comme celle de Strasbourg, ou jusqu'au XIXᵉ comme celle de Cologne. A Florence aussi bien, les façades de la cathédrale et de Santa Croce ne seront achevées qu'au XIXᵉ siècle. L'investissement se reporte sur les oeuvres directement utiles à la dévotion, les chapelles, les retables, les statues indépendantes et les images de piété.

On passe en même temps de l'initiative la plus collective à l'initiative privée, de l'oeuvre anonyme à l'appropriation du sacré, d'un programme universaliste à sa « personnalisation ». La cathédrale était l'oeuvre et la fierté d'une cité mais, consacrée de préférence à la Vierge, elle ne faisait pas allusion à l'identité et au destin particulier de cette cité. Au contraire, les oeuvres dues à la dévotion sont personnelles : elles portent le nom de l'individu ou du groupe qui les a commandées. Baxandall repère cet usage pour les retables latéraux en Allemagne [23], tandis qu'en Italie, ce sont les chapelles qu'on désigne ainsi. L'apparition des armes des donateurs puis de leurs portraits dans l'édifice religieux souligne cette appropriation du sacré caractéristique de la dévotion et plus encore le développement de l'art religieux privé dans l'intérieur domestique : oratoire, retable portatif, livre d'Heures. En même temps, l'art religieux fait de plus en plus allusion aux événements historiques qui ont suscité la dévotion : une bataille, une peste ou les vicissitudes d'un destin individuel. On voit ainsi se développer le culte des saints protecteurs du groupe ou de l'individu, avec la spécialisation qui en résulte : saint Sébastien et saint Roch protègent de la peste ; sainte Anne a assuré la victoire des Florentins sur les Siennois parce que la bataille s'est déroulée le jour de sa fête ; saint

Antoine protège du mal des ardents et guérit les porcs, etc. Dès lors, les circonstances les plus accidentelles qu'ont vécues les dévots s'inscrivent dans l'ordre surnaturel, y compris les plus concrètes et les plus visibles.

Parler d'individualisme ou de subjectivisme serait assez inexact, face à un phénomène qui concerne aussi bien les collectivités et les familles que les individus. La manipulation religieuse porte surtout sur des identités, collectives ou individuelles. Ces identités s'affirment par la sujétion manifestée envers des saints, de manière constante ou occasionnelle, selon qu'il s'agit de ses patrons ou de saints qui président à telle ou telle circonstance de la vie. En contrepartie, les saints offrent leur protection ici-bas (on peut se prévaloir de leur intervention lors d'un accident ou d'une maladie) et dans l'autre monde, où la contrepartie de la dévotion, à savoir le salut, est par définition sans commune mesure avec les mérites et les oeuvres des fidèles.

Ce dernier point est capital et oriente tout le système symbolique de la dévotion : on reçoit plus que l'on donne. On se souvient des spéculations grotesques du paysan Adam, mis en scène par Conrad de Megenberg, qui parvenait à acheter le salut avec des oeufs. L'échange inégal est désigné par un concept fondamental, bien analysé par Belting, celui de *pietas* qui prend le sens de pitié, pitié de l'homme devant la Passion du Christ et le martyre des saints, pitié du Christ et des saints devant la misère de l'homme. Le mécanisme de la piété/pitié, de la *pietà* si l'on veut, aboutit à la justification de l'homme sans satisfaction, la satisfaction étant dans le langage juridique la compensation permettant de se mettre en règle [24]. On peut donc opposer une sphère naturelle, sociale et juridique où l'on vaut pour ce qu'on est, et une sphère surnaturelle où l'on reçoit plus que l'on donne et où l'on peut parvenir à une excellence qui ne nous serait pas reconnue dans l'univers profane et quotidien.

La dévotion peut s'évaluer quantitativement, qu'il s'agisse du temps passé en prière ou de l'importance des donations, un aspect que renforcent le commerce des indulgences puis, au XVᵉ siècle, le développement du Rosaire. Mais l'aspect qualitatif reste essentiel et l'on attache la plus grande importance à l'intensité du sentiment religieux qui se traduit par le don des larmes et la capacité de tomber en pâmoison. Visant à un gain spirituel, la dévotion peut être assimilée symboliquement au travail ou au jeu, mais c'est l'assimilation au jeu qui l'emporte, vu la disproportion du gain et l'engagement affectif. Les écrits dévots opposent Marthe et Marie, le travail et la dévotion oisive ; ils utilisent le symbolisme du jeu érotique en développant les métaphores du *Cantique des cantiques*. La parenté entre la dévotion et le jeu est non moins évidente dans l'utilisation du terme *devozione*, en Italie, pour désigner le théâtre religieux [25].

Située ainsi du côté de la dépense et de l'oisiveté, la dévotion s'apparente aux pratiques somptuaires. Voilà la clé du problème : il s'agit de la seule pratique somptuaire absolument légitime et même encouragée, dans toutes les classes de la société. Chacun donne et se donne selon ses moyens et l'espérance de gain est égale pour chacun. La fin du moyen-âge fut une période de grande mobilité sociale et géographique. Il fallut remplacer la noblesse, décimée par la Guerre de Cent Ans ; les épidémies entraînèrent à la fois le dépeuplement, faisant des vagabonds sans statut, et le repeuplement urbain ou rural, accompagné de promotions sociales. A cela s'ajoutent des déséquilibres démographiques, en particulier une forte proportion de célibat féminin. Dans cette civilisation où la stabilité est une vertu, la mobilité, préexistante du fait du développement urbain, s'accroît encore. On lutte donc pour s'assurer un statut, ce qui débouche sur des pratiques somptuaires dont le jeu dans les tavernes et peut-être même la sorcellerie pourraient être les équivalents chez les plus démunis. Or la période est marquée par une incessante législation somptuaire, accompagnée de la prohibition des jeux. Ces mesures sont sans doute assez inefficaces, mais la dévotion apparaît ainsi comme la seule pratique somptuaire et ludique qui soit légitime et honorable.

La vie religieuse devient le lieu principal de la compétition somptuaire, avec des conséquences évidentes sur sa forme et en particulier sur l'art. Dans l'église, les chapelles, les autels, les tombeaux et les stèles s'accumulent au rythme de la compétition, pour exposer au public le faste des donateurs. En même temps, le culte se particularise, avec l'institution de messes privées, avec la distribution des dévotions dans l'espace sacré et dans le temps liturgique. L'une des conséquences du caractère somptuaire des donations est le rôle joué dans les églises par ce qui pourrait bien être une invention de la fin du moyen-âge : la mode. Il est normal qu'une oeuvre d'art récente porte la marque de sa modernité. Mais les prédicateurs se plaignent qu'on s'adresse aux images les plus récentes et les plus belles et qu'on délaisse les autres [26]. A partir du moment où les donateurs et les responsables ecclésiastiques ont également intérêt à susciter une dévotion exceptionnelle, ils se soumettent à la mode dans ce qu'elle peut avoir de plus mondain.

Ce phénomène permet de mieux comprendre la sensualité de l'art religieux à la fin du moyen-âge et les fureurs qu'il suscitait à cause de cela chez les prédicateurs [27]. Il s'agit en somme de la contrepartie des lois somptuaires, d'un trop-plein de luxe, voire d'excentricité, qui trouve dans la vie religieuse sa manifestation autorisée. L'Eglise accepte le développement de cette fonction mondaine du sacré, tout d'abord parce qu'elle en tire un intérêt matériel considérable. Certes, les oeuvres d'art qui lui sont offertes n'ont pas de valeur marchande et les indulgences ne servent pas à l'entretien des prêtres, mais à la construction et à l'embellissement des églises. En revanche, les donations ne concernent pas que des objets inamovibles, car les oeuvres fonctionnent : un autel est le gagne-pain d'un ou de plusieurs prébendiers que le donateur et sa famille entretiennent. Le lancement réussi d'une dévotion à un saint jusque-là négligé peut susciter un pèlerinage et un afflux d'offrandes considérable. Lorsqu'une église de franciscains ou de dominicains est choisie comme sépulture par des personnages notables, un effet d'entraînement se produit, ce qui assure à cette église le bénéfice des enterrement et le rattachement d'un nombre croissant de dévotions. Mais, au-delà de ces bénéfices immédiats, l'Eglise a choisi une fonction sociale essentielle qui compense de graves échecs. Son rôle dans l'organisation de la société ne fait que décliner, en même temps que son monopole du savoir ; elle a cessé d'être l'institution par excellence et de donner à chacun son statut. Devenant le lieu ou les groupes et les individus affirment des prétentions que la société civile tend à contrôler et à brimer, elle favorise la mobilité sociale en transformant la richesse en prestige.

3. L'évolution stylistique

Le cadre qui vient d'être tracé permettrait presque de déduire l'évolution de l'image à la fin du moyen-âge. Il permet surtout d'échapper aux naïvetés de la pseudo-sociologie qui cherche dans l'évolution artistique un reflet direct de l'évolution des moeurs. La somptuosité du sanctuaire ne reflète pas celle de la vie profane. Plus on avance vers la Réforme, plus le contraste s'affirme entre des bourgeois sobrement vêtus, dont les femmes s'habillent presque comme des béguines, et les vierges saintes d'une coquetterie provocante qu'ils adorent en peinture. L'art de la fin du moyen-âge serait plutôt la négation onirique de la réalité profane [28]. Mais il utilise des techniques toujours plus illusionnistes pour donner corps au rêve.

Le passage de l'art idéographique du XIIIe siècle à l'illusionnisme du XVe ne s'est pas fait selon une évolution continue et régulière, mais plutôt par à-coups, avec des blocages et même des régressions partielles.

En effet, la guerre, les épidémies et les troubles sociaux réduisirent considérablement la production artistique, surtout dans la seconde moitié du XIVᵉ siècle [29], tandis que les retours au calme s'accompagnaient d'évolutions artistiques rapides, comme si le discrédit porté sur les époques de trouble s'était étendu aux oeuvres qu'elles produisaient, permettant à l'artiste de rompre avec les traditions. Avant même la Guerre de Cent Ans, on assiste à des poussées de fièvre artistique ponctuelles qui dominent souvent de très haut les réalisations postérieures. On pense à Giotto et à Duccio qui bouleversent l'art de Florence et de Sienne à l'orée du XIVᵉ siècle, stimulés par l'intérêt passionné de leurs compatriotes [30].

Le cas est exceptionnel à tous points de vue, mais il annonce le caractère capricieux de l'évolution stylistique au XIVᵉ siècle. On assiste à des essors soudains, comme celui de la diversité psychologique sur les visages des gisants allemands au début du siècle, et à des phases peu actives. La sculpture française du milieu du siècle, par exemple, est difficile à dater parce qu'elle hésite à évoluer [31]. En revanche, les Parler fondent un style novateur en Allemagne et en Bohème au même moment, tandis que naît le portrait. La pause assez générale de la Guerre de Cent Ans entre 1390 et 1410/20 entraîne au Nord l'épanouissement du gothique international qui envahit l'Italie où il entre en contradiction avec des tendances antiquisantes toujours plus marquées, chez Ghiberti par exemple. Vers 1420, alors que le Nord se replonge dans la guerre, Florence franchit le pas décisif qui consistait à appliquer aux arts les découvertes théoriques de la perspective. Au lieu de se rallier, les peintres flamands choisissent de créer l'illusion de l'espace par des méthodes plus empiriques, mais aussi efficaces dans l'immédiat. Une autre forme de « réalisme », celle qui consiste à développer l'expressivité des gestes et des traits du visage, réussit surtout dans les milieux souabe et bavarois.

Inutile de poursuivre ces indications extrêmement générales, car elles suffisent pour montrer l'irrégularité du développement artistique de la période. Il n'en reste pas moins que le chemin parcouru au Nord comme au Sud de 1250 à 1500 a mené sans équivoques possibles vers la maîtrise des apparences visuelles qui permit le trompe-l'oeil. Cette évolution peut maintenant être reconduite à son cadre logique. On renoncera toutefois à examiner le problème de la perspective mesurée, laquelle repose sur une nouvelle rupture des présupposés logiques.

Dans l'art religieux médiéval, l'adoration joue en quelque sorte le rôle qui est en logique celui de l'assertion d'existence : elle en est l'équivalent gestuel. Il importe de bien la distinguer de la dévotion qui la présuppose, mais s'étend à un contact affectif avec le surnaturel qui opère sur la base de l'assertion d'existence. L'adoration ne va pas à toutes les images. Les représentations monstrueuses et grotesques s'excluent d'elles-mêmes, car elles sont des figures du non-être, à plus forte raison les représentations explicites du diabolique. Les scènes strictement narratives se passent d'adoration, ce qui est normal. L'adoration d'une statue affirmant l'existence du terme « Christ » ou « saint Nicolas », il n'est pas nécessaire de s'agenouiller devant chacun des vitraux qui contribuent à la description de ces termes, à supposer que le système iconographique soit suffisamment formalisé et abstrait pour que le rapport entre ces éléments saute aux yeux.

Mais c'est justement sur ce point que le système tend à se défaire progressivement. Le fidèle qui adore une madone plutôt qu'une autre, la pietà plutôt que la Vierge à l'Enfant, affirme l'existence d'une donnée individuelle et particularisée ; il traite l'image comme une relique et lui dénie sa généralité abstraite. Il met en oeuvre une logique profondément nominaliste, n'accordant l'existence qu'à un individu accessible aux sens, dans sa singularité accidentelle et momentanée. Le développement des images miraculeuses à la fin du moyen-âge est le meilleur exemple de ce processus.

On redoute ici les objections d'un bon sens assez court : ce seraient là les traits typiques de la piété populaire, de son goût pour le concret, de vestiges du paganisme que l'Eglise n'a jamais pu entièrement extirper ; ces pauvres gens n'entendraient rien au réalisme et au nominalisme, à l'exception d'une élite minuscule. Ce genre d'objections repose sur deux erreurs graves. La première est de croire en l'existence d'une mentalité populaire, implicitement construite par l'intellectuel à partir de l'impression que lui font l'épicier, la concierge, le paysan et l'Africain. La seconde consiste à imaginer que la psychologie populaire, si elle existait, expliquerait le fonctionnement d'un culte. Pour faire fonctionner avec succès une image de pèlerinage, il faut un large consensus incluant notables et théologiens. Surtout, une iconographie ne peut devenir un système complexe qu'à partir de choix logiques explicites ou non, mais cohérents.

Un exemple suffit à montrer comment s'effectue le passage de l'image, valable dans sa généralité abstraite comme une formule mathématique, indépendante de sa formulation accidentelle par tel et tel dans tel et tel lieu, à l'image unique qui vaut par ses qualités propres. Les images privées font concurrence à celles de l'Eglise ; elle réagit en dotant les siennes d'indulgences, à commencer par la *vera icona* de Rome en 1216 [32]. Une telle image devient ainsi l'équivalent du sacrement ou d'une relique : elle existe physiquement et non plus comme reflet d'un prototype. Le changement ne vient pas de la psychologie des adorateurs, qui préféreraient sans doute voir attribuer les mêmes mérites à leurs images privées, mais d'une décision administrative, prise au plus haut niveau.

Dès lors qu'une individualité est reconnue à l'image, il devient non seulement possible, mais souhaitable, que son élaboration artistique la distingue des autres, au lieu de la faire ressembler à un prototype commun. L'art médiéval ne passe pas pour autant à l'obsession de la singularité, car l'exigence opposée de la cohérence des programmes, de la lisibilité qu'apporte la convention, ne disparaît pas. La recherche d'originalité se fait au niveau du style propre à l'artiste et des choix individualisant l'oeuvre à l'intérieur de la production de l'artiste.

Sur le plan du style personnel, l'évolution historique n'est pas simple. Il n'est pas évident que le style d'un Nicolas de Verdun soit moins original que celui de n'importe quel grand artiste de la Renaissance. En tous cas, les problèmes de mains et d'attributions se posent à peu près de la même manière pour l'historien de l'art qui dresse un catalogue. Le véritable changement touche la nature de la production. La sculpture des cathédrales est due à des ateliers itinérants qui transportent un style avec eux. Ces ateliers se font et se défont, ce qui modifie le style et lui donne parfois une couleur locale aléatoire, liée à la présence d'une poignée d'hommes, souvent dominée par une forte personnalité, sur un chantier déterminé. Par contre, les ateliers qui fournissent le mobilier liturgique et les objets de la dévotion privée se fixent dans une ville et alimentent un marché régional [33]. Dès le XIVe siècle, on reconnaît une madone champenoise ou lorraine à un alourdissement des formes qui la distingue des prototypes parisiens [34]. Les régions dominées par des villes riches, rapprochées et rivales, portent les plus beaux fruits artistiques au XVe siècle ; chacune de ces villes développe un style local bien reconnaissable. Autour de 1300, Florence et Sienne peignent déjà dans des coloris distinctifs. L'influence de Giotto marque pour un siècle le dessin florentin, tandis que les Siennois se renouvellent davantage, mais conservent une suavité un peu maniérée qui permet au spécialiste de reconnaître leur production immédiatement. Chacune des villes allemandes du XVe siècle maintient avec un soin jaloux son originalité stylistique. Les grands artistes se plient à ce jeu, même lorsqu'ils viennent d'ailleurs, ce qui est souvent le cas. En revanche, ils donnent alors de nouveaux traits caractéristiques au style local et le font évoluer.

L'originalité stylistique ainsi conçue s'exerce quel que soit le sujet de l'oeuvre, mais elle peut amener à privilégier certains sujets. A Cologne, où l'ambiance sentimentale du gothique international se prolonge durant tout le XVᵉ siècle, la madone entourée de saints est un sujet favori, tandis que les Souabes et les Bavarois s'orientent vers un style « viril » et expressif, avec un penchant accusé pour les scènes de la Passion. Pour l'essentiel cependant, l'originalité iconographique se développe au niveau de l'oeuvre individuelle et s'articule sur les circonstances particulières qui lui donnent naissance. Chaque autel présente un dosage complexe de saints, du fait de ses dédicaces et des reliques qu'il contient. Prenons un exemple à Strasbourg : un autel fondé en 1368 à Saint-Thomas était consacré à la Vierge, à saint Michel, aux saints Pierre et Paul, Etienne, Laurent, Vincent, Martin, Nicolas, aux saintes Cécile, Agnès et Agathe. On peut supposer que ces dédicaces déterminaient le programme iconographique et qu'elles étaient déterminées par une collection de reliques. Mais les dédicaces peuvent aussi se faire en fonction des dévotions et des événements qui les suscitent ; un retable érigé à la suite d'une peste a de fortes chances de présenter des saints anti-pesteux, comme saint Sébastien ou saint Roch. Enfin, les armes et les portraits des donateurs individualisent l'oeuvre complètement.

Au niveau du style comme au niveau des sujets, la différenciation des oeuvres correspond donc à une introduction progressive de l'accidentel dans l'art. Seul l'accidentel individualise. Dès que l'adoration s'attache à une oeuvre singulière, elle appelle l'accidentel à une existence de même niveau que la substance du prototype. L'opposition substance/accident perd de sa pertinence en art, alors même que la philosophie hésite à en expliciter et à en revendiquer la destruction. Il est en effet presque impossible de contenir une évolution stylistique générale, contraignante et implicite.

On a vu que la disparition de l'accidentel n'avait jamais pu être totale dans l'art mimétique du moyen-âge. Ce qu'il restait nécessairement d'accidentalité, comme l'indication schématique de l'âge d'un personnage par exemple, était réutilisé par le symbolisme pour marquer la relation entre les substances. Ainsi, l'opposition barbu/imberbe pouvait recouvrir la relation seigneur/fidèle entre deux personnages qui étaient des substances premières. Mais la limitation de l'accidentel à ce strict minimum ne parvint plus à se maintenir à partir du XIIIᵉ siècle. L'évolution comporte deux axes qui sont d'une part la multiplication des éléments accidentels dans la représentation, comme par exemple les artifices de l'industrie humaine, d'autre part la différenciation des objets figurés par leurs caractères accidentels.

Prenons comme point de départ exemplaire l'*Ambon de Klosterneuburg* que nous avons déjà commenté à d'autres titres (ill. 31-34). Nicolas de Verdun travaille avec un minimum d'unités figuratives largement interchangeables. Il construit une scène, l'annonce à la mère de Samson par exemple, avec les seuls éléments suivants qui sont récurrents dans l'oeuvre : (1) un personnage (2) masculin (3) imberbe (4) vêtu d'une tunique et (5) d'un manteau, (6) portant des ailes, (7) un sceptre et (8) une auréole ; (9) un personnage (10) féminin (11) vêtu d'une tunique et (12) d'un manteau, (13) portant une auréole ; (14) le geste de la personne qui parle (15) et de celle qui écoute soumise ; (16) un sol, (17) un arbrisseau et (18) des bandes horizontales figurant le paysage le plus générique possible. Cette description est complète et n'a rien d'arbitraire. Les éléments qu'elle omet, par exemple le mouvement des vêtements, n'ont pas ici de signification propre ; l'arbrisseau ne peut être spécifié davantage. Si l'on prélevait le visage de l'ange et si on le remplaçait par un visage imberbe tiré d'une autre scène, il n'y aurait aucun changement significatif.

En appliquant ce type de description sémiologique à l'ensemble de l'ambon, on rencontrerait quelques difficultés marginales. Certaines scènes, par exemple, comportent des intentions expressives et laissent percevoir l'état d'esprit des personnages. Ainsi, l'élan jovial de Samson luttant contre le lion signifie quelque chose, puisqu'il ne se retrouve pas, disons, chez Abraham sacrifiant son fils. Mais les difficultés de ce genre restent secondaires, occasionnelles et, tout compte fait, négligeables, car c'est la récurrence d'un nombre limité de formules génériques qui donne à l'oeuvre de Nicolas l'essentiel de son caractère et de sa signification.

Si l'on se tourne à présent vers les oeuvres produites au XIVe siècle, l'énumération des éléments significatifs devient infinie ; la seule caractérisation des visages échappe déjà à la classification. Prenons comme exemple l'arrestation du Christ dans le célèbre *Livre d'Heures de Jeanne d'Evreux*, enluminés par Jean Pucelle en 1325-1328 (ill. 37). Les attitudes des personnages forment une gamme expressive continue, plutôt qu'une succession dénombrable de type distincts. Il n'est pas possible de compter les nuances gestuelles qui vont de la brutalité à la résignation ou à l'étonnement. La même gradation s'observe au niveau des éléments non signifiants du style. C'est la fluidité des lumières et des ombres, non pas la segmentation des formes par le contour, qui

37. *Arrestation du Christ*,
Livre d'Heures de Jeanne
d'Evreux, fol. 15v,
New York, The Cloisters.

caractérise le drapé chez Pucelle. La tendance idéographique a donc considérablement reculé. La représentation des objets, des armes en l'occurrence, donne une autre dimension de ce recul. Pucelle a évité d'en représenter deux qui seraient identiques et il multiplie les formes singulières. Au lieu du casque générique, nous avons un bassinet, deux heaumes et une salade. L'épée droite s'oppose au cimeterre et le vocabulaire spécifique ne suffit plus à la désignation des hastes.

Cela ne signifie pas qu'il n'y ait plus d'oppositions discrètes. Pucelle utilise des faciès de silènes pour désigner les adversaires du Christ, ce qui fonde une opposition pertinente. Mais il est intéressant de remarquer que cette opposition des faciès dans les scènes de la Passion fait apparaître des traits logiquement accidentels, comme la méchanceté et l'infidélité religieuse (tout de même pas des caractères ethniques, puisque Juifs et Romains ne sont pas distingués). Le procédé est systématique dès l'époque de Pucelle, alors que les artistes antérieurs ne subdivisaient pas ainsi l'espèce « homme ». C'est le début d'un processus qui culminera au XVᵉ siècle dans l'art septentrional.

Avec les Van Eyck, l'exploration de l'accidentel est devenu un principe aussi fondamental que sa négation deux siècles plus tôt, même si cette investigation ne s'étend pas à la totalité du monde phénoménal, restant limitée à certains objets par le contexte symbolique. A titre d'exemple, les effets lumineux crépusculaires ou nocturnes ne sont vraiment exploités qu'à la génération suivante, tandis que le brouillard doit attendre Turner pour exister dans l'art et que la pluie n'aura qu'exceptionnellement la faveur des artistes. En somme, les conditions optimales de vision sont dans l'art flamand une convention tacite qui permet l'exploration de l'infiniment petit et des lointains, tout en maintenant sous une forme nouvelle le caractère clair et distinct de l'art médiéval. Notons aussi que sur un point essentiel, le rapport substance/accident se maintient : tout accident est inhérent à une substance. On rencontre des murs lézardés, des visages ridés, des reflets sur les objets, mais jamais une tache de couleur dont le support serait difficile à déterminer.

L'art flamand fouille donc le monde des apparences sensibles, mais sans le présenter comme illusoire. Sa réalité est gagée sur une double cohérence, celle des coordonnées empiriques et celle du symbolisme religieux. C'est ici que nous retrouvons le couple d'opposition naturel/surnaturel qui ne correspondait à rien dans l'art antérieur. On se souvient de la fameuse comparaison de Panofsky entre une enluminure représentant la guérison du fils de la veuve de Naïm dans l'*Evangéliaire d'Otton III*, vers l'An Mille, et la *Vision des rois mages* de Rogier Van der Weyden, conservée à Berlin [35]. Chez Rogier, la présence d'un petit enfant nu dans le ciel se lit immédiatement comme une apparition surnaturelle, parce qu'elle contredit l'ordonnance empirique des figures, tandis que dans l'enluminure ottonienne la ville de Naïm n'est pas comprise comme une apparition bien qu'elle plane également dans les airs, car l'espace n'a rien d'empirique. Panofsky commet une légère maladresse en opposant le caractère « miraculeux » de l'enfant au caractère « réel » de la ville, parce que « réel » ne s'oppose pas à « miraculeux ». La ville de Naïm est à la fois une réalité concrète et le concept générique de la ville, un terme mimétique et un idéogramme, comme tous les autres éléments de l'enluminure. L'univers artistique dans lequel elle s'inscrit n'est ni naturel, ni surnaturel : il s'agit de la visualisation d'un ordre invisible et de ses coordonnées abstraites, comme dans un diagramme. Par contre, Rogier décrit un univers empirique cohérent, soumis à des déterminations telles que l'impossibilité naturelle de la lévitation. Dès lors qu'un élément du tableau contredit ces coordonnées, il se dévoile immédiatement comme surnaturel.

Pour en arriver là, il a fallu redéfinir les rapports entre la réalité empirique et le symbolisme dans l'art, car les mêmes coordonnées graphiques sont mobilisées par la représentation de l'une et de l'autre. Par exemple, lorsqu'on représente un personnage plus grand que l'autre, cela peut désigner une différence de taille physique ou un rapport hiérarchique, mais l'un exclut l'autre. Ou bien l'espace est symbolique, ou bien il est mimétique. La contradiction est résolue grâce à l'investissement complet de l'espace par la réalité empirique. Bien sûr, il y a des figures, comme les anges, qui n'existent pas dans la réalité empirique, mais, une fois admis qu'ils ont des ailes, ils occupent l'espace normalement. La cohérence des coordonnées empiriques est telle, dans l'art du XVe siècle, qu'on a pu prendre les peintures religieuses pour la transposition de spectacles théâtraux [36]. Il est bien vrai que les fonds de tableaux ressemblent à des décors de théâtre, que les anges ressemblent à des diacres à qui on aurait attaché des ailes, mais c'est parce que la peinture et le théâtre représentent selon des modalités comparables un univers déterminé par la même conception de la nature et du surnaturel et parce que la peinture accepte des contraintes, comme le respect des lois de la pesanteur que le théâtre respecte par la force des choses.

Une partie du symbolisme médiéval s'est transformée en surnaturel, tout en gardant un caractère conventionnel : ce sont les auréoles, les anges et les apparitions célestes, en somme assez peu de choses. Pour le reste, seule la présence d'objets rares dans la vie courante, mais caractéristiques de l'art religieux, comme la croix et les amples manteaux sans rapport avec la mode que portent certains personnages, attestent que les peintures représentent un univers sacré. L'essentiel du symbolisme est, selon l'expression de Panofsky, « déguisé ». On représente le plus souvent l'annonciation dans un intérieur cossu. Le lys placé dans un pot de fleur signifie alors la pureté de Marie ; le rais de lumière qui pénètre un vase de verre symbolise la conception virginale, car la lumière divine a pénétré le sein de Marie sans la déflorer comme elle traverse le verre sans le briser ; la présence d'un perroquet indique qu'il n'est pas plus difficile à Dieu de faire concevoir une vierge que de donner le langage à un animal, et ainsi de suite. Mais chacune de ces choses est à sa place dans un intérieur domestique, indépendamment de sa valeur symbolique qui ne saute pas aux yeux. Pour définir correctement ce symbolisme déguisé, il faudrait renoncer à parler de symbolisme pictural. La peinture cesse en fait, autant qu'il se peut, d'être symbolique, mais elle présente au spectateur des objets dont le symbolisme n'est pas spécifiquement pictural : les objets qui symbolisent la virginité de Marie le font aussi bien dans l'hymnologie, par exemple, que dans la peinture. Les objets sont symboliques indépendamment de leur mode de représentation et de leur insertion dans l'espace pictural.

Dès lors, la prise en considération de l'univers empirique dans ce qu'il a de plus accidentel cesse de contredire l'intention symbolique, mais permet l'effervescence d'un symbolisme préexistant au mode de représentation. Les artistes flamands aimaient peindre l'architecture et mettaient dans la représentation d'une église des scrupules d'archéologues. A partir des Van Eyck, on identifie sans hésiter l'âge du monument ; ils savent représenter l'art roman (*Madone Van der Paele*, Bruges, Musée communal), le gothique rayonnant (*Vierge dans l'église* de Berlin) et, bien sûr, l'art de leur temps. Mais ils excellent aussi à représenter des édifices composites, commencés à l'époque romane, par exemple, comme dans une *Annonciation* attribuée à Hubert van Eyck (New York, Metropolitan Museum) et analysée par Panofsky [37], où l'on voit le ravalement gothique d'un édifice roman, mais aussi les ravages du temps sur un mur en ruine. Tout ce qu'il y a d'accidentel dans la vie d'un monument intéresse le peintre qui le réutilise comme symbolisme. L'architecture démodée et ruinée signifie l'ancienne alliance et les splendeurs du gothique flamboyant la nouvelle. L'église signifie l'Eglise et est associée à la Vierge qui la fait naître des ruines du paganisme. L'iconographie du monument est à son tour mobilisée comme symbolisme au second niveau, comme tableau dans le tableau. On peut voir des idoles païennes encore en place dans les parties ruinées, ou bien des prophètes qui annoncent la Vierge, la chute d'Adam et Eve comme antithèse de la rédemption, les pendants typologiques de la nativité, etc. Les éléments symboliques que l'art antérieur juxtaposait en scènes séparées (comme la typologie chez Nicolas de Verdun) s'intègrent dans une seule image où ils apparaissent de prime abord comme inessentiels.

Il serait inexact de dire que l'art flamand représente un univers purement naturel, auquel s'ajoute une plus-value symbolique. Nous avons dit d'emblée qu'il existait toujours une représentation directe du symbolisme, mais elle a cessé d'être indispensable. Dans la *Madone Van der Paële*, par exemple, il n'y a pas un seul élément symbolique au premier niveau, mais seulement quelques motifs qui seraient incongrus aux yeux d'un spectateur ignorant l'art religieux, comme la présence d'une très jeune femme aux cheveux déliés, trônant avec un enfant nu sur les genoux, et celle d'un évêque qui tient à la main une roue servant de support à des chandelles. On pourrait objecter que ce type de

38. Maître de la *Tabula magna* de Tegernsee, *Crucifixion*,
Nuremberg, Germanisches Nationalmuseum.

symbolisme n'est pas nouveau, que l'attribut, tel que l'art médiéval l'utilise depuis ses débuts, constitue un symbolisme des objets représentés. Mais la distinction entre le symbolisme de la représentation et celui des objets représentés n'a pas de sens tant que la cohérence de l'espace empirique ne détermine pas le mode de représentation et ne repousse pas le symbolisme en amont. Le symbolisme déguisé est porté par des objets individuels que relient entre eux les lois du monde physique et non plus immédiatement présent dans un signe conventionnel et générique. On est tenté de dire que le symbolisme, en quittant les signes pour s'installer dans les objets représentés, est devenu nominaliste à son tour.

Pour une grande part, les symboles antérieurs ne tiraient leur sens que de leur disposition dans le langage iconographique religieux. Les attributs que l'on continue à utiliser en les intégrant dans un espace empirique, ne signifiaient et ne signifient encore que par le contexte iconographique, dans lequel l'épée signifie saint Paul, l'agneau saint Agnès, alors qu'ils perdraient ce sens dans un contexte profane. Mais on voit apparaître un symbolisme inhérent aux choses et qui, par conséquent, ne dépend plus du contexte religieux, ni même du contexte artistique, puisqu'il fonctionne identiquement dans l'art profane ou dans la littérature. L'opposition entre la beauté et la laideur pour désigner des qualités morales en est un bon exemple, tout comme la symbolique des ruines. Ce symbolisme, qu'on pourrait appeler le symbolisme naturel, fait souvent jouer les qualités sensibles des objets : un parterre de fleurs pour une paisible réunion de saints autour de la Vierge, ou l'aspect contondant des armes autour du Christ dans les scènes de la Passion. Les crucifixions bavaroises du milieu du XVe siècle, celles du maître de la *Tabula magna* de Tegernsee en particulier, multiplient les mouvements brusques d'hommes armés à proximité des corps nus des condamnés (ill. 38). Il s'agit bien de symbolisme, d'une part, parce qu'il était possible de représenter la même scène sans ménager systématiquement ces effets, d'autre part, parce que ce qui est signifié dépasse ce qui est montré. La danse des objets tranchants autour des corps nus est une agression symbolique, tout comme le fait de tendre un couteau à quelqu'un, la pointe en avant.

4. Symbolisme et sensualité

Le symbolisme sexuel (qui n'est sans doute pas absent dans l'exemple précédent) fonctionne selon le même principe et joue un rôle considérable dans le rapport entre le fidèle et l'image. Il revient à Meyer Schapiro d'avoir mis son existence en évidence dans une oeuvre religieuse comme le *Retable de Mérode*, dû à Roger Campin (New York, Cloisters) [38]. L'auteur montre que la souricière qui apparaît dans le panneau de droite, consacré à saint Joseph au travail, représente le piège tendu par Dieu au diable assimilé à une souris, lors de l'Incarnation. L'identification et l'interprétation des objets que fabrique saint Joseph ont suscité d'abondantes discussions qui sont hors de notre propos. L'important est l'identification par Schapiro d'un niveau de symbolisme qu'on ne peut pas évacuer. Le vieillard perce des trous avec un vilebrequin pendant que son épouse reçoit la visite de l'ange ; pour un spectateur tant soit peu familiarisé avec la psychanalyse, ces objets prennent une signification sexuelle. Mais point n'est besoin du recours à la psychanalyse, toujours discutable en histoire, car Schapiro a beau jeu de trouver dans le folklore médiéval des équivalents convaincants. Il suffit d'avoir lu quelques fabliaux pour être incapable de voir un vieillard faisant des trous et une machine à attraper les souris sans penser à mal. Nous verrons bientôt que le symbolisme sexuel est trop récurrent dans l'art religieux de la fin du moyen-âge pour qu'il s'agisse d'une coïncidence malheureuse.

Le jardin clos est l'un des symboles les plus officiels et les plus fréquents de cet art religieux. Il représente la virginité, ou plutôt la difficulté d'accéder à la dame. Comme toujours, il existe un prétexte biblique, fourni en l'occurrence par le *Cantique des cantiques* : « Mon aimée, tu es un jardin clos, [...] une fontaine scellée » (*Cantique* 4, 12). Mais cela ne suffit pas à faire naître une iconographie. C'est dans le très profane *Roman de la Rose* de Guillaume de Lorris que le jardin clos parvient au succès. L'oeuvre se présente comme un rêve, ce qui annonce et justifie le caractère symbolique du contenu. Le cadre est un paysage allégorique qu'il faut considérer à la fois comme un parcours psychologique où l'auteur rencontre des sentiments et des situations personnifiés, et comme une topographie anatomique relativement discrète, si on la compare à celle des chansons plus libres qui s'en inspirent ensuite. En gros, le jardin clos est un lieu paradisiaque rempli du chant des oiseaux amoureux et dans lequel on ne pénètre que par « une petite porte bien close, étroite, réduite » [39]. On y trouve le déduit personnifié et prenant « un petit sentier plein de fenouil et de menthe » [40], pour accéder à une fontaine qui fait tourner la tête des visiteurs et d'où coule une petite rivière.

Pendant plus de trois siècles, la métaphore du jardinet est l'un des lieux communs favoris de la poésie érotique. Il est plus surprenant de voir le symbolisme du *Roman de la Rose* envahir la littérature et finalement l'art religieux, alors qu'il est régulièrement dénoncé par les dévots comme immoral, surtout à cause de la continuation due à Jean de Meun. Christine de Pisan n'hésite pas à écrire que « mesmes les gouliars auroient horreur de le lire ou oïr en publique, en places honnestes devant persones qu'ils réputassent vertueuses » [41]. Dans un livre par ailleurs souvent vague et verbeux, Charles Oulmont a bien analysé les emprunts de la littérature religieuse à cet ouvrage profane [42]. Bien qu'il condamne le *Roman de la Rose*, Gerson écrit un *Jardin amoureux*, dans lequel l'âme boit « aux douches fontaines du jardin pour raffraichir et arouser la grant ardeur et pour adoucir et attremper l'ardent soif de son désir » [43]. Oulmont cite aussi un *Livre du jardin de contemplation* dont l'auteur se nomme Jean Henry et finalement le *Roman de la Rose* de Jean Molinet, moralisé par un commentaire mystique [44]. Dès le XIVe siècle, ce symbolisme entre à la fois dans l'art profane et dans l'art sacré. Le « jardinet du paradis », l'*Hortus conclusus*, fait concurrence au jardin d'amour des amants profanes. Le merveilleux *Paradiesgärtlein*, conservé à l'Institut Städel de Francfort (vers 1420 ; ill. 39), présente la Vierge entourée de saints juvéniles dans une ambiance si courtoise qu'il semble faire écho à la rhétorique dévote de Gerson : « Là assemblent les amoureux leur amoureuse compaignie, et demenent joieuse vie en pensant et parlant d'amour » [45].

Les échanges sont systématiques entre symbolisme religieux et profane. Une gravure comme le *Jardin d'amour* du maître E. S. [46] représente en principe une compagnie profane, mais persifle gentiment les jardinets mystiques et l'on y voit un individu tonsuré, vêtu en jouvenceau pour séduire les belles. Dans les peintures religieuses qui représentent, par exemple, la Vierge entourée de saints, le jardin clos est interchangeable avec l'église. Il signifie donc l'Eglise, tout comme le bâtiment ecclésial. Dès lors l'église finit à son tour par signifier le jardinet, au sens érotique du mot. Bien avant Georges Bataille, Clément Marot allégorise la maison de Dieu dans un sens érotique, vengeant ainsi le *Roman de la Rose* dans son *Temple de Cupidon* [47] :

> « Ovidius, maistre Alain Charretier,
> Petrarche, aussi le Rommant de la Rose,
> Sont les misselz, breviaire et psaultier
> Qu'en le sainct temple on list en rime, et prose » [48].

Il existe une abondante littérature psychologique sur les relations entre érotisme et mystique [49]. En gros, le psychologue libre penseur se plaît à souligner les ambiguïtés du comportement mystique et le

39. Maître du Rhin moyen vers 1420, *Paradiesgärtlein*, Francfort, Städelschen Kunstinstitut.

psychologue catholique insiste sur la spécificité du phénomène religieux en distinguant les « vrais » mystiques des « faux ». Il est sans doute plus éclairant de prendre le problème à un niveau plus modeste, celui des rapports entre érotisme et dévotion qui préoccupaient davantage les théologiens du XVᵉ siècle. En effet, l'érotisation du sentiment religieux n'appartient pas en propre aux exercices spirituels périlleux de quelques ascètes, mais constitue un phénomène social très large que sa banalité dissimule en quelque sorte aux regards. Il nous est encore mieux caché par l'évolution du goût. Lorsque nous voyons dans un musée une jeune sainte peinte vers 1400, le front bombé et dégagé, les seins petits et hauts, les membres grêles mais le ventre sphérique, nous ressentons ces déformations corporelles comme arbitraires, de sorte qu'elles provoquent en nous un plaisir esthétique médiatisé par l'intérêt historique, et non la réaction sensuelle immédiate que nous éprouvons, en revanche, face aux représentations érotiques de notre propre environnement. Seul le raisonnement nous permet d'évaluer la charge érotique d'un symbolisme et d'une figure dans un autre milieu. Or il faut constater deux choses. D'une part, l'art chrétien et l'art profane modèlent généralement le corps dans le même sens avant le XIXᵉ siècle en tout cas. D'autre part, la déformation idéalisante qui érotise le corps est sensiblement plus forte vers 1400 qu'à d'autres époques, celle de Rubens comprise.

Dans ces conditions, la dévotion a quelque chose d'équivoque que les adversaires des images n'ont pas manqué de souligner. Il est bien probable que, par l'habitude de la méditation et par la direction qu'elle impose aux associations d'idées, le dévot reste dans une sphère qu'il perçoit comme spécifiquement religieuse et détachée des séductions profanes. Mais un témoin qui ne partage pas son expérience intérieure aura un point de vue différent. Une anecdote rapportée par la théologien tyrolien Hans Vintler montre jusqu'où peut aller le malentendu au début du XVᵉ siècle [50].

Un jour, une femme confessa à saint Thomas qu'il lui arrivait d'être transportée au paradis, chez la sainte Vierge. C'est un séjour merveilleux où les élus mangent, boivent et parlent d'amour. On y voit des tournois et on y danse au son des fifres. Mais le grand théologien comprit qu'il s'agissait d'une illusion diabolique et décida d'y mettre fin. Aussi proposa-t-il à la femme de l'accompagner en paradis et l'on convint du jeudi suivant. Le saint se prépara par la pénitence et se munit du sacrement, pour l'offrir à la Vierge. Arrivé au paradis, il voit les gens s'amuser autour d'une très belle femme qui se tourne vers lui et lui demande s'il est bien cet homme qui l'adore tout le temps. Au lieu de répondre, saint Thomas lui demande son nom et elle lui répond effectivement qu'elle est Marie. Il lui tend alors le sacrement. Aussitôt, la vision diabolique disparaît. Seule avec son confesseur, la dévote reconnaît avoir été abusée et se repent. Saint Thomas tire la morale, expliquant que le diable fait parfois le bien pour mieux cautionner le mal.

Cette histoire fait allusion aux ébats des sorcières et veut montrer qu'il s'agit d'une illusion, méritant une pénitence et non le bûcher. Elle est typique du XVᵉ siècle et Vintler commet un anachronisme en prenant saint Thomas comme héros, bien qu'un théologien du XIIIᵉ siècle aurait agi avec cette mansuétude qui commence à se faire plus rare. Ce qui nous intéresse ici est la totale adéquation entre une représentation très concrète du paradis, de celles qu'un tableau comme le *Paradiesgärtlein* de Francfort peut susciter, et les récits relatifs au sabbat, lorsqu'ils n'ont pas été déformés par l'interrogatoire et ne proviennent pas d'un témoin malveillant. L'imagination sensuelle d'un lieu où tout est luxe, calme et volupté s'enracine dans la méditation dévote, stimulée par l'image religieuse. Dès lors, le caractère divin ou diabolique des dévotions excessives devient une question de point de vue, dépend du jugement qu'on porte sur un individu, comme au procès de Jeanne d'Arc, ou sur le système religieux dans son entier, comme chez les hérétiques qui dénoncent les images.

Le procès de Jeanne d'Arc, précisément, montre l'inquiétude que pouvait susciter une trop grande familiarité avec le surnaturel [51]. Il faut y voir un cas limite du fait de la personnalité de Jeanne et de l'enjeu politique du procès. Mais l'accusée est pius une dévote exceptionnelle qu'une mystique et l'on apprend beaucoup du procès sur les rapports entre image, dévotion et hérésie. Jeanne d'Arc qui ne manque ni d'intelligence, ni de prudence théologique, prétend avoir entendu des voix et refuse au début de donner à ces voix une apparence physique, sachant bien qu'il lui faut en rester à la *fides ex auditu* pour déjouer le piège qu'on lui tend. Mais, l'interrogatoire se faisant toujours plus pressant, elle finit par décrire des visions corporelles qui doivent beaucoup à l'iconographie. Sainte Catherine et sainte Marguerite lui sont apparues, couronnées de belles couronnes, très opulentes et très précieuses [52], saint Michel accompagné d'anges du ciel : « Je les ai vus des yeux de mon corps, aussi bien que je vous vois » [53]. Lorsque les questions font trop clairement allusion à l'iconographie des saintes, elle se méfie de nouveau : « Interrogée si leurs cheveux étaient longs et pendants, elle répondit : "Je n'en sais rien". Elle dit aussi qu'elle ne sait pas si elles avaient quelque chose comme des bras ou si elles avaient d'autres membres figurés » [54]. Elle finit par mettre en scène, en racontant l'entrevue de Chinon, une sorte de sainte conversation comme on en trouve dans l'art religieux. On pense par exemple au célèbre *Diptyque Wilton* (Londres, National Gallery) : « Item elle dit que, quand l'ange vint, elle l'accompagna et alla avec lui par les degrés à la chambre de son roi ; et l'ange entra le premier [...] et l'ange était bien accompagné d'autres anges étant avec lui, que chacun ne voyait pas [...] Interrogée si tous les anges qui accompagnaient l'ange susdit, étaient tous d'une même figure : elle répondit que certains d'entre eux s'entreressemblaient bien, et les autres non, dans la manière qu'elle les voyait ; et certains d'eux avaient des ailes, certains aussi étaient couronnés ; et il y avait, dans la compagnie, saintes Catherine et Marguerite qui furent avec ledit ange et les autres anges aussi jusque dans la chambre de son roi » [55]. Les juges enquêtent sur le rapport entre les visions et l'iconographie à propos de l'étendard que Jeanne fit peindre : « Interrogée sur ce qui la mut à faire peindre des anges avec bras, pieds, jambes et vêtements sur son étendard : elle répondit : "Vous en avez réponse". Interrogée si elle a fait peindre ces anges qui viennent à elle : elle répondit qu'elle les fit peindre en la manière qu'ils sont peints dans les églises. Interrogée si jamais elle les vit dans cette manière où ils furent peints : elle répondit : "Je ne vous dirai pas autre chose". Interrogée : pourquoi n'y a-t-elle pas fait peindre la clarté qui vient à elle avec l'anges ou les voix ? Elle répondit que cela ne lui fut pas commandé » [56]. Malgré sa lucidité sur le dessein des juges, Jeanne est à peu près conduite à s'exprimer comme la bonne femme mise en scène par Vintler : Interrogée si elle a jamais baisé ou embrassé saintes Catherine et Marguerite : elle répondit qu'elle les a embrassées toutes deux. « Interrogée si elles ont bonne odeur : elle répondit qu'il est bon à savoir qu'elles avaient bonne odeur. Interrogée si, en les embrassant, elle y sentait chaleur ou quelque autre chose : elle répondit qu'elle ne pouvait les embrasser sans les sentir et les toucher. Interrogée : par quelle partie du corps les embrassait-elle ? Est-ce par en haut ou par en bas ? Elle répondit qu'il est plus convenable de les embrasser par en bas que par en haut. Interrogée si elle n'a pas donné auxdites saintes quelques guirlandes ou chapeaux <de fleurs> : elle répondit qu'en leur honneur, plusieurs fois elle a donné de ces guirlandes à leurs images ou représentations dans les églises [...] Interrogée si elle sait quelque chose de ceux qui voyagent avec les fées : elle répondit qu'elle ne l'a jamais fait et n'en sait rien, mais elle <en> a bien entendu parler et qu'ils <y> allaient le jeudi. Mais elle n'y croit pas et croit que ce n'est que sorcellerie » [57].

Le rapprochement entre dévotion et sorcellerie est évident pour les juges qui amènent Jeanne d'Arc à se compromettre, mais pas autant qu'ils l'auraient voulu. Elle reste capable d'établir clairement la limite entre le vocabulaire pieux (anges, saints, etc.) et le vocabulaire des superstitions (voyager avec les fées...). En revanche, la description trop concrète des apparitions suffit, la malveillance des juges aidant, à la rendre idolâtre. Et l'idolâtrie est bien ce que découvre dans le système iconographique toute personne mal disposée envers une dévotion ou envers la dévotion en général.

Comme on a suffisamment eu l'occasion de la voir, l'Eglise répondit au soupçon d'idolâtrie par les distinctions entre latrie et dulie, entre adoration et vénération. Elle prétendait que le respect manifesté aux images allait au prototype immatériel et non pas à un morceau de bois peint. Tant que l'image présentait une forme générique, tant qu'elle n'était que la meilleure imitation possible d'un prototype oriental et ancien, lui-même supposé renvoyer à une empreinte achiropoïète, ce n'était pas vraiment faux et la transition de la forme au prototype se manifestait dans la technique même de l'image. Il s'agissait bien d'une forme immatérielle réalisée dans une matière autant que possible niée. Le style visait à une universalité et à un anonymat, certes relatifs, mais suffisant pour faire passer le travail artistique au second plan. L'évolution artistique de la fin du moyen-âge enlève à la forme son abstraction et son immatérialité pour en faire quelque chose comme l'existence concrète et palpable du surnaturel. Pour autant qu'elles imitent la vie, les images retrouvent le caractère d'illusion qui caractérise l'idole. Nous allons voir que l'évolution des programmes iconographiques ne contribuait pas à détourner le soupçon d'idolâtrie.

CHAPITRE II

LES NOCES SPIRITUELLES

La symbolique chrétienne tourne autour de trois thèmes qui sont la naissance, l'amour et la mort. Cela n'est guère spécifique. En revanche, deux traits le sont davantage :

— la très forte euphémisation de ces thèmes dont le caractère physiologique se fait oublier autant que possible.

— la tendance à condenser les trois événements pour créer un moment de grande intensité. C'est ainsi que la nativité du Christ peut signifier à la fois le mariage de l'Epoux et de l'Epouse que simule l'intimité entre la Vierge et l'Enfant, et la Passion du Seigneur, par l'équivalence entre la crèche et le tombeau, entre l'emmaillotement et l'embaumement. De même la crucifixion est le moment où Marie devient la mère de saint Jean, tout en se pâmant dans ses bras. La scène la plus familière de la vie des saints est leur martyre où se combinent la mort, la naissance à une vie nouvelle et les noces spirituelles.

L'art chrétien occidental a longtemps euphémisé complètement les trois thèmes, ne dévoilant aucune des circonstances physiologiques de la naissance et de la mort, en ne faisant aucune place aux rapports affectifs, tandis que l'art byzantin suggérait depuis le haut moyen-âge le rapport tendre entre la Vierge et l'Enfant, puis entre la Vierge et le corps de son fils. Du XIᵉ au XIVᵉ siècle, l'euphémisation perd du terrain en Occident, du fait même de l'évolution logique que nous avons analysée. Les circonstances de la naissance deviennent plus visibles, ainsi la grossesse de la Vierge dans des thèmes comme la visitation ou le doute de Joseph. La souffrance du Christ sur la croix, puis l'état de son cadavre, font l'objet de descriptions toujours plus précises, au point qu'on ne peut plus parler d'euphémisation à ce sujet dans l'art du XIVᵉ siècle. Les crucifix et les pietàs du domaine germanique témoignent alors d'une exaltation de l'horreur [58]. En même temps, les représentations de la tendresse se multiplient pour faire contraste. Ces aspects tour à tour cruels et tendres de l'art à la fin du moyen-âge ont souvent été soulignés. On les attribue ordinairement à l'évolution du « sentiment » religieux, ce qui n'est pas entièrement faux, mais ne rend pas justice à la cohérence intellectuelle du système. Pour donner une idée de cette cohérence, nous allons examiner ici les développements thématiques liés à la parenté spirituelle dans l'art de la fin du moyen-âge. Plus exactement, nous verrons comment ces thèmes s'articulent au XVᵉ siècle dans l'art septentrional.

1. La Sainte Parenté

L'idylle entre l'Epouse et l'Epoux, telle que la présente le *Cantique des cantiques*, pourrait difficilement être illustrée littéralement, sans prêter à l'équivoque la plus choquante. Les représentations figurées les plus claires se trouvent, depuis le XIIᵉ siècle, dans des manuscrits monastiques, ainsi le baiser donné par l'Epoux à l'Epouse [59] (ill. 40). Mais ces manuscrits ne sortent pas des mains de religieux éduqués qui savent à quoi s'en tenir. Il s'agit en fait de la seule représentation existante dans l'art chrétien d'un rapport affectif entre un homme et une femme également jeunes. Si l'on s'en tient aux oeuvres mises à la portée du public, ce rapport n'existe pas.

Et pourtant, les allusions à l'Epoux et à l'Epouse sont fréquentes. La plus conventionnelle est l'idylle entre la Vierge et l'Enfant. On les trouve joue contre joue ; ils s'embrassent, ou encore l'Enfant caresse le menton de sa mère, un geste fréquent à la même époque dans les représentations d'amoureux [60]. Il s'agit d'un geste érotique fortement conventionnel qui a perdu sa signification à partir de la Renaissance, tout comme celui de porter un aliment à la bouche de la personne aimée, par exemple. Bien qu'il ait pris l'aspect d'un nourrisson, l'Enfant Jésus continue à agir dans l'art comme un petit adulte. Il s'est glissé dans le lit maternel, corps à corps avec la Vierge, dans un panneau du *Retable* bohémien *de Vyssi Brod* (vers 1350 ; Prague, Musée National) [61]. Le *Retable de Fröndenberg*, dû à l'atelier du peintre westphalien Conrad von Soest, présente aussi l'Enfant au lit, à côté de sa mère [62] ; un autre retable du début du XVᵉ siècle, provenant du Rhin moyen, suggère l'étreinte [63]. Il est enfin courant que l'Enfant reçoive une pomme de la Vierge, allusion à la tentation d'Adam et Eve.

ratu:ſiue bonum ſiue malum ſit.
Explicit liber eccleſiaſtes. Incipi
unt cantica canticozum. quod he
braice dicitur ſyraſyrim.

SCVLETVR ME OSCVLO ORIS SVI
quia meliora ſunt ubera tua uino.

40. *Initiale O du Cantique des cantiques*,
Paris, Bibliothèque Nationale,
ms. latin 16745, fol. 112v.

41. *Mariage mystique
de sainte Catherine*,
Retable de Heiligenkreuz,
Vienne, Kunsthistorisches Museum.

Pour des raisons évidentes, les gestes de tendresse cessent complètement entre le Christ et sa mère dès qu'il est devenu adulte et ne recommencent que lorsqu'il est mort. La déposition, la mise au tombeau et la pietà reprennent en écho le répertoire gestuel de la nativité. La Vierge reçoit son fils dans les bras, le dépose dans le tombeau comme dans un berceau ou le tient sur ses genoux comme un petit enfant. Elle l'embrasse aussi en lui tenant la tête. Qu'on nous comprenne bien : nous ne prétendons pas que la représentation de la tendresse d'une mère pour son enfant ou pour le corps de son fils mort ait quoi que ce soit de déplacé. Il s'agit dans le premier cas de gestes parfaitement admis par les normes médiévales comme par les nôtres. Il semble par contre que le moyen-âge ait rejeté comme une coutume païenne le fait d'embrasser les morts [64]. Quoi qu'il en soit, nous prétendons uniquement que le système iconographique développe ces scènes pour symboliser l'union mystique entre l'Epoux et l'Epouse, sans présenter au spectateur les rapports de tendresse entre deux jeunes adultes.

L'évolution d'un autre thème, le couronnement de la Vierge, confirme cette interprétation. Il n'évolue pas, comme on aurait pu s'y attendre, vers un rapport familier entre le Christ adulte et la Vierge, mais plutôt vers une cérémonie fastueuse, vers le grand spectacle hiératique et sans intimité de la cour céleste, comme par exemple dans le *Retable* d'Enguerrand Charenton à Villeneuve-lès-Avignon. Loin de suggérer un couple « normal », l'art du XVe siècle choisit de faire couronner la Vierge par la Trinité toute entière. Comme le couronnement continue à symboliser l'union de Dieu et de son Eglise en la personne de la Vierge, il s'agit d'un triple mariage, pendant céleste de celui qu'on attribue à sainte Anne, mère de la Vierge. L'idée que la Vierge épouse son fils n'en est pas affaiblie, car les Vierges ouvrantes où l'on voit la Trinité contenue dans le ventre virginal se sont répandues depuis le XIVe siècle.

Epoux de Marie, le Christ est aussi l'époux des vierges en général. Parmi les euphémismes que nous avons signalés, c'est le premier, le rapport de tendresse entre un enfant et une personne adulte, qui prévaut. Le modèle le plus suivi est celui du mariage mystique de sainte Catherine d'Alexandrie. L'Enfant, trônant sur les genoux de sa mère, reçoit l'hommage de la jeune sainte et lui passe une bague au doigt. Sur le panneau droit du *Retable de Heiligenkreuz* [65], la scène se passe dans un jardin clos et fait pendant à l'annonciation, ce qui met en rapport direct l'élection divine de la Vierge et le mariage des vierges (ill. 41). Aux deux extrémités du jardin se trouve un trône architecturé qui symbolise l'Eglise. Dans l'annonciation, les anges sont encore en train de le construire, tandis qu'ils l'utilisent comme tribune pour y chanter lors du mariage de sainte Catherine. Derrière le mur du fond, saint Paul et saint Jacques le Majeur assistent à l'annonciation, sainte Dorothée et sainte Barbe au mariage mystique. Plus souvent, les jeunes martyres se placent autour de la Vierge et de l'Enfant, pour former la cour de Jésus, comme dans le *Retable* exécuté en 1479 par Memling pour l'Hôpital Saint-Jean de Bruges. Sainte Barbe y fait pendant à sainte Catherine et, dans le fond, saint Jean l'Evangéliste à saint Jean-Baptiste. Le thème des noces mystiques se greffe ainsi sur celui de la Vierge entre les vierges, *Virgo inter virgines*, l'Enfant servant en quelque sorte de « copule » pour rattacher les saintes au bonheur paradisiaque.

Tandis que les saintes italiennes font concurrence à sainte Catherine d'Alexandrie pour se marier en vision avec le Christ, ainsi sainte Catherine de Sienne et ses émules, l'art du Nord n'explicite le plus souvent la remise de l'anneau que pour la grande martyre, mais il est clair que les autres vierges sont aussi fiancées au Christ. Parfois, elles jouent avec l'Enfant, comme sainte Cécile (?) dans le *Paradiesgärtlein* de Francfort. Le maître de Heiligenkreuz a représenté la mort de sainte Claire, qui n'est pas une martyre, sur le modèle de la mort de la Vierge et comme pendant de ce thème, de sorte que le Christ vient prendre l'âme de la sainte dans ses bras (Washington, National Gallery). Surtout, les jeunes vierges sont le plus souvent couronnées et désignées comme fiancées célestes par leurs atours luxueux.

Le cas des saints masculins est plus complexe. L'oeuvre mystique de saint Bernard représentait l'âme comme épouse du Christ, ce qui a des conséquences iconographiques : on représente saint Bernard, puis saint François par imitation, en train de recevoir le crucifié dans ses bras. A partir du XIVᵉ siècle, on détache du thème de la Cène le groupe formé par le Christ et saint Jean qui dort sur son sein. La légende veut en effet que saint Jean ait délaissé sa fiancée terrestre (parfois assimilée à Marie-Madeleine qui se serait prostituée de dépit) pour suivre Jésus [66]. Une autre solution consiste à rattacher le saint à la Vierge, mais il faut alors contourner l'obstacle que représenterait le rapport « normal » entre deux jeunes gens. Souvent, les saints sont simplement introduits dans la cour mariale, c'est-à-dire dans le jardin clos. Mais le thème le plus abouti logiquement est la lactation de saint Bernard (ill. 55). Le saint prie devant la Vierge à l'Enfant et lui demande de se montrer une mère. Celle-ci exerce une légère pression sur son sein dénudé pour émettre un jet lacté vers la face du saint. Le thème apparaît dans l'art espagnol à la fin du XIIIᵉ siècle [67] ; il se dégage de la lactation du Christ et des noces mystiques par un jeu de déductions iconographiques et permet d'éviter une image plus scabreuse, celle que produirait la transcription littérale des sermons bernardins sur le *Cantique*, où l'âme-Epouse est allaitée par le Christ-Epoux.

Le *Paradiesgärtlein* de Francfort, auquel nous avons plusieurs fois fait allusion, montre l'aboutissement des thèmes idylliques (ill. 39). Il est difficile d'y faire le partage entre un symbolisme d'inspiration théologique ou profane, et la possibilité d'une note humoristique n'est pas à exclure. Tout comme les costumes, le jardin des délices appartient de droit aux deux univers iconographiques. Comme il n'y a pas d'auréoles, l'ange pourrait être Cupidon, si l'Enfant Jésus avec sa tunique et la Vierge occupée à lire n'attestaient le caractère religieux de l'oeuvre. L'Enfant occupe le centre de la composition et une sainte, peut-être sainte Cécile, lui apprend à jouer du psaltérion. Elle forme un groupe de trois femmes à la droite du Christ, avec sainte Dorothée (?) qui cueille des cerises et une sainte non identifiée qui puise de l'eau à la fontaine. Trois saints leur font pendant à la gauche de Christ, dont deux sont identifiés par leurs attributs comme saint Michel et saint Georges, tandis que le troisième est à son tour non identifiable. Une petite table hexagonale est mise, avec un verre et des pommes.

Les arbres étroitement associés aux personnages rythment le tableau. Le cerisier auprès duquel s'affaire une sainte se divise en deux troncs enlacés et féconds. Près du petit Jésus, une souche assez bizarre, en forme de quille, fait de nouvelles pousses, symbolisme qui s'apparente à celui de la verge fleurie et signifie sans doute l'éclosion d'un amour virginal. L'arbre sous lequel se reposent les trois saints ne porte ni fleurs, ni fruits. De manière inattendue, on retrouve l'opposition entre un arbre à un seul tronc et un arbre à troncs enlacés dans l'iconographie juridique de l'affinité, pour symboliser les sexes masculin et féminin [68] (ill. 30). L'artiste semble ainsi placer la descendance, symbolisée par les fruits de l'arbre, du côté des femmes.

Le petit tableau contient plusieurs allusions sexuelles, à vrai dire assez vagues. La grande cuillère attachée à la fontaine se retrouve dans des oeuvres satiriques pour signifier les joies charnelles [69]. Un sens comparable revient aux cerises, comme dans le *Jardin des délices*, beaucoup plus équivoque, de Jérôme Bosch (Madrid, Prado). Enfin, le jeu des instruments de musique et les fruits sur la table sont des motifs obligés dans les scènes galantes de plein-air, ce qui n'empêche pas le psaltérion de faire allusion au psautier, par homonymie. La présence de ces motifs qui, pris isolément, pourraient signifier tout autre chose, suggère un sens sexuel à cause de leur accumulation redondante et du parallélisme avec l'iconographie profane du jardin d'amour. L'artiste a rattaché les trois saintes à l'Enfant par leurs activités symboliques ; il était plus difficile de rattacher les trois saints à la Vierge. Ils sont représentés clairement inactifs, sous l'arbre stérile, flanqués d'un petit diable vaincu et d'un petit dragon crevé. Par sa proximité, la table mise semble leur revenir. La posture de saint Michel et la table délaissée évoquent les représentations de la mélancolie, comme celles que peindra Cranach un siècle plus tard [70]. Saint Georges lève son visage vers la Vierge, trop absorbée par sa lecture pour s'en rendre compte, et il la regarde fixement, l'air langoureux. On voit donc que l'artiste à introduit en paradis les doux tourments de l'amour courtois pour définir le rapport entre les saints masculins et la Vierge.

Les remarques qui précèdent permettent de saisir le système des relations hiérogamiques entre les saints personnages. A s'en tenir à l'iconographie, les hiérogamies médiévales possèdent quatre traits fondamentaux : la virginité, l'inceste, la sainteté et la matrilinéarité.

1. La virginité s'exprime paradoxalement par la séduction vestimentaire et le charme érotique. Les saints et les saintes qui participent aux hiérogamies sont toujours séduisants, ce qui n'est pas vrai des autres. Leur costume n'est jamais celui de personnes mariées : les vierges ont les cheveux dénoués ou tressés, non pas la coiffe pudique des matrones.

2. La parenté spirituelle est une sorte d'inceste, car elle unit le fils à la mère. Les artistes suggèrent ce type de rapport en combinant les gestes d'affection avec la différence d'âge, comme dans les nativités et les mariages mystiques, ou encore en plaçant saint Bernard adulte dans une relation infantile à la Vierge. Les gestes de tendresse sont encore possibles entre deux hommes, comme le Christ et saint Jean, ou entre une femme et un homme mort (la Vierge et le Christ). L'absence de vieillissement permet à la Vierge de garder dans l'art son rôle de mère-épouse durant toute sa vie. Lorsque les deux partenaires sont nubiles, comme dans le couronnement de la Vierge, les gestes d'affection disparaissent. Seules nos connaissances religieuses nous apprennent alors que la jeune femme couronnée par le Christ est sa mère.

3. Le type de sainteté qui donne accès aux représentations hiérogamiques s'exprime par la conjonction des points 1. et 2., c'est-à-dire par les caractéristiques de la virginité et de l'inceste. Elle est sanctionnée par l'auréole, lorsque l'artiste se sert de cet attribut. L'amour virginal ne se conçoit pas sans l'inceste, ou alors, comme nous allons le voir dans le cas de saint Joseph, il est impuissant. L'inceste sans la virginité n'apparaît pas dans l'art religieux, mais il est caractéristique des conceptions de l'hérésie, puis de la sorcellerie.

4. La relation matrilinéaire coïncide avec l'inclusion dans le jardin clos, d'où les vieux mâles sont exclus et où les relations s'organisent autour de la Vierge-mère. Répétons-le : un archéologue qui ne disposerait que de l'iconographie pour décrire le système religieux de la fin du moyen-âge conclurait, non sans raison, à un culte de la déesse-mère. Il en déduirait peut-être l'existence d'une société matrilinéaire, ce qui serait faux, car le symbolisme que nous étudions est fondé sur l'inversion des institutions profanes. Afin d'exclure toute confusion avec l'univers de la famille, réglé par la parenté charnelle, l'art décrit un monde de jeunesse élégante et sensuelle, avec un coquetterie qui, dans la vie réelle, signifie clairement l'immoralité.

L'une des conséquences les plus intéressantes de ce système est la ridiculisation de l'institution fondamentale de la parenté humaine — le mariage — en la personne de saint Joseph, du travailleur marié qui gagne de ses mains la subsistance du ménage. Autour de 1400, saint Joseph est devenu le souffre-douleur des artistes et aucun saint n'a été si régulièrement maltraité. Voyons donc ce qui lui arrive.

Dans les représentations de la nativité, Joseph est depuis longtemps tenu à l'écart du groupe central, formé par la Vierge et l'Enfant, afin qu'on ne le prenne pas pour le père géniteur de Jésus. Il lui arrive même de s'en aller, comme dans un panneau conservé au Rosgarten Museum de Constance [71]. On lui donne normalement l'aspect d'un homme endormi ou mélancolique la main sous la mâchoire. Il peut aussi soigner les bêtes, comme dans la petite *Nativité* de Schongauer conservée à Vienne. Son costume est celui d'un homme du peuple ; il porte à la ceinture une bourse, le couteau, ou même le trousseau de clés qui sert normalement d'attribut à la maîtresse de maison, comme dans l'*Adoration des mages* de la Schottenkirche à Vienne [72].

Saint Joseph s'oppose ainsi terme à terme au couple formé par la Vierge et l'Enfant. Son sommeil ou les travaux utilitaires qu'il accomplit contrastent également avec le sujet principal. La Vierge et l'Enfant tendent à accaparer les auréoles, ce qui confirme le rapport hiérarchique. Son costume de travailleur, souvent de paysan, s'oppose à la robe royale de sa jeune épouse, sa laideur à la beauté de celle-ci. Ses comportement occasionnels accentuent encore l'opposition. Le peintre hambourgeois Maître Bertram et son entourage aiment le représenter la gourde à la ceinture ou en train de boire [73]. Bertram pousse le comique à son comble dans le repos de la fuite en Egypte sur le *Retable de Grabow* [74] (ill. 42). L'âne mange du foin ; l'Enfant tête ; Joseph entame un pain et tend sa gourde à Marie qui ne paraît pas enchantée [75]. On trouve un épisode très semblable dans le théâtre des

42. Maître Bertram, *Repos de la fuite en Egypte*, Retable de Grabow, Hambourg, Kunsthalle.

43. Conrad von Soest, *Nativité*, panneau gauche du retable de Wildungen.

mystères [76] : Joseph part pour l'Egypte la gourde pleine et on le voit même la proposer à la Vierge, mais elle lui fait remarquer qu'au rythme où il boit, la gourde ne tiendra pas trois jours. En Westphalie, avec Conrad von Soest et son atelier, saint Joseph fait la cuisine, ce qui le désigne ostensiblement comme mari soumis ; on trouve l'équivalent dans les mystères. Dans la Nativité du *Retable de Wildungen* [77], il cuisine à quatre pattes au premier plan, le derrière en l'air, pendant que la mère et l'enfant se dorlotent (ill. 43). On trouve la même scène dans d'autres retables [78]. Joseph est surpris dans cette activité par l'arrivée des rois mages sur le *Retable de Schloss Tirol* (Innsbruck, Ferdinandeum ; ill. 45).

Au XIVe siècle, une nouvelle relique attirait les pèlerins à Aix-la-Chapelle : c'étaient les chausses de saint Joseph [79]. N'ayant rien pour langer l'Enfant, la Vierge avait demandé à saint Joseph d'enlever ses chausses pour y découper des langes. Comme le théâtre, l'iconographie s'empare du thème qui traduit mieux que nul autre la perte de l'autorité maritale. Saint Joseph est en train d'enlever ses chausses dans la Nativité du *Retable de Sterzing* [80]. Un petit polyptyque néerlandais le montre pieds-nus, en train de les découper, pendant que la servante, gratifiée d'une auréole, s'occupe de l'Enfant [81]. Enfin, dans la Nativité du *Retable* déjà mentionné *de Schloss Tirol*, Joseph s'est recroquevillé pour dormir au chaud, tandis que ses chausses attendent l'Enfant à la sortie du bain (ill. 44). Tout comme le mariage d'un vieillard avec un tendron, l'incapacité de se faire respecter par sa femme, le fait, comme on dit, qu'elle porte les culottes, était sanctionné par le charivari. Et c'est précisément le thème du charivari qui remplace, dans l'art italien, la manière nordique de ridiculiser saint Joseph. Christiane Klapisch a montré que, chez les successeurs de Giotto, l'un des jeunes gens se glisse derrière Joseph et lève le poing sur lui dans les représentations du mariage de la Vierge [82].

Le charivari sanctionne un mariage déviant, tandis que saint Joseph est le seul homme marié fréquemment représenté dans l'art religieux jusque vers 1400. A travers ces épisodes, le mariage en général semble donc présenté comme déviant et subordonné (de quelle manière !) aux noces spirituelles. Mis à l'écart, l'époux de la Vierge ne représente rien face au mystère divin. Autour de 1400, il devient un bouffon à mesure que sa personnalité se dessine. Est-ce vraiment au mariage en général qu'on en veut, ou seulement au pauvre saint Joseph ?

Avant le XVe siècle, la théologie n'a pratiquement rien à dire sur le père nourricier du Christ ; il est même possible qu'elle évite le sujet. Il est parfois question de lui au XIIe siècle, à cause des implications de la

44. *Nativité*, Retable de Schloss Tirol, Innsbruck, Tiroler Landesmuseum Ferdinandeum.

45. *Adoration des mages*, Retable de Schloss Tirol, Innsbruck, Tiroler Landesmuseum Ferdinandeum.

la mariologie sur la conception du mariage, à un moment où l'une et l'autre se précisent rapidement [83]. Rupert de Deutz se prononce en faveur de la réalité du mariage de la Vierge, « mariage céleste et non terrestre », et va jusqu'à assimiler Joseph à l'Epoux du *Cantique des cantiques*. Cette position présente deux inconvénients : d'une part, saint Joseph fait double emploi avec le Christ comme Epoux mystique de la Vierge ; d'autre part, ce modèle de « vrai et saint mariage » ressemble à s'y méprendre à ce que nous appellerions aujourd'hui un mariage blanc. Saint Bernard préfère donc laisser entendre qu'il s'agit d'un mariage simulé. Hugues de Saint-Victor est ainsi amené à trouver une voie moyenne. Il se prononce pour le vrai mariage, ce qui l'amène à lier la validité du mariage non pas à la *copula carnalis*, c'est-à-dire à la consommation, mais à la *copula maritalis*, à l'existence du ménage.

Plus soucieux des conséquences sociales immédiates de leur théologie, les canonistes repoussent d'abord cette solution. Gratien fait remarquer que, si la *copula carnalis* n'était pas le fondement du mariage, l'inceste serait acceptable. (Notons au passage que cette opinion légitime les hiérogamies incestueuses, mais virginales). Il considère le mariage de Joseph comme *matrimonium initiatum*, mais pas *ratum*, engagé, mais pas consommé. Seul le *matrimonium ratum* symbolise le rapport sacramentel entre le Christ et son Eglise, et tient de ce symbolisme sa validité. Il revient à Pierre Lombard d'avoir mis d'accord canonistes et théologiens, en dissociant la sainteté et la vérité du mariage de la *copula carnalis*, tout en admettant qu'il ne peut, sans cette copule, symboliser l'union du Christ et de l'Eglise. Du reste, le mariage de la Vierge et de Joseph n'est pas tout-à-fait un mariage blanc : ils ont fait chacun voeu de virginité avant le mariage, mais sous la réserve tacite qu'ils obtempèreraient éventuellement à une décision divine en sens contraire. La solution du Lombard tend à s'imposer et il ne reste plus ensuite qu'à régler quelques détails de vraisemblance narrative. Si la Vierge n'avait pas su que Joseph avait lui aussi fait voeu de virginité, elle aurait sans doute hésité à se marier. Comment était-elle au courant, à supposer bien sûr que le couple n'ait pas négocié crûment un mariage blanc ?

Le mariage de Joseph est donc un vrai mariage aux yeux de l'Eglise et sa ridiculisation affecte vraiment le mariage, sauf à Florence où l'allusion au charivari sauve cette institution aux dépens du mariage de saint Joseph, présenté comme déviant. Il est en fait aussi scabreux de présenter ce mariage comme normal ou comme déviant. C'est l'iconographie qui a fait exister le problème, vu la discrétion de la théologie sur saint Joseph et l'absence de dévotion à son égard. En effet, nous ne possédons pas de représentations indépendantes de saint Joseph avant le XVIe siècle. Les tentatives de Gerson et de Bernardin de Sienne pour imposer son culte n'eurent aucun succès dans l'immédiat [84]. Gerson se plaignait d'ailleurs qu'on représentât le saint si mal, mais en vain ; il ne put obtenir la substitution par les artistes d'un personnage jeune et beau au barbon qu'ils mettaient en scène [85]. On observe cependant, à partir de 1430 environ, une attitude plus respectueuse envers le saint. S'il reste un vieillard, les artistes le détournent le plus souvent de ses occupations pittoresques pour le représenter en prière. Les artistes flamands renoncent en effet à la représentation traditionnelle de la Vierge au lit avec l'Enfant dans ses bras, au profit du thème de l'adoration de l'Enfant, placé sur le sol. Joseph se joint alors à Marie pour l'adorer. Cette formule est adoptée par Campin dans la *Nativité* conservée à Dijon, par Van der Weyden dans le *Retable Blahelin* à Berlin, puis se diffuse chez les artistes allemands. Un vaste manteau couvre alors saint Joseph et cache sa tenue de travailleur.

Le problème n'est cependant pas résolu. Jean Geiler, prédicateur à la cathédrale de Strasbourg, reprend explicitement la campagne de Gerson vers 1500 et dénonce la contradiction entre les conceptions du mariage et la situation faite à Joseph dans les termes les plus colorés [86]. Joseph était-il vieux, tel qu'on le peint partout dans le vaste monde ? Certains théologiens disent que oui, mais Gerson a soutenu avec de bonnes raisons qu'il était « spécialement beau et bien bâti ». S'il avait été vieux, Marie lui aurait cédé la place sur l'âne lors de la fuite en Egypte. « Lorsque de jeunes femmes ont de vieux barbons qui s'asseoient derrière le fourneau, elles doivent leur chauffer les coussins et les draps, leur tenir chaud la nuit, leur mettre le coussin sur la gueule ; ce n'est qu'angoisse et détresse ». Joseph était destiné à sauver la réputation de Marie, mais « lorsqu'une jeune femme a un vieux mari et qu'elle tombe enceinte, personne ne croit qu'elle a conçu de son mari ». Il devait être d'une beauté exceptionnelle pour s'accorder avec la Vierge. En effet, « Quand on contracte mariage, il faut le faire entre égaux : à paysan paysanne, à jeune homme jeune femme, à bel homme belle femme, à noble homme noble dame, à chacun sa chacune ». Geiler ne craint pas de se référer à l'autorité d'Ovide. Il explique finalement l'usage pictural par une précaution devenue inutile ; il s'agissait, aux débuts du christianisme, d'écarter l'hypothèse que Jésus eût été engendré par Joseph.

La difficulté vient de la situation même de la Sainte Famille, à l'intersection de la parenté spirituelle et de la parenté charnelle. Les rapports de parenté dans l'entourage immédiat du Dieu incarné hésitent entre ces deux modèles, comme en témoignent les querelles, si vives à la fin du moyen-âge, autour de l'Immaculée Conception, puis du triple mariage de sainte Anne. A un âge avancé, sainte Anne aurait conçu trois filles, la Vierge, Marie Cléophas et Marie Salomé, de trois maris successifs formant une sorte d'équivalent terrestre de la Trinité [87]. La vision de sainte Colette confirme le triple mariage en 1406 et à la diffusion de ce thème répond, dans l'iconographie, le succès des Parentés du Christ. Parmi de nombreux exemples, celle précisément du Maître de la Sainte Parenté, qui travaillait à Cologne à la fin du XVe siècle, illustre bien l'élaboration raffinée du thème [88] (ill. 46).

Le maître a choisi de représenter sans auréoles, non seulement Joseph et Joachim, mais encore les soeurs de la Vierge, bien que, dans l'ensemble, les auréoles soient facilement accordées aux femmes de la Sainte Parenté. Il place les époux, Joseph, Joachim, Cléophas, Alphée et Zébédée, à l'extérieur du groupe, mais renonce à définir trop strictement l'enclos sacré, le jardin de la virginité et des relations matrilinéaires, où sainte Catherine et sainte Barbe ont rejoint la Vierge et sainte Anne. Nous sommes en effet à l'intersection des deux systèmes de parenté. La préséance des femmes sur les hommes est fortement marquée par l'opposition entre la station assise et debout mais, tandis que les saintes ont un siège, Marie Cléophas et Marie Salomé qui n'ont pas le mérite de la virginité sont assises à terre. Saint Joseph se tient très à l'écart, le chapeau à la main ; il marque ainsi le respect à tous les autres personnages. Des trois maris de sainte Anne, c'est Joachim, père de la Vierge, qui porte la tenue la plus humble. Dès que le lien de parenté avec la Vierge devient plus lâche, les hommes s'habillent mieux et rajeunissent. Les deux autres maris de sainte Anne ont respectivement l'allure d'un docteur et d'un patricien, tandis que les beaux-frères de la Vierge sont dans la force de l'âge et vêtus avec recherche.

A mesure qu'on s'éloigne du mystère hiérogamique, les couples redeviennent donc normaux. Au contraire, les anomalies s'accumulent à proximité du mystère. La Vierge est l'aînée des trois soeurs d'après la légende. Mais, si elle était plus vieille et vêtue en conséquence, elle paraîtrait moins vierge, dans la mesure où la jeunesse et la coquetterie sont la transcription visuelle de la virginité. Par conséquent, Marie Salomé, la cadette, est la plus vieille, Marie Cléophas est encore une jeune mère désireuse de plaire et la Vierge le parangon de la séduction. Il reste à définir la place de sainte Anne qui se maria et conçut trois fois à un âge canonique, mais dont la sainteté est impliquée par celle de sa fille dans ce petit monde matrilinéaire. Sainte Anne domine légèrement la Vierge par la taille et c'est elle le vrai chef d'une famille qu'on désigne

46. Maître de la Sainte Parenté, *Sainte Parenté* (panneau central du retable),
Cologne, Wallraf-Richartz-Museum.

souvent, avec raison, comme la parenté de sainte Anne. Le maître de la Sainte Parenté l'assimile aux vierges par la préséance, à la maternité vulgaire par l'âge et le vêtement. La contradiction n'est pas surprenante car sainte Anne, miraculeusement poussée dans les bras de Joachim à la Porte Dorée, fait transition entre le monde de la parenté naturelle et celui de la parenté spirituelle. On peut aussi la tirer davantage du côté des vierges, comme l'illustrateur d'un *Livre d'Heures* édité par Simon Vostre en 1510 [89], qui ne craint pas de la représenter sur le modèle de l'Immaculée Conception, enceinte de la Vierge et du Christ, entourée des symboles de la virginité normalement réservés à sa fille. Inversement, si on lui reconnaît les pouvoirs d'une sainte sans lui accorder la virginité, on risque de la considérer comme une sorcière. C'est ce qui arriva à Hans Baldung Grien dans une gravure remarquable autant par son à-propos que par son inconvenance [90] : la sainte conjure les parties génitales du petit Jésus et les met probablement hors d'usage. Ainsi s'explique le passage de la parenté naturelle à un engendrement matrilinéaire et purement spirituel.

La gravure de Baldung constitue sans aucun doute un cas limite qu'il faut comprendre par rapport à la situation de Strasbourg à la veille de la Réforme. Inversement, la *Sainte Parenté* de Cologne montre les implications qui étaient normalement acceptées par les commanditaires d'art religieux. En l'occurrence, le thème permettait de figurer deux ménages, constitués sur le modèle des institutions humaines, dans les marges de la hiérogamie. Il s'agit des familles d'Alphée et de Zébédée. Le modèle « normal » est ainsi sacralisé, mais en position subordonnée par rapport au matrilignage de la Vierge. Lorsque les donateurs se font figurer en membres de la Sainte Parenté, ils ont intérêt à se placer dans ces rôles-ci. Dans le retable peint en 1505 par Lucas Cranach pour la chapelle de Torgau, le duc de Saxe Frédéric le Sage prête ses traits à Alphée et son frère Jean le Constant à Zébédée [91]. En 1512, Cranach offre lui-même un retable à sainte Anne, à la suite de son mariage : il y figure en Alphée [92]. Dans le même ordre d'idées, Bernard Strigel transforma en 1250 le portrait de Maximilien, de ses deux épouses successives et de leurs enfants qu'il avait peint en 1515, pour en faire une Sainte Parenté (ill. 47). Le portrait appartenait alors à l'humaniste viennois Johannes Cuspinian qui avait demandé au peintre de représenter Anne, Joachim, Marie, Joseph et Jésus au revers, de rajouter un panneau représentant la famille de Zébédée sous les traits de Cuspinian et de sa propre famille, et enfin de rectifier les inscriptions du portrait de Maximilien et de sa famille. Maximilien devient Cléophas et les inscriptions rectifient la généalogie du Christ : Joachim est

47. Bernhard Strigel, *Portrait de Maximilien et de sa famille* (1515),
Vienne, Kunsthistorisches Museum.

désigné comme « unique mari de sainte Anne », Marie Cléophas comme
« soeur putative de la Vierge Marie » et Cléophas comme « frère charnel
de Joseph » [93].

On atteint ici le moment de la destruction du mythe. Une querelle
éclate en 1517 chez les humanistes, désireux d'ôter à sainte Anne
l'opprobre d'un triple mariage, et il faut placer l'attitude de Cuspinian
dans ce contexte : la parenté du Christ se modèle sur la famille charnelle.
Au même moment, Raphaël peint des Saintes Familles un peu mièvres,
où Joseph ressemble à un père banal, tout juste un peu plus âgé que sa
femme. Mais jusqu'à cette date, il est passionnant de comparer les
représentations de la Sainte Parenté, pour voir comment s'effectue dans
chaque cas la transition de la parenté spirituelle à la parenté charnelle,
comment le mariage humain s'introduit timidement dans la proximité
des personnages les plus sacrés, avant de devenir le critère de la
convenance et de saper les hiérogamies. On se contentera ici de citer
l'exemple le plus « hiérogamique » que nous connaissons, pour
l'opposer à la Sainte Parenté rectifiée par Strigel : il s'agit du *Retable
d'Ortenberg*, datant de 1420 environ et conservé au musée de
Darmstadt [94] (ill. 48). A l'exception de l'évêque saint Gervais qui se
trouve à droite et de saint Joseph dont la tête apparaît timidement entre
les silhouettes auréolées de la Vierge et de sainte Anne, il n'y a que des
femmes et de petits enfants mâles, généralement nus. Les femmes se
divisent en jeunes mères et en vierges couronnées, en fiancées du Christ.
Le retable présente ainsi l'utopie paradisiaque d'une société sans pères
où n'existe que le contact affectueux entre les petits mâles et les femmes.

Faut-il faire appel à la psychanalyse devant de telles oeuvres ? De
toutes manières, l'origine de cette thématique oedipienne est la
figuration symbolique de l'institution et du pouvoir, comme nous
l'avons montré plus haut. La forme élémentaire du mythe est le mariage
du prêtre avec l'Eglise dont il est le fils. La capacité de séduction acquise
par l'art à la fin du moyen-âge est mise à profit pour rendre l'inceste
spirituel désirable en agissant sur la sensibilité et finalement sur la
sensualité du spectateur, nous verrons plus exactement comment. Mais
le plaisir ou la répugnance que ces oeuvres peuvent susciter sont d'abord
fonction de l'acceptation ou du refus d'une institution. Un religieux
dont le rapport à l'institution n'est pas conflictuel devrait normalement
apprécier une iconographie qui le valorise, faisant du célibataire un
enfant-roi. Mais comment réagissaient les personnes qui ne participaient
pas à l'institution ecclésiastique ou qui y participaient contre leur gré ?
Nous possédons en fait des témoignages directs ou implicites qui
permettent de les diviser en deux camps.

48. *Sainte Parenté*, panneau central du retable d'Ortenberg, Darmstadt, Hessisches Landesmuseum.

1. Les adversaires du système font une lecture littérale et scandalisée de ces thèmes. Dans la propagande hussite, chez les prédicateurs catholiques, mais facilement anticléricaux du XVᵉ siècle, puis chez les réformateurs, on retrouve toujours le même refrain : les saintes sont représentées comme des putains. Selon Nicolas de Dresde, théologien hussite qui écrit un *De imaginibus* en 1414, les peintres peignent des choses qu'ils n'ont pas vues et donnent aux saints l'aspect de beaux personnages des deux sexes, éveillant ainsi des désirs coupables. De surcroît, ils donnent au Christ et aux apôtres des costumes somptueux, sans tenir compte de leur pauvreté [95]. Les critiques s'intensifient autour de 1500. Les mots les plus durs apparaissent à Strasbourg chez Jean Geiler, puis chez le franciscain Thomas Murner qui restera malgré tout dans le giron de l'Eglise [96]. Un exemple pour donner le ton ; Murner décrit en 1512, dans sa *Narrenbeschwörung*, ce qu'il voit en entrant dans une église : « Voilà que je trouve une belle fille (*wybs bild*), de celles qui figurent les saintes. Elles sont si bien peintes en putains, le vêtement et les seins représentés sans pudeur, qu'il m'est souvent arrivé d'ignorer si je devais les vénérer comme saintes ou m'enfuir du bordel » [97].

Aux yeux des moralistes, le luxe de l'Eglise s'identifie au mode de vie du clergé. Par le même raisonnement, il devient possible d'identifier le culte des saints à l'immoralité. C'est ce que fait à demi-mots un curieux pamphlet sur le concubinage des prêtres, le *De fide concubinarum* d'Olearius, publié à Bâle entre 1501 et 1505 [98]. Déjà le titre joue sur le sens du mot *fides* pour assimiler ironiquement le concubinage à une attitude religieuse. Dans le texte, le mot *caritas* joue le même rôle : la conjonction du prêtre et de sa concubine se fait *in charitate non ficta*. Olearius donne une typologie des prêtres selon qu'ils aiment ou non leur concubine comme une mère. Il paraît difficile de ne pas voir là une allusion à l'inceste spirituel que le prêtre reproduirait dans la vie courante. Mieux encore, le système de parenté pose à ces couples de véritables problèmes. Une concubine se plaint aux bains que son chanoine ne lui permet pas de porter son nom et l'appelle toujours Dorothée, alors que les autres baigneuses ont droit à Madame de Schwartzwald, de Finsterloch ou de Weittingen (approximativement : Madame de Forêt-Noire, de Sombretrou ou de Largelieu). Le chanoine lui en donne la raison : « Voilà, ma bonne Dorothée, ma mère est encore de ce monde et on l'appelle en langue vulgaire la Grumbachin. Si tu étais en concurrence avec elle pour ce patronyme, ce serait un chaos confus, et les ignorants pourraient soit te prendre pour ma mère, soit prendre ma mère pour ma concubine. Il reste donc deux possibilités. En tant qu'archidiacre, je suis appelé juge régional et archiprêtre. Tu as donc le choix entre Putain Régionale ou Archiputain ».

2. L'univers paradisiaque des saints est relié par le vêtement et la parure au monde du plaisir, c'est-à-dire à la fois de la prostitution et de la noblesse car, comme le dit Geiler, « il n'y a pas de différence entre un putain et une femme noble du point de vue du vêtement » [99]. C'est aussi l'univers frivole de la jeunesse et il est plus que probable qu'il ne suscite pas que de l'antipathie. Les excès les plus voyants de l'iconographie religieuse, comme les mauvais traitements qu'elle fait subir au travailleur marié saint Joseph, correspondent à l'apogée du gothique international et à une réaction aristocratique que la guerre de Cent Ans a rendu possible. La dévalorisation du mariage est un trait aussi caractéristique de l'éthique chevaleresque que de celle des clercs médiévaux. On ne peut manquer de relever l'analogie entre l'amour courtois et la parenté spirituelle, qui ont en commun de subordonner totalement le mariage. La littérature immorale, celle des contes grivois, s'accorde avec la littérature courtoise pour donner un rôle peu enviable à l'homme marié. Aussi bizarre que cela puisse paraître, l'iconographie religieuse ne s'articule pas sur une sensibilité puritaine, ce que confirme amplement l'hostilité du puritanisme naissant envers cette iconographie.

Il en résulte qu'on peut repérer l'influence de la symbolique religieuse sur l'érotisme. *Die Geuchmatt*, publié par Murner en 1517 à Strasbourg, remanié pour l'édition bâloise illustrée en 1519, est une description des moeurs amoureuses du temps, due à un franciscain doué pour l'observation [100]. Le titre signifie « le pré des coucous » et semble faire allusion à un pèlerinage fréquenté par les amoureux [101]. Les « coucous » sont les hommes qui s'abandonnent à la volupté et passent ainsi sous la coupe des femmes. Les gestes affectifs sont décrits sur le modèle du rapport mère/enfant et il n'y a aucune raison de douter que le rituel amoureux ait fonctionné ainsi. Selon Murner, les coucous se laissent « placer sur un coussin » (expression proverbiale) et se font habiller délicatement par les femmes comme de petits Jésus, dont ils ont les mèches frisées [102]. Murner proteste contre l'habitude qu'ont les amants de se donner la becquée ; il y voit un retour à l'enfance, en somme une régression [103]. La gravure qui accompagne le chapitre montre une femme nourrissant un jeune homme affalé sur une table, comme un gros bébé (ill. 49). La composition semble intentionnellement modelée sur celle de la pietà. Au chapitre suivant, la belle apprend à marcher à son coucou. Enfin les traits scatologiques

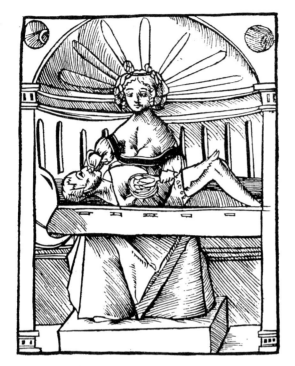

49. *Jeune femme nourrissant son ami*, T. Murner, *Die Geuchmatt*, Bâle, 1517, fol. E iiib.

constants évoquent une atmosphère de régression infantile. Il ne paraît pas pour autant nécessaire d'invoquer un inconscient collectif, puisque Murner dévoile aussi bien qu'un psychanalyste les implications de ce symbolisme érotique. Mieux vaut parler d'un comportement gentiment pervers, plutôt que névrosé.

2. L'embryologie de l'âme

La confrontation systématique du sacré et du profane, voire du sublime et du cocasse, facilite la compréhension d'un univers esthétique, car la distinction des genres sert précisément à camoufler la similitude des contenus. Même lorsque les mots sont identiques, ils changent de sens selon les genres : on ne comprend pas le mot « passion » dans le même sens selon qu'il s'agit du Christ ou d'un amoureux profane. Face aux métaphores érotiques du langage et de l'art religieux, l'attitude des chercheurs est en général décevante. Côté laïc, la dénonciation ironique, scandalisée ou condescendante, était de bon ton au début du siècle. L'ouvrage d'Oulmont que nous avons déjà utilisé, est un bon exemple de cette réaction puritaine face au symbolisme qui sera rejetée à la génération suivante, aussi bien par un auteur catholique comme Bernanos que par les surréalistes. Mais ce nouvel état d'esprit n'a pas suscité de travaux intéressants sur notre sujet, en dehors du niveau de généralité où se situe l'oeuvre de G. Bataille, par exemple. Il est même possible que la conscience aiguë du rôle de la sexualité dans le symbolisme qu'inspiraient la psychanalyse, le surréalisme et finalement l'anthropologie, ait détourné les chercheurs les plus avisés d'un enquête sur « notre » religion qui serait apparue comme blasphématoire ou déroutante. A l'inverse, un auteur dévot peut collecter avec soin les textes les plus équivoques sans même deviner qu'ils se prêtent à des interprétations scabreuses. Un bel exemple de cette attitude est fourni par le livre très documenté de J. V. Bainvel sur le Sacré-Coeur de Jésus [104]. Il s'aperçoit sans en tirer de conséquences que la symbolique du Coeur de Jésus se développe au XIe-XIIe siècle à partir de la dévotion à la plaie du côté, laquelle est expliquée comme emblème de la blessure d'amour [105]. Il cite Pierre de Blois (mort en 1200) selon qui « par l'ouverture corporelle se montrent les entrailles miséricordieuses de notre Dieu » [106], et surtout la bienheureuse Baptiste Varani (1458-1527) qui ne recule pas devant les images audacieuses : « Il y a, écrit-elle, la même différence entre celui qui s'exerce à méditer les douleurs intimes du Christ et celui qui s'arrête à sa seule humanité, qu'il y a entre le miel ou le baume qui est dans le vase, et les quelques gouttelettes qui humectent le vase au dehors. Celui donc qui désire goûter la passion du Christ ne doit pas se contenter de promener sa langue sur le bord extérieur du vase, c'est-à-dire les plaies et le sang qui adhèrent à ce vase sacré de l'humanité du Christ [...] Qu'il entre dans le vase même, j'entends le coeur du Christ béni, et là il sera rassasié, au-delà même de ses désirs » [107].

Notre propos n'est pas d'entretenir l'équivoque à coups de telles citations, pour parvenir à la conclusion banale qu'il existe un lien entre érotisme et dévotion, mais d'analyser plus précisément ce lien et de montrer sur quoi repose l'analogie. Il ne s'agit pas non plus de faire une « psychanalyse » des symboles, car nous ne postulons aucun inconscient, mais nous étudions un système symbolique largement explicite.

Comme nous l'avons vu, la relation entre les entités spirituelles était réglée sur le modèle de la parenté, mais cette parenté prenait le contre-pied des institutions humaines en tournant autour de l'inceste symbolique. Face à des métaphores qui font naître Eve du côté d'Adam et l'Eglise du côté du Christ, ouvert par la lance de Longin, on peut deviner qu'un symbolisme sexuel complète le symbolisme de la parenté.

La chose est encore plus évidente dans les images qui insistent sur la sexualité du Christ et auxquelles l'historien d'art américain Leo Steinberg vient de consacrer un livre [108]. Steinberg montre bien que l'exhibition des parties sexuelles de l'Enfant Jésus, attestant qu'il s'est incarné comme mâle, est un motif courant dans les Vierges à l'Enfant, les présentations au Temple, les circoncisions et les adorations des mages, à la fin du moyen-âge et à la Renaissance. On retrouve la même insistance sur le sexe du Christ dans de nombreuses représentations de son cadavre. Une gravure de Ludwig Krug représentant l'Homme de douleurs et un tableau de Martin van Heemskerck sur le même sujet, suggèrent une érection sous le périzonium et sont sans doute les pièces les plus étonnantes que l'auteur a réunies.

Selon Steinberg, de telles oeuvres sont les conséquences de la théologie de l'Incarnation qui connaîtrait un renouveau au XVe siècle, surtout en Italie. Le Christ est présenté comme un vrai homme, au double sens du mot. L'explication nous paraît plausible pour quelques oeuvres, en particulier pour le célèbre *Christ nu* de Michel-Ange à Santa Maria sopra la Minerva. Mais elle a l'inconvénient de faire dire la même chose à des oeuvres très différentes. Lorsque la Vierge dénude les parties sexuelles de l'Enfant Jésus, c'est pour les exhiber ; lorsqu'elle les dissimule, c'est encore une manière détournée de les exhiber. Il manque une réflexion systématique sur les sens différents que prend la sexualité du Christ dans les systèmes iconographiques du gothique septentrional et de la Renaissance italienne. Surtout, l'auteur semble incapable de distinguer la parenté spirituelle de la parenté charnelle et ignore les oppositions structurales entre ces domaines, de sorte qu'il interprète la sexualité du Christ comme une sexualité « normale ». Il lui arrive ainsi de présenter des crucifixions du gothique international, où le périzonium transparent sert à montrer que le Christ n'a pas de parties génitales, comme des exhibitions de son sexe [109]. Il ne voit dans la Vierge allaitant qu'un symbole de l'humanité du Christ, comme si son lait n'était qu'une nourriture humaine. Les éléments les plus élémentaires de structuration des thèmes lui échappent : comment se fait-il qu'à la seule exception du *Christ nu* de Michel-Ange, les parties génitales du Christ ne puissent être montrées que dans sa représentation comme nourrisson ou comme cadavre ? S'il avait aperçu le paradoxe, Steinberg se serait rendu compte que la sexualité du Christ est d'ordre surnaturel et s'oppose terme à terme à celle des hommes dans l'art médiéval et souvent encore dans l'art de la Renaissance italienne. Elle n'est donc pas la manifestation de sa nature humaine dans ces cas et ne se déduit pas de l'Incarnation.

On manque ici deux dimensions essentielles du système religieux : la symbolisation du Verbe et celle de l'innommable. Nous avons vu dans les chapitres précédents combien d'inversions structurales déconcertantes (entre les attributs des sexes, entre l'activité et l'inactivité, entre les pratiques sociales et l'inceste...) avaient été mobilisées par l'art médiéval pour représenter la génération du Verbe et pour traduire l'opposition entre le Verbe et la chair. Pour comprendre le système dans toutes ses dimensions, il faut encore en visiter l'enfer.

De même que la sorcière utilise des objets répugnants pour faire des charmes, comme des rognures d'ongles, des cheveux ou des excréments, le sacré chrétien procède, entre autres choses, d'une exploitation codifiée de déchets inspirant l'horreur, afin d'utiliser la répulsion comme élément de distance entre l'homme et le divin. Au centre du sanctuaire, dans les écrins les plus précieux, se trouvent des morceaux de cadavres destinés à l'adoration. Cet état de fait n'a pas toujours été accepté facilement et on se souvient d'une sérieuse polémique qu'il suscita à l'époque carolingienne. A l'autre extrémité du moyen-âge, l'un des actes fondamentaux de la Réforme fut de ridiculiser ces usages et de faire disparaître les précieuses reliques, au risque de rendre un peu plus abstrait le dogme de la résurrection des morts. Les reliques étaient approchées, adorées, touchées, baisées, portées sur soi. La négation de leur caractère répugnant et l'affirmation de leur odeur suave, de leur incorruptibilité, étaient des transgressions essentielles à la définition du chrétien.

A mesure que les images se développent dans l'Occident latin et se substituent partiellement aux reliques dans les rites d'adoration, on voit y apparaître, sous une forme toujours plus précise, la représentation du cadavre. Le XIIᵉ siècle met en place le Christ aux plaies dont nous avons déjà souligné l'importance dans la symbolique du pouvoir. Le thème évolue dans le sens de la cruauté et de l'horreur, de sorte que les crucifix et les pietàs germaniques du XIVᵉ siècle offrent à l'adoration un cadavre défiguré. Aussi étrange que cela puisse paraître, cette évolution est commandée, comme l'a vu Belting, par le développement de la dévotion eucharistique : il s'agit d'un corps alimentaire. La lecture des mystiques ne laisse aucun doute sur le type d'émotions que suscitaient de telles représentations. Parmi des centaines d'exemples, citons Henri Suso : « Mais, ô miracle incompréhensible, j'ai reçu de son coeur, de ses mains, de ses pieds et de ses tendres blessures, non pas une ou deux gouttelettes, mais tout son sang vermeil et chaud qui a coulé par ma bouche dans mon coeur et dans mon âme » [110]. Ou encore Ruysbroeck : « Ma chair est bien rôtie sur la croix, par pitié pour toi. Nous mangerons et nous boirons ensemble » [111]. Il ne s'agit pas de quelques expressions audacieuses échappées à des êtres exceptionnels au comble de l'exaltation, car le prédicateur Jean Geiler, qui ne passe pas pour un mystique, consacra tout un cycle de sermons à la préparation du civet de lièvre, comme allégorie de la Passion [112].

Plus étonnant encore pour les apôtres du bon goût, la métaphore alimentaire est indissociable de la métaphore érotique : la consommation du corps sanglant se décrit sans beaucoup de précautions comme plaisir sensuel, ainsi dans le texte de la bienheureuse Baptiste Varani que nous avons cité plus haut. Il est intéressant de voir quand et comment apparaissent ces comportements, car l'image semble avoir joué un rôle décisif dans leur genèse. On trouve déjà chez saint Bernard les principales métaphores qui associent l'étreinte et la manducation du corps du Christ [113], mais c'est dans la mystique féminine qu'elles se systématisent à partir de 1200. Un rôle pionnier revient à sainte Lutgarde (v. 1182-1246), une religieuse flamande dont la vie fut rédigée par le dominicain Thomas de Cantimpré [114]. Cette biographie diffuse un modèle « standard » de dévotion qui ne cesse ensuite de s'enrichir dans la mystique féminine du Nord (sainte Gertrude, sainte Mechtilde...), dans celle du Sud (Angèle de Foligno, Catherine de Sienne...) et qui passe dans la mystique masculine à partir du XIVe siècle, de Suso à Louis de Blois [115].

Elevée dans le siècle, Lutgarde était destinée au mariage. A quinze ou seize ans, elle recevait les visites d'un jeune homme à la maison. Un jour qu'elle avait rendez-vous avec lui, le Christ se substitua au jeune homme. Lutgarde le vit venir à elle, découvrant sa poitrine et lui montrant la blessure du côté, ensanglantée. Il lui demanda de renoncer aux flatteries d'un amour inepte et de contempler désormais ce qu'elle doit aimer, pour goûter des délices d'une totale pureté. L'intervention divine entraîna une conversion : elle devint bénédictine et sa dévotion se fixa sur le coeur de Jésus après une hésitation. Elle avait en effet demandé et obtenu de comprendre le psautier, ce qui signifiait au moyen-âge la plus parfaite intelligence de l'Ecriture. Puis elle s'aperçut que ce don était sans intérêt pour son esprit rustique et illettré. Le Seigneur lui demanda ce qu'elle voulait alors. « Je veux ton coeur », dit-elle ; « c'est plutôt moi qui veux le tien », répondit-il. Le marché fut conclu et il y eut échange des coeurs [116].

Dès lors, Lutgarde fut comblée de nombreuses visions, dans lesquelles les saintes images semblent avoir joué un rôle décisif. Une nuit, malade et envahie de sueur, elle pensa à se ménager et à renoncer aux matines, afin d'être plus tôt d'aplomb pour louer Dieu. Une voix l'obligea à se lever pour aller prier en faveur des pécheurs. « A l'entrée de l'église, elle rencontre le Christ fixé à la croix et sanglant. Baissant son bras fixé à la croix, il enlace celle qui vient à sa rencontre et lui applique le visage sur la plaie du côté droit. Elle y but tant de douceur qu'elle en devint toujours plus robuste et zélée au service de Dieu. On rapporte sur la foi de son témoignage qu'à cette époque et longtemps après, sa salive avait un goût dont la suavité dépassait toute la douceur du miel. Quoi d'étonnant ? "Tes lèvres, mon Epouse, distillent le miel" (*Cantique*, 4, 11) ; elle ruminait le miel de la divinité, le lait de l'humanité du Christ et, la langue se taisant alors, l'intérieur de son coeur » [117]. Lutgarde fut encore gratifiée d'autres succions semblables. De surcroît, l'aigle de saint Jean lui rendit visite, lui mit le bec dans la bouche et remplit son âme de lumière. L'agneau de Dieu lui apparut également, se plaça sur son sein, les pieds sur ses épaules, et posa sa bouche sur la sienne, tirant de sa poitrine une mélodie d'une merveilleuse suavité [118]. Sa pureté semble avoir été la raison de telles faveurs. Elle résista en effet, avec l'aide de la main divine, aux baisers de l'abbé qui avait la direction spirituelle de son monastère puis, pour ne plus connaître ce genre d'aventures, s'en alla chez les cisterciennes.

Les nonnes médiévales étaient le plus souvent illettrées, c'est-à-dire incapables d'écrire ou même parfois de lire le latin. Lutgarde renonça d'elle-même à l'intelligence inutile pour elle du psautier et se maintint dans une mystique imagée qui doit plus à l'iconographie qu'à l'Ecriture. L'Epoux venait à elle sous des formes que la contemplation des images rendait familières, ainsi celle de l'agneau nuptial qu'on trouve au même moment dans les illustrations de l'Apocalypse (ill. 50), et il offrait à sa bouche un liquide divin que le récit de sa vie ne présente pas comme une métaphore de l'éloquence ou du don d'enseigner. Un saint Bernard goûtait le miel plus abstrait de la Parole et se passait d'images peintes. A partir de Lutgarde, les aliments mystiques gagnent en consistance ce qu'ils perdent en valeur purement symbolique ; c'est d'ailleurs ce qui se produit au même moment pour l'eucharistie.

Le mystique des nonnes illettrées avait besoin de traducteurs et Thomas de Cantimpré fut celui de Lutgarde. Il écrivit aussi un livre curieux qui eut un grand succès, le *Bonum universale de apibus* [119]. Depuis l'Antiquité, l'abeille est considérée avec admiration comme un animal aux moeurs extraordinaires. Saint Ambroise en fit la métaphore des vierges saintes, car les abeilles se reproduisent par parthénogenèse. Elles deviennent aussi symbole de l'Eglise, voire du Christ qui butine dans les monastères, en particulier chez Hugues de Saint-Victor [120]. Mais ce fut Thomas de Cantimpré qui écrivit l'ouvrage définitif sur la vie des abeilles. Dans son *Bonum universale*, chaque caractère de ces petits animaux sociables devient une tête de chapitre et sert de prétexte à un développement sur la société chrétienne. Thomas imagine la chrétienté sur le modèle idéal d'une ruche et construit une utopie parfois très critique envers la réalité. La société parfaitement organisée des abeilles repose sur la virginité et le travail spirituel ; elle ignore la concupiscence. Les abeilles conçoivent de la rosée qui est la Parole de Dieu et, au lieu de connaître les inconvénients de la grossesse et de l'enfantement, déposent le miel fécondé dans le calice des fleurs. Grâce à leur sexualité purement orale, elles conservent la virginité et leur manière de se reproduire sert de métaphore à la génération spirituelle [121]. La reproduction virginale de l'Eglise, ne passe-t-elle pas entièrement par la Parole dont la bouche est l'organe, alors que la génération charnelle nous fait naître *inter faeces et urinas* ?

Il n'y avait aucun problème pour les lettrés, car ils se reproduisaient par la Parole. Mais pour les simples il fallait trouver un modèle analogique : ce fut la succion du Coeur de Jésus dont la *Vie de sainte Lutgarde* offrit, si l'on peut dire, le premier mode d'emploi. Le niveau proposé à la dévotion des simples reste celui de l'image, selon les normes instaurées au VIe siècle. L'image du Christ aux plaies devient le support de méditations stimulées par le jeûne et les macérations pour produire la vision. L'image s'anime, s'humanise et propose un aliment effroyable, mais délicieux, face auquel les séductions du monde deviennent complètement fades. Semblable aux abeilles, l'Epouse conçoit des filles spirituelles sans connaître la brutalité du mâle, le poids de la grossesse et les douleurs de l'enfantement, destin dont une littérature spécialisée brosse à l'usage des vierges un tableau dissuasif [122].

La dévotion nouvelle ne se mit pas en place par hasard vers 1200. Elle supposait, outre une instance croissante sur la réalité matérielle de l'eucharistie, l'existence d'images qui présentaient le Christ aux plaies à l'adoration. Il fallait aussi les progrès en quantité et en qualité de la vie monastique pour qu'on disposât de milliers de religieux chastes, avides d'une vie affective dont l'objet fût entièrement imaginaire. Or la réussite de la réforme grégorienne avait entraîné le développement d'une vie religieuse ascétique dans laquelle l'art pouvait jouer un rôle essentiel.

Au départ, les images n'étaient pas vraiment adaptées à ce type d'utilisation, mais leur évolution se fit dans le sens exigé par la dévotion. La *Vie de sainte Lutgarde* mentionne l'apparition du Christ

50. *L'Epouse et l'Agneau mystique*, Apocalypse, Cambridge, Trinity
College Library, ms. R. 16. 2, fol. 22r (partie inférieure).

51. *Plaie du Christ*,
Bréviaire de Bonne de
Luxembourg, fol. 331r,
New York, The Cloisters.

montrant sa plaie, dans un contexte où il faut l'imaginer debout devant elle, comme on le représente face à saint Thomas ou à sainte Madeleine. Il est probable que la vision s'inspire de ces thèmes. Mais le succès de la dévotion finit par infléchir l'iconographie. On voit se répandre à la fin du XIIIe siècle des images d'adoration parfaitement conformes à une telle vision et donc idéales pour la susciter. On pense à l'*imago pietatis* qui représente le Christ à mi-corps, montrant sa plaie, sur des panneaux de petit format [123], et plus encore à l'Homme de douleur sculpté en pied qui se diffuse au XIVe siècle [124]. A la même époque, la plaie du côté commence à être peinte isolée. Dans le *Bréviaire de Bonne de Luxembourg*, elle domine une page enluminée, prenant la forme d'une fente rouge et verticale à l'intérieur d'une mandorle [125] (ill. 51). Les armes de la Passion se dressent de part et d'autre. La même représentation de la plaie se retrouve dans un manuscrit français un peu plus tardif, sans les armes de la Passion, mais à côté de l'*imago pietatis* [126]. Elle est alors entourée d'une inscription qui la désigne comme « mesure de la plaie du costé Notre Seigneur », en d'autres termes comme la reproduction de l'original grandeur nature. La présentation verticale de la plaie semble évoquer les parties génitales de la femme dans ces oeuvres [127]. Au XVe siècle apparaît une nouvelle représentation de la plaie qui en fait une bouche. Les instruments de la Passion et les gestes des bourreaux sont présentés en pleine page dans un *Livre d'Heures* français du troisième quart du siècle, pour permettre au dévot de mémoriser et de revivre par la contemplation les scènes successives [128]. Au bas de l'image se trouve la plaie, horizontale cette fois, galbée et pulpeuse comme des lèvres, prête à recevoir un pieux baiser. Le procédé passe dans la gravure : une feuille volante allemande (entre 1484 et 1489) présente la même iconographie des symboles de la Passion avec la plaie horizontale, inscrite maintenant dans un coeur porté par les anges [129] (ill. 52). L'inscription précise qu'il s'agit de la mesure de la plaie et que son adoration agit contre la mort subite ou l'épilepsie et peut valoir sept ans d'indulgence. La fonction de la plaie en forme de bouche s'explique facilement, car plusieurs traités de dévotion recommandent d'en baiser l'image en imaginant qu'il s'agit de l'original [130].

Il reste à savoir si l'allusion à un sexe féminin qu'on a cru déceler ne repose pas sur une coïncidence malheureuse. En fait, la comparaison avec d'autres oeuvres semblables permet de supposer que l'équivoque était intentionnelle et significative. Une autre gravure allemande de la seconde moitié du XVe siècle présente le crucifié à mi-corps et cinq coeurs disposés comme le cinq d'un dé [131] (ill. 53). Aux quatre angles

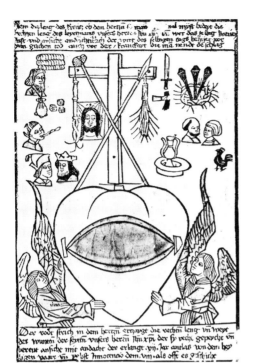

52. *Plaie du Christ*, Feuille volante allemande (entre 1484 et 1492).

53. *Crucifixion*, Feuille volante allemande (seconde moitié XVe siècle).

de la feuille se trouvent un coeur percé d'une flèche, un coeur couronné d'épines, un coeur transpercé par la lance et les clous, et un coeur ailé dont la plaie laisse échapper une hostie. Le cinquième coeur remplace le bas du corps de Jésus et deux anges tiennent un calice au-dessous pour recueillir le sang.

De fil en aiguille, ces bizarreries permettent d'en comprendre d'autres. Nous avons déjà fait allusion à une illustration de la *Bible moralisée* où le crucifié accouche de l'Eglise par la plaie du côté (ill. 26). Il est ainsi présenté non plus comme un homme, mais comme une mère. Le thème de Jésus comme mère a en effet connu un vif succès dans la mystique du XIIᵉ siècle, ce que révèle une remarquable étude de Caroline W. Bynum [132]. Le rôle passif du Crucifié est compris comme une féminisation : la lance de Longin a ouvert le flanc du Christ mort pour lui permettre d'enfanter. On trouve donc dans les textes mystiques le mot *uterus* pour désigner la plaie du côté, ainsi chez l'auteur du *Stimulus divini amoris* jadis attribué à saint Bonaventure, qui se plonge dans la plaie avec un mouvement de va-et-vient jusqu'à sa totale absorption [133].

Ce symbolisme permet aussi d'expliquer les représentations du Christ mort vers 1400 que Steinberg n'a comprises que très partiellement [134]. Cet auteur constate en effet deux choses importantes : la première, qu'il n'était pas nécessaire de donner au Christ un périzonium transparent comme cela se faisait couramment ; la seconde, que le sang coulant de la plaie ne vient pas ruisseler entre les jambes du crucifié par l'effet des lois de la pesanteur, mais du fait d'une intention symbolique. Pour comprendre vraiment ces oeuvres, il aurait encore fallu remarquer que la virilité du Christ disparaît, que le périzonium transparent en dévoile l'absence dans un nombre important de cas. Le filet de sang relie très littéralement la plaie du côté à la disparition du sexe. Parmi les oeuvres traitées par Steinberg, le procédé apparaît nettement dans la *Pietà* de Malouel, le *Retable de saint Denis* par Henri Bellechose et la *Crucifixion avec un chartreux* de Jean Beaumetz, tous trois au Louvre [135]. On trouve des exemples encore plus éloquents, ainsi la *Crucifixion* du retable de Wildungen par Conrad von Soest en 1404 (ill. 54). Il serait faux d'expliquer l'anatomie du Christ par une sorte de puritanisme médiéval, comme le fait Steinberg à un autre propos [136]. Chez Bellechose et chez Conrad von Soest, le périzonium indiscret s'oppose clairement aux pagnes opaques, mais convenablement galbés, ici du bourreau, là des larrons.

Toutes les oeuvres de la période ne sont pas aussi explicites ; on en trouve même qui écartent ce détail scabreux et sans garanties

54. Conrad von Soest, *Crucifixion*, panneau central du retable de Wildungen.

scripturaires. Quant à celles qui, à la Renaissance, insistent au contraire sur la virilité du Christ mort, il faut les comprendre comme des réactions délibérées contre le symbolisme médiéval. Ce qui s'est passé dans l'art gothique vers 1400 peut paraître bien extraordinaire, mais la métamorphose du Christ reposait en tout et pour tout sur deux inversions structurales : l'échange entre le haut et le bas du corps, puis entre les sexes masculin et féminin. L'image obtenue par ces transformations était suffisamment éloignée de la réalité anatomique pour écarter les soupçons et suffisamment significative pour éveiller les sentiments les plus vifs.

Pendant la même période, le corps de la Vierge s'adapte également à la dévotion, mais de manière moins impressionnante. Le culte des plaies du Christ avait été développé et diffusé à partir des couvents de femmes [137]. De même, le culte du Sacré-Coeur qui s'en dégagea progressivement connut sa plus forte impulsion au XVIIe siècle, avec les visions d'une religieuse de Paray-le-Monial, sainte Marguerite-Marie Alacoque [138]. Quel que soit l'intérêt que les auteurs masculins éprouvent pour la plaie et le coeur, les couvents de femmes sont les laboratoires où s'expérimentent ces dévotions. On en trouve un pendant, plus occasionnel il est vrai, dans les couvents d'hommes, avec le thème de la lactation. Si la plaie de Jésus tend à se banaliser, le sein de la Vierge reste la faveur concédée à une poignée d'hommes exceptionnels par leur piété ou par leur science. De plus, il est rare qu'un mystique se vante de ce privilège ; on tend plutôt à le lui attribuer, ainsi au grand grammairien Fulbert de Chartres, le maître de Bernard d'Angers, puis à saint Bernard. Une lactation est racontée dans la *Vie* de Suso [139]. Alain de la Roche, le promoteur du Rosaire, aurait joui plusieurs fois de ce privilège et s'en explique lui-même.

Comme on l'a dit, la lactation de saint Bernard devient un thème iconographique dès la fin du XIIIe siècle en Espagne ; elle se répand dans la seconde moitié du XVe siècle aux Pays-Bas et en Allemagne et la légende est attestée au début du XIVe siècle [140]. Le lait de la Vierge représente la Sagesse dont saint Bernard et d'autres ont été gratifiés, mais il s'agit aussi du pain eucharistique, ce qui apparaît clairement dans la lactation de Suso : « Lorsqu'il eut bien bu du céleste breuvage, il lui resta quelque chose dans la bouche, comme un tout petit grain tendre, blanc, fait comme le pain du ciel (la manne). Il le garda assez longtemps dans la bouche comme une vraie preuve » [141]. La lactation de saint Bernard montre assez souvent la Vierge sur l'autel, surtout en Espagne, ce qui en fait un parallèle iconographique à la messe de saint Grégoire, où le Christ de pitié apparaît également sur l'autel et verse son sang dans

55. Maître de la Vie de la Vierge, *Lactation de saint Bernard*,
Cologne, Wallraf-Richartz-Museum.

le calice. Il y a donc équivalence entre le lait de la Vierge et le pain, entre le sang du Christ et le vin. Cela est possible parce que, comme le dit Denys le Chartreux, le Corps du Christ, formé du sang très pur de la Vierge, a été nourri de son lait [142]. La dualité des espèces eucharistiques connaît sa transposition iconographique la plus courante dans les images d'intercession où la Vierge montrant son sein fait face au Christ de pitié qui montre sa plaie.

On sait que la communion sous l'espèce du pain est distribuée à tous les chrétiens et que le vin fut réservé au prêtre à l'époque gothique [143]. Dans ce contexte, la lactation apparaît aussi comme un acte d'humilité de la part du bénéficiaire, puisque ce sont les « petits » qu'il faut nourrir de lait (*I Corinthiens* 3, 2). Dans plusieurs représentations du thème, saint Bernard a déposé la mitre épiscopale aux pieds de la Vierge, refusant par humilité de devenir évêque et d'épouser l'Eglise [144]. Il préfère recevoir les soins qu'on accorde aux enfants et s'assimile ainsi au simple dévot. La plus complexe et la plus riche des lactations de saint Bernard est probablement celle du Maître de la Vie de la Vierge, conçue vers 1480 dans l'ambiance particulièrement dévote de Cologne [145] (ill. 55).

Le saint est en oraison devant la Vierge à l'Enfant. Le psautier qu'il tient à la main et la couronne de fleurs blanches et rouges qui coiffe la Vierge font allusion à la dévotion nouvelle du Rosaire. Avec ses quatre clous et son fermoir, le psautier rouge sert de substitut au Crucifié sanglant. Tel saint Thomas mettant le doigt dans la plaie du côté, Bernard tient le sien entre les pages du livre. Le psautier sert à la dévotion du Rosaire et, selon Alain de la Roche, les confrères doivent le prendre à la main comme anneau nuptial du mariage avec Jésus et Marie [146]. En l'occurrence, c'est du mariage mystique avec le Christ qu'il semble s'agir ici, conformément aux écrits bernardins. Mais face à la Vierge, Bernard se veut un enfant et demande le sein. Cet acte d'humilité de la part d'un tel saint invite les simples fidèles à pratiquer le Rosaire à leur tour.

Saint Bernard n'est pas en concurrence avec l'Enfant Jésus, lequel est présenté comme sevré. De sa main gauche, il écarte le sein de la Vierge et le pousse dans la direction de Bernard. La Vierge, de son côté, offre un oeillet rouge à son fils, geste de fiançailles inversé, puisque c'est ici la femme qui tend la fleur à l'homme. Le passage de Jésus du rôle de nourrisson à celui de fiancé est encore suggéré par un procédé dont on pourrait contester le bon goût. L'Enfant tient la main droite sur son sexe, le pouce nettement tendu. Il s'agit d'un calembour visuel [147]. Bernard avance la main droite contre la cuisse de Jésus, comme pour venir s'assurer du phénomène miraculeux. On retrouve ainsi un motif dont Steinberg a montré la récurrence : la vérification de la virilité du petit Jésus. Mais il ne s'agit pas de prouver l'Incarnation : cette virilité doit être interprétée au niveau spirituel, comme d'ailleurs l'allaitement de saint Bernard. Avec une extraordinaire subtilité, le Maître de la Vie de la Vierge présente donc le saint qui renonce à épouser la Vierge, mais reçoit en contrepartie son fils souffrant sous la forme du psautier et devient lui-même fils adoptif de la Vierge désormais unie au Christ, comme saint Jean l'Evangéliste lors de la Passion.

Dès le XIVᵉ siècle apparaît dans l'art le couple formé par la Vierge qui exhibe son sein et par le Christ qui montre sa plaie [148]. Il s'agit des images d'intercession, où l'on voit le donateur prier pour son salut, face à la Vierge qui intercède auprès du Christ au nom du sein qui l'a nourri, tandis que le Christ demande à son Père de pardonner au nom de sa Passion. Si, comme nous croyons l'avoir établi, la blessure du Christ a la valeur d'un organe sexuel féminin transposé dans le haut du corps, les mêmes règles de transformation (inversion des sexes, du haut et du bas) devraient faire du sein de la Vierge un organe phallique. Une curieuse gravure sur bois illustrant un livre de piété, *Der zielen troost*, paru à Anvers en 1509, vient confirmer cette interprétation [149] (ill. 56).

En haut de l'image, Dieu le Père doit décider du sort des âmes au purgatoire. La communion des saints intercède en leur faveur, présidée par la Vierge qui tend son sein et par le Christ qui montre sa plaie. Un ange recueille dans des calices le lait exprimé par la Vierge et le sang qui gicle de la plaie du Christ, pour donner à boire le mélange aux âmes du purgatoire. Le breuvage est donc supposé faire naître à la vie éternelle. Pour comprendre la gravure, il faut savoir que dans l'embryologie médiévale, la génération charnelle se fait par le mélange, dans le « vase » de la femme, du sperme et du sang menstruel. On trouve une bonne description du processus dans une oeuvre de vulgarisation scientifique destinée aux laïcs, le *Dialogue de Placide et Timéo*, écrit vers 1300 [150] : les deux substances « prennent » à la manière d'un fromage pour former le foetus. Le sperme est décrit comme un produit « laiteux » et, lorsque le mélange coagule, il se dégage une sorte de petit lait qui monte aux mamelles de la femme.

Le rapprochement du sperme et du lait n'est pas rare et on le trouve aussi bien chez les Baruyas de Nouvelle-Guinée étudiés par Maurice Godelier [151]. Il faut sans doute comprendre en ce sens l'un des tabous fondamentaux de la cuisine juive, qui interdit de mêler les produits laitiers au sang. De même, les femmes indisposées sont tenues à l'écart des produits laitiers chez les chrétiens : elles ne doivent pas baratter et elles ont, plus généralement, une influence néfaste sur tout ce qui doit prendre, de la mayonnaise au lard qu'on sale [152]. On peut donc considérer que le mélange du lait virginal et du sang du Christ est à la génération spirituelle ce que le sperme et le sang menstruel sont à la génération charnelle.

L'Eglise ne cautionne aucun tabou sur les nourritures terrestres, mais elle fait de l'eucharistie, nourriture spirituelle, une substance fortement tabouisée, consommée selon un rituel minutieux. Le corps du Christ, analogue au lait, n'est distribué qu'après une purification par la pénitence, tandis que le sang est progressivement réservé au seul prêtre, ce qui lui donne le pouvoir d'engendrer spirituellement, grâce au mélange des espèces. Des prescriptions tatillonnes règlent le jeûne et l'abstinence, afin d'éviter le mélange des nourritures charnelles et spirituelles, ainsi que la célébration de l'eucharistie en état d'impureté. Le sacrement s'oppose terme à terme aux aliments du corps et à l'acte de chair, parce qu'il en est la transposition au niveau spirituel.

Il reste à savoir si les hommes du moyen-âge avaient conscience d'un tel symbolisme, ou plutôt quelle conscience ils en avaient. Le rapprochement explicite de l'eucharistie et des objets dont elle tire son symbolisme aurait été sacrilège. Du même coup, la description des pratiques sacrilèges prêtées aux hérétiques et aux sorciers transforme en pratiques explicites le contenu implicite du sacrifice eucharistique. Cela commence dès le IVe siècle, lorsque se met en place la mystique eucharistique, en particulier chez saint Jean Chrysostome qui en fait un mythe effrayant, insistant sur la passion amoureuse du Christ qui l'amène à s'offrir comme nourriture [153]. Au même moment, Epiphane décrit la secte des Barbéliotes et leur reproche de communier avec le sperme et le sang menstruel recueillis dans leurs orgies [154]. Le même système de dénégation du symbolisme se retrouve, à partir du XIe siècle, dans la description des nouveaux hérétiques. On retrouve le thème de l'orgie rituelle à propos de la secte d'Orléans en 1022 [155]. C'est à la fin du XIIe siècle qu'apparaît, chez Gautier Map, le thème de l'*osculum infame*, du baiser apposé à la lueur des cierges sur le derrière du diable, lequel se manifeste sous la forme d'un chat ou d'un bouc [156]. Ce développement de l'hérésiologie se produit au moment même où les moniales apprennent dans leurs visions à embrasser la plaie du Christ. Le thème des marques que le diable laisse sur le corps des hérétiques, plus tard des sorciers, apparaît chez le cistercien César de Heisterbach qui écrit entre 1219 et 1223 [157], et c'est vers 1210 que sainte Lutgarde aurait été gratifiée par le Christ d'une blessure dont elle aurait gardé la marque toute sa vie, tandis que la stigmatisation de saint François prend

56. Page de titre de : *Der zielen troost*, Anvers, A. Van Berghen, 1509, La Haye, Koninklijke Bibliotheek.

57. *Apparition du diable à saint Antoine de Padoue*, [Jacques de Voragine], *Leben der Heiligen, Sommerteil*, Augsbourg, G. Zainer, 1472, fol. 54v.

place en 1224. On voit ainsi quel jeu de miroirs relie les pratiques dévotes et les pratiques diaboliques.

L'inquisiteur Etienne de Bourbon (+1261) a collecté les dénonciations de prétendus hérétiques qui intéressent notre propos [158]. Une femme du Forez s'était plainte au curé que des gens se réunissaient chez elle et y mettaient le couvert. Un petit chien noir faisait le tour de la table en levant la patte, ce qui la remplissait de mets. Les hérétiques mangeaient, puis se retiraient dans un endroit rocheux. Il n'y aurait pas besoin d'avoir lu Lévi-Strauss pour trouver dans les visions eucharistiques de sainte Mechtilde une variante structurale à peine modifiée de ce récit : « Aussitôt, il lui parut se trouver dans une maison merveilleuse par sa grandeur, où elle vit une table d'or couverte d'une nappe et d'une riche vaisselle [...] Sur la table parut un agneau plus blanc que la neige. Il touchait du pied, l'un après l'autre, chacun des plats et des coupes de cette table ; ce geste les remplissait aussitôt de mets et de breuvages variés » [159].

La comparaison des deux récits laisse supposer que le pied de l'agneau est un euphémisme. On note par ailleurs que la sainte n'hésitait pas à consommer des aliments avariés, comme Suso un peu plus tard [160]. Ces indices n'attireraient pas l'attention si le contact du Coeur de Jésus n'accompagnait pas la coprophagie chez sainte Marguerite-Marie Alacoque [161]. Il suffit de deux légères modifications dans le même récit, le passage d'un agneau blanc à un petit chien noir et de « toucher du pied » à « lever la patte », pour obtenir une orgie diabolique au lieu d'une vision céleste. Les théologiens médiévaux en sont conscients au sens où ils admettent que le diable se transforme en ange de lumière et où ils éprouvent facilement de la méfiance envers l'expérience mystique, mais ils se refusent évidemment à penser l'ambivalence des représentations et des comportements qui constituent le sacré.

Au centre du sacré médiéval, nous rencontrons une série d'équivalences symboliques entre la nourriture, le sexe et la parole. L'acte sacré par excellence est l'union fécondante due à la manducation du Verbe. La représentation imagée permit d'une part de faire régner ce symbolisme sur une population majoritairement illettrée, d'autre part de le faire pénétrer dans la sensibilité par le moyen de la dévotion. Mais la représentation imagée d'une telle expérience est forcément ambivalente : il s'agit tout aussi bien d'une spiritualisation des fonctions biologiques que d'une réduction du spirituel au corporel. Pour autant que le sacré ainsi conçu fonde un pouvoir, sa représentation sera l'une ou l'autre, selon que ce pouvoir est affirmé ou nié. Ici encore, l'image artistique joue un rôle toujours plus évident depuis le XIIe siècle.

Les images du bon pouvoir sacré sont en effet proposées à l'adoration des fidèles. On utilise ce qui reste de l'héritage antique pour donner une représentation séduisante des corps spirituels à laquelle il soit possible de s'identifier. On fait remonter les fonctions génératives dans le haut du corps, essentiellement sur le visage et la poitrine, en même temps que ces fonctions sont dénaturées par l'inversion des sexes. Adam enfante Eve par le côté, le chrétien expire son âme par la bouche, sous la forme d'un petit enfant nu qui naît à la vie éternelle.

Les images du mauvais pouvoir sont disposées de manière à ne pas susciter l'adoration et consistent en une assimilation du spirituel à la manducation et à la sexualité, c'est-à-dire à un déplacement vers les fonctions corporelles et vers le bas. L'apparition du Christ aux plaies sur les tympans des cathédrales est suivie d'une modification anatomique des diables en sens contraire : un second visage leur orne le ventre ou encore le derrière (ill. 57). Cette nouveauté se repère dès le XIIe siècle dans les manuscrits anglais, puis passe dans le décor des cathédrales, aux portails centraux du transept sud à Chartres et de la façade à Notre-Dame de Paris, puis à Bourges [162]. Si les créatures faites à l'image de Dieu sont en général représentées la bouche close, même lorsqu'elles parlent, les masques grimaçants des diables ouvrent grand la gueule. On obtient donc un dégradation de la parole, fonction spirituelle, assimilée à la manducation gloutonne et, par sa position sur le corps, à la sexualité ou à la défécation. L'image permet ainsi de présenter une même figure du pouvoir sacré, la confusion entre génération, manducation et parole, sous deux formes contrastées qui signifient le bien et le mal.

L'ambiguïté de son contenu donne à l'image une grande part de sa séduction et elle se développe jusqu'aux plus extrêmes limites. Cela amène l'art de la fin du moyen-âge à pratiquer la surenchère, aussi bien dans la représentation de la douceur érotique que dans celle de la violence physique. Chargée de représenter l'incorporel, l'image médiévale était née avec le statut logique d'une équivoque. A la veille de la Réforme, l'équivoque a acquis une présence physique envahissante par le nombre des oeuvres et leur pouvoir de suggestion. Aussi songe-t-on de plus en plus sérieusement à faire disparaître les « idoles », à promouvoir une société plus économe, plus sobre et plus laborieuse, quitte à faire passer les clercs sous le joug du mariage.

CONCLUSION

Le parcours que nous avons proposé au lecteur enjambe trop de domaines différents, trop de frontières entre disciplines, pour que les enchaînements apparaissent comme toujours nécessaires et les déductions comme toujours évidentes. Un résumé ne sera sans doute pas inutile, pour rappeler les principales articulations.

Nous avons tenté de circonscrire un objet qu'aucune discipline n'avait élaboré : non pas l'image au sens restreint que l'histoire de l'art donne habituellement à ce mot et encore moins l'image sans dimensions historiques qui intéresse parfois le psychologue ou le sémiologue, mais le concept historiquement variable de l'image et la réalisation matérielle de ce concept. Il ne suffit pas à l'historien de juxtaposer l'histoire des concepts et l'histoire des choses, surtout lorsqu'il s'agit de choses fabriquées dont la forme dépend d'un concept préalable ; il lui faut saisir la réalité dans la pensée historiquement déterminée qui l'a constituée. Il faut penser la pensée qui a pensé le réel, ce qui oblige à penser depuis notre modernité.

Nous avons fait appel à Peirce et à Wittgenstein pour élargir la notion étriquée de l'image que donnait le sens commun, en la réduisant au visuel sans autre forme de procès. Première conséquence de cet élargissement : le concept médiéval de l'image qui englobe des réalités aussi différentes à nos yeux qu'un panneau de bois peint et la seconde personne de la Trinité, apparaissait moins étrange. Seconde conséquence : il devenait possible de comprendre l'image médiévale comme un phénomène de nature logique et sémiologique, plutôt que de nature perceptive et psychologique. C'était donc chez les logiciens médiévaux qu'il fallait en chercher l'institution, entreprise malaisée parce que l'histoire de la logique en est à ses débuts. Mais l'enjeu était de taille, puisqu'il devenait possible d'ébaucher une iconologie rigoureusement historique et pourtant libérée de l'empirisme, en bouleversant les limites arbitraires que les notions de forme et de contenu imposaient au raisonnement. Les générations d'historiens d'art qui ont créé la discipline se sont battues contre les cloisonnements disciplinaires qui l'empêchaient d'exister. Se contenter du partage qui en résulte ne pouvait être le fait que d'un mauvais élève et d'un héritier négligent. Il fallait encore une fois redistribuer les cartes, parce qu'une discipline meurt le jour où elle accepte des limites.

Voilà ce dont il était question dans notre introduction. La section suivante expose la naissance de l'image médiévale. Il s'agit en premier lieu d'un élément du système logique qui s'est mis en place dans la basse Antiquité et que l'oeuvre de Boèce a institué, en l'occurrence d'une forme transposée dans la matière. L'image appartient chez Boèce au spirituel dans la mesure où elle participe de la forme plus que de la matière. Cette conception spiritualiste de l'image ne valorise pas sa réalisation dans un matériau inerte et sa stricte application n'aurait pas permis aux images de faire l'objet d'un culte.

C'est dans la pensée de Denys l'Aréopagite que le moyen-âge trouva ce qui manquait à Boèce pour édifier une théologie de l'image : la réhabilitation de la matière comme signe du spirituel. Face à la mystique de la Parole, Denys offrait une mystique de la lumière qui valorisait ce qui brille, le métal précieux et les joyaux, bref la richesse. Réalisée dans de tels matériaux, la forme des apparences sensibles pouvait alors passer pour une image dissemblable, mais légitime, du spirituel. On parvient ainsi à l'idée qu'il est nécessaire de faire des images pour les illettrés et de leur donner le spirituel à adorer sous cette forme. Dès lors, l'icône surgit dans le bassin méditerranéen. Elle se caractérise par un compromis entre la forme anthropomorphe qui suscite l'identification, et la codification sémiologique qui en fait un substitut du langage immatériel. Convertie en images, la richesse appelle la richesse entre les mains d'un clergé qui monopolise le spirituel. L'enjeu politique est évident et entraîne la querelle des images à Byzance.

Lorsqu'un empire d'Occident se dessine autour de Charlemagne, à partir d'un pouvoir qui ne repose pas sur l'utilisation des images, il faut décider pour ou contre l'importation du système artistique et religieux de Byzance. L'icône apparaît aux autorités franques comme un moyen de domination coûteux, inefficace et moralement injustifiable. A la suite d'un débat théologique que les historiens cléricaux se sont acharnés à ridiculiser, Charlemagne tranche en faveur d'une religion plus sobre et plus rationaliste dans laquelle les protestants reconnaîtront une inspiration proche de la leur. La position carolingienne se précise encore sous Louis le Pieux et sous Charles le Chauve, sans se modifier considérablement. Elle confère à l'image un statut proche de celui que nous accordons aujourd'hui à l'oeuvre d'art, à égale distance de l'adoration et de l'iconoclasme qui s'engendrent mutuellement. Ce système prévaut dans l'Occident latin jusqu'au XIᵉ siècle. Propice à une inspiration éclectique, il limite pendant cette période la codification des images.

L'essor économique du XIᵉ siècle permet la régression des conceptions carolingiennes et le développement de pratiques religieuses somptuaires largement inspirées par le modèle byzantin. L'exemple bien documenté de Sainte-Foy de Conques permet de saisir les manipulations équivoques, subtiles mais assez explicites, d'un nom, d'un corps et d'une image, grâce auxquelles se développe et prospère un culte. La naissance des institutions profanes entraîne un besoin accru de symbolisme, tandis que l'Eglise garde la maîtrise du symbolisme. C'est donc à l'intérieur d'une iconographie rigoureusement codifiée que les institutions parviennent à se symboliser, en se mettant sous la production des entités spirituelles au lieu de se présenter comme de semblables entités. Le système logique hérité de Boèce avait permis par son laxisme la production facile d'entités spirituelles, mais la querelle des universaux amène un progrès de la logique qui exclut ces manipulations du domaine scientifique et les font coïncider d'autant mieux avec le mystère chrétien. L'image religieuse devient alors le lieu par excellence de la production du sacré.

L'apparition d'institutions profanes, en particulier celle d'un système d'enseignement universitaire qui ne se confond pas avec l'Eglise, rend caduque la répartition du sacré et du profane entre l'univers spirituel des entités du langage et l'univers des réalités matérielles appréhendées par les sens. A partir du XIIIᵉ siècle, ce n'est plus l'opposition du visible et de l'invisible qui délimite le sacré, mais celle du naturel et de surnaturel. Chargé d'incarner l'invisible, l'art manifeste l'existence d'entités abstraites auxquelles il donne la plus forte universalité. Mais l'existence devient un caractère propre aux individus sensibles dans leur contingence, ce qui oriente vers le particulier les entités spirituelles dont elle est affirmée. Les images incarnant ces entités se particularisent donc, dans tous les sens du mot ; elles acquièrent une originalité, se privatisent et s'individualisent. Le rapport de dévotion qui unit le fidèle à l'image prend une forme sociale et une tonalité affective qui suscitent, à la fin du moyen-âge, le reproche d'idolâtrie.

Le domaine surnaturel se définit par une série d'oppositions structurales avec le monde naturel qui entraîne la plus grande dissemblance entre le spirituel et le charnel. Le symbolisme de l'inceste inverse les règles de la parenté ; le luxe et la séduction servent d'images

« dissemblables » pour figurer l'amour divin. Les éléments constitutifs de la sexualité humaine sont mobilisés pour représenter le mystère, mais rendus méconnaissables par une série de permutations entre la vie et la mort, l'enfance et l'âge adulte, le haut et le bas du corps, la masculinité et la féminité, dans une esthétique qui sollicite l'imagination sensuelle.

L'acceptation de ce système esthétique extrêmement cohérent est liée à celle d'un système religieux toujours plus critiqué, car il s'identifie d'une part au pouvoir du clergé, d'autre part à la dépense somptuaire des laïcs. Une adaptation progressive lui permet de se métamorphoser sans heurts en Italie. Dans le Nord, il se durcit jusqu'à la catastrophe brutale de l'iconoclasme et du changement religieux, ou se maintient comme il peut jusqu'à la Contre-Réforme.

Ces deux dernières remarques outrepassent le cadre que nous avons fixé à ce livre et font allusion à nos recherches en cours sur l'art et la Réforme. On ne peut étudier l'abolition de l'image médiévale sans présenter le nouveau système esthétique qui se met en place dès le début de la Renaissance. Nous nous sommes donc contentés de dégager les contradictions internes et les excentricités qui rendaient l'image médiévale toujours plus vulnérable, montrant en quoi elle travaillait elle-même à sa propre disparition.

Le va-et-vient de nos analyses entre l'image d'une part, le système social et la pensée médiévale d'autre part, ne facilite pas la lecture de ce livre. Il aurait été facile, mais absolument erroné, de présenter ici les images, là le « contexte », le « milieu » qui les détermineraient ou qu'elles reflèteraient plus ou moins. C'est du reste la manière la plus habituelle d'écrire l'histoire aujourd'hui. Mais il s'agissait de situer l'image comme un rouage essentiel dans le vaste mécanisme instable d'un système social, car un phénomène historique ne se comprend que dans la mesure où l'on saisit la totalité du fonctionnement. Il y avait sans doute de la démesure dans ce projet ; il y a sans doute trop d'inexactitudes, de lacunes et d'approximations dans l'exécution. Mais si le lecteur jugeait que la direction était la bonne, qu'elle mérite des efforts plus massifs et plus systématiques d'exploration, le but serait atteint.

NOTES

Notes de l'Introduction

1) W. Sauerländer, « L'Allemagne et la *Kunstgeschichte* », in : *Revue de l'Art*, t. 45 (1979), p. 4-8.

2) P. Vaisse, P. Bianconi, *Tout l'oeuvre peint de Grünewald*, Paris, 1973 ; E. Ruhmer, *Mathias Grünewald. Zeichnungen. Gesamtausgabe*, Cologne, 1970. Bon aperçu des problèmes actuels dans : *Grünewald et son oeuvre. Actes de la table ronde organisée par le Centre National de la Recherche Scientifique à Strasbourg et Colmar du 18 au 21 octobre 1974*, Strasbourg, 1976.

3) Une préoccupation constante chez A. Chastel, par exemple. Il s'en explique dans : *Fables, Formes, Figures*, Paris, 1978, vol. 1, p. 28 et ss.

4) A ce sujet : J. Wirth, « La naissance du concept de croyance (XIIe-XVIIe siècle) », in : *Bibliothèque d'Humanisme et Renaissance*, t. 45 (1983), p. 7-58.

5) J. Thuillier, Article : « Pompiers », in : *Encyclopaedia Universalis*, supplément, Paris, 1980, t. 2, p. 1177-1180.

6) Les analyses de P. Bourdieu dans *La distinction. Critique sociale du jugement*, Paris, 1979, ouvrent la voie à une sociologie du goût.

7) E. de Bruyne, *Etudes d'esthétique médiévale*, Bruges, 1946 (Recueil de travaux de l'Université de Gand, vol. 97-99).

8) J. von Schlosser, *Schriftquellen zur Geschichte des karolingischen Kunst*, Vienne, 1892 ; *Quellenbuch zur Kunstgeschichte des abendländischen Mittelalters*, Vienne, 1896 (Quellenschriften für Kunstgeschichte, n. s. t. 4 et 7).

9) Saint Bernard, *Apologia ad Guillelmum*, c. 12 (*Patrologie latine*, t. 182, col. 916) ; Suger, *Oeuvres complètes*, éd. A. Lecoy de la Marche, Paris, 1867.

10) R. Assunto, *Die Theorie des Schönen im Mittelalter*, Cologne, 1963.

11) *Id.*, p. 172-174.

12) E. Mâle, *L'art religieux du XIIIe siècle en France*, Paris, 1958, 2 vol. (1ère éd., 1898) ; C. Heitz, *Recherche sur les rapports entre architecture et liturgie à l'époque carolingienne*, Paris, 1963.

13) S. Sinding-Larsen, *Iconography and Ritual. A Study of Analytical Perspectives*, Oslo, 1984.

14) W. Fraenger, *Le royaume millénaire de Jérôme Bosch*, trad. fr., Paris, 1966 (1ère éd. allem., 1947).

15) E. Panofsky, *Essais d'iconologie*, trad. fr., Paris, 1967, p. 13-52.

16) R. Klein, « Considérations sur les fondements de l'iconographie », in : *La forme et l'intelligible*, Paris, 1970, p. 353-374.

17) Panofsky, *Essais d'iconologie*, p. 15, note 1 et passim.

18) *Id.*, p. 25, note 1.

19) *Id.*, p. 27.

20) Hartmann Schedel, *Weltchronik*, Nuremberg, Anton Koberger, 1493 (reprint, Dortmund, 1978), fol. 90r.

21) *Id.*, fol. 94v.

22) On trouve dans Sinding-Larsen (*op. cit.*, p. 40 et ss) d'excellentes analyses de ces découpages implicites et des erreurs qu'ils entraînent.

23) A. Chastel, « Le *dictum Horatii quidlibet audendi potestas* et les artistes (XIIIᵉ-XVIᵉ siècle) », in : *Fables, Formes, Figures*, vol. 1, p. 363-376.

24) L. Febvre, *Le problèmes de l'incroyance au XVIᵉ siècle. La religion de Rabelais*, Paris, 1968 (1ère éd., 1942).

25) A. Warburg, « Art italien et astrologie internationale au palais de Schifanoia à Ferrare », trad. fr., in : *Symboles de la Renaissance*, éd. D. Arasse, vol. 2, Paris, 1982, p. 41-51. La traduction par S. Trottein est suivie d'une présentation courte, mais excellente. Le texte allemand est publié dans : A. Warburg, *Gesammelte Schriften*, Leipzig — Berlin, 1932, vol. 2, p. 459-481.

26) E. Panofsky, *Architecture gothique et pensée scolastique*, trad. fr., Paris, 1967.

27) E. Mâle, *L'art religieux du XIIIᵉ siècle*.

28) *Id.*, vol. 2, p. 455.

29) L. Réau, *Iconographie de l'art chrétien*, Paris, 1955-1959, 6 vol. ; E. Kirschbaum, *Lexikon der christlichen Ikonographie*, Fribourg/B., 1968-1976, 8 vol.

30) Par ex. : [Jacques de Voragine], *Leben der Heiligen*, Winterteil, Augsbourg, G. Zainer, 1471, fol. 218v ; cf. A. Schramm, *Der Bilderschmuck der Frühdrucke*, Leipzig, 1920-1943, vol. 2, pl. 10, ill. 103.

31) E. Kantorowicz, *The King's two Bodies. A Study in Medieval Political Theology*, Princeton, 1957, p. 78 et ss.

32) P. ex. dans le *Retable d'Ortenberg* (vers 1420), conservé à Darmstadt, au Hessisches Landesmuseum (ill. 48).

33) L'ouvrage fondamental sur saint Joseph reste : J. Seitz, *Die Verehrung des hl. Josef in ihrer geschichtlichen Entwicklung bis zum Konzil von Trient dargestellt*, Fribourg/B., 1908.

34) Ch. S. Peirce, *Collected Papers*, Cambridge (Mass.), 1931-1960, vol. 1, p. 248 (1.458), vol. 3, p. 279 et ss (3.441 et ss).

35) Ch. S. Peirce, *Philosophal Writings*, éd. J. Buchler, 2e éd. New-York, 1975, p. 98-119 ; *Ecrits sur le signe*, trad. G. Deledalle, Paris, 1978.

36) U. Eco, *La structure absente*, trad. fr., Paris, 1972, p. 171 et ss.

37) Pour un exposé presque délirant de cette tendance, cf. : E. Carontini, D. Péraya, *Le projet sémiotique. Eléments de sémiotique générale*, Paris, 1975 ; spécialement p. 29 et ss. Les autorités invoquées sont R. Barthes, J. Derrida, J. Kristeva, etc.

38) L. Wittgenstein, *Tractatus logico-philosophicus*, Francfort/M., 1964 (1ère éd., 1921). Malgré sa qualité, nous ne suivrons pas la traduction française de P. Klossowski (Paris, 1961).

39) Comme p. ex. : P. Raymond, *Matérialisme dialectique et logique*, Paris, 1977 (un livre par ailleurs très recommandable).

40) G. G. Granger, *Wittgenstein*, Paris, 1969, p. 49 et ss.

41) Les *Carnets* de Lévy-Bruhl, publiés en 1949, témoignent du revirement. Entre temps, L. Febvre (*op. cit.*, p. 17, 404, 409) avait appris de lui « en quoi, et pourquoi, les primitifs raisonnent autrement que les civilisés ».

42) C. Lévi-Strauss, *La pensée sauvage*, Paris, 1962 ; *Les structures élémentaires de la parenté*, Paris — La Haye, 1967 (1ère éd., 1949) ; *Mythologiques*, Paris, 1965-1973, 4 vol.

43) D. P. Henry, *Medieval Logic and Metaphysics. A Modern Introduction*, Londres, 1972.

44) L. Wittgenstein, *Leçons et conversations*, trad. fr., Paris, 1971, p. 15 et ss.

45) Cf. note 9. Le passage de saint Bernard sera analysé plus loin.

46) Panofsky, *Architecture gothique...*, en particulier, p. 83 et ss.

47) Le mot « réaliste » est utilisé ici au sens le plus large, de sorte que la remarque vaut pour les logiciens nominalistes du moyen-âge. Cf. : Garland le Computiste, *Dialectica*, éd. L.M de Rijk, Assen, 1959, p. LIII (introduction).

48) L'exemple de Nicolas d'Autrecourt est particulièrement saisissant. Cf. E. Gilson, *La philosophie au moyen-âge*, (rééd.) Paris, 1976, vol. 2, p. 665 et ss.

49) B. Russell, *Signification et vérité*, trad. fr., Paris, 1959, p. 398.

50) T. Kotarbinski, *Leçons sur l'histoire de la logique*, trad. fr., Varsovie, 1965, p. 278 et s.

51) W. et M. Kneale, *The Development of Logic*, Oxford, 1962, p. 32.

52) K. Prantl, *Geschichte der Logik im Abendlande*, Leipzig, 1855-1870, 4 vol. (rééd., Graz, 1955 en 3 vol.).

53) Peirce, *Collected Papers*, passim, vol. 3 surtout.

54) H. Scholz, *Esquisse d'une histoire de la logique*, trad. fr., Paris, 1968 ; I. M. Bochenski, *Formale logik*, Munich, 1956 ; Kneale, *op. cit.* ; la logique occupe enfin la place qui lui revient dans une synthèse remarquable : *The Cambridge History of Later Medieval Philosophy*, éd. N. Kretzmann, A. Kenny, J. Pinborg, Cambridge University Press, 1982.

55) William de Shyreswood, *Introductiones in logicam*, éd. M. Grabmann, Munich, 1937 ; Guillaume d'Ockham, *Summa logicae*, éd. Ph. Boehner, New-York, 1974 ; Pierre d'Espagne, *Summulae logicales*, éd. I. M. Bochenski, Rome, 1947 ; Garland le Computiste, *op. cit.* ; Abélard, *Dialectica*, éd. L. M. de Rijk, Assen, 1959 ; E. A. Moody, *Truth and Consequence in Medieval Logic*, Amsterdam, 1953 ; D. P. Henry, *The Logic of Saint Anselm*, Oxford, 1967, ainsi que l'ouvrage mentionné à la note 43.

56) Cf. Wirth, « La naissance du concept de croyance », p. 23 et ss.

57) R. Blanché, *La logique et son histoire d'Aristote à Russell*, Paris, 1970, p. 260.

58) *Ibidem.*

59) *Id.*, p. 258.

60) Kneale, *op. cit.*, p. 59.

61) A. Menne, *Logik und Existenz. Eine logistiche Analyse der kategorischen Syllogismusfunktoren und das Problem der Nullklasse*, Meissenheim/Glan, 1954, p. 23.

62) Wirth, « La naissance du concept de croyance ».

Notes de la première partie

1) Boèce, *La consolation de la philosophie*, éd. A. Bocognano, Paris, 1937, introduction, p. X et s.

2) H. Rudolph, art. : « Boethius », in : *Reallexikon zur deutschen Kunstgeschichte*, Stuttgart, 1937- , t. 2, p. 970-976.

3) Le mythe de Theodoric/Dietrich sera étudié dans un prochain ouvrage d'Alain Guerreau sur l'idéologie du féodalisme.

4) Bonne mise au point sur le sens du mot dans : G. Haendler, *Epochen karolingischer Theologie*, Berlin, 1958, p. 67 et ss.

5) E. Bréhier, *La philosophie du Moyen Age*, 2e éd., Paris, 1971, p. 17.

6) Kneale, *op. cit.*, p. 189.

7) Nous nous servons pour l'essentiel de l'ouvrage cité de Kneale.

8) En particulier : Platon, *Sophiste*, 241 d et ss.

9) Les textes essentiels sont *Catégories* V, 2b et *Topiques*, I,9.

10) Kneale, *op. cit.*, p. 31.

11) *Id.*, p. 67.

12) *Id.*, p. 33.

13) M. Mauss, *Oeuvres*, éd. V. Karady, Paris, 1968, t. 2, p. 13 et ss. : De quelques formes primitives de classification.

14) L'histoire et la critique du concept de « totémisme » ont été faites avec brio par C. Lévi-Strauss, *Le totémisme aujourd'hui*, Paris, 1962.

15) Porphyre, *Isagoge et in Aristotelis Categorias Commentarium*, éd. A. Busse, Berlin, 1887 (Commentaria in Aristotelem graeca, vol. IV) ; *Isagoge*, trad. fr. J. Tricot, Paris, 1947.

16) Kneale, *op. cit.*, p. 187.

17) Porphyre, *Isagoge*, éd. Busse, p. 2 et s. Nous ne nous servons pas ici de l'excellente traduction française de J. Tricot, car nous préférons nous inspirer de la traduction latine par Boèce, ce qui permet de maintenir l'unité du vocabulaire logique dans les citations.

18) Boèce, *Opera omnia* (Migne, *Patrologie latine*, t. 64) col. 91.

19) Porphyre, *op. cit.*, éd. Busse, p. 1.

20) *Id.*, p. 4.

21) Il apparaît dans l'illustration des manuscrits à partir du XIe siècle. Cf. H. Schadt, *Die Darstellungen der Arbores Consanguinitatis und der Arbores Affinitatis in juridischen Handschriften*, Tubingen, 1982, p. 82 et s.

22) Boèce, *op. cit.*, col. 24. Nous suivons l'édition Migne malgré ses imperfections, car elle est la plus facile d'accès. Les citations ont été vérifiées dans : Boèce, *In Isagogen Porphyrii Commenta*, éd. S. Brandt, Vienne — Leipzig, 1906 (Corpus scriptorum ecclesiasticorum latinorum, vol. 38).

23) Boèce, *op. cit.*, col. 88 et s.

24) *Id.*, col. 106.

25) *Id.*, col. 90.

26) *Id.*, col. 27.

27) *Id.*, col. 97.

28) *Id.*, col. 48.

29) *Id.*, col. 104 : « *In omni autem hac dispositione priora genera cum inferioribus conjunguntur, ut posterioris efficiunt species ; nam ut sit corpus substantia, cum corporalitate conjungitur et est substantia corporea corpus. Item, ut sit animatum, corporeum atque substantia animata copulatur, et est animatum substantia corporea habens animam [...]* »

30) *Id.*, col. 45.

31) *Id.*, col. 39 et ss ; col. 101 et ss.

32) *Id.*, col. 103.

33) *Id.*, col. 66 et 151.

34) Garland le Computiste, *op. cit.*, p. 15 et ss.

35) Boèce, *op. cit.*, col. 127 et s.

36) Celle de l'ange (*id.*, col. 65) ne figure même pas dans l'apparat critique de l'édition Busse (p. 121).

37) Boèce, *op. cit.*, col. 123.

38) *Id.*, col. 127 et s.

39) *Id.*, col. 71 et ss.

40) *Id.*, col. 19 et ss.

41) *Id.*, col. 10 et s.

42) *Id.*, col. 47 et s.

43) Le *De Trinitate* occupe les colonnes 1247-1256 des *Opera omnia* (*Patrologie latine*, vol. 64).

44) *Id.*, col. 1250 et s.

45) *Ibid.*

46) *Patrologie latine*, vol. 64, col. 1337-1354.

47) Le commentaire de Gilbert de Poitiers est édité à la suite de l'oeuvre de Boèce (*Patrologie latine*, vol. 64, col. 1255-1300).

48) Boèce, *La consolation*, II, 5, 5-6 ; éd. Bocognano, p. 63.

49) *Id.*, II, 5, 9-10, p. 63 et ss.

50) *Id.*, II, 5, 25-26, p. 67.

51) Premier commentaire de Porphyre (*Patrologie latine*, vol. 64), col. 47.

52) Denys l'Aréopagite, *Oeuvres complètes*, trad. M. de Gandillac, Paris, 1943 ; texte grec dans : Migne, *Patrologie grecque*, vol. 3.

53) *Patrologie latine*, vol. 98, col. 1264.

54) Denys l'Aréopagite, *Les noms divins*, V, 3 ; trad. Gandillac, p. 129 et s.

55) Id., *La théologie mystique*, I, 1 ; p. 177 et ss.

56) Id., *La hiérarchie céleste*, I, 3 ; p. 186.

57) Id., *La hiérarchie ecclésiastique*, V, 2 ; p. 294.

58) Id., *La théologie mystique*, I, 2 ; p. 178.

59) Id., *Les noms divins*, IV, 18 à 32 ; p. 110 et ss.

60) Id., *La hiérarchie ecclésiastique*, I, 3 ; p. 186 et s.

61) Jean Scot Erigène, *Super Ierarchiam Caelestem S. Dionysii*, I, 1 (*Patrologie latine*, vol. 122) col. 129.

62) Il est partiellement cité avec des traductions légèrement divergentes par Panofsky, « L'abbé Suger de Saint-Denis », in : *Architecture gothique et pensée scolastique*, p. 39-40, et par Assunto, *op. cit.*, p. 146.

63) En particulier, Denys l'Aréopagite, *Les noms divins*, IV, 11 ; p. 104 et ss.

64) Id., *La hiérarchie céleste*, II, 3 ; p. 191.

65) *Id.*, II, 1 ; p. 187 et ss.

66) A. Grabar, *L'âge d'or de Justinien*, Paris, 1966, p. 173 et ss. L'ouvrage fondamental est : C. Ihm, *Die Programme der christlichen Apsismalerei vom vierten Jahrhundert bis zur Mitte des achten Jahrhunderts*, Wiesbaden, 1960.

67) Denys l'Aréopagite, *Les noms divins*, IV, 11 ; p. 104 et ss.

68) *Id.*, X, 2 ; p. 162. L'allusion est à Daniel, VI, 9.

69) E.H. Curtius, *La littérature européenne et le Moyen Age latin*, trad. fr., Paris, 1956, p. 122 et ss.

70) Denys l'Aréopagite, *Les noms divins*, IV, 2 ; p. 95 et s.

71) L'importance de Plotin pour la théorie de l'image a été bien mise en valeur par : A. Grabar, « Plotin et les origines de l'esthétique médiévale », in : *Cahiers archéologiques*, t. 1 (1945), p. 15-34.

72) On se servira essentiellement des travaux suivants : E. Bevan, *Holy Images. An Inquiry into Idolatry and Image-Worship in Ancient Paganism and in Christianity*, Londres, 1940 ; A. Grabar, *Martyrium. Recherches sur le culte des reliques et l'art chrétien antiques*, Paris, 1943-1946, 3 vol. ; E. Kitzinger, « The Cult of Images in the Age before Iconoclasm », in : *Dumbarton Oaks Papers*, t. 8 (1954), p. 85-150 ; F. Gerke, *La fin de l'art antique et les débuts de l'art chrétien*, trad. fr., Paris, 1973 ; H. Bredekamp, *Kunst als Medium sozialer Konflikte. Bilderkämpfe von der Spätantike bis zur Hussitenrevolution*, Francfort/Main, 1975.

73) Bredekamp, *op. cit.*, p. 31 et s.

74) Tertullien, *De Pudicitia*, 7, 1 et 10, 12, in : *De Paenitentia. De Pudicitia*, éd. P. de Labriolle, Paris, 1906, p. 84 et 114. Le texte donne lieu à des interprétations divergentes. Il n'est pas sûr que les « calices » en question soient des coupes profanes ou au contraire des objets liturgiques. On ne sait pas non plus si le berger peint sur ces coupes doit être interprété dans le sens chrétien du Bon Pasteur ou s'il s'agit d'un quelconque criophore (Bredekamp, *op. cit.*, p. 33 et s).

75) Sur l'évolution de ces décors, la synthèse de Gerke nous paraît excellente (*op. cit.*).

76) Bredekamp, *op. cit.*, p. 40.

77) *Id.*, p. 186 et ss.

78) Kitzinger, « The Cult of Images », p. 127 et ss.

79) A. Grabar, *Martyrium*, t. 2, p. 343 et ss.

80) Kitzinger, « The Cult of Images », p. 146.

81) Cf. F. - A. Isambert, *Le sens du sacré. Fête et religion populaire*, Paris, 1982, bien qu'il limite son analyse à l'attitude des chercheurs cléricaux et réactionnaires à la fois. Il faudrait encore montrer pourquoi cette attitude jouit d'un consensus beaucoup plus large depuis un bon demi-siècle.

82) Bredekamp, *op. cit.*, p. 27 ; p. 96 et ss.

83) *Id.*, p. 109 et ss.

84) *Id.*, p. 114 et ss.

85) *Id.*, p. 1 et ss.

86) E. Kitzinger, « On Some Icons of the Seventh Century », in : *Late Classical and Mediaeval Studies in Honor of Albert Mathias Friend Jr.*, éd. K. Weitzmann, Princeton, 1955, p. 132-150.

87) H. Belting, *Das Bild und sein Publikum im Mittelalter. Form und Funktion früher Bildtafeln der Passion*, Berlin, 1981.

88) Malgré l'opinion contraire de Bevan (*op. cit.*, p. 148).

89) Sur ce procédé, cf. l'article de Grabar, « Plotin et les origines de l'esthétique médiévale » (cité à la note 71).

90) Gerke, *op. cit.*, p. 144.

91) Entre autres exemples, on peut citer la Vierge à l'Enfant en buste dans la chambre V de la catacombe du *Coemeterium majus*. Cf. J. Wilpert, *Die Malereien der Katakomben Roms*, Fribourg/B., 1903, vol. 2, pl. 163, 1 et 207.

92) Sous l'épiscopat d'Agnellus (533-566). Cf. F. W. Deichmann, *Ravenna, Hauptstadt des spätantiken Abendlandes*, Wiesbaden, 1958-1976, t. 1, p. 175 et ss.

93) P. Verzone, *L'art du haut Moyen Age en Occident de Byzance à Charlemagne*, trad. fr., Paris, 1975, p. 8.

94) Cf. K. Weitzmann, *The Monastery of Saint Catherine at Mont Sinai. The Icons*, vol. 1, Princeton, 1976.

95) Cf. O. Demus, *Byzantine Art and the West*, New York, 1970, entièrement consacré à ce sujet.

96) Rossano, cathédrale ; Vienne, Nationalbibliothek, Theol. gr. 31.

97) Paris, Bibliothèque nationale, Nouv. Acq. lat. 2334.

98) G. B. Ladner, « The Concept of the Image in the Greek Fathers and the Byzantine Iconoclastic Controversy », in : *Dumbarton Oaks Papers*, t. 7 (1953), p. 1-34.

99) Kitzinger, « The Cult of Images », p. 122.

100) Vers 530, Hypathius argumente en ce sens, dans la ligne de Denys l'Aréopagite : « Nous laissons les ornements matériels dans les églises [...] car nous considérons que chaque ordre de croyants est guidé et conduit au divin à sa manière et que certains sont conduits même par ces choses à la beauté intelligible et de la lumière abondante dans le sanctuaire à la lumière intelligible et immatérielle » (Lettre à Julien, évêque d'Atramythion, citée par Kitzinger, The « Cult of Images », p. 138).

Notes de la deuxième partie

1) Schlosser, *Schriftquellen'* n° 1139, p. 431.

2) *Id.*, n° 1140, p. 432 et ss ; Walafrid Strabon, *Opera*, (*Patrologie latine*, vol. 114), col. 1089-1092.

3) Cf. J. Hubert, J. Porcher, W. F. Volbach, *L'empire carolingien*, Paris, 1968, p. 224.

4) Bredekamp, *op. cit.*, p. 150.

5) R. Folz, *Le couronnement impérial de Charlemagne. 25 décembre 800*, Paris, 1964.

6) E. Kubach, V. H. Elbern, *L'art de l'empire au début du Moyen Age*, trad. fr., Paris, 1973, p. 113 et p. 150.

7) *Charlemagne. Oeuvre, rayonnement et survivances* (exposition), Aix-la-Chapelle, 1965, n° 7, p. 28.

8) C. Heitz (*op. cit.*, p. 161) remet les choses au point en critiquant l'interprétation des *Westwerke* carolingiens comme des monuments du culte impérial (*Kaiserkirche*). Lorsqu'il insiste lui-même sur le caractère spirituel et sacerdotal du pouvoir impérial, il est amené à s'appuyer principalement sur des documents d'origine romaine qui ne traduisent pas exactement le point de vue de la cour (p. 149 et ss).

9) Charlemagne, *Opera omnia* (*Patrologie latine*, vol. 98), col. 999-1248 ; *Libri carolini*, éd. H. Bastgen, Hanovre — Leipzig, 1924 (Monumenta Germaniae historica, Concilia II suppl.). Nous ferons suivre l'indication des chapitres par celles des colonnes dans la *Patrologie latine*. Mais on ne peut se dispenser de consulter Bastgen pour l'apparat critique.

10) *Patrologie latine*, vol. 98, col. 1293-1350 ; éd. H. Bastgen, Hanovre — Leipzig, 1924 (Monumenta Germaniae Historica, Concilia, II, 2, p. 475-551). Même remarque qu'à la note précédente.

11) *Patrologie latine*, vol. 104, col. 199-228.

12) *Id.*, vol. 106, col. 305-388.

13) *Id.* vol. 98 col. 1348 et ss.

14) *Id.*, col. 1337 et ss.

15) *Id.*, vol. 104, col. 224 (ch. 30) et col. 202 (ch. 3).

16) *Libri carolini*, III, 17 (*id.*, vol. 98, col. 1148 et ss).

17) La Patrologie latine donne en introduction aux *Libri carolini* les opinions des principaux commentateurs (vol. 98, col. 941 et ss). La tradition historiographique a été étudiée par H. Bastgen (« Das Capitulare Karls d. Gr. über die Bilder oder die sogenannten Libri Carolini », in : *Neues Archiv der Gesellschaft fur ältere deutsche Geschichtskunde*, t. 37 (1912), p. 455-53).

18) *Libri carolini*, IV, 29 (*Patrologie latine*, vol. 98, col. 1249). Le paragraphe n'est pas reproduit dans l'édition Bastgen.

19) E. Amann, *L'époque carolingienne*, Paris, 1937 (A. Fliche, V. Martin, *Histoire de l'Eglise*, t. 6).

20) A. Grabar, *Les voies de la création en iconographie chrétienne : Antiquité et Moyen Age*, Paris, 1979, p. 164.

21) Demus, *op. cit.*, p. 50 et s.

22) L'auteur de la nouvelle attribution est W. von den Steinen (« Karl der Grosse und die Libri Carolini », in : *Neues Archiv der Gesellschaft für ältere deutsche Geschichtskunde*, t. 49 (1930), p. 207-280).

23) Haendler, *op. cit.*, p. 67 et ss.

24) *Patrologie latine*, vol. 98, col. 1268.

25) C. de Clerq, *La législation religieuse franque de Clovis à Charlemagne*, Louvain — Paris, 1936 ; H. J. Schmitz, *Die Bussbücher und die Bussdisziplin der Kirche*, Mayence — Dusseldorf, 1883-1898, 2 vol. (rééd. Graz, 1958) ; F. W. H. Wasserschleben, *Die Bussordnungen der abendländische Kirche*, Halle, 1851 (rééd. Graz, 1958). Les principaux textes pénitentiel ont été traduits et bien présentés par C. Vogel (*Le pécheur et la pénitence au Moyen-Age*, Paris, 1969).

26) Vogel, *op. cit.*, p. 71.

27) *Id.*, p. 87 et s.

28) En particulier, P. Saintyves, *Les saints successeurs des dieux*, Paris, 1907.

29) De Clerq, *op. cit.*, p. 78.

30) *Patrologie latine*, vol. 87, col. 527-529.

31) De Clerq, *op. cit.*, p. 178 et 211 ; Vogel, *op. cit.*, p. 67, 94 et 167.

32) *Patrologie latine*, vol. 106, col. 307 et ss.

33) Gilson, *op. cit.*, t. 1, p. 131.

34) *Patrologie latine*, vol. 77, col. 1128 et s.

35) Bredekamp, *op. cit.*, p. 65.

36) Demus, *op. cit.*, p. 45 et ss.

37) Cité dans : *Patrologie latine*, vol. 98, col. 956.

38) Il s'agit de l'ampoule n° 1. Cf. Grabar, *L'âge d'or de Justinien*, ill. 363.

39) Heitz, *op. cit.*, p. 146 ; F. Cabrol, H. Leclercq, *Dictionnaire d'archéologie chrétienne et de liturgie*, Paris, 1907-1953, vol. 3, col. 3079.

40) Cabrol, Leclercq, *op. cit.*, vol. 3, col. 3083 et s.

41) D. Talbot Rice, *Art of the Byzantine Era*, Londres, 1963, p. 39 et s.

42) Hubert, Porcher, Volbach, *op. cit.*, p. 232.

43) *Patrologie latine*, vol. 98, col. 999-1006.

44) *Libri carolini*, IV, 18 (*id.*, col. 1222) et Synode de Paris, ch. 3 (*id.*, col. 1308).

45) *Libri carolini*, III, 15 (*id.*, col. 1144 et s).

46) IV, 2 (*id.*, col. 1185 et ss).

47) IV, 25 (*id.*, col. 1242) ; Synode de Paris, ch. 3 (*id.*, col. 1307 et s).

48) *Libri carolini*, II, 19 (*id.*, col. 1082 et ss).

49) III, 15 (*id.*, col. 1142).

50) III, 29 (*id.*, col. 1148).

51) *Id.*, vol. 104, col. 214 et s (ch. 19).

52) *Id.*, vol. 104, col. 326.

53) IV, 16 (*id.*, vol. 98, col. 1219).

54) IV, 23 (*id.*, col. 1233 et ss). Ici, le raisonnement repose effectivement sur une erreur de la traduction utilisée. Ce ne sont pas *osculari* et *adorare*, mais *osculari* et *amplectere* qui ont le même sens en grec (*kunein*). Cf. W. von den Steinen, « Entstehungsgeschichte der Libri Carolini », in : *Quellen und Forschungen aus italienischen Archiven*, t. 21 (1929-1930) p. 27.

55) Aristote, *De interpretatione*, I, 1-5.

56) Augustin, *Cité de Dieu*, X, 2 ; Synode de Paris, ch. 12 (*Patrologie latine*, vol. 98, col. 1318).

57) *Libri carolini*, I, 9 (*id.*, col. 1027 et ss).

58) I, 10 (*id.*, col. 1029 et ss).

59) I, 14 (*id.*, col. 1035 et s).

60) IV, 16 (*id.*, col. 1216 et ss).

61) III, 16 (*id.*, col. 1146 et ss).

62) Synode de Paris, ch. 5 (*id.*, col. 1311 et ss).

63) *Id.*, vol. 104, col. 202 et ss (ch. 3 à 12).

64) *Libri carolini*, I, 2 (*id.* vol. 98, col. 1005 et ss).

65) I, 3 (*id.*, col. 1014 et ss).

66) I, 4 (*id.*, col. 1016 et ss).

67) I, 1 (*id.*, col. 1010).

68) I, 7 (*id.*, col. 1022 et s).

69) I, 23 (*id.*, col. 1055 et s).

70) I, 2 (*id.*, col. 1013).

71) II, 20 (*id.*, col. 1084 et s).

72) *Id.*, col. 1264.

73) *Id.*, col. 1257.

74) Saint Augustin, *Liber de diversis quaestionibus*, ch. 74 (*Patrologie latine*, vol. 40, col. 85 et ss) ; *Libri carolini*, I, 8 (*id.*, vol. 98, col. 1025 et ss).

75) III, 16 (*id.*, col. 1146 et ss).

76) II, 30 (*id.*, col. 1100).

77) III, 23 (*id.*, col. 1161 et ss).

78) J. Le Goff, « Culture ecclésiastique et culture folklorique au Moyen Age : saint Marcel de Paris et le dragon », in : *Pour un autre Moyen Age*, Paris, 1977, p. 236-279. Bastgen suggère que la source est Isidore de Séville, *Etymologies*, XI, 36, qui retransmet le thèse du défrichement, mais l'idée que le sens littéral est mensonger appartient en propre aux *Libri carolini*.

79) II, 22 (*Patrologie latine*, vol. 98, col. 1086 et ss).

80) IV, 2 (*id.*, col. 1187).

81) II, 19 (*id.*, col. 1084).

82) II, 23 (*id.*, col. 1087 et s).

83) II, 24 (*id.*, col. 1089 et s) ; III, préface (*id.*, col. 1111 et s).

84) I, 27 (*id.*, col. 1060 et s).

85) II, 31 (*id.*, col. 1109 et ss).

86) IV, 7 (*id.*, col. 1199 et s).

87) IV, 8-9 (*id.*, col. 1200 et ss).

88) IV, 3 (*id.*, col. 1188).

89) *Id.*, vol. 140, col. 963 et s ; Vogel, *op. cit.*, p. 92 et s.

90) IV, 27 (*Patrologie latine*, vol. 98, col. 1244 et ss).

91) Hubert, Porcher, Volbach, *op. cit.*, p. 92 et ss ; Demus, *op. cit.*, p. 60 et ss.

92) J. et M.-C. Hubert, « Piété chrétienne ou paganisme ? Les statues-reliquaires de l'Europe carolingienne », in : *Settimane di studio del Centro italiano di studi sull'medio aevo*, t. 28 (1982), p. 237-275.

93) Hubert, Porcher, Volbach, *op. cit.*, p. 19 et ss.

94) *Libri carolini*, II, 22 (*Patrologie latine*, vol. 98, col. 1086 et s) ; Synode de Paris, ch. 1 (*id.*, col. 1303 et ss).

95) III, 22 à 25 (*id.*, col. 1158 et ss).

96) II, 27 (*id.*, col. 1094) : « *Pictor vero patrandi operis loca congrua appetens, in earum formatione colorum tantum venustatem et operis supplementum quaerat* ».

97) II, 26 (*id.*, col. 1091 et ss).

98) Bredekamp, *op. cit.*, p. 186 et ss.

99) Saint Bernard, *Apologia ad Guillelmum*, ch. 12 (*Patrologie latine*, t. 182, col. 914 et ss).

100) Nos renseignements viennent de : F. Mütherich, J. E. Gaehde, *Carolingian Painting*, New York, 1976 ; Hubert, Porcher, Volbach, *op. cit.* ; *Charlemagne. Oeuvre, rayonnement et survivances*.

101) Schlosser, *Schriftquellen*, n° 59 à 88, p. 14 et ss.

102) *Libri carolini*, IV, 21 (*Patrologie latine*, t. 98, col. 1230).

103) H. Schnitzler, « Das Kuppelmosaik der Aachener Pfalzkapelle », in : *Aachener Kunstblätter*, t. 29 (1964), p. 17-44.

104) Voir entre autres les réserves de O. Demus, *op. cit.*, p. 53 et s.

105) *Charlemagne. Oeuvre, rayonnement et survivances*, n 424, p. 257, n 426, p. 258 ; Hubert, Porcher, Volbach, *op. cit.*, p. 12 ; Kubach, Elbern, *op. cit.*, p. 117 ; Demus, *op. cit.*, p. 52 ; Mütherich, Gaehde, *op. cit.*, p. 53.

106) *Charlemagne. Oeuvre, rayonnement et survivances*, *loc. cit.*

107) *Libri carolini*, I, 15 (*Patrologie latine*, vol. 98, col. 1036 et ss).

108) Kubach, Elbern, *op. cit.*, p. 110.

109) Hubert, Porcher, Volbach, *op. cit.*, p. 141 et s.

110) *Patrologie latine*, vol. 105, col. 457-464 ; vol. 106, col. 305-388.

111) Citée dans : *id.*, vol. 98, col. 956.

112) *Id.*, vol. 106, col. 325.

113) *Id.*, vol. 104, col. 214.

114) *Id.*, vol. 106, col. 307.

115) *Id.*, col. 317.

116) *Id.*, col. 326 et ss.

117) C'est aussi l'opinion de Garland le Computiste dans sa *Dialectica* (cf. note 34 de la première partie).

118) *Patrologie latine*, vol. 104, col. 207 (ch. 10).

119) *Id.*, col. 224 (ch. 30).

120) *Id.*, vol. 106, col. 365 et ss.

121) *Id.*, col. 368.

122) *Id.*, col. 378 et ss.

123) *Id.*, col. 385.

124) *Id.*, col. 385 et ss.

125) *Id.*, col. 379.

126) *Id.*, col. 331 : « *crucem pictam atque in ejus honorem imaginatam colimus, veneramur atque adoramus* ».

127) *Id.*, col. 340 : « *ob memoriam passionis Dominicae imaginem crucifixi Christi in auro argentove exprimimus, aut certe in tabulis diversorum colorum fucis depinguimus* ».

128) J. et M. - C. Hubert, *op. cit.*

129) *Patrologie latine*, vol. 104, col. 334.

130) *Id.*, col. 340.

131) *Id.*, col. 351.

132) *Id.*, col. 336 et ss.

133) *Id.*, col. 337.

134) Sur la liturgie pascale, cf. Heitz, *op. cit.*, p. 73 et ss.

135) J. B. Russell, *Witchcraft in the Middle Ages*, Ithaca — Londres, 1972, p. 73.

136) Garland le Computiste, *op. cit.*, p. 189.

137) *Patrologie latine*, vol. 106, col. 341.

138) H. Leclercq, art. « reliques », in : Cabrol, Leclercq, *op. cit.*, vol. 14, col. 2318 et ss.

139) Heitz, *op. cit.*, p. 179.

140) *Libri carolini*, II, 19 (*Patrologie latine*, vol. 98, col. 1084 et ss).

141) En particulier, III, 28 (*id.*, col. 1175 et ss).

142) *Id.*, col. 956 et 1297.

Notes de la troisième partie

1) F. Lot, « Le mythe des terreurs de l'An Mille », in : *Recueil des travaux historiques*, éd. Ch. - E. Perrin, Genève, 1968-1973, t. 1, p. 398-414.

2) Dans la littérature récente, on retiendra essentiellement : J. Taralon, *Les trésors des églises de France*, Paris, 1966, p. 7 et ss, 291 et ss ; G. Gaillard, M.-M. Gauthier, *Rouergue roman*, La-Pierre-qui-Vire, 1963, p. 98 et ss ; H. Keller, *Das*

Nachleben des antiken Bildnisses von der Karolingerzeit bis zur Gegenwart, Fribourg/B., 1970, p. 68 et ss ; J. et M. - C. Hubert, *op. cit.*

3) *Liber miraculorum sancte Fidis*, éd. A. Bouillet, Paris, 1897. Le texte est traduit, d'une manière parfois discutable dans : A. Bouillet, L. Servières, *Sainte Foy, vierge et martyre*, Rodez, 1900, p. 441 et ss.

4) *Liber miraculorum*, p. XII.

5) E. et V. Turner, *Image and Pilgrimage in Christian Culture. Anthropological Perspectives*, New York, 1978, p. 7 et s.

6) *Liber miraculorum*, I, 13, p. 46 et ss.

7) *Loc. cit.*

8) *Id.*, p. 49.

9) *Id.*, p. 15 (I, 1).

10) *Id.*, I, 34, p. 84 et ss.

11) *Id.*, I, 16, p. 51 et ss.

12) *Id.*, I, 17, p. 53 et s.

13) *Id.*, I, 11, p. 38 et ss ; I, 14, p. 49 et s ; I, 15, p. 50 et s ; II, 4, p. 100 et ss.

14) *Id.*, I, 28, p. 71 et ss.

15) Bouillet, Servières, *op. cit.*, p. 407.

16) J. Taralon, « Le trésor de Conques », in : *Bulletin de la Société Nationale des Antiquaires de France* (1954-1955), p. 47-54 ; conclusions reprises et développées dans : id., *Les trésors des églises de France*, p. 291 et ss.

17) Gaillard, Gauthier, *loc. cit.*

18) *Liber miraculorum*, I, 26, p. 66 et ss.

19) *Id.*, II, 12, p. 120 et ss ; note 1, p. 121.

20) *Id.*, I, 17, p. 53 : « *Quod autem erat precipuum ornati, hoc est decus imaginis, quae ab antiquo fabricata nunc reputaretur inter minima, nisi de integro reformata in meliorem renovaretur figuram* ».

21) *Id.*, I, 16, p. 51 : « *Sed et ante hac multo tempore, nostra tamen aetate* [...] »

22) Cf. N. Belmont, *Mythes et croyances dans l'ancienne France*, Paris, 1973, p. 108-110.

23) *Acta sanctorum*, Octobre, t. 3, p. 294 et ss.

24) *Id.*, p. 279 ; Bouillet, Servières, *op. cit.*, p. 57 et ss, 180, 417 et ss.

25) Heitz, *op. cit.*, p. 60, 63 et 123.

26) *Acta sanctorum*, Octobre, t. 3, p. 279 : « *juxta praedicti sancti ac summi Salvatoris Jesu Christi altaris latus posterius ex omni rutilantis auri gemmarumque coruscantium pompa mirificae machinae thecam fabricari conati sunt, sub qua dignissima Virgo obsigillata feliciter in Christo requiescit, ibidemque haud dubio ab innumerabili populo frequentatur* ».

27) *Liber miraculorum*, I, 31, p. 77 : « *Verum quia eadem medietas psallendi assiduitate frequentatior habetur, illuc ex proprio loco sancte martiris preciosa translata sunt pignera* ».

28) *Id.*, I, 1, p. 11.

29) *Ibid.*

30) J. et M. - C. Hubert, *op. cit.*

31) *Liber miraculorum*, I, 13, p. 47 et s.

32) *Id.*, II, 12, p. 120 et ss.

33) Clermont-Ferrand, Bibliothèque municipale, ms. 145, fol. 134 ; le dessin est reproduit, entre autres, dans : Kubach, Elbern, *op. cit.*, p. 232.

34) *Liber miraculorum*, II, 4, p. 100.

35) *Bulletin de la Société Nationale des Antiquaires de France* (1943-1944), p. 291-293.

36) *Liber miraculorum*, I, 7, p. 29 et ss.

37) *Id.*, I, 11, p. 38 et ss.

38) *Id.*, I, 13, p. 48 et s.

39) *Id.*, I, 2, p. 16 et ss.

40) *Id.*, I, 13, p. 47.

41) P. Alfaric, E. Hoepffner, *La chanson de sainte Foy*, Paris, 1926, t. 2, p. 81.

42) *Liber miraculorum*, I, 9, p. 36 et s.

43) *Id.*, I, 10, p. 37 et s.

44) *Id.*, II, 13 à 15, p. 122 et ss.

45) *Id.*, I, lettre à Fulbert, p. 1 et ss.

46) *Id.*, I, 1, p. 6 et ss.

47) *Id.*, II, 1, p. 93.

48) *Id.*, I, 23, p. 60.

49) *Id.*, I, 28, p. 71 et ss.

50) C. Lévi-Strauss, *Anthropologie structurale*, Paris, 1958, p. 183-203.

51) *Liber miraculorum*, I, 34, p. 85.

52) *Id.*, appendice 6, p. 267.

53) Bouillet, Servières, *op. cit.*, p. 736 et s.

54) *Liber miraculorum*, appendice 4, p. 256 et ss.

55) *Id.*, I, 33, p. 79 et ss.

56) *Id.*, I, 17 à 22, p. 53 et ss.

57) *Id.*, I, 1, p. 8.

58) Cf. entre autres : G. Bonomo, *Caccia alle streghe*, Palerme, 1959, p. 349 et ss.

59) Vogel, *op. cit.*, p. 106 (pénitentiel de Burchard de Worms) ; Gervais de Tilbury, *Otia imperialia*, éd. F. Liebrecht, Hanovre, 1856, p. 38 ; Etienne de Bourbon, *Anecdotes historiques, légendes et apologues*, éd. A. Lecoy de la Marche, Paris, 1877, p. 323.

60) Guillaume d'Auvergne, *De universo*, pars III[a], c. 12 *(Opera omnia*, Paris, 1674, 2 vol. ; reprint Francfort/M., 1963, vol. 1, p. 1036).

61) *Liber miraculorum*, III, 9, p. 144 et s ; Guillaume d'Auvergne, *De legibus*, c. 26 (*op. cit.*, vol. 1, p. 82).

62) *Liber miraculorum*, II, 12, p. 120 et ss.

63) Bouillet, Servières, *op. cit.*, p. 707.

64) Alfaric, Hoepffner, *op. cit.*, t. 2, p. 179 et ss.

65) *Id.*, v. 45 à 53.

66) *Id.*, v. 71-72.

67) Bouillet, Servières, *op. cit.*, p. 395.

68) *Liber miraculorum*, III, 20, p. 161.

69) Alfaric, Hoepffner, *op. cit.*, t. 2, p. 189.

70) *Liber miraculorum*, I, 33, p. 84.

71) Alfaric, Hoepffner, *op. cit.*, t. 2, v. 76-77.

72) *Id.*, v. 573-575.

73) *Id.*, v. 253-254.

74) *Id.*, v. 589-593.

75) *Id.*, v. 55-64.

76) *Id.*, v. 391.

77) *Id.*, v. 415-416.

78) *Id.*, v. 464-468.

79) A ce sujet, cf. : B. de Gaiffier, « La mort par le glaive dans les passions des martyrs », in : *Recherches d'hagiographie latine*, Bruxelles, 1971 (Subsidia hagiographica, vol. 52), p. 70-76.

80) Alfaric, Hoepffner, *op. cit.*, t. 2, v. 7-8.

81) *Id.*, v. 358.

82) *Id.*, v. 163.

83) *Id.*, v. 168.

84) Selon A. Grabar, ce thème explique l'iconographie des statues trônantes : A. Grabar, « Le trône des martyrs », in : *Cahiers archéologiques*, t. 6 (1952), p. 31-41.

85) *Liber miraculorum*, I, 26, p. 66 et ss.

86) *Id.*, I, 27, p. 70 et s.

87) *Id.*, I, 7, p. 29 et ss.

88) *Id.*, I, 33, p. 79 et ss.

89) Alfaric, Hoepffner, *op. cit.*, t. 2, p. 231-236.

90) *Id.*, v. 393-396.

91) *Id.*, v. 397-401.

92) *Id.*, note 401, p. 141 ; Denys l'Aréopagite, *op. cit.*, p. 244.

93) *Liber miraculorum*, II, 12, p. 120 et ss.

94) *Id.*, I, 13, p. 49.

95) L. M. de Rijk, *Logica Modernorum. A Contribution to the History of Early Terministic Logic*, vol. 1 : *On the Twelth Century Theories of Fallacy*, Assen, 1962, p. 13 et ss.

96) J. Baltrusaitis, *Formations, déformations. La stylistique ornementale dans la sculpture romane*, 2e éd., Paris, 1986.

97) Cf. l'intéressant essai de M. Schapiro, *Words and Pictures. On the Literal and the Symbolic in the Illustration of a Text*, La Haye — Paris, 1973, p. 37 et ss.

98) Sur l'évolution du thème, voir : W. Sauerländer, *La sculpture gothique en France, 1140-1270*, trad. fr., Paris, 1972, p. 29 et ss.

99) Sur ce thème, K. Meisen, *Die Sagen vom wütenden Heer und wilden Jäger*, Münster/W., 1935.

100) Sauerländer, *La sculpture gothique en France*, p. 16 et pl. 186, 279, 281.

101) *Liber miraculorum*, I, 26, p. 66 et ss. Sur les mauvais traitements infligés aux saints, on consultera : P. Geary, « L'humiliation des saints », in : *Annales E. S. C.*, t. 34 (1979), p. 27-42.

102) Jacques de Voragine, *La légende dorée*, trad. J. - B. M. Roze, rééd. Paris, 1967, t. 1, p. 143.

103) Sur ce thème, cf. : E. Panofsky, « Zwei Dürerprobleme », in : *Münchner Jahrbuch der bildenden Kunst*, n. s., t. 8 (1931), p. 1-17.

104) Jacques de Voragine, *op. cit.*, t. 2, p. 17.

105) *Id.*, t. 1, p. 52 ; K. Meisen, *Nikolauskult und Nikolausbrauch im Abendlande. Eine kultgeschichtlich-volkskundliche Untersuchung*, Düsseldorf, 1931, p. 261 et ss.

106) *Patrologie latine*, t. 182, col. 895 et ss ; saint Bernard, *Opera*, Rome, 1957-, vol. 3, p. 104 et ss.

107) W. Braunfels, *Abendländische Klosterbaukunst*, Cologne, 1969, p. 301.

108) O. von Simson, *The Gothic Cathedral*, rééd. Princeton, 1974, p. 43 et ss.

109) V. Mortet, P. Deschamps, *Recueil de textes relatifs à l'histoire de l'architecture...*, Paris, 1911-1929, t. 2, n° 74, p. 156 et ss.

110) Braunfels, *op. cit.*, p. 308.

111) Belting, *op.cit.*, p. 51 et ss, 96 et ss.

112) Conrad de Megenberg, *Planctus Ecclesiae*, éd. P. Schulz, Leipzig, 1941 (Monumenta Germaniae Historica, 2. Staatsschriften, II, 1).

113) *Id.*, p. 82-87.

114) E. Gilson, *La théologie mystique de saint Bernard*, Paris, 1934, p. 159 et ss.

115) F. Rabelais, *Oeuvres complètes*, éd. J. Boulenger, Paris, 1955, p. 124 (*Gargantua*, ch. 47).

116) E. Kantorowicz, *Laudes regiae. A Study in Liturgical Acclamations and Mediaeval Ruler Worship*, Berkeley — Los Angeles, 1958, p. 8 et ss.

117) L. M. C. Randall, *Images in the Margins of Gothic Manuscripts*, Berkeley, 1966.

118) W. Brückner, *Bildnis und Brauch. Studien zur Bildfunktion der Effigies*, Berlin, 1966.

119) E. Kantorowicz, *The King's two Bodies. A Study in Medieval Political Theology*, Princeton, 1957.

120) Wirth, « La naissance du concept de croyance ».

121) A. Guerreau, *Le féodalisme. Un horizon théorique*, Paris, 1980, p. 179 et ss.

122) Cf. K. F. Werner, « Liens de parenté et noms de personne. Un problème historique et méthodologique », in : *Famille et parenté dans l'Occident médiéval* (colloque, Paris, 1974), éd. G. Duby et J. Le Goff, Rome, 1977, p. 13-18, 25-34.

123) Kantorowicz, *The King's two Bodies*, p. 383 et ss.

124) *Id.*, p.194 et ss ; H. de Lubac, *Corpus mysticum. L'Eucharistie et l'Eglise au Moyen Age*, Paris, 1944.

125) Kantorowicz, *The King's two Bodies*, p. 385 et ss.

126) *Id.*, p. 446 et ss.

127) A. Guerreau-Jalabert, « Sur les structures de parenté dans l'Europe féodale », in : *Annales E. S. C.*, t. 36 (1981), p. 1028-1049.

128) Kantorowicz, *The King's two Bodies*, p. 61 et ss.

129) *Id.*, p. 42 et ss.

130) R. Dragonetti, *La vie de la lettre au Moyen Age (Le conte du Graal)*, Paris, 1980, p. 197 et ss ; B. de Gaiffier, « La légende de Charlemagne. Le péché de l'empereur et son pardon », in : *Etudes critiques d'hagiographie et d'iconologie*, Bruxelles, 1967 (Subsidia hagiographica, vol. 43), p. 260-274.

131) Cf. A. Guerreau, « Renaud de Bâgé : Le bel Inconnu, structure symbolique et signification sociale » , in : *Romania*, t. 103 (1982), p. 28-82.

132) J. Le Goff, « Le rituel symbolique de la vassalité », in : *Pour un autre Moyen Age*, p. 349-420.

133) P. Lehmann, *Die Parodie im Mittelalter*, 2e éd., Stuttgart, 1963, p. 114.

134) Kantorowicz, *The King's two Bodies*, p. 300 et ss.

135) *Loc. cit.*

136) Garland le Computiste, *op. cit.*

137) *Id.*, p. 34.

138) Cf. F. Picavet, *Roscelin, philosophe et théologien d'après la légende et d'après l'histoire*, Paris, 1911.

139) *Id.*, p. 129 et ss.

140) *Patrologie latine*, vol. 158, col. 265 ; cité par Bréhier, *op. cit.*, p. 119.

141) *Patrologie latine*, vol. 199, col. 823-946.

142) *Id.*, II, 17, col. 874 et ss.

143) *Id.*, II, 20, col. 877 et ss.

144) Abélard, *Dialectica*, introduction, p. LXXXIX et ss.

145) Cf. A. Vauchez, *La sainteté en Occident aux derniers siècles du Moyen Age*, Rome, 1981.

146) D.P. Henry, *The Logic of Saint Anselm.*

147) *Id.*, p. 142 et ss ; Henry, *Medieval Logic and Metaphysics*, p. 101 et ss.

148) Saint Anselme, *Proslogion*, c. 2 (*Opera omnia*, éd. F.S. Schmitt, Edinburg, 1946-1961, vol. 1, p. 101).

149) Cf. note 124.

150) Belting, *op. cit.*

151) J. - C. Schmitt, *Le saint lévrier. Saint Guinefort, guérisseur d'enfants depuis le XIIIe siècle*, Paris, 1974.

152) Von Simson, *op. cit.*

153) Mâle, *L'art religieux du XIIIe siècle*, t. 2, p. 194.

154) *Id.*, t. 2, p. 206 et ss ; P. Verdier, *Le couronnement de la Vierge. Les origines et les premiers développements d'un thème iconographique*, Paris — Montréal, 1980.

155) Jacques de Voragine, *La légende dorée*, t. 2, p. 86 et ss.

156) *Les fastes du gothique. Le siècle de Charles V* (exposition, Paris, Grand Palais, 1981), Paris, 1981, n° 41, p. 96.

157) Belting, *op. cit.*, p. 69 et ss.

158) De Bruyne, *op. cit.*, t. 3, p. 45.

159) Réau, *op. cit.* ; Kirschbaum, *op. cit.*

160) Mâle, *L'art religieux du XIIIe siècle*, t. 2, p. 454 et ss.

161) F. Garnier, *Le langage de l'image au Moyen Age. Signification et symbolique*, Paris, 1982.

162) M. - M. Davy, *Initiation à la symbolique romane (XIIe siècle)*, Paris, 1964.

163) Sermon IX ; *Patrologie latine*, vol. 183, col. 815 et ss ; saint Bernard, *Oeuvres mystiques*, trad. A. Béguin, Paris, 1953, p. 141 et ss.

164) Cf. M. Seidel, « Ubera Matris. Die vielschichtige Bedeutung eines Symbols in der mittelalterlichen Kunst », in : *Städel-Jahrbuch*, t. 6 (1977) p. 41-98.

165) Excellente présentation du système typologique dans : F. Röhrig, *Der Verduner Altar*, Vienne, 1955.

166) *Id.*

167) Kantorowicz, *The King's two Bodies*, p. 42 et ss.

168) Sinding-Larsen, *op. cit.*, p. 42 et ss.

169) R. Zapperi, « Potere politico e cultura figurativa : la reppresentazione della nascita di Eva », in : *Storia dell'arte italiana*, t. 10, Turin, 1981, p. 377-442 ; id., *L'homme enceint. L'homme, la femme et le pouvoir*, trad. fr., Paris, 1983.

170) Zapperi, *L'homme enceint*, p. 21.

171) Schadt, *op. cit.*

172) *Id.*, p. 82 et ss.

173) *Id.*, p. 166 et s ; ill. 69-70.

174) G. Camès, *Allégories et symboles dans l'Hortus deliciarum*, Leyde, 1971, p. 13 et ss ; ill. 3.

175) *Ibid.* ; Brême, Stadtbibl., cod. b. 21, fol. 77r.

176) Schadt, *op. cit.*, p. 139 et s.

177) Kantorowicz, *The King's two Bodies*, p. 446 et ss, 451 et ss.

178) Saint Anselme, *Opera omnia*, éd. Schmitt, vol. 2, p. 104 (*Cur Deus homo*, II, 8).

179) Baltrusaitis, *Formations, déformations*.

180) Guillaume Durand, *Rationale divinorum officiorum*, Lyon, 1584, l. I, c. 3, fol. 13r.

181) De Bruyne, *op. cit.*, t. 2, p. 255 et ss.

182) Cf. E. R. Leach, « La Genèse comme mythe », in : *L'unité de l'homme et autres essais*, trad. fr., Paris, 1980, p. 143-159.

183) Schadt, *op. cit.*, p. 175 et ss.

184) Exemples dans : E. Guldan, *Eva und Maria. Eine Antithese als Bildmotiv*, Graz — Cologne, 1966.

185) Dans l'état actuel de l'ambon, la circoncision d'Isaac et celle de Samson sont inversées. Nous suivons la restitution évidente de Röhrig (*op. cit.*, p. 65).

186) Zapperi, *L'homme enceint*, p. 116 et ss.

187) Jacques de Voragine, *La légende dorée*, t. 1, p. 214 et ss, p. 88 et ss.

188) Guldan, *op. cit.*, p. 180 et ill. 44-45.

189) Richard Trexler étudie actuellement cette fonction du thème. Cf. : R. Trexler, « La vie ludique dans la Nouvelle-Espagne. L'empereur et ses trois rois », in : *Les jeux à la Renaissance*, éd. J.-C. Margolin et P. Ariès, Paris, 1982, p. 81-93.

190) A. L. Mayer, « Mater et filia. Ein Versuch zur stilgeschichtlichen Entwicklung eines Gebetsausdrucks », in : *Jahrbuch für Liturgiewissenschaft*, t. 7 (1927), p. 60-82.

191) Kantorowicz, *The King's two Bodies*, p. 97 et ss.

192) Belting, *op. cit.*

193) E. Kantorowicz, « Zu den Rechtsgrundlagen der Kaisersage », in : *Deutsches Archiv für Erforschung des Mittelalters*, t. 13 (1957), p. 115-150.

194) Mâle, *L'art religieux du XIIIe siècle*, t. 2, p. 176.

195) En particulier dans les quatre sermons sur l'assomption et celui sur les douze préoccupations de la Vierge : *Patrologie latine*, vol. 183, col. 415-438 ; *Oeuvres mystiques*, p. 977 et ss, 1013 et ss.

Notes de la quatrième partie

1) E. Panofsky, *La Renaissance et ses avant-courriers dans l'art d'Occident*, trad. fr., Paris, 1976.

2) Id., *La perspective comme forme symbolique et autres essais*, trad. fr., Paris 1975.

3) *Id.*, p. 110 et ss.

4) E. Panofsky, *Early Netherlandish Painting. Its Origins and Character*, rééd. New York, 1971, vol. 1, p. 8.

5) Kantorowicz, *The king's two Bodies*, p. 302 et ss.

6) Bochenski, *op. cit.*, p. 202 et ss ; Kneale, *op. cit.*, p. 246 et ss.

7) E. Gilson, *L'Etre et l'essence*, Paris, 1948.

8) Abélard, *Dialectica*, p. 331 et 334.

9) *Id.*, p. 70.

10) *Id.*, p. 63.

11) *Id.*, p. 155, 157 et 346.

12) *Logica Modernorum*, p. 565.

13) Kneale, *op. cit.*, p. 264.

14) J. Hansen, *Quellen und Untersuchungen zur Geschichte des Hexenwahns*, Bonn, 1901 (reprint, Hildesheim, 1963), n° 30, p. 145 et s ; n° 31, p. 153.

15) Gilson, *La philosophie au moyen âge*, vol. 2, p. 618 et ss.

16) H. de Lubac, *Surnaturel. Etudes historiques*, Paris, 1946.

17) L'article « modernisme » du *Dictionnaire de théologie catholique* (vol. 10, 2, col. 2009-2047) exprime clairement les positions de l'Eglise à ce sujet.

18) Hansen, *op. cit.*

19) Henry, *The Logic of Saint Anselm*, p. 26.

20) Cité dans : Gilson, *La philosophie au moyen âge*, vol. 2, p. 664.

21) *Id.*, t. 2, p. 667 et ss.

22) Wirth, « La naissance du concept de croyance », p. 18.

23) M. Baxandall, *The Limewood Sculptors of Renaissance Germany*, New Haven — Londres, 1980, p. 78 et ss.

24) Belting, *op. cit.*, p. 14 et s.

25) *Id.*, p. 240 et ss.

26) Baxandall, *op. cit.*, p. 51 et ss.

27) *Id.*, p. 88 et ss ; L. Pfleger, « Geiler von Kaysersberg und die Kunst seiner Zeit », in : *Elsässische Monatschrift für Geschichte und Volkskunde*, t. 1 (1910) p. 428-434.

28) Dans son livre célèbre, *Le déclin du Moyen Age* (rééd. de la trad. fr., Paris, 1967), J. Huizinga n'a pas vu ce point, car il assimile globalement la période à sa dimension ludique.

29) Cf. M. Meiss, *Painting in Florence and Siena after the Black Death*, New York, 1964.

30) Cf. l'ouvrage récent de F. Deuchler, *Duccio*, Milan, 1984, en particulier p. 154 et ss.

31) On remarquera la prudence et les incertitudes du catalogue d'exposition déjà cité : *Les fastes du gothique. Le siècle de Charles V*, Paris, 1981.

32) Belting, *op. cit.*, p. 35.

33) Sur leur organisation, cf. : Baxandall, *op. cit.*, p. 7 et ss.

34) Nombreux exemples dans : *Les fastes du gothique*, n° 4, p. 64 et s et passim.

35) Panofsky, *Essais d'iconologie*, p. 24 et s.

36) Cf. les pages démystifiantes d'A. Chastel dans : *Fables, formes, figures*, vol. 1, p. 493 et ss.

37) Panofsky, *Early Netherlandish Painting*, vol. 1, p. 133 et ss.

38) M. Schapiro, « Le symbolisme du retable de Mérode », in : *Style, artiste et société*, trad. fr., Paris, 1982, p. 147-170.

39) Guillaume de Lorris, Jean de Meun, *Le roman de la rose*, v. 514-515 (trad. A. Lanly, Paris, 1973-1975, t. 1, p. 22).

40) *Id.*, v. 713-714 (trad., t. 1, p. 29).

41) Cité dans : Ch. Oulmont, *Le verger, le temple et la cellule. Essai sur la sensualité dans les oeuvres de la mystique religieuse*, Paris, 1912, p. 241.

42) Oulmont, *op. cit.*

43) *Id.*, p. 263.

44) *Id.*, p. 273, 304 et ss.

45) *Id.*, p. 263.

46) Cf. M. Geisberg, *Der Meister E.S.*, Leipzig, 1924 (Meister der Graphik, vol. 10), pl. 11 (Lehrs 214).

47) C. Marot, *L'adolescence clémentine*, éd. V.-L. Saulnier, Paris, 1958, p. 25-41.

48) *Id.*, p. 35.

49) Bon aperçu des problèmes, du point de vue catholique, dans : *Mystique et continence*, Paris, 1952 (Etudes carmélitaines, t. 19).

50) H. Vintler, *Die Blumen der Tugent*, éd. I. von Zingerle, Innsbruck, 1874, v. 8246 et ss, p. 276-284.

51) Sur cette familiarité, les pages célèbres de Huizinga se lisent toujours avec profit, en particulier : *op. cit.*, p. 156 et ss, ch. 12 (La pensée religieuse se cristallise en images).

52) *Procès de condamnation de Jeanne d'Arc*, trad. P. Tisset, Paris, 1970, p. 71.

53) *Id.*, p. 73.

54) *Id.*, p. 85.

55) *Id.*, p. 121.

56) *Id.*, p. 141.

57) *Id.*, p. 145.

58) Bonne présentation de ces thèmes dans : *Kunst um 1400 am Mittelrhein. Ein Teil der Wirklichkeit* (catalogue d'exposition, Francfort/M., Liebighaus), Francfort/M., 1975.

59) G. Schiller, *Ikonographie der christlichen Kunst*, Gütersloh, 1966-, t. 4, 1, ill. 234 à 239.

60) En particulier sur les ivoires profanes. Cf. p. ex. : *Les fastes du gothique*, n° 155, p. 194 et s.

61) A. Stange, *Deutsche Malerei der Gotik*, Berlin, 1934-1953 (reprint, Nendeln, 1969), t. 1, n° 179.

62) *Id.*, t. 3, n° 34.

63) *Id.*, t. 3, n° 170 (Utrecht, Museum).

64) Panofsky, *Early Netherlandish Painting*, vol. 1, p. 23.

65) Vienne, Kunsthistorisches Museum.

66) Jacques de Voragine, *op. cit.*, t. 1, p. 465.

67) C. Dupeux, *Etude iconographique de la lactation de saint Bernard* (mémoire de maîtrise dactylographié, Université de Strasbourg II, 1984), p. 4 et ss.

68) Henri de Suse, *Summa copiosa* (Paris, B. N., ms. lat. 4000, fol. 185v. Reproduit dans : *Les fastes du gothique*, p. 36. Cf. Schadt, *op. cit.*, p. 241 et ss.

69) C. Andersson, *Dirnen — Krieger — Narren. Ausgewählte Zeichnungen von Urs Graf*, Bâle, 1978, p. 53.

70) M. J. Friedländer, J. Rosenberg, *Les peintures de Lucas Cranach*, trad. fr., Paris, 1978, n° 276-277.

71) Stange, *op. cit.*, t. 4, n° 27.

72) Vienne, Oesterreichische Galerie.

73) H. Platte, *Meister Bertram in der Hamburger Kunsthalle*, Hambourg, 1982 ill. 21, 25 (retable de Grabow), 32, 38 (retable de Buxtehude).

74) *Id.*, ill. 25.

75) M. B. Foster, *The Iconography of Saint Joseph in Netherlandish Art, 1400-1550* (Ph. D., Kansas University), Ann Arbor, 1978, p. 167, considère l'objet que mord saint Joseph comme une gourde remplie d'eau. Il s'agit en fait d'un pain de la forme la plus courante. Cf. Andersson, *op. cit.*, p. 55 et ill. 42. Bien entendu, le pain et le vin font ici allusion à l'eucharistie. L'analogie entre le pain que mordille saint Joseph et le sein que tète le Christ n'est pas fortuite ; elle repose sur l'équivalence entre lait de la Vierge et pain eucharistique que nous dégagerons plus loin. La Vierge boude la gourde de vin parce qu'elle lui évoque le sang qui sera versé par le Christ. L'humour n'exclut pas la cohérence théologique.

76) Seitz, *op. cit.*, p. 284 et ss ; Réau, *op. cit.*, vol. 2, p. 753 et ss.

77) Stange, *op. cit.*, t. 3, n° 14.

78) *Id.*, t. 3, n° 170 et 244, t. 10, n° 235, t. 11, n° 2 et 185.

79) Foster, *op. cit.*, p. 33.

80) Sterzing, Multschermuseum.

81) Anvers, Musée Mayer van den Bergh ; cf. Panofsky, *Early Netherlandish Painting*, ill. 108 c.

82) C. Klapisch, « Les rites nuptiaux toscans entre Giotto et le concile de Trente », in : *Annales E.S.C.*, t. 34 (1979), p. 1216-1243.

83) Seitz, *op. cit.*, p. 129 et ss.

84) *Id.*, p. 200 et ss.

85) *Id.*, p. 255 et ss ; J. Gerson, *Oeuvres complètes*, éd. Mgr Glorieux, Tournai — Rome, 1960-1973, t. 8, p. 55 et ss (Pour la fête de saint Joseph) ; p. 61 et ss (Sur le culte de saint Joseph).

86) M. Barth, *Die Verehrung des heiligen Josef im Elsass*, Haguenau, 1970, p. 62 et ss.

87) cf. J. Wirth, « Sainte Anne est une sorcière », in : *Bibliothèque d'Humanisme et Renaissance*, t. 40 (1978), p. 449-480.

88) Stange, *op. cit.*, t. 5, n° 173 (Cologne, Wallraf-Richartz-Museum).

89) E. Mâle, *L'art religieux de la fin du Moyen Age en France*, 3e éd., Paris, 1925, p. 220 et ill. 117.

90) Wirth, « Sainte Anne est une sorcière ».

91) Friedländer, Rosenberg, *op. cit.*, n° 18 (Francfort/M., Städelsches Kunstinstitut).

92) *Id.*, n° 34 (Vienne, Gemäldegalerie).

93) Vienne, Kunsthistorisches Museum ; G. Otto, *Bernhard Strigel*, Munich — Berlin, 1964, n° 57, p. 101 ; cf. aussi, p. 46.

94) *Id.*, t. 3, n° 175 (Darmstadt, Landesmuseum).

95) Bredekamp, *op. cit.*, p. 254 et ss.

96) Pfleger, *op. cit.*

97) T. Murner, *Narrenbeschwörung*, éd. M. Spanier, Berlin — Leipzig, 1926 (Deutsche Schriften, t. 2), ch. 74, p. 373 et ss.

98) P. Olearius, *De fide concubinarum in sacerdotes*, Bâle, entre 1501 et 1505. Nous nous sommes servis de l'édition publiée à Worms chez Comiander (s. d.).

99) Pfleger, *op. cit.*, p. 432.

100) T. Murner, *Die Geuchmatt*, éd. E. Fuchs, Berlin — Leipzig, 1931 (Deutsche Schriften, t. 5).

101) *Id.*, introduction, p. XIII.

102) *Id.*, ch. 17, p. 88.

103) *Id.*, ch. 51, p. 206 et s.

104) J. V. Bainvel, *La dévotion au Sacré-Coeur de Jésus. Doctrine — Histoire*, Paris, 1921.

105) *Id.*, p. 202.

106) *Id.*, p. 264 et s.

107) *Id.*, p. 238 et s.

108) L. Steinberg, *La sexualité du Christ dans l'art de la Renaissance et son refoulement moderne*, trad. fr., Paris, 1987.

109) *Id.*, ill. 63, 64 et 184.

110) Cité dans : Oulmont, *op. cit.*, p. 208.

111) *Ibid.*

112) J. Geiler, *Von dem Hasen im Pfeffer*, in : *Das Buch Granatapfel...*, Augsbourg, J. Otmar, 1510 ; rééd. Strasbourg, J. Knoblouch, 1511.

113) Oulmont, *op. cit.*, p. 204.

114) *Acta Sanctorum*, Juin, t. 4, p. 237-263. Bonne appréciation du rôle de Lutgarde par P. Debongnie, « Commencement et recommencements de la dévotion au Coeur de Jésus », in : *Le Coeur*, Paris, 1950 (Etudes carmélitaines, t. 16), p. 147-192.

115) Debongnie, *op. cit.* ; Bainvel, *op. cit.* ; A. Hamon, *Histoire de la dévotion au Sacré-Coeur*, t. 2, L'aube de la dévotion, Paris, 1925 ; K. Richstätter, *Die Herz-Jesu-Verehrung des deutschen Mittelalters*, 2e éd., Ratisbonne, 1924.

116) *Acta Sanctorum*, juin, t. 4, p. 239.

117) *Ibid.*

118) *Id.*, p. 240 et s.

119) Thomas de Cantimpré, *Bonum universale de apibus*, Douai, 1627. Cf. M. Misch, *Apis est animal. Apis est Ecclesia. Ein Beitrag zum Verhältnis von Naturkunde und Theologie in spätantiker und mittelalterlicher Literatur*, Berne — Francfort/M., 1974, p. 70 et ss.

120) Misch, *op. cit.*, p. 34 et ss.

121) Thomas de Cantimpré, *op. cit.*, I, 1, ch. 29 à 31, p. 273 et ss.

122) K. Wilson, *Wikked wyves and blythe bachelers. Secular Mysogamy from Juvenal to Chaucer* (Ph. D., thèse dactylographiée ; dept of Comparative Literature, University of Illinois, Urbana, 1980).

123) Belting, *op. cit.*

124) G. von der Osten, *Der Schmerzensmann*, Berlin, 1935.

125) New York, Cloisters, fol. 331r.

126) New York, Morgan Library, ms. 90, fol. 13v ; cf. M. Meiss, *French Painting in the Time of Jean de Berry*, Londres — New York, 1967, vol. 2, ill. 545 (v. 1375).

127) W. Hofmann (*Luther und die Folgen für die Kunst* (exposition Hambourg, Kunsthalle, 1983), Munich, 1983, p. 649, n° 531) n'hésite pas à comparer l'enluminure du *Bréviaire* de Bonne de Luxembourg avec une oeuvre érotique contemporaine.

128) Paris, Musée Jacquemart-André, ms. 2, fol. 242 ; cf. M. Meiss, *The Boucicaut Master*, Londres — New York, 1968, ill. 44.

129) P. Kristeller, *Holzschnitte im königlichen Kupferstichkabinett zu Berlin*, 2. Reihe, Berlin, 1915, n° 99 (Schreiber 1789).

130) Ainsi Landsperge, *Pharetra divini amoris*, I, 5, cité par : Bainvel, *op. cit.*, p. 289.

131) Kristeller, *op. cit.*, n° 178 (Schreiber 1805).

132) C. W. Bynum, *Jesus as Mother. Studies in the Spirituality of the High Middle Ages*, Berkeley — Los Angeles — Londres, 1982, p. 110-169.

133) Cité dans : Hamon, *op. cit.*, p. 174, d'après l'édition Vivès des *Oeuvres* de saint Bonaventure, t. 12, p. 643 : « *Quantumcumque me pariat, scio quod semper sunt vulnera aperta, et per ea in ejus uterum iterum introibo, et hoc toties replicabo quousque ero sibi inseparabiliter conglobatus* ». Hamon trouve dans ce passage un « odieux réalisme » et un « atroce mauvais goût ».

134) Steinberg, *op. cit.*, p. 56 et ss.

135) Cf. note 109.

136) Steinberg, *op.cit.*, p. 27 et s.

137) Debongnie, *op. cit.*

138) L. Beirnaert, « Note sur les attaches psychologiques du symbolisme du coeur chez sainte Marguerite-Marie », in : *Le Coeur*, Paris, 1950 (Etudes carmélitaines, t. 16), p. 228-233.

139) Henri Suso, *L'oeuvre mystique*, éd. B. Lavaud, Paris, 1946, t. 1, p. 156 et s (*Vita*, I, 18).

140) Cf. note 67. Jacques Berlioz nous a aimablement signalé l'existence d'une version du miracle au début du XIVe siècle, dans un recueil d'*exempla*, le *Ci nous dit* (éd. G. Blangez, Paris, 1986, t. 2, p. 205).

141) Suso, *Loc. cit.*

142) Denys le Chartreux, *De dignitate et laudibus B. V. Mariae libri IV*, I, 31 (*Opera omnia*, Tournai, 1896-1913, t. 36, p. 58).

143) *Dictionnaire de théologie catholique*, article : « communion eucharistique », t. 3, p. 565 et s.

144) C'est le cas sur un vitrail de l'église Saints-Cosme-et-Damien à Vézelise (1er quart du XVIe siècle) et dans la *Lactation* d'Allaert Claeyssins (+1531), conservée à la cathédrale de Bruges. Cf. Dupeux, *op. cit.*, n° 49 et 56.

145) Cologne, Wallraf-Richartz-Museum ; cf. Dupeux, *op. cit.*, n° 25.

146) [Alain de la Roche], *Unser lieben frawen psalter und von den dreien rosen kräntzen...*, Ausbourg, L. Zeisselmair, 1495, fol. A VIr.

147) Friedländer, Rosenberg, *op. cit.*, n° 201 (Vienne, Kunsthistorisches Museum).

148) Bonne étude du thème par Dieter Koepplin dans : *Martin Luther und die Reformation in Deutschland* (exposition, Nuremberg Germanisches Nationalmuseum, 1983), Francfort/M., 1983, p. 333 et ss.

149) *Id.*, n° 452, p. 340.

150) *Placides et Timéo ou li secrés as philosophes*, éd. C. A. Thomasset, Paris — Genève, 1980 (Textes littéraires français, t. 289), p. 101 et ss.

151) M. Godelier, *La production des grands hommes*, Paris, 1982, p. 90 et ss.

152) Y. Verdier, *Façons de dire, façons de faire : la laveuse, la couturière, la cuisinière*, Paris, 1979, p. 19 et ss.

153) K. Burdach, *Der Graal. Forschungen über seinen Ursprung und seinen Zusammenhang mit der Longinuslegende*, Stuttgart, 1938, p. 78 et ss.

154) Epiphane, *Panarion*, 26, 4-5 ; cité par H. Leisegang, *La gnose*, trad. fr., Paris, 1971, p. 134 et s.

155) Russell, *op. cit.*, p. 86 et ss.

156) N. Cohn, *Démonolâtrie et sorcellerie au Moyen Age*, trad. fr., Paris, 1982, p. 41.

157) Russell, *op. cit.*, p. 120.

158) Etienne de Bourbon, *op. cit.*, p. 322 et ss, n° 366 et 367.

159) Sainte Mechtilde, *Le livre de la grâce spéciale. Révélations de sainte Mechtilde, vierge de l'ordre de saint Benoît*, trad. fr., Tours, 1920, 1. 3, ch. 22, p. 267 et s.

160) *Id.*, 1. 5, ch. 30, p. 429.

161) Cf. Beirnaert, *op. cit.*

162) *Diables et diableries. La représentation du diable dans la gravure des XVe et XVIe siècles* (exposition, Genève, Cabinet des estampes, 1976), Genève, 1976, p. 19 et ss.

BIBLIOGRAPHIE

ABÉLARD, *Dialectica*, éd. L. M. de Rijk, Assen, 1959.

Acta sanctorum, Anvers Paris, 1643.

[ALAIN DE LA ROCHE], *Unser lieben frawen psalter und von den dreien rosen kräntzen...*, Ausbourg, L. Zeisselmair, 1495.

ALFARIC (P.), HOEPFFNER (E.), *La chanson de sainte Foy*, Paris, 1926, 2 vol.

AMANN (E.), *L'époque carolingienne*, Paris, 1937 (A. Fliche, V. Martin, *Histoire de l'Eglise*, t. 6).

ANDERSSON (C.), *Dirnen — Krieger — Narren. Ausgewählte Zeichnungen von Urs Graf*, Bâle, 1978.

ANSELME (Saint), *Opera omnia*, éd. F. S. Schmitt, Edinburg, 1946-1961.

ASSUNTO (R.), *Die Theorie des Schönen im Mittelalter*, Cologne, 1963.

AUGUSTIN (Saint), *Liber de diversis quaestionibus* (*Patrologie latine*, vol. 40).

BAINVEL (J. V.), *La dévotion au Sacré-Coeur de Jésus. Doctrine Histoire*, Paris, 1921.

BALTRUSAITIS (J.), *Formations, déformations. La stylistique ornementale dans la sculpture romane*, 2e éd., Paris, 1986.

BARTH (M.), *Die Verehrung des heiligen Josef im Elsass*, Haguenau, 1970.

BASTGEN (H.), « Das Capitulare Karls d. Gr. über die Bilder oder die sogenannten Libri Carolini », in : *Neues Archiv der Gesellschaft für ältere deutsche Geschichtskunde*, t. 37 (1912), p. 455-53.

BAXANDALL (M.), *The Limewood Sculptors of Renaissance Germany*, New Haven — Londres, 1980.

BELMONT (N.), *Mythes et croyances dans l'ancienne France*, Paris, 1973.

BELTING (H.), *Das Bild und sein Publikum im Mittelalter. Form und Funktion früher Bildtafeln der Passion*, Berlin, 1981.

BERNARD (saint), *Apologia ad Guillelmum* (*Patrologie latine*, t. 182, col. 895-918 ; *Opera*, Rome, 1957-1977, p. 81-108).

Oeuvres mystiques, trad. A. Béguin, Paris, 1953.

BEVAN (E.), *Holy Images. An Inquiry into Idolatry and Image-Worship in Ancient Paganism and in Christianity*, Londres, 1940.

BLANCHÉ (R.), *La logique et son histoire d'Aristote à Russell*, Paris, 1970.

BOCHENSKI (I. M.), *Formale logik*, Munich, 1956.

BOÈCE, *In Isagogen Porphyrii Commenta*, éd. S. Brandt, Vienne — Leipzig, 1906 (Corpus scriptorum ecclesiasticorum latinorum, vol. 38).

— *La consolation de la philosophie*, éd. A. Bocognano, Paris, 1937.

— *Opera omnia* (Migne, *Patrologie latine*, t. 64).

BONOMO (G.), *Caccia alle streghe*, Palerme, 1959.

BOUILLET (A.), SERVIÈRES (L.), *Sainte Foy, vierge et martyre*, Rodez, 1900.

BOURDIEU (P.), *La distinction. Critique sociale du jugement*, Paris, 1979.

BRAUNFELS (W.), *Abendländische Klosterbaukunst*, Cologne, 1969.

BREDEKAMP (H.), *Kunst als Medium sozialer Konflikte. Bilderkämpfe von der Spätantike bis zur Hussitenrevolution*, Francfort/Main, 1975.

BRÉHIER (E.), *La philosophie du Moyen Age*, 2e éd., Paris, 1971.

BRÜCKNER (W.), *Bildnis und Brauch. Studien zur Bildfunktion der Effigies*, Berlin, 1966.

BURDACH (K.), *Der Graal. Forschungen über seinen Ursprung und seinen Zusammenhang mit der Longinuslegende*, Stuttgart, 1938.

BYNUM (C. W.), *Jesus as Mother. Studies in the Spirituality of the High Middle Ages*, Berkeley — Los Angeles — Londres, 1982.

CABROL (F.), LECLERCQ (H.), *Dictionnaire d'archéologie chrétienne et de liturgie*, Paris, 1907-1953.

Cambridge History of Later Medieval Philosophy, éd. N. Kretzmann, A. Kenny, J. Pinborg, Cambridge University Press, 1982.

CAMÈS (G.), *Allégories et symboles dans l'Hortus deliciarum*, Leyde, 1971.

CARONTINI (E.), PÉRAYA (D.), *Le projet sémiotique. Eléments de sémiotique générale*, Paris, 1975.

CHARLEMAGNE, *Opera omnia (Patrologie latine*, vol. 98).

Libri carolini, éd. H. Bastgen, Hanovre— Leipzig, 1924 (Monumenta Germaniae historica, Concilia II suppl).

Charlemagne. Oeuvre, rayonnement et survivances (exposition), Aix–la–Chapelle, 1965.

CHASTEL (A.), *Fables, Formes, Figures*, Paris, 1978, 2 vol.

Ci nous dit, éd. G. Blangez, Paris, 1979-1986, 2 vol.

COHN (N.), *Démonolâtrie et sorcellerie au Moyen Age*, trad. fr., Paris, 1982.

CONRAD DE MEGENBERG, *Planctus Ecclesiae*, éd. P. Schulz, Leipzig, 1941 (Monumenta Germaniae Historica, 2. Staatsschriften, II, 1).

CURTIUS (E. R.), *La littérature européenne et le Moyen Age latin*, trad. fr., Paris, 1956.

DE BRUYNE (E.), *Etudes d'esthétique médiévale*, Bruges, 1946 (Recueil de travaux de l'Université de Gand, vol. 97-99).

DAVY (M.-M.) , *Initiation à la symbolique romane (XIIe siècle)*, Paris, 1964.

DE CLERQ (C.), *La législation religieuse franque de Clovis à Charlemagne*, Louvain — Paris, 1936.

DEICHMANN (F.-W.), *Ravenna, Hauptstadt des spätantiken Abendlandes*, Wiesbaden, 1958-1976.

DEMUS (O.), *Byzantine Art and the West*, New York, 1970.

DENYS L'ARÉOPAGITE, *Oeuvres complètes*, trad. M. de Gandillac, Paris, 1943.

Opera (Patrologie grecque, vol. 3).

DENYS LE CHARTREUX, *Opera omnia*, Tournai, 1896-1913.

DE RIJK (L. M.), *Logica Modernorum. A Contribution to the History of Early Terministic logic*, vol. 1: *On the Twelfth Century Theories of Fallacy*, Assen, 1962.

DEUCHLER (F.), *Duccio*, Milan, 1984.

Diables et diableries. La représentation du diable dans la gravure des XVe et XVIe siècles (exposition, Genève, Cabinet des estampes, 1976), Genève, 1976.

DRAGONETTI (R.), *La vie de la lettre au Moyen Age (Le conte du Graal)*, Paris, 1980.

DUPEUX (C.), *Etude iconographique de la lactation de saint Bernard* (mémoire de maîtrise dactylographié, Université de Strasbourg II, 1984).

ECO (U.), *La structure absente*, trad. fr., Paris, 1972.

ETIENNE DE BOURBON, *Anecdotes historiques, légendes et apologues*, éd. A. Lecoy de la Marche, Paris, 1877.

FEBVRE (L.), *Le problèmes de l'incroyance au XVIe siècle. La religion de Rabelais*, Paris, 1968 (1ère éd., 1942).

FOLZ (R.), *Le couronnement impérial de Charlemagne. 25 décembre 800*, Paris, 1964.

FOSTER (M. B.), *The Iconography of Saint Joseph in Netherlandish Art, 1400-1550* (Ph. D., Kansas University), Ann Arbor, 1978.

FRAENGER (W.), *Le royaume millénaire de Jérôme Bosch*, trad. fr., Paris, 1966 (1ère éd. allem., 1947).

FRIEDLÄNDER (M. J.), ROSENBERG (J.), *Les peintures de Lucas Cranach*, trad. fr., Paris, 1978.

GAIFFIER (B. de), *Etudes critiques d'hagiographie et d'iconologie*, Bruxelles, 1967 (Subsidia hagiographica, vol. 43).

— *Recherches d'hagiographie latine*, Bruxelles, 1971 (Subsidia hagiographica, vol. 52).

GAILLARD (G.), GAUTHIER (M.-M.), *Rouergue roman*, La-Pierre-qui-Vire, 1963.

GARLAND LE COMPUTISTE, *Dialectica*, éd. L.M de Rijk, Assen, 1959.

GARNIER (F.), *Le langage de l'image au Moyen Age. Signification et symbolique*, Paris, 1982.

GEARY (P.), « L'humiliation des saints », in : *Annales E. S. C.*, t. 34 (1979), p. 27-42.

GEILER VON KAYSERSBERG (J.), *Von dem Hasen im Pfeffer*, in: *Das Buch Granatapfel...*, Augsbourg, J. Otmar, 1510 ; rééd. Strasbourg, J. Knoblouch, 1511.

GEISBERG (M.), *Der Meister E.S.*, Leipzig, 1924 (Meister der Graphik, vol. 10).

GERKE (F.), *La fin de l'art antique et les débuts de l'art chrétien*, trad. fr., Paris, 1973.

GERVAIS DE TILBURY, *Otia imperialia*, éd. F. Liebrecht, Hanovre, 1856.

GILBERT DE POÎTIERS, Commentaire du *De Trinitate* de Boèce (*Patrologie latine*, vol. 64, col. 1255-1300).

GILSON (E.), *L'Etre et l'essence*, Paris, 1948.

— *La philosophie au moyen-âge*, (rééd.) Paris, 1976, 2 vol.

— *La théologie mystique de saint Bernard*, Paris, 1934.

GODELIER (M.), *La production des grands hommes*, Paris, 1982.

GRABAR (A.), *L'âge d'or de Justinien*, Paris, 1966.

— *Les voies de la création en iconographie chrétienne: Antiquité et Moyen Age*, Paris, 1979.

— « Le trône des martyrs », in : *Cahiers archéologiques*, t. 6 (1952), p. 31-41.

— *Martyrium. Recherches sur le culte des reliques et l'art chrétien antiques*, Paris, 1943-1946, 3 vol.

— « Plotin et les origines de l'esthétique médiévale », in : *Cahiers archéologiques*, t. 1 (1945), p. 15-34.

GRANGER (G. G.), *Wittgenstein*, Paris, 1969.

Grünewald et son oeuvre. Actes de la table ronde organisée par le Centre National de la Recherche Scientifique à Strasbourg et Colmar du 18 au 21 octobre 1974, Strasbourg, 1976.

GUERREAU (A.), *Le féodalisme. Un horizon théorique*, Paris, 1980.

— « Renaud de Bâgé : Le bel Inconnu, structure symbolique et signification sociale », in : *Romania*, t. 103 (1982), p. 28-82.

GUERREAU-JALABERT (A.), « Sur les structures de parenté dans l'Europe féodale », in : *Annales E. S. C.*, t. 36 (1981), p. 1028-1049.

GUILLAUME D'AUVERGNE, *Opera omnia*, Paris, 1674, 2 vol. ; reprint Francfort/M., 1963).

GUILLAUME DE LORRIS, JEAN DE MEUN, *Le roman de la rose*, trad. A. Lanly, Paris, 1973-1975.

GUILLAUME D'OCKHAM, *Summa logicae*, éd. Ph. Boehner, New-York, 1974.

GUILLAUME DURAND, *Rationale divinorum officiorum*, Lyon, 1584.

GULDAN (E.), *Eva und Maria. Eine Antithese als Bildmotiv*, Graz — Cologne, 1966.

HAENDLER (G.), *Epochen karolingischer Theologie*, Berlin, 1958.

HAMON (A.), *Histoire de la dévotion au Sacré-Coeur*, t. 2, L'aube de la dévotion, Paris, 1925.

HANSEN (J.), *Quellen und Untersuchungen zur Geschichte des Hexenwahns*, Bonn, 1901 (reprint, Hildesheim, 1963).

HEITZ (C.), *Recherche sur les rapports entre architecture et liturgie à l'époque carolingienne*, Paris, 1963.

HENRI SUSO, *L'oeuvre mystique*, éd. B. Lavaud, Paris, 1946.

HENRY (D. P.), *Medieval Logic and Metaphysics. A Modern Introduction*, Londres, 1972.

— *The Logic of Saint Anselm*, Oxford, 1967.

HOFMANN (W.), *Luther und die Folgen für die Kunst* (exposition Hambourg, Kunsthalle, 1983), Munich, 1983.

HUBERT (J.), PORCHER (J.), VOLBACH (W. F.), *L'empire carolingien*, Paris, 1968.

HUBERT (J. et M.-C.), « Piété chrétienne ou paganisme ? Les statues-reliquaires de l'Europe carolingienne » , in : *Settimane di studio del Centro italiano di studi sull'medio aevo*, t. 28 (1982), p. 237-275.

HUIZINGA (J.), *Le déclin du Moyen Age*, trad. fr. rééd., Paris, 1967.

IHM (C.), *Die Programme der christlichen Apsismalerei vom vierten Jahrhundert bis zur Mitte des achten Jahrhunderts*, Wiesbaden, 1960.

ISAMBERT (F.-A.), *Le sens du sacré. Fête et religion populaire*, Paris, 1982.

JACQUES DE VORAGINE, *La légende dorée*, trad. J.- B.-M. Roze, rééd. Paris, 1967, 2 vol.

JACQUES DE VORAGINE, *Leben der Heiligen*, Augsbourg, G. Zainer, 1471-1472.

JEAN GERSON, *Oeuvres complètes*, éd. Mgr Glorieux, Tournai — Rome, 1960-1973.

JEAN SCOT ERIGENE, *Super Ierarchiam Caelestem S. Dionysii* (*Patrologie latine*, vol. 122).

KANTOROWICZ (E.), *Laudes regiae. A Study in Liturgical Acclamations and Mediaeval Ruler Worship*, Berkeley — Los Angeles, 1958.

— *The King's two Bodies. A Study in Medieval Political Theology*, Princeton, 1957.

— « Zu den Rechtsgrundlagen der Kaisersage », in : *Deutsches Archiv für Erforschung des Mittelalters*, t. 13 (1957), p. 115-150.

KELLER (H.), *Das Nachleben des antiken Bildnisses von der Karolingerzeit bis zur Gegenwart*, Fribourg/B., 1970.

KIRSCHBAUM (E.), *Lexikon der christlichen Ikonographie*, Fribourg/B., 1968-1976, 8 vol.

KITZINGER (E.), « On Some Icons of the Seventh Century », in : *Late Classical and Mediaeval Studies in Honor of Albert Mathias Friend Jr.*, éd. K. Weitzmann, Princeton, 1955, p. 132-150.

— « The Cult of Images in the Age before Iconoclasm », in : *Dumbarton Oaks Papers*, t. 8 (1954), p. 85-150.

KLAPISCH (C.), « Les rites nuptiaux toscans entre Giotto et le concile de Trente », in: *Annales E.S.C.*, t. 34 (1979), p. 1216-1243.

KLEIN (R.), *La forme et l'intelligible*, Paris, 1970.

KNEALE (W. et M.), *The Development of Logic*, Oxford, 1962.

KOTARBINSKI (T.), *Leçons sur l'histoire de la logique*, trad. fr., Varsovie, 1965.

KRISTELLER (P.), *Holzschnitte im königlichen Kupferstichkabinett zu Berlin*, 2. Reihe, Berlin, 1915.

KUBACH (E.), ELBERN (V. H.), *L'art de l'empire au début du Moyen Age*, trad. fr., Paris, 1973.

Kunst um 1400 am Mittelrhein. Ein Teil der Wirklichkeit (catalogue d'exposition, Francfort/M., Liebighaus), Francfort/M., 1975.

LADNER (G. B.), « The Concept of the Image in the Greek Fathers and the Byzantine Iconoclastic Controversy », in : *Dumbarton Oaks Papers*, t. 7 (1953), p. 1-34.

LEACH (E. R.), *L'unité de l'homme et autres essais*, trad. fr., Paris, 1980.

Le Coeur, Paris, 1950 (Etudes carmélitaines, t. 16).

LE GOFF (J.), *Pour un autre Moyen Age*, Paris, 1977.

LEHMANN (P.), *Die Parodie im Mittelalter*, 2e éd., Stuttgart, 1963.

LEISEGANG (H.), *La gnose*, trad. fr., Paris, 1971.

Les fastes du gothique. Le siècle de Charles V (exposition, Paris, Grand Palais, 1981), Paris, 1981.

LEVI-STRAUSS (C.), *Anthropologie structurale*, Paris, 1958.

— *La pensée sauvage*, Paris, 1962.

— *Les structures élémentaires de la parenté*, Paris — La Haye, 1967 (1ère éd., 1949).

— *Le totémisme aujourd'hui*, Paris, 1962.

— *Mythologiques*, Paris, 1965-1973, 4 vol.

LEVY-BRUHL (L.), *Carnets*, Paris, 1949.

Liber miraculorum sancte Fidis, éd. A. Bouillet, Paris, 1897.

LOT (F.), *Recueil des travaux historiques*, éd. Ch. E. Perrin, Genève, 1968-1973.

LUBAC (H. de), *Corpus mysticum. L'Eucharistie et l'Eglise au Moyen Age*, Paris, 1944.

— *Surnaturel. Etudes historiques*, Paris, 1946.

MALE (E.), *L'art religieux du XIIIe siècle en France*, Paris, 1958, 2 vol. (1ère éd., 1898).

MAROT (C.), *L'adolescence clémentine*, éd. V.-L. Saulnier, Paris, 1958.

Martin Luther und die Reformation in Deutschland (exposition, Nuremberg Germanisches Nationalmuseum, 1983), Francfort/M., 1983.

MAUSS (M.), *Oeuvres*, éd. V. Karady, Paris, 1968.

MAYER (A. L.), « Mater et filia. Ein Versuch zur stilgeschichtlichen Entwicklung eines Gebetsausdrucks », in : *Jahrbuch für Liturgiewissenschaft*, t. 7 (1927), p. 60-82.

MECHTILDE (Sainte), *Le livre de la grâce spéciale. Révélations de sainte Mechtilde, vierge de l'ordre de saint Benoît*, trad. fr., Tours, 1920.

MEISEN (K.), *Die Sagen vom wütenden Heer und wilden Jäger*, Münster/W., 1935.

— *Nikolauskult und Nikolausbrauch im Abendlande. Eine kultgeschichtlich-volkskundliche Untersuchung*, Düsseldorf, 1931.

MEISS (M.), *French Painting in the Time of Jean de Berry*, Londres — New York, 1967-1974.

— *Painting in Florence and Siena after the Black Death*, New York, 1964.

MENNE (A.), *Logik und Existenz. Eine logistiche Analyse der kategorischen Syllogismusfunktoren und das Problem der Nullklasse*, Meissenheim/Glan, 1954.

MIGNE (J.-P.), *Patrologie grecque*.

— *Patrologie latine*.

MISCH (M.), *Apis est animal. Apis est Ecclesia. Ein Beitrag zum Verhältnis von Naturkunde und Theologie in spätantiker und mittelalterlicher Literatur*, Berne—Francfort/M., 1974.

MOODY (E. A.), *Truth and Consequence in Medieval Logic*, Amsterdam, 1953.

MORTET (V.), DESCHAMPS (P.), *Recueil de textes relatifs à l'histoire de l'architecture...*, Paris, 1911-1929, 2 vol.

MUTHERICH (F.), GAEHDE (J. E.), *Carolingian Painting*, New York, 1976.

MURNER (T.), *Die Geuchmatt*, éd. E. Fuchs, Berlin — Leipzig, 1931 (Deutsche Schriften, t. 5).

— *Die Narrenbeschwörung*, éd. M. Spanier, Berlin — Leipzig, 1926 (Deutsche Schriften, t. 2).

Mystique et continence, Paris, 1952 (Etudes carmélitaines, t. 19).

OLEARIUS (P.), *De fide concubinarum in sacerdotes*, Worms, Comiander, [s. d.].

OTTO (G.), *Bernhard Strigel*, Munich — Berlin, 1964.

OULMONT (Ch.), *Le verger, le temple et la cellule. Essai sur la sensualité dans les oeuvres de la mystique religieuse*, Paris, 1912.

PANOFSKY (E.), *Architecture gothique et pensée scolastique*, trad. fr., Paris, 1967 (1ère éd. angl., 1951).

— *Early Netherlandish Painting. Its Origins and Character*, rééd. New York, 1971, 2 vol.

— *Essais d'iconologie*, trad. fr., Paris, 1967 (1ère éd. angl., 1939).

— *La perspective comme forme symbolique et autres essais*, trad. fr., Paris 1975.

— *La Renaissance et ses avant-courriers dans l'art d'Occident*, trad. fr., Paris, 1976.

— « Zwei Dürerprobleme », in : *Münchner Jahrbuch der bildenden Kunst*, n. s., t. 8 (1931), p. 1-17.

PEIRCE (Ch. S.), *Collected Papers*, Cambridge (Mass.), 1931-1960.

— *Ecrits sur le signe*, trad. G. Deledalle, Paris, 1978.

— *Philosophal Writings*, éd. J. Buchler, 2e éd. New-York, 1975.

PFLEGER (L.), « Geiler von Kaysersberg und die Kunst seiner Zeit », in : *Elsässische Monatschrift für Geschichte und Volkskunde*, t. 1 (1910) p. 428-434.

PICAVET (F.), *Roscelin, philosophe et théologien d'après la légende et d'après l'histoire*, Paris, 1911.

PIERRE D'ESPAGNE , *Summulae logicales*, éd. I. M. Bochenski, Rome, 1947.

Placides et Timéo ou li secrés as philosophes, éd. C. A. Thomasset, Paris — Genève, 1980 (Textes littéraires français, t. 289).

PLATTE (H.), *Meister Bertram in der Hamburger Kunsthalle*, Hambourg, 1982.

PORPHYRE, *Isagoge*, trad. fr. J. Tricot, Paris, 1947.

— *Isagoge et in Aristotelis Categorias Commentarium*, éd. A. Busse, Berlin, 1887 (Commentaria in Aristotelem graeca, vol. IV).

PRANTL (K.), *Geschichte der Logik im Abendlande*, Leipzig, 1855-1870, 4 vol. (rééd., Graz, 1955 en 3 vol.).

Procès de condamnation de Jeanne d'Arc, trad. P. Tisset, Paris, 1970.

RABELAIS (F.), *Oeuvres complètes*, éd. J. Boulenger, Paris, 1955.

RANDALL (L. M. C.), *Images in the Margins of Gothic Manuscripts*, Berkeley, 1966.

RAYMOND (P.), *Matérialisme dialectique et logique*, Paris, 1977.

Reallexikon zur deutschen Kunstgeschichte, Stuttgart, 1937 -.

REAU (L.), *Iconographie de l'art chrétien*, Paris, 1955-1959, 6 vol.

RICHSTÄTTER (K.), *Die Herz-Jesu-Verehrung des deutschen Mittelalters*, 2e éd., Ratisbonne, 1924.

RÖHRIG (F.), *Der Verduner Altar*, Vienne, 1955.

RUHMER (E.), *Mathias Grünewald. Zeichnungen. Gesamtausgabe*, Cologne, 1970.

RUSSELL (B.), *Signification et vérité*, trad. fr., Paris, 1959.

RUSSEL (J. B.), *Witchcraft in the Middle Ages*, Ithaca — Londres, 1972, p. 73.

SAINTYVES (P.), *Les saints successeurs des dieux*, Paris, 1907.

SAUERLÄNDER (W.), « L'Allemagne et la *Kunstgeschichte* », in : *Revue de l'Art*, t. 45 (1979), p. 4-8.

— *La sculpture gothique en France, 1140-1270*, trad. fr., Paris, 1972.

SCHADT (H.), *Die Darstellungen der Arbores Consanguinitatis und der Arbores Affinitatis in juridischen Handschriften*, Tubingen, 1982.

SCHAPIRO (M.), *Style, artiste et société*, trad. fr., Paris, 1982.

— *Words and Pictures. On the Literal and the Symbolic in the Illustration of a Text*, La Haye Paris, 1973.

SCHEDEL (H.), *Weltchronik*, Nuremberg, Anton Koberger, 1493 (reprint, Dortmund, 1978).

SCHILLER (G.), *Ikonographie der christlichen Kunst*, Gütersloh, 1966.

SCHLOSSER (J. von), *Quellenbuch zur Kunstgeschichte des abendländischen Mittelalters*, Vienne, 1896 (Quellenschriften für Kunstgeschichte, n. s., t. 7).

— *Schriftquellen zur Geschichte des karolingischen Kunst*, Vienne, 1892 (Quellenschriften für Kunstgeschichte, n. s., t. 4).

SCHMITT (J. - C.), *Le saint lévrier. Saint Guinefort, guérisseur d'enfants depuis le XIIIe siècle*, Paris, 1974.

SCHMITZ (H. J.), *Die Bussbücher und die Bussdisziplin der Kirche*, Mayence-Dusseldorf, 1883-1898, 2 vol. (rééd. Graz, 1958).

SCHNITZLER (H.),« Das Kuppelmosaik der Aachener Pfalzkapelle », in : *Aachener Kunstblätter*, t. 29 (1964), p. 17-44.

SCHOLZ (H.), *Esquisse d'une histoire de la logique*, trad. fr., Paris, 1968.

SCHRAMM (A.), *Der Bilderschmuck der Frühdrucke*, Leipzig, 1920-1943.

SEIDEL (M.), « Ubera Matris. Die vielschichtige Bedeutung eines Symbols in der mittelalterlichen Kunst », in : *Städel-Jahrbuch*, t. 6 (1977) p. 41-98.

SEITZ (J.), *Die Verehrung des hl. Josef in ihrer geschichtlichen Entwicklung bis zum Konzil von Trient dargestellt*, Fribourg/B., 1908.

SIMSON (O. von), *The Gothic Cathedral*, rééd. Princeton, 1974.

SINDING-LARSEN (S.), *Iconography and Ritual. A Study of Analytical Perspectives*, Oslo, 1984.

STANGE (A.), *Deutsche Malerei der Gotik*, Berlin, 1934-1953 (reprint, Nendeln, 1969).

STEINBERG (L.), *La sexualité du Christ dans l'art de la Renaissance et son refoulement moderne*, trad. fr., Paris, 1987.

SUGER, *Oeuvres complètes*, éd. A. Lecoy de la Marche, Paris, 1867.

TALBOT RICE (D.), *Art of the Byzantine Era*, Londres, 1963.

TARALON (J.), *Les trésors des églises de France*, Paris, 1966.

— « Le trésor de Conques », in : *Bulletin de la Société Nationale des Antiquaires de France* (1954-1955), p. 47-54.

TERTULLIEN , *De Paenitentia. De Pudicitia*, éd. P. de Labriolle, Paris, 1906.

THOMAS DE CANTIMPRE, *Bonum universale de apibus*, Douai, 1627.

THUILLIER (J.), Article: « Pompiers », in : *Encyclopaedia Universalis*, supplément, Paris, 1980, t. 2, p. 1177-1180.

TREXLER (R.), « La vie ludique dans la Nouvelle-Espagne. L'empereur et ses trois rois », in : *Les jeux à la Renaissance*, éd. J.-C. Margolin et P. Ariès, Paris, 1982, p. 81-93.

TURNER (E. et V.), *Image and Pilgrimage in Christian Culture. Anthropological Perspectives*, New York, 1978.

VACANT (A.), MANGENOT (E.), *Dictionnaire de théologie catholique*, Paris, 1903-1972.

VAISSE (P.), BIANCONI (P.), *Tout l'oeuvre peint de Grünewald*, Paris, 1973.

VAUCHEZ (A.), *La sainteté en Occident aux derniers siècles du Moyen Age*, Rome, 1981.

VERDIER (P.), *Le couronnement de la Vierge. Les origines et les premiers développements d'un thème iconographique*, Paris — Montréal, 1980.

VERDIER (Y.), *Façons de dire, façons de faire: la laveuse, la couturière, la cuisinière*, Paris, 1979.

VERZONE (P.), *L'art du haut Moyen Age en Occident de Byzance à Charlemagne*, trad. fr., Paris, 1975.

VINTLER (H.), *Die Blumen der Tugent*, éd. I. von Zingerle, Innsbruck, 1874.

VOGEL (C.), *Le pécheur et la pénitence au Moyen-Age*, Paris, 1969.

VON DER OSTEN (G.), *Der Schmerzensmann*, Berlin, 1935.

VON DEN STEINEN (V.), « Entstehungsgeschichte der Libri Carolini », in : *Quellen und Forschungen aus italienischen Archiven*, t. 21 (1929-1930), p. 1-93.

— « Karl der Grosse und die Libri Carolini », in : *Neues Archiv der Gesellschaft für ältere deutsche Geschichtskunde*, t. 49 (1930), p. 207-280.

WALAFRID STRABON, *Opera*, (*Patrologie latine*, vol. 114).

WARBURG (A.), « Art italien et astrologie internationale au palais de Schifanoia à Ferrare », trad. fr., in : *Symboles de la Renaissance*, éd. D. Arasse, vol. 2, Paris, 1982, p. 41-51.

— *Gesammelte Schriften*, Leipzig — Berlin, 1932.

WASSERSCHLEBEN (F. W. H.), *Die Bussordnungen der abendländische Kirche*, Halle, 1851 (rééd. Graz, 1958).

WEITZMANN (K.), *The Monastery of Saint Catherine at Mont Sinai. The Icons*, vol. 1, Princeton, 1976.

WERNER (K. F.), « Liens de parenté et noms de personne. Un problème historique et méthodologique », in : *Famille et parenté dans l'Occident médiéval* (colloque, Paris, 1974), éd. G. Duby et J. Le Goff, Rome, 1977, p. 13-18, 25-34.

WILLIAM DE SHYRESWOOD , *Introductiones in logicam*, éd. M. Grabmann, Munich, 1937.

WILPERT (J.), *Die Malereien der Katakomben Roms*, Fribourg/B., 1903, vol. 2.

WILSON (K.), *Wikked wyves and blythe bachelers. Secular Mysogamy from Juvenal to Chaucer* (Ph. D., thèse dactylographiée ; dept of Comparative Literature, University of Illinois, Urbana, 1980).

WIRTH (J.), « La naissance du concept de croyance (XIIᵉ-XVIIᵉ siècle) », in : *Bibliothèque d'Humanisme et Renaissance*, t. 45 (1983), p. 7-58.

— « Sainte Anne est une sorcière », in : *Bibliothèque d'Humanisme et Renaissance*, t. 40 (1978), p. 449-480.

WITTGENSTEIN (L.), *Leçons et conversations*, trad. fr., Paris, 1971.

— *Tractatus logico-philosophicus*, Francfort/M., 1964 (1ère éd., 1921).

ZAPPERI (R.), *L'homme enceint. L'homme, la femme et le pouvoir*, trad. fr., Paris, 1983.

— « Potere politico e cultura figurativa: la reppresentazione della nascita di Eva », in : *Storia dell'arte italiana*, t. 10, Turin, 1981, p. 377-442.

LISTE DES ILLUSTRATIONS

Couverture: Maître du retable de saint Barthélémy, *Mariage mystique de sainte Agnès*, Nuremberg, Germanisches Nationalmuseum.

1. *Arbre généalogique*, H. Schedel, *Weltchronik*, Nuremberg, A. Koberger, 1493, fol. 90r.

2. *Judas*, [Jacques de Voragine], *Leben der Heiligen, Winterteil*, Augsbourg, G. Zainer, 1471, fol. 218v.

3. *La Dialectique avec l'arbre de Porphyre*, Darmstadt, Hessische Landesbibliothek, ms. 2282, fol. 1v.

4. *Scènes de l'histoire de Moïse*, Rome, Santa Maria Maggiore, mosaïques de la nef.

5. *Le paiement de Judas*, Ravenne, San Apollinare Nuovo, registre supérieur de la nef.

6. *Procession de vierges saintes*, Ravenne, San Apollinare Nuovo, registre inférieur de la nef.

7. Fresque-icône de Turtura dans la catacombe de Comodilla (528), Rome.

8. *Saint Démétrius entouré du préfet Léonce et de l'évêque Jean*, Salonique, Saint-Démétrius.

9. Abside VI du monastère Saint-Apollon à Baouît, peintures murales du cul-de-four, Le Caire, Musée Copte.

10. Couvercle en bois peint d'un reliquaire du VIe siècle, Rome, Museo Apostolico Vaticano.

11. *Crucifixion*, plaque de reliure en ivoire, Narbonne, Trésor de la cathédrale.

12. Saint-Benoît de Malles, peintures murales de la paroi orientale.

13. *Adoration de l'Agneau*, Evangiles de Saint-Médard de Soissons, Paris, Bibliothèque Nationale, ms. latin 8850, fol. 1v.

14. *Portrait de saint Marc*, Evangiles de Saint-Médard de Soissons, Paris, Bibliothèque Nationale, ms. latin 8850, fol. 81v.

15. *Initiale Q de l'Evangile selon saint Luc*, Evangiles de Saint-Médard de Soissons, Paris, Bibliothèque Nationale, ms. latin 8850, fol. 124r.

16. *Portrait d'évangéliste*, Evangiles de Xanten, Bruxelles, Bibliothèque Royale, ms. 18723, fol. 16v.

17. *Main de Dieu et tétramorphe*, Evangiles de Fleury, Berne, Burgerbibliothek, codex 348, fol. 8v.

18. Statue-reliquaire de sainte Foy, Sainte-Foy de Conques, Trésor.

19. *Vierge à l'Enfant*, Clermont-Ferrand, Bibliothèque municipale, ms. 145, fol. 134r.

20. *Christ en majesté*, Toulouse, basilique Saint-Sernin.

21. Statues-colonnes du Portail Royal, cathédrale de Chartres.

22. *Vierge dorée*, Amiens, cathédrale.

23. Tympan du couronnement de la Vierge, cathédrale de Senlis.

24. Hans Springinklee, *Miracle de sainte Wilforte* (1513), gravure sur bois.

25. *Créâtion d'Eve*, Palerme, Chapelle palatine.

26. *Crucifixion symbolique*, Bible moralisée, Paris, Bibliothèque Nationale, ms. latin 11560, fol. 186r.

27. *Création d'Eve*, d'après le manuscrit détruit de l'*Hortus deliciarum*, fol. 17r.

28. *Adoration des mages*, Chauvigny, Eglise Saint-Pierre.

29. *Dragon dévorant des âmes*, Chauvigny, Eglise Saint-Pierre.

30. *Arbre d'affinité*, Henri de Suse, *Summa copiosa*, Paris, Bibliothèque Nationale, ms. latin 4000, fol. 186r.

31. Nicolas de Verdun, *Annonce à Abraham*, ambon de Klosterneuburg.

32. Nicolas de Verdun, *Annonciation*, ambon de Klosterneuburg.

33. Nicolas de Verdun, *Sein d'Abraham*, ambon de Klosterneuburg.

34. Nicolas de Verdun, *Circoncision d'Isaac*, ambon de Klosterneuburg.

35. *Arbre de Jessé*, Psautier de Shaftesbury, Londres, British Museum, codex Landsdowne 383, fol. 15r.

36. *Diable et femme*, Moissac, porche de l'abbaye, relief dans l'entrée.

37. *Arrestation du Christ*, Livre d'Heures de Jeanne d'Evreux, fol. 15v, The Metropolitan Museum of Art, The Cloisters Collection.

38. Maître de la *Tabula magna* de Tegernsee, *Crucifixion*, Nuremberg, Germanisches Nationalmuseum.

CRÉDITS PHOTOGRAPHIQUES

Biblioteca Apostolica Vaticana (10)
Bibliothèque Nationale, Paris (13, 14, 15, 26, 30, 40)
Bibliothèque Royale, Bruxelles (16)
British Museum, Londres (35)
Burgerbibliothek, Berne (17)
Caisse Nationale des Monuments Historiques et des Sites
– Joubert / © C.N.M.H.S./ S.P.A.D.E.M. (11,18)
– Lefevre–Pontalis / © Arch. Phot. Paris / S.P.A.D.E.M. (20, 21, 22)
– J. Feuillie / © Arch. Phot. Paris / S.P.A.D.E.M. (28, 29)
– © Arch. Phot. Paris / S.P.A.D.E.M. (23)
Germanisches Nationalmuseum, Nuremberg (couverture, 38)
Hessische Landesbibliothek (3)
Hessisches Landesmuseum, Darmstadt (48)
I.R.H.T. (C.N.R.S.) (19)
Koninklijke Bibliotheek, La Haye (56)
Kunsthalle, Hambourg, (© Ralph Kleinhempel) (42)
Kunsthistorisches Museum, Vienne (41, 47)
Photo André Held, Ecublens (8)
Rheinisches Bildarchiv, Cologne (46, 55)
Roger–Viollet – (36)
– Photo Anderson–Viollet (4, 5, 6, 25)
Städelsches Kunstinstitut, Francfort, (Photo Ursula Edelmann) (39)
Stisftsmuseum, Klosterneuburg (31, 32, 33, 34)
The Metropolitan Museum of Art, The Cloisters Collection, New York (37, 51)
Tiroler Landesmuseum Ferdinandeum, Innsbruck (44, 45)
Trinity College Library, Cambridge (50)

INDEX DES NOMS DE PERSONNES ET DE LIEUX

TABLE DES MATIÈRES

Achevé d'imprimer en janvier 1989
sur les presses de l'imprimerie Laballery
58500 Clamecy